D1579822

STEPHEN KING

NACHT SCHICHT

Kurzgeschichten

BASTEI
LÜBBE

BASTEI LÜBBE TASCHENBUCH
Band 13 160

1.-19. Auflage: 1988-1999
20. Auflage: Januar 200
21. Auflage: August 2002

Vollständige Taschenbuchausgabe

Bastei Lübbe Taschenbücher ist ein Imprint
der Verlagsgruppe Lübbe

Titel der amerikanischen Originalausgabe: Night Shift
© 1976/1977/1978 by Stephen King
All rights reserved
© für die deutschsprachige Ausgabe 1988 by
Verlagsgruppe Lübbe GmbH & Co. KG,
Bergisch Gladbach
Übersetzernachweis und Einzelcopyrights
am Ende des Buches
Titelillustration: Bavaria Bildagentur
Umschlaggestaltung: QuadroGrafik, Bensberg
Druck und Verarbeitung:
Brodard & Taupin, La Flèche, Frankreich
Printed in France
ISBN 3-404-13160-6

Sie finden uns im Internet unter
http://www.luebbe.de

Der Preis dieses Bandes versteht sich einschließlich
der gesetzlichen Mehrwertsteuer.

Inhalt

Vorwort

Unterhalten wir uns, Sie und ich. Unterhalten wir uns über Angst.

Das Haus ist leer, während ich diese Zeilen schreibe. Draußen fällt ein kalter Februar-Regen. Wenn der Wind aus der Richtung weht, aus der er gerade weht, haben wir manchmal Stromausfall. Aber im Augenblick brennt das Licht noch, also reden wir ganz aufrichtig über Angst. Reden wir darüber, wie man an den Rand des Wahnsinns kommt... und vielleicht auch noch ein Stück darüber hinaus.

Ich heiße Stephen King. Ich bin ein erwachsener Mann mit einer Frau und drei Kindern. Ich liebe sie, und ich glaube, daß dieses Gefühl erwidert wird. Mein Job ist das Bücherschreiben, und dieser Job gefällt mir sehr gut. Zur Zeit bin ich körperlich in einigermaßen gesunder Verfassung. Während des letzten Jahres habe ich geschafft, mir statt des filterlosen Krauts, das ich seit meinem achtzehnten Geburtstag geraucht habe, leichte Filterzigaretten mit niedrigem Nikotin- und Teergehalt anzugewöhnen. Ich hoffe immer noch, daß ich es mir eines Tages ganz abgewöhne. Meine Familie und ich leben in einem hübschen Haus neben einem relativ sauberen See in Maine. Im letzten Herbst wachte ich eines Morgens auf und sah einen Hirsch auf dem Rasen hinter unserem Haus neben dem Gartentisch. Wir führen ein gutes Leben.

Trotzdem... reden wir über Angst. Wir wollen die Stimme dabei nicht heben, und wir werden nicht schreien. Wir unterhalten uns auf einer völlig rationalen Ebene, Sie und ich. Wir reden über die Art, auf die sich das schöne Gefüge der Dinge unserer Welt manchmal mit schockierender Plötzlichkeit auflöst.

Wenn ich abends ins Bett gehe, achte ich noch immer sorgfältig darauf, daß meine Beine schön unter der Decke liegen, sobald ich das Licht ausknipse. Ich bin kein kleiner Junge mehr, aber... ich schlafe nicht gerne mit einem aufgedeckten Bein. Denn wenn eine kalte Hand von unter dem Bett nach meinem Fußgelenk greift, dann würde ich laut kreischen. Ja, ich würde schreien, daß die Toten aufwachen. Natürlich passiert so etwas nicht, und wir alle wissen das. In den folgenden Geschichten werden Ihnen alle möglichen Arten von Nachtgeschöpfen begegnen: Vampire, Wiedergänger, das Ding, das im Kleiderschrank haust, jede Art von Horror. Nichts davon ist real. Das Ding, das unter dem Bett darauf lauert, meinen Fuß zu packen, ist nicht real. Ich weiß das, aber ich weiß auch, daß es mich nie erwischen wird, solange ich meinen Fuß gut unter der Decke halte.

Manchmal spreche ich vor Menschen, die an der Schriftstellerei oder an Literatur interessiert sind, und bevor das »Bitte stellen Sie jetzt dem Autor Ihre Frage« vorbei ist, steht immer jemand auf und stellt die Frage: »Warum haben Sie sich entschieden, über solche grauenvollen Dinge zu schreiben?«

Normalerweise antworte ich darauf mit der Gegenfrage: »Warum nehmen Sie an, ich hätte mir das frei aussuchen können?«

Das Schreiben ist eine Art »Catch-as-catch-can«. Wir alle scheinen bestimmte Sorten Filter im Kopf zu haben, und diese Filter haben ihre unterschiedlichen Größen und Dichten. Was in meinem hängenbleibt, kann bei Ihnen durchrutschen, und umgekehrt. Wir alle scheinen auch ein Bedürfnis eingebaut zu haben, uns das Zeug regelmäßig genauer anzusehen, das sich in unseren Wahrnehmungsfiltern ansammelt. In der Regel beschäftigen wir uns nebenher damit. Der Kassierer ist Hobbyphotograph. Der Astronom mag Münzen sammeln. Der Lehrer zeichnet in seiner Freizeit Grabsteine nach. Der Müll aus dem Filter im Kopf, was einem dort hängenbleibt, wird meist unsere private Leidenschaft – unser »Hobby«, wie wir uns in einer zivilisierten Gesellschaft geeinigt haben, die Sache zu nennen.

Manchmal kann dieses Hobby auch zu einer Vollzeitbeschäftigung werden. Der Kassierer stellt vielleicht fest, daß er mit seinen Photos genug Geld verdienen kann, um die Familie durchzubekommen. Und es gibt einige Beschäftigungen, die als Hobby beginnen und Hobbies bleiben, selbst wenn der Hobbyfreund damit längst seinen Lebensunterhalt verdient. Aber weil Hobby so ein gewöhnlich und alltäglich klingendes Wort ist, haben wir uns auch wortlos darauf geeinigt, daß wir unsere professionellen Hobbies »Kunst« nennen.

Malerei, Bildhauerei, Komposition, Gesang, Schauspielerei. Das Spielen eines Musikinstrumentes. Allein über diese sechs Beschäftigungen sind genug Bücher geschrieben worden, um damit eine ganze Flotte von Luxusdampfern zu versenken. Doch die einzige Sache, in der all diese Werke übereinstimmen, ist: wer immer Kunst praktiziert und es ernst damit meint, wird mit seiner Kunst auch fortfahren, selbst wenn er für seine Anstrengungen von niemandem einen Pfennig bekommt, selbst wenn seine Anstrengungen kritisiert oder abgelehnt werden, ja selbst wenn man ihm seine Kunst bei Todesstrafe verbieten würde. Für mich scheint dies eine recht passende Beschreibung von etwas zu sein, das man obsessives Verhalten nennt. Es gilt genauso für die schlichteren Hobbies. Waffensammler in den Staaten haben Autoaufkleber mit der Aufschrift: Meine Pistole bekommt nur, wer sie mir aus den toten Fingern windet! Falls morgen das Münzensammeln verboten wird, würde unser Astronom mit Sicherheit seine Sammlung nicht abliefern, sondern sie, in Plastik gewickelt, im Wassertank der Toilette versenken, um nach Mitternacht heimlich seine Kupferpfennige auf dem Klo zu genießen.

Wir scheinen uns von unserem Thema Angst entfernt zu haben, aber wir sind nicht weit vom Weg abgekommen. Das Zeug, das sich in meinem Filter ansammelt, ist oft der Stoff, aus dem unsere Ängste gemacht sind. Meine Obsession gilt dem Makabren. Keine der folgenden Geschichten habe ich wegen des Geldes geschrieben, auch wenn ein paar davon vorher an Zeitschriften verkauft wurden, auch wenn ich nie einen Scheck zurückgeschickt habe. Ich mag eine Obsession haben, aber verrückt bin ich nicht. Doch ich wiederhole: keine Geschichte wurde wegen des Honorars geschrieben. Ich schrieb sie alle, weil mir danach war, solche Geschichten zu schreiben. Meine Obsession läßt sich vermarkten. Es gibt Verrückte in den Gummizellen überall auf der Welt, die solches Glück nicht haben.

Ich bin kein großer Künstler, aber ich habe immer einen Drang zum Schreiben gespürt. Also schütte ich jeden Tag meinen Filter aus, sehe mir die Erinnerungsfetzen und Beobachtungsstücke an und versuche, etwas aus dem Zeug zu machen, was nicht direkt durch den Filter hindurch in mein Unterbewußtsein sinken kann.

Louis L'Amour, der Westernautor, und ich könnten zusammen am Rand eines kleinen Teiches in Colorado stehen, und wir könnten beide gleichzeitig die Idee zu einer Geschichte haben. Seine Story würde vom Krieg um Wasserrechte in der Trockenzeit handeln, meine wahrscheinlich von einem furchtbaren, lauernden Etwas, das aus dem stillen Wasser kriecht, um Schafe fortzuschleppen... und Pferde... und schließlich Menschen. Louis L'Amours Obsession ist die Zeit des »Wilden« Westens. Ich tendiere mehr zu den Dingen, die in mondlosen Nächten herumkriechen. Er schreibt Western, ich schreibe Gruselgeschichten. Beide haben wir nicht alle Tassen im Schrank.

Die Künste sind Leidenschaften, und Leidenschaften sind gefährlich. Sie sind wie ein Messer im Kopf. In einigen Fällen – Dylan Thomas fällt mir ein, oder Hart Crane und Sylvia Plath – kann das Messer den treffen, der es selbst führt. Kunst ist eine lokalisierte Krankheit, gewöhnlich gutartig – kreative Menschen werden oft sehr alt –, manchmal aber auch bösartig. Man benutzt das Messer vorsichtig, denn man weiß, es ist ihm gleich, wen es schneidet. Und wenn man klug ist, leert man auch seinen Filter im Kopf vorsichtig aus... denn von dem Zeug darin könnte einiges noch nicht ganz tot sein.

Die andere Frage, mit der ich bei Lesungen oder Signierstunden häufig konfrontiert werde, lautet: *Warum lesen Leute so was? Warum verkaufen sich Ihre Geschichten?*

Diese Frage impliziert eine unausgesprochene Vermutung – die Vermutung, daß die Lektüre einer Story der Angst und des Horrors irgendwie von einem ungesunden Geschmack zeugt. In Briefen von Lesern stoße ich oft auf Sätze wie: »Vielleicht bin ich ein wenig morbid, aber ich habe ›Shining‹ von der ersten bis zur letzten Seite genossen...«

Ich glaube, der Schlüssel zu dieser Einstellung läßt sich in einem Satz finden, den ich in einer Filmkritik in »Newsweek« zu einem nicht besonders guten Horror-Film fand. Er lautete ungefähr: »... ein wunderschöner Film für Leute, die Spaß daran finden, wenn sie einen Autounfall bemerken, langsam daran vorbeizufahren und ihn sich genau anzusehen.« Das ist eine gute, treffende Bemerkung, aber wenn man genauer darüber nachdenkt, trifft sie auf alle Horror-Filme und -Geschichten zu. George Romeros »*Die Nacht der lebenden Toten*« mit seinen grausamen Szenen von Kannibalismus und Muttermord war sicher ebenso ein Film für Leute, die sich gerne die Autounfälle genau ansehen; und wie war das wohl mit diesem kleinen Mädchen, das einen Priester mit Erbsensuppe bespuckte, in »*Der Exorzist*«? In Bram Stokers »*Dracula*«, den man oft als Muster des modernen Horror-Romans heranzieht (zu Recht, denn es ist der erste Roman seiner Art mit offenkundigen Freudschen Obertönen), kommt ein Verrückter namens Renfeld vor, der Fliegen herunterschlingt, Spinnen und schließlich einen ganzen Vogel. Er würgt den Vogel wieder aus, nachdem er ihn mit Federn und allem geschluckt hat. Zum Roman gehört auch die Pfählung – die rituelle Penetration, kann man sagen – eines jungen und schönen weiblichen Vampirs und der Mord an einem Baby und seiner Mutter.

Auch die große Literatur des Übernatürlichen weist oft dasselbe »Laß uns den Unfall genauer ansehen«-Syndrom auf: Beowulf erschlägt Grendels Mutter; der Erzähler in »*Das verräterische Herz*«, der seinen kranken Wohltäter umbringt und zerstückelt unter den Dielen versteckt; der grimmige Kampf von Sam, dem Hobbit, mit der Spinne Kankra in Tolkiens »Ring-Trilogie«.

Einige werden hier gegen diese Gedankenführung sehr entschieden einwenden, daß es auch subtilere Geschichten gibt, daß Henry James uns in »*Die Tortur*« keinen Autounfall zeigt, oder daß Nathaniel Hawthornes makabre Geschichten von wesentlich besserem Geschmack zeugen als »*Dracula*«. Doch dies ist ein unsinniger Einwand. Auch sie zeigen uns den Autounfall; die Leichen sind bei ihnen fortgeschafft, aber man kann noch immer die zerquetschten Autowracks mit dem Blut auf den Polstern sehen. In mancher Hinsicht ist sogar die klare Eindringlichkeit von Hawthorne, sein bewußtes Weglassen des Melodramatischen und sein gelehrter, vorsichtiger Tonfall der Rationalität noch viel schrecklicher als Lovecrafts Monstrositäten oder Poes Foltern in »*Die Grube und das Pendel*«.

Tatsache ist einfach – und im Grunde unseres Herzens wissen wir das fast alle –, daß nur sehr wenige an dem Unfall vorbeifahren können, ohne nicht einen schnellen, neugierigen und unbehaglichen Blick auf die Autowracks zu werfen, die da vom flackernden Blaulicht eingerahmt werden. Rentner schlagen die Zeitung erst einmal auf der Seite mit den Todesanzeigen auf, um zu sehen, wen sie überlebt haben. Wir alle sind für einen Augenblick unbehaglich gebannt, wenn wir erfahren, daß eine Janis Joplin gestorben ist, ein John Lennon oder sonst jemand, dessen Tod unerwartet eingetreten ist. Wir verspüren Entsetzen, vermischt mit einer eigenartigen Faszination, wenn wir in der Boulevard-Presse lesen, daß eine Frau auf einem kleinen Landflughafen während eines dichten Regenschauers in einen laufenden Propeller gestolpert ist, oder daß ein Mann von einer Stahlpresse erfaßt und zerquetscht wurde. Es ist nicht notwendig, weiter für diese offenkundige Tatsache zu argumentieren: Das Leben steckt voller großer und kleiner Schrecken, aber weil die kleinen Katastrophen diejenigen sind, die unsere Vorstellungskraft nicht überschreiten, sind sie es, die uns am deutlichsten mit unserer Sterblichkeit konfrontieren.

Unser Interesse an solchen Westentaschen-Schrecken läßt sich nicht leugnen, aber ebensowenig läßt sich unser angeekeltes Schaudern bestreiten. Beides mischt sich auf beunruhigende Weise, und ein Nebenergebnis dieser Mixtur scheinen

Schuldgefühle zu sein... Schuldgefühle, nicht unähnlich denjenigen, die wir beim Erwachen unserer Sexualität erleben.

Es ist nicht meine Sache, jemandem zu erzählen, hier seien Schuldgefühle angebracht, genausowenig wie ich meine Romane und Kurzgeschichten rechtfertigen will. Aber zwischen Sex und Furcht läßt sich eine interessante Parallele beobachten. Während wir zur körperlichen Fähigkeit zu sexuellen Beziehungen reifen, erwacht unser Interesse an solchen Beziehungen; dieses Interesse wendet sich, soweit es nicht pervertiert wird, auf natürliche Weise der Kopulation und damit der Erhaltung unserer Art zu. Während uns unser eigenes unvermeidliches Ende bewußt wird, erwacht in uns das Gefühl für Furcht. Und ich bin der Ansicht, daß, wie alle Kopulation letztlich der Selbsterhaltung dient, alle Furcht letztlich dem Begreifen unseres unabwendbaren Todes dient.

Es gibt die alte Geschichte über die sieben Blinden, die sieben verschiedene Teile eines Elefanten zu fassen bekommen. Einer von ihnen meinte, er hätte eine Schlange, ein anderer, er hätte ein riesiges Palmenblatt, ein dritter, er würde eine steinerne Säule berühren. Als sie ihre Beobachtungen dann zusammentrugen, stellten sie fest, daß es ein Elefant war.

Furcht ist die Emotion, die uns blind macht. Vor wie vielen Dingen fürchten wir uns? Wir fürchten uns, das Licht anzuknipsen, wenn wir nasse Hände haben. Wir fürchten uns, mit einem Messer im Toaster herumzustochern, um den angeschmorten Toast herauszubekommen, solange der Stekker noch nicht abgezogen ist. Wir fürchten uns vor dem, was der Arzt uns nach der Röntgenuntersuchung sagt; und genauso, wenn das Flugzeug plötzlich in ein Luftloch sackt. Wir fürchten uns davor, daß es mit dem Öl zu Ende geht, mit dem Trinkwasser, mit dem guten Leben. Wenn die Tochter versprochen hat, um elf Uhr zu Hause zu sein, und jetzt ist es Viertel nach zwölf und der Regen hämmert gegen die Fensterscheiben, sitzen wir vor dem Fernseher und tun so, als wollten wir uns unbedingt den Spätfilm ansehen, während wir immer wieder nach dem stummen Telefon schielen; und wir fühlen jene Emotion, die uns blind macht, die Emotion, die jeden vernünftigen Gedankengang ruiniert.

Der Säugling ist ein angstfreies Wesen, bis die Mutter ihm zum ersten Mal nichts zum Saugen in den Mund schieben kann, wenn er schreit. Das Kleinkind entdeckt schnell die erschreckenden und schmerzhaften Wahrheiten einer zuschlagenden Türe, des heißen Ofens, des Fiebers, das mit den Masern und dem Keuchhusten kommt. Kinder lernen Furcht schnell; sie lernen sie aus dem Gesicht des Vaters oder der Mutter, wenn die Eltern ins Badezimmer kommen und ihre Kleinen mit Rasierklingen oder Tablettenrollen spielen sehen.

Furcht macht uns blind, und wir nähern uns unseren Ängsten mit all der typischen Neugier des Selbstinteresses, indem wir versuchen, aus den Hunderten verschiedenen Ängsten auf das Ganze, die eine große Angst, zu schließen, genau wie die Blinden mit ihrem Elefanten.

Wir bekommen so langsam einen Eindruck von der Gestalt der Sache. Kinder erfassen sie leicht, vergessen sie wieder, um sie als Erwachsene erneut zu lernen. Die Sache ist da, und die meisten von uns kommen früher oder später zu der Erkenntnis, womit wir es bei ihr zu tun haben: Es ist die Gestalt eines Körpers unter einem Tuch. All unsere Ängste zusammen ergeben zusammen die eine große Furcht, all unsere Ängste sind Teil dieser einen Furcht – ein Arm, ein Bein, ein Finger, ein Ohr. Wir haben Angst vor dem Körper unter dem Tuch, dieser stummen reglosen Gestalt. Es ist unser Körper. Und die große Anziehungskraft der unheimlichen Phantastik war zu allen Zeiten, daß sie uns als Probeaufführung unseres eigenen Todes dient.

Das Genre hat sich selten besonderer literarischer Wertschätzung erfreut. Lange Zeit waren die Franzosen die einzigen Freunde von Poe und Lovecraft. Die Franzosen haben offenbar zu einem Arrangement mit dem Sex und dem Tod gefunden, zu dem sich Poes und Lovecrafts amerikanische Mitbürger nie durchringen konnten. Die Amerikaner waren zu eifrig damit beschäftigt Eisenbahnen und Flugplätze zu bauen, und Poe und Lovecraft starben gebrochen. Tolkiens Fantasy-Trilogie von Mittelerde verstaubte zwanzig Jahre in den Buchhandlungen, bis sie von einem Geheimtip zum Bucherfolg wurde. Und Kurt Vonnegut, dessen Bücher sich so oft mit dem Gedanken der Generalprobe des Todes beschäftigen, haben immer gegen eine wütende Kritik anzukämpfen gehabt, die sich teilweise bis zur Hysterie steigerte.

Das mag daran liegen, daß der Horror-Autor immer schlechte Nachrichten zu melden hat: du mußt sterben, sagt er; er erzählt Ihnen, daß Sie sich nichts aus all der aufbauenden Alltagspsychologie in der Art von »es wird Ihnen immer wieder etwas *Gutes* widerfahren« machen sollen, denn es wird Ihnen auch immer etwas *Schlechtes* passieren, und das könnte ein Schlaganfall sein, Krebs, ein Autounfall, aber es kommt bestimmt. Und er nimmt Sie bei der Hand, öffnet Ihnen Ihre Hand, führt Sie in das Zimmer und legt Ihre Hand auf die Form unter dem Tuch ... und sagt Ihnen, daß Sie diese Gestalt unter dem Tuch berühren sollen ... hier ... und hier ... und da ...

Natürlich ist das Thema der Angst und des Todes nicht exklusiv für den Horror-Autor reserviert. Eine ganze Reihe von Schriftstellern der sogenannten »Hochliteratur« haben sich mit diesen Fragen beschäftigt und auf die verschiedenste Art – von Dostojewski »Schuld und Sühne« über Edward Albees »Wer hat Angst vor Virginia Woolf« zu Ross MacDonalds Lew-Archer-Geschichten. Die Angst ist immer ein großes Thema gewesen. Der Tod ist immer eines gewesen. Sie sind zwei der menschlichen Konstanten. Aber nur der Autor von unheimlichen und phantastischen Geschichten gibt dem Leser die Möglichkeit zu einer totalen Identifikation und Katharsis. Wer in diesem Genre schreibt und auch nur die blasseste Ahnung hat von dem, was er da tut, weiß, daß es sich bei dem ganzen Gebiet der unheimlichen Phantastik um einen Filter zwischen dem Bewußtsein und dem Unterbewußtsein handelt. Horrorgeschichten sind wie ein U-Bahn-Hauptbahnhof in der menschlichen Psyche, wo sich die blaue Linie dessen, was wir uns unbesorgt aneignen, mit der roten Linie dessen kreuzt, was wir auf die eine oder andere Art wieder loswerden müssen.

Wenn man unheimliche Geschichten liest, glaubt man nicht wirklich, was der Autor da geschrieben hat. Wir glauben nicht an Vampire, Werwölfe oder Lastwagen, die plötzlich von selbst fahren. Die Schrecken, an deren Realität wir alle glauben, sind die, über die Dostojewski, Albee oder MacDonald schreiben: Haß, Entfremdung, ungeliebt alt werden zu müssen, auf unsicheren Teenagerbeinen in eine feindliche Erwachsenenwelt zu stolpern. In unserer realen Alltagswelt sind wir oft wie Theatermasken von Tragödie und Komödie, auf der Außenseite grinsend, nach innen Grimassen schneidend. Und irgendwo in uns gibt es eine Art zentrale Umschaltstelle, einen Transformator, wo die Drähte von den beiden Masken miteinander verbunden sind. Diese Stelle ist es, an der uns die Horrorgeschichte zu packen bekommt.

Der Horror-Autor unterscheidet sich nicht sehr vom walisischen Sündenesser, der die Sünden des teuren Verblichenen auf sich nimmt, indem er das Brot des teuren Verblichenen ißt. Die Geschichte der Monstrositäten und des Grauens ist ein Korb, vollgepackt mit Problemen; wenn der Schriftsteller vorbei kommt, nimmt man einen von seinen imaginären Schrecken aus dem Korb und legt einen eigenen wirklichen dafür hinein – für eine Zeitlang jedenfalls ...

Die Werke von Edward Albee, von Steinbeck, Camus, Faulkner – sie handeln von Angst und Tod, manchmal auch von Horror, aber für gewöhnlich befassen sich die Autoren der Hochliteratur auf eine realere, alltäglichere Weise damit. Ihre Werke gehören in den Rahmen der rationalen Welt; es sind Geschichten, die »passieren könnten«. Sie gehören zu der U-Bahn-Linie, die draußen durch die äußere Welt führt. Es gibt andere Autoren – James Joyce, Faulkner beherrscht beides, Lyriker wie T. S. Eliot oder Sylvia Plath und Anne Sexton –, deren Werk im Land des symbolischen Unterbewußtseins angesiedelt ist. Sie fahren mit der Linie, die durch die Landschaften der Innenwelt führt. Aber der Horror-Schreiber befindet sich fast immer an jenem zentralen Umsteigebahnhof, an dem sich alle Linien treffen. Wenn er sein Bestes gibt, haben wir oft jenes unheimliche Gefühl, nicht zu wachen und nicht zu schlafen, wenn die Zeit sich zur Endlosigkeit zerdehnt, wenn wir Stimmen hören, aber ihre Worte nicht verstehen, wenn der Traum uns real erscheint und die Realität wie ein Traum.

Ein seltsamer und wunderbarer Umsteigebahnhof ist das. Hill House befindet sich dort, wo die Züge in beide Richtungen abfahren, mit seinen geisterhaft verschlossenen Türen; die Ringgeister, die Frodo und Sam verfolgen, sind dort; und Pickmans Modell; der Wendigo; Norman Bates und seine furchtbare Mutter. Kein Wachen oder Träumen gibt es auf jenem Bahnhof, nur die Stimme des Autors ist da, gedämpft und rational, und sie erzählt davon, wie die solide Struktur der Wirklichkeit mit schockierender Plötzlichkeit einen Riß bekommen kann. Er erzählt dir, daß du den Autounfall sehen willst, und ja, er hat recht – du willst. Da ist eine tote Stimme am anderen Ende der Leitung mitten in der Nacht... hinter den Wänden des alten Hauses bewegt sich etwas, das sich größer als eine Ratte anhört... eine Bewegung im Dunkeln am Ende der Kellertreppe. Er will, daß du all diese Dinge siehst und noch mehr; er will, daß du deine Hand auf die Gestalt unter dem Tuch legst. Und du willst auch mit deinen Händen nach ihr fühlen. Ja, das willst du.

Dies sind einige von den Dingen, die eine Horrorgeschichte meinem Gefühl nach bewirkt, aber ich bin felsenfest überzeugt, daß sie außerdem noch etwas bewirken muß, und das vor allem anderen: Sie muß eine Geschichte erzählen, die den Leser oder Zuhörer für eine Weile in ihrem Bann hält, verloren in einer Welt, die niemals war und niemals sein kann. Mein ganzes Leben als Schriftsteller bin ich immer von einem überzeugt gewesen: In der Fiktion muß die Geschichte selbst so gut sein, daß sie alle anderen Qualitäten des Autors in den Schatten stellt; Charakterisierung, Stil, Thema, Stimmung, das alles bedeutet nichts, wenn die Geschichte langweilig ist. Und wenn die Geschichte fesselt, kann der Leser alles andere verzeihen. Meine Lieblingszeile in dieser Hinsicht stammt aus der Feder von Edgar Rice Burroughs, kein Kandidat für den Ruhm eines großen Dichters der Weltliteratur, aber jemand, der den Wert einer guten Geschichte völlig verstanden hat. Auf der ersten Seite von »The Land That Time Forgot« findet der Erzähler ein Manuskript in einer Flasche. Das restliche Buch besteht aus der Wiedergabe dieses Manuskriptes. Der Erzähler sagt: »Lesen Sie eine Seite, und ich bin vergessen.« Das ist ein Versprechen, das Burroughs hält – vielen Schriftstellern mit größerem Talent, als er es besaß, ist das nicht gelungen.

Stephen King

Briefe aus Jerusalem

2. Oktober 1850

Liebes Bones,
wie wohl es tat, in die kalte, zugige Halle hier von Chapelwaite zu treten, jeder Knochen von dieser gräßlichen Kutsche schmerzend und mit dem dringenden Bedürfnis, meine drükkende Blase zu erleichtern – und den Brief, adressiert in Deinem unnachahmlichen Gekritzel zu sehen, der auf dem häßlichen kleinen Kirschholztisch neben der Tür lehnte! Sei versichert, daß ich mich an seine Entzifferung gemacht habe, sobald ich die Bedürfnisse des Körpers erledigt hatte (in einem kühl ausgestatteten Badezimmer im unteren Stock, wo ich den Atem vor meinen Augen aufsteigen sehen konnte).

Es freut mich zu hören, daß Du von dem Miasma *genesen* bist, das so lange Deine Lunge befallen hatte, obwohl ich Dir versichern kann, daß ich vollstes Verständnis für das moralische Dilemma habe, in das Dich die Heilung gestürzt hat. Ein kränkelnder Abolitionist, der vom sonnigen Klima des Sklavenstaates Florida geheilt wird! Trotz und alledem, Bones, bitte ich Dich als Freund, der ebenfalls im finsteren Tal gewandelt ist, *gut* auf Dich aufzupassen und erst dann nach Massachusetts zurückzukehren, wenn es Dein Körper erlaubt. Was helfen uns Dein scharfer Geist und Deine spitze Feder, wenn Du Asche bist, und wenn der Süden eine heilsame Region ist, liegt in dieser Tatsache nicht poetische Gerechtigkeit?

Wirklich, das Haus ist genauso prachtvoll, wie ich es nach den Aussagen der Testamentsvollstrecker meines Cousins annehmen durfte, allerdings sehr düster. Es liegt auf einer gewaltigen, vorragenden Landspitze vielleicht drei Meilen nördlich von Falmouth und neun Meilen nördlich von Portland. Dahinter schließen sich etwa vier Morgen Land an, das auf unglaubliche Art und Weise verwildert ist – Wacholder, Gestrüpp, Gebüsch und verschiedene Arten von Kletterpflanzen ranken wild über die pittoresken Steinmauern, die den Besitz vom Stadtgebiet trennen. Abscheuliche Imitationen griechischer Statuen starren von kleinen Hügeln blind durch die Wildnis – meist scheint es, als warteten sie darauf, sich auf den Vorübergehenden zu stürzen. Der Geschmack meines Cousins hat anscheinend die ganze Stufenleiter von untragbar bis regelrecht schreckenerregend umfaßt. Inmitten eines offensichtlich ehemaligen Gartens habe ich eine seltsame kleine Laube entdeckt, die fast gänzlich von scharlachrotem Sumach überwuchert ist, und eine groteske Sonnenuhr. Dies vervollständigt den Eindruck des Wahnsinns.

Doch die Aussicht vom Salon entschädigt dafür mehr als genug; von hier habe ich einen schwindelerregenden Ausblick auf die Felsen am Fuß von Chapelwaite Head und auf den Atlantik, auf den ein großes, bauchiges Erkerfenster hinausgeht, neben dem ein mächtiger Sekretär steht. Er paßt ausgezeichnet, um mit jenem Roman zu beginnen, über den ich so lange (und zweifellos bis zum Überdruß) geredet habe.

Der heutige Tag war grau mit gelegentlichen Regengüssen. Wenn ich hinausblicke, gleicht alles einer Studie in Schiefer: die Felsen, alt und ausgelaugt wie die Zeit selbst, der Himmel und natürlich die See, die mit einem Geräusch gegen die zerklüfteten Granitfelsen unter mir kracht, das eigentlich kein Geräusch, sondern Vibration ist; ich kann die Wellen sogar jetzt, während ich schreibe, durch meine Füße spüren. Ein Gefühl, das nicht unbedingt unangenehm ist.

Ich weiß, daß Du meine Vorliebe für die Einsamkeit mißbilligst, lieber Bones, aber sei versichert, daß es mir gut geht und ich glücklich und zufrieden bin. Calvin ist bei mir, praktisch, schweigsam und zuverlässig wie immer, und ich bin sicher, daß wir beide bis Mitte der Woche alle wichtigen

20

Dinge geregelt und die nötigen Lieferungen aus der Stadt arrangiert haben – und daß dann eine Kompanie Reinigungsfrauen anfängt, den Staub aus diesem Haus zu vertreiben!

Ich werde jetzt schließen; es gibt so vieles, das ich noch nicht gesehen habe, Räume, die noch erforscht werden müssen, und zweifellos tausend scheußliche Möbelstücke, die diese sensiblen Augen noch begutachten müssen. Noch einmal meinen Dank für das Gefühl von Vertrautheit, das Dein Brief mitgebracht hat und für Deine beständige Freundschaft.

Alles Liebe für Deine Frau und für Dich,
CHARLES.

6. Oktober 1850

Liebes Bones,
welch ein Ort!

Er erstaunt mich immer wieder von neuem – genau wie die Reaktionen der Bewohner des nächstgelegenen Dorfes. Es handelt sich um einen seltsamen kleinen Ort mit dem pittoresken Namen Preacher's Corners. Hier hat Calvin unsere wöchentlichen Vorräte bestellt und gleichzeitig auch den zweiten Auftrag erledigt, sich um einen ausreichenden Vorrat an Klafterholz für den Winter zu kümmern. Cal kehrte jedoch mit düsterer Miene zurück, und als ich ihn fragte, was es denn gäbe, erwiderte er grimmig:

»Man hält Sie für verrückt, Mr. Boone!«

Ich lachte und antwortete, daß die Leute möglicherweise von der Gehirnentzündung gehört hätten, an der ich nach dem Tod meiner Sarah gelitten habe – damals habe ich sicher wild genug phantasiert, wie du bezeugen könntest.

Doch Cal beteuerte, daß niemand etwas von mir wisse, außer über meinen Cousin Stephen, der dort die gleichen Dienste in Auftrag gegeben hatte, wie ich es jetzt getan habe. »Was sie gesagt haben, Sir, war, daß jeder, der in Chapelwaite lebt, entweder verrückt sein muß oder Gefahr läuft, es zu werden.«

Ich war völlig perplex, wie Du Dir vielleicht vorstellen

kannst, und fragte ihn, woher er diese erstaunliche Aussage habe, worauf er mir erklärte, daß sie von einem mürrischen und törichten Holzfäller namens Thompson stamme, der vierhundert Morgen Kiefern-, Birken- und Fichtenbestand besitzt und der zusammen mit seinen fünf Söhnen Holz fällt, um es an die Sägewerke in Portland und die Haushalte in der unmittelbaren Umgebung zu verkaufen.

Als ihm Cal, der von seinem seltsamen Vorurteil nichts wußte, die Adresse nannte, zu der das Holz gebracht werden sollte, starrte ihn dieser Thompson mit weit offenem Mund an und sagte, daß er seine Söhne mit dem Holz schicken würde, bei hellem Tageslicht und über die Küstenstraße.

Calvin, der meine Belustigung offensichtlich als Besorgnis auslegte, beeilte sich hinzuzufügen, daß der Mann nach billigem Whisky gerochen habe und daß er danach in irgendwelchen Unsinn über ein verlassenes Dorf und Cousin Stephens Bindungen – und über Würmer verfallen sei! Calvin schloß das Geschäft dann mit einem von Thompsons Söhnen ab, der, wie ich verstanden habe, ziemlich unfreundlich war und dem Geruch nach selbst nicht ganz nüchtern zu sein schien. Offensichtlich ist Cal in Preacher's Corners selbst auf eine ähnliche Reaktion gestoßen, und zwar in der dortigen Gemischtwarenhandlung, wo er mit dem Ladenbesitzer gesprochen hat, obwohl es sich dabei wohl mehr um Klatsch handelt, wie man ihn sich hinter vorgehaltener Hand erzählt.

Ich mache mir weiter keine Gedanken darüber; wir wissen ja, wie gern die Landbevölkerung ihr Leben mit dem Geruch nach Skandal und Schauermärchen bereichert, und ich nehme an, daß der arme Stephen und seine Seite der Familie da ein dankbares Opfer waren. Wie ich Cal sagte, wenn ein Mann praktisch von seiner eigenen Veranda zu Tode stürzt, bleibt es natürlich nicht aus, daß die Leute reden.

Das Haus selbst ist eine ständige Quelle von Überraschungen. Dreiundzwanzig Zimmer, Bones! Die Holztäfelung in den oberen Etagen und die Gemäldegalerie sind zwar vom Schimmel befallen, aber im übrigen stabil. Als ich im Schlafzimmer meines verstorbenen Cousins im oberen Stock stand, konnte ich dahinter die Ratten rumoren hören. Den Geräuschen nach zu schließen, die sie verursachen, müssen es ziemlich große Tiere sein – es hört sich fast so an, als ob dort Menschen gingen. Ich möchte keiner im Dunkeln begegnen; übrigens auch nicht im Hellen. Seltsam ist allerdings, daß ich weder Löcher noch Kot bemerkt habe. Wirklich merkwürdig.

In der oberen Galerie hängen eine Reihe schlechter Portraits in Rahmen, die ein Vermögen wert sein müssen. Einige weisen eine gewisse Ähnlichkeit mit Stephen auf, wie ich mich seiner entsinne. Ich glaube, daß ich meinen Onkel Henry Boone und seine Frau Judith erkannt habe; die übrigen sind mir fremd. Ich nehme an, daß eins der Portraits mein eigener wohlbekannter Großvater Robert sein könnte. Stephens Seite der Familie ist mir aber gänzlich unbekannt, was ich aus ganzem Herzen bedaure. Das gleiche frohe Gemüt, das Stephens Briefe an Sarah und mich zeigten, der gleiche Ausdruck hoher Intelligenz, spiegeln sich in diesen Portraits wider, so schlecht sie auch sein mögen. Aus welch törichten Gründen sich doch Familien entzweien! Ein durchstöbertes Schreibpult, harte Worte zwischen Brüdern, die mittlerweile schon drei Generationen tot sind, und schuldlose Nachkommen werden unnötigerweise entfremdet. Ich muß immer wieder daran denken, was für ein Glück es doch war, daß es Dir und John Petty gelang, Kontakt zu Stephen aufzunehmen, als es schien, daß ich meiner Sarah aus dieser Welt folgen würde – und wie unglückselig es war, daß uns das Schicksal die Gelegenheit nahm, uns persönlich kennenzulernen. Wie gerne hätte ich Stephen die Statuen und Möbelstücke der Ahnen verteidigen hören!

Aber laß mich dieses Haus nicht allzu sehr verunglimpfen. Sicher, Stephens Geschmack war bestimmt nicht der meine, aber unter dem äußeren Anstrich der Dinge, die er hinzugefügt hat, gibt es Stücke (eine Reihe davon, in den oberen Zimmern, sind unter Schutztüchern verborgen), die wahre Meisterwerke sind. Da finden sich Betten, Tische und massive, dunkle Ornamente in Teak und Mahagoni, und viele der Schlaf- und Empfangszimmer sowie das obere Arbeitszimmer und der kleine Salon besitzen einen melancholischen Charme. Die Fußböden bestehen aus kostbarem Kiefernholz und schimmern in einem inneren und geheimen Licht. Hier findest Du Würde; Würde und das Gewicht von Jahren. Ich kann noch nicht sagen, daß es mir gefällt, aber ich respektiere es. Ich kann es kaum erwarten, zu sehen, wie es sich verändert, wenn wir uns im Kreislauf dieses nördlichen Klimas drehen.

Himmel, ich finde wieder einmal kein Ende! Schreibe bald, Bones. Berichte mir, welche Fortschritte Du machst und was Du Neues von Petty und den anderen weißt. Und bitte, begehe nicht den Fehler, neue Bekannte aus dem Süden *unbedingt* von Deinen Ansichten überzeugen zu wollen – ich habe mir sagen lassen, daß sich nicht alle damit begnügen, nur mit ihrem Mund zu antworten, wie zum Beispiel unser ermüdender *Freund*, Mr. Calhoun.

Herzlichst
Dein Freund CHARLES.

16. Oktober 1850

Lieber Richard,
Hallo, wie geht es Dir? Ich habe oft an Dich gedacht, seit ich hier in Chapelwaite meinen Wohnsitz aufgeschlagen habe, und hatte halb damit gerechnet, etwas von Dir zu hören – und jetzt bekomme ich einen Brief von Bones, in dem er mir schreibt, daß ich vergessen habe, im Club meine Adresse zu hinterlassen! Du kannst sicher sein, daß ich so oder so irgendwann geschrieben hätte, denn manchmal scheint es, daß meine echten und loyalen Freunde das einzig Sichere und völlig Normale sind, das mir in dieser Welt geblieben ist. Aber, mein Gott, wie weit verstreut wir nun sind! Du in Boston, wo Du immer noch getreu für den *Liberator* schreibst (dem ich übrigens auch meine Adresse geschickt habe), Hanson in England, auf einer seiner verwünschten *Vergnügungsexkursionen*, und der arme alte Bones mitten in der *Höhle des Löwen*, wo er seine Lunge kuriert.

Hier läuft alles so gut, wie man erwarten kann, Dick; sei versichert, daß ich Dir noch ausführlich Bericht erstatte, wenn meine Zeit nicht mehr ganz so sehr von gewissen Ereignissen in Anspruch genommen wird, die sich hier abspielen – ich glaube, gewisse Vorfälle in Chapelwaite und der näheren Umgebung könnten durchaus dazu angetan sein, das Interesse deines Juristengeistes zu wecken.

Aber in der Zwischenzeit möchte ich Dich um einen Gefallen bitten, wenn Du Dich darum kümmern willst. Erinnerst Du Dich noch an diesen Historiker, den Du mir damals beim Dinner bei Mr. Clary vorgestellt hast? Ich glaube, sein Name war Bigelow. Wie dem auch sei, er erwähnte, daß er es sich zum Hobby gemacht habe, alles zu sammeln, was er an sonderbaren historischen Überlieferungen bekommen könne, die sich genau auf die Gegend beziehen, in der ich jetzt wohne. Meine Bitte ist nun die: Würdest Du Dich mit ihm in Verbindung setzen und ihn fragen, welche Fakten, Überlieferungen oder allgemeine Gerüchte – wenn überhaupt – ihm über ein kleines, verlassenes Dorf namens Jerusalem's Lot bekannt sind, das am Royal River in der Nähe einer Gemeinde namens Preacher's Corners liegt? Der Fluß ist ein Nebenfluß des Androscoggin und fließt etwa elf Meilen vor der Mündung dieses Stroms in der Nähe von Chapelwaite in den Androscoggin. Du würdest mir damit einen großen Gefallen erweisen, und, was noch wichtiger ist, es könnte von einiger Bedeutung sein.

Beim Durchgehen dieses Briefes merke ich, daß ich ein bißchen kurz mit Dir war, Dick, was ich aufrichtig bedaure. Aber sei gewiß, daß ich Dir schon bald alles erklären werde. Bis dahin liebe Grüße an Deine Frau, Deine beiden prächtigen Söhne und natürlich an Dich

Herzlichst

Dein Freund CHARLES.

16. Oktober 1850

Liebes Bones,
ich habe Dir etwas zu berichten, das sowohl Cal wie auch mir
etwas sonderbar (um nicht zu sagen beunruhigend) erscheint –
sieh selbst, was Du davon hältst. Sonst mag es einfach dazu
dienen, Dich zu unterhalten, während Du Dich mit den Moskitos herumschlägst!

Zwei Tage nachdem ich meinen letzten Brief an Dich aufgegeben habe, traf eine Gruppe von vier jungen Frauen aus
Preacher's Corners unter der Aufsicht einer ältlichen Dame mit
furchteinflößend kompetenter Miene namens Mrs. Cloris hier
ein, um das Haus in Ordnung zu bringen und einen Teil des
Staubs zu entfernen, der meine Nase bei jedem zweiten Schritt
zum Niesen gereizt hatte. Sie machten allesamt einen etwas
nervösen Eindruck, als sie sich an die Arbeit machten; eine
törichte junge Dame stieß sogar einen leisen Schrei aus, als ich
den Salon betrat, während sie dort Staub wischte.

Als ich Mrs. Cloris deswegen fragte (sie war gerade dabei, die
Halle unten mit einer grimmigen Entschlossenheit abzustau-
ben, die Dich wirklich überrascht hätte; das Haar hatte sie mit
einem alten, verblichenen Tuch hochgebunden), drehte sie sich
zu mir herum und antwortete mit entschlossener Miene: »Sie
mögen das Haus nicht, und ich mag es auch nicht, Sir, denn es
ist immer schon ein *schlechtes* Haus gewesen.«

Das Kinn fiel mir bei dieser unerwarteten Feststellung herunter, und sie fuhr in einem etwas freundlicheren Ton fort: »Ich
will damit nicht sagen, daß Stephen Boone nicht ein anständiger Mann war, denn das war er. Solange er hier wohnte, habe
ich für ihn jeden zweiten Donnerstag saubergemacht, genau
wie ich für seinen Vater, Mr. Randolph Boone, saubergemacht
habe, bis er und seine Frau achtzehnhundertsechzehn verschwanden. Mr. Stephen war ein guter und freundlicher
Mann, und das scheinen Sie auch zu sein (Sie mögen mir meine
Direktheit verzeihen, aber ich kann mich nicht anders ausdrük-
ken), doch dieses Haus ist *schlecht*, und das ist es immer
gewesen, und kein Boone ist hier glücklich gewesen, seit sich

Ihr Großvater Robert und sein Bruder Philip wegen gestohlener (und hier zögerte sie, fast schuldbewußt) Dinge siebzehnhundertneunundachtzig entzweiten.«

Was für ein Gedächtnis diese Leute doch haben, Bones!

»Das Haus wurde im Unglück gebaut, die, die hier lebten, waren unglücklich, Blut ist auf seinem Boden vergossen worden (ich weiß nicht, ob Dir bekannt ist, Bones, daß mein Onkel Randolph in einen Unfall auf der Kellertreppe verwikkelt war, bei dem seine Tochter Marcella den Tod fand; er nahm sich anschließend in einem Anfall von Reue selbst das Leben. Stephen hat den Zwischenfall in einem seiner Briefe an mich erwähnt, den er anläßlich des traurigen Ereignisses des Geburtstags seiner verstorbenen Schwester schrieb), Menschen sind verschwunden und Unfälle sind passiert.

Ich arbeite schon lange hier, Mr. Boone, und ich bin weder blind noch taub. Ich habe schreckliche Geräusche in den Wänden gehört, Sir, schreckliche Geräusche – dumpfe Schläge und Poltern, und einmal ein sonderbares Heulen, das halb wie Gelächter klang. Das Blut ist mir regelrecht in den Adern erstarrt. Es ist ein böses Haus, Sir.« Hier brach sie ab, vielleicht aus Angst, daß sie zuviel gesagt hatte.

Was mich selbst betraf, so wußte ich kaum zu sagen, ob ich beleidigt oder amüsiert, neugierig oder einfach ganz sachlich sein sollte. Ich glaube, daß ich an diesem Tag wohl in erster Linie amüsiert war. »Und was vermuten Sie, Mrs. Cloris? Geister, die mit ihren Ketten rasseln?«

Doch sie sah mich nur merkwürdig an. »Es mag schon sein, daß es hier Geister gibt. Aber das in den Wänden sind keine Geister. Es sind keine Geister, die wie die Verdammten heulen und klagen und die in der Dunkelheit poltern und herumtappen. Es sind...«

»Kommen Sie, Mrs. Cloris«, half ich nach. »Sie haben schon so viel gesagt, nun bringen Sie endlich zu Ende, was Sie begonnen haben.«

Ein sonderbarer Ausdruck aus Entsetzen, Gekränktheit und – ich könnte darauf schwören – religiöser Ehrfurcht huschte über ihr Gesicht. »Manche sterben nicht«, flüsterte sie. »Manche leben im Zwielicht dazwischen, um – Ihm zu dienen!«

Und das war das Ende. Ich versuchte noch ein paar Minuten lang, mehr aus ihr herauszuholen, doch sie wurde nur immer verstockter und wollte nichts mehr sagen. Schließlich gab ich es auf, da ich fürchtete, sie möge sich sonst aufraffen und das Haus verlassen.

Dies ist das Ende der einen Episode, doch es sollte eine weitere am nächsten Abend folgen. Calvin hatte unten ein Feuer angefacht, während ich im Wohnzimmer saß, eine Ausgabe des *Intelligencer* vor mir, und dem Geräusch des windgepeitschten Regens lauschte, der gegen das große Erkerfenster prasselte. Es war so gemütlich, wie es nur sein kann an einem solchen Abend, wenn draußen alles trostlos und drinnen alles warm und behaglich ist, doch dann erschien einen Augenblick später Cal in der Tür. Er sah aufgeregt und ein bißchen nervös aus.

»Sind Sie wach, Sir?« fragte er.

»Kaum noch. Was gibt's?«

»Ich habe oben etwas gefunden, das Sie sehen sollten, wie ich meine«, antwortete er mit dem gleichen Ausdruck unterdrückter Erregung.

Ich erhob mich und folgte ihm. Als wir die breite Treppe hinaufstiegen, meinte Calvin: »Ich war im oberen Studierzimmer und las gerade in einem Buch – ein recht merkwürdiges Buch –, als ich ein Geräusch in der Wand hörte.«

»Ratten«, gab ich zurück. »Und das ist alles?«

Calvin blieb am Ende der Treppe stehen und sah mich ernst an. Die Lampe, die er in der Hand hielt, warf unheimliche, bedrohliche Schatten auf die dunklen Vorhänge und die schattenhaften Portraits, die jetzt nicht mehr zu lächeln, sondern eher boshaft zu grinsen schienen. Draußen erhob sich der Wind zu einem flüchtigen Schrei und verstummte dann widerwillig.

»Keine Ratten«, widersprach Cal. »Es war ein dumpfes Poltern und Tappen, das von irgendwo hinter den Bücherregalen kam, und dann folgte ein gräßliches Gurgeln – wirklich gräßlich, Sir. Und ein Kratzen, als ob irgend etwas versuchte, herauszukommen und ... und sich auf mich zu stürzen!«

Du kannst Dir mein Erstaunen vorstellen, Bones, denn Calvin ist ganz sicher nicht der Typ, der zu hysterischen Phantastereien neigt. Langsam gewann ich den Eindruck, daß es hier doch irgendein Geheimnis gab – ein Geheimnis, das vielleicht tatsächlich garstig war.

»Und dann?« wollte ich wissen. Wir gingen den Gang hinunter, und ich konnte sehen, daß aus dem Studierzimmer Licht auf den Boden der Galerie fiel. Ich registrierte es mit einem Gefühl der Beklemmung; der Abend schien keineswegs mehr gemütlich.

»Das Kratzen hörte auf. Einen Augenblick später fingen wieder diese dumpfen, schlurfenden Geräusche an, doch diesmal bewegten sie sich von mir weg. Einmal brach es ab, und ich kann beschwören, daß ich ein seltsames, fast unhörbares Lachen vernahm! Ich ging zum Bücherregal und fing an zu drücken und zu ziehen, weil ich dachte, daß es dort vielleicht ein Geheimfach oder eine Geheimtür geben könnte.«

»Und – hast du eine gefunden?«

Cal blieb vor der Tür zum Studierzimmer stehen. »Nein – aber ich habe dies hier gefunden!«

Als wir eintraten, sah ich ein quadratisches schwarzes Loch im linken Regal. Die Bücher an dieser Stelle waren nichts weiter als Attrappen, und was Cal entdeckt hatte, war ein kleines Versteck. Ich leuchtete mit meiner Lampe hinein, sah aber nichts außer einer dicken Staubschicht, Staub, der Jahrzehnte alt sein mußte.

»Da drinnen war nur das«, erklärte Cal ruhig und reichte mir ein verblichenes Stück Papier. Es handelte sich um eine Karte, die in hauchdünnen schwarzen Tintenstrichen gezeichnet war – die Karte einer Stadt oder eines Dorfes. Es umfaßte etwa sieben Gebäude, und unter einem, das deutlich mit einem Turm gekennzeichnet war, standen die Worte: *Der Wurm Der Verderben Bringt.*

In der oberen linken Ecke war ein Pfeil, der in die Richtung zeigte, die der Nordwesten dieses kleinen Dorfes gewesen sein muß, und unter ihm stand: *Chapelwaite.*

»Im Ort, Sir«, fuhr Calvin fort, »erwähnte jemand abergläubisch ein verlassenes Dorf namens Jerusalem's Lot, von dem sich alle fernhalten.«

»Aber was soll das hier?« fragte ich und deutete auf die sonderbaren Worte unter dem Turm.

»Ich weiß es nicht.«

Plötzlich mußte ich an das denken, was Mrs. Cloris gesagt hatte. »Der Wurm...« murmelte ich.

»Wissen Sie irgend etwas, Mr. Boone?«

»Vielleicht... es könnte ganz interessant sein, wenn wir uns dieses Dorf morgen einmal ansehen, was meinst du, Cal?«

Er nickte, und seine Augen strahlten. Anschließend verbrachten wir noch fast eine Stunde damit, nach irgendeiner Spalte in der Wand hinter dem kleinen Versteck zu suchen, das Cal gefunden hatte, aber ohne Erfolg. Auch die Geräusche, die Cal beschrieben hatte, traten nicht wieder auf.

Schließlich begaben wir uns zur Ruhe, ohne daß an jenem Abend noch etwas passiert wäre.

Am folgenden Morgen machten sich Calvin und ich auf unseren Marsch durch den Wald. Es regnete nicht mehr, aber der Himmel war düster und von tiefhängenden Wolken überzogen. Ich konnte sehen, daß Cal mich zweifelnd betrachtete, und ich beeilte mich, ihm zu versichern, daß ich nicht zögern würde, das Unternehmen abzubrechen, wenn ich müde werden oder der Weg sich als zu lang herausstellen sollte. Wir hatten uns mit einem Lunchpaket, einem guten Kompaß und natürlich der seltsamen alten Karte von Jerusalem's Lot ausgerüstet.

Es war ein eigenartiger, brütender Tag; kein Vogel sang, und wir hörten auch keine anderen Tiere, als wir uns durch den großen, finsteren Kiefernbestand in südöstlicher Richtung vorwärtsbewegten. Das einzige Geräusch war das unserer Schritte und das monotone Donnern des Atlantiks, der gegen die Küste schlug. Der Geruch der See, der fast unnatürlich schwer war, war unser ständiger Begleiter.

Wir hatten höchstens zwei Meilen zurückgelegt, als wir auf eine überwachsene Straße jener Bauart stießen, die man, so glaube ich, früher als Knüppeldamm bezeichnete. Da sie in unserer ungefähren Richtung lief, gingen wir auf ihr weiter und kamen gut voran. Wir sprachen nur wenig, denn der Tag mit seiner stillen und unheilvollen Atmosphäre lastete schwer auf unseren Gemütern.

Gegen elf Uhr vernahmen wir das Geräusch von fließendem Wasser. Die ehemalige Straße beschrieb eine scharfe Linkskurve, und dann tauchte auf der anderen Seite eines schäumenden, schmutzigen kleinen Flusses wie eine Erscheinung Jerusalem's Lot auf!

Der Fluß war vielleicht acht Fuß breit, und über ihn führte ein moosbewachsener Steg. Auf der anderen Seite, Bones, stand das perfekteste kleine Dorf, das Du Dir vorstellen kannst, verständlicherweise verwittert, aber im übrigen erstaunlich gut erhalten. Dicht bei dem schroff abfallenden Ufer befand sich eine Ansammlung von mehreren Häusern, die in jener schmucklosen, aber eindrucksvollen Form gebaut waren, für die die Puritaner zu Recht bekannt waren. Ein Stück dahinter, entlang einer verwilderten Straße, standen drei oder vier Gebäude, die primitive Geschäfte gewesen sein könnten, und dahinter erhob sich der Turm der Kirche, der auf der Karte eingezeichnet war, in den grauen Himmel. Mit seiner abgeblätterten Farbe und dem angelaufenen, schiefen Kreuz sah er unbeschreiblich finster und unheilvoll aus.

»Jerusalem's Lot – Jerusalems Los... die Stadt trägt ihren Namen zu Recht«, bemerkte Cal neben mir leise.

Wir überquerten den Fluß und begannen, das Dorf zu erforschen – und von hier ab wird meine Geschichte etwas unglaublich, also sei gerüstet!

Die Luft schien bleischwer, als wir zwischen den Häusern dahergingen; unheilschwanger, wenn du so willst. Die Gebäude befanden sich in einem Zustand des Verfalls – abgerissene Läden, Dächer, die unter dem Gewicht schwerer Schneemassen im Winter eingestürzt waren, trübe, starrende Fenster. Schatten von unheimlichen Ecken und krummen Winkeln schienen in finsteren Tümpeln zu lauern.

Wir betraten zuerst ein altes, verfallenes Wirtshaus – irgendwie schien es unrecht, in diese Häuser einzudringen, in die sich

Menschen zurückgezogen hatten, wenn sie ungestört sein wollten. Ein altes, verwittertes Schild über der gesplitterten Tür verkündete, daß dies das *Wirts- und Gasthaus zum Eberkopf* gewesen war. Die Tür kreischte ohrenbetäubend in der einzigen noch verbliebenen Angel, und dann traten wir in das dämmrige Innere. Der Geruch nach Fäulnis und Moder, der in der Luft lag, war fast überwältigend. Doch dazwischen schien ein noch intensiverer Geruch zu liegen, ein ekelerregender, abscheulicher Geruch, ein Geruch von Jahrhunderten und der jahrhundertealten Verwesung. Ein Geruch, wie er vielleicht von vermoderten Särgen oder geschändeten Gräbern ausgeht. Ich hielt mir mein Taschentuch vor die Nase. Cal folgte meinem Beispiel, und dann nahmen wir den Ort in Augenschein.

»Mein Gott, Sir...« sagte Calvin leise.

»Es ist nie angerührt worden«, beendete ich den Satz für ihn.

Und so war es tatsächlich. Tische und Stühle standen da wie geisterhafte Wächter, verstaubt und verzogen von den extremen Temperaturunterschieden, für die das Klima Neuenglands bekannt ist, aber im übrigen unversehrt – als ob sie durch schweigende, widerhallende Jahrzehnte hindurch darauf gewartet hätten, daß jene schon lange Verstorbenen wieder hereinkommen, nach einem Krug Bier rufen, Karten austeilen und ihre Tonpfeifen anzünden. Neben den Wirtshausvorschriften hing ein kleiner, viereckiger Spiegel, der *nicht* zerbrochen war. Begreifst Du, was das bedeutet, Bones? Kinder sind für ihre Neugier und ihre Zerstörungswut bekannt; es gibt nicht ein »Geister«haus, dessen Fenster noch heil wären, ganz gleich, welche Schauermärchen man sich über seine unheimlichen Bewohner erzählt; nicht einen verlassenen Friedhof, auf dem nicht wenigstens ein Grabstein von jugendlichen Unruhestiftern umgestürzt worden ist. Sicher gibt es in Preacher's Corners, das keine zwei Meilen von Jerusalem's Lot entfernt liegt, eine ganze Reihe solcher Jugendlicher. Und doch war der Spiegel des Gastwirts (der ihn eine hübsche Summe gekostet haben muß) unversehrt – genau wie die übrigen zerbrechlichen Gegenstände, die wir bei unserem Stöbern fanden. Der einzige Schaden in Jerusalem's Lot ist durch die unpersönlichen Kräfte der Natur angerichtet worden. Die Implikation ist offenkundig: Jerusalem's Lot ist ein gemiedener Ort. Aber warum? Ich habe da eine Ahnung, aber bevor ich auch nur wage, eine Andeutung in dieser Beziehung zu machen, muß ich vom beunruhigenden Ende unseres Besuchs berichten.

Wir begaben uns nach oben in die Schlafquartiere, wo wir gemachte Betten fanden, neben denen zinnerne Wasserkrüge standen. Die Küche war ebenfalls unberührt, abgesehen vom Staub der Jahre und jenem entsetzlichen, intensiven Geruch nach Verwesung. Das Wirtshaus wäre ein Paradies für jeden Antiquar gewesen; allein der ungewöhnliche Küchenofen hätte auf einer Bostoner Auktion einen hübschen Preis erzielt.

»Was meinst du, Cal?« fragte ich, als wir wieder hinaus in das diffuse Tageslicht getreten waren.

»Ich glaube, daß es mit etwas Bösem zu tun hat, Mr. Boone«, erwiderte er in seiner düsteren Art, »und daß wir mehr sehen müssen, um mehr zu erfahren.«

Wir untersuchten die übrigen Geschäfte nur flüchtig – unter ihnen ein Krämerladen, ein Lagerhaus, in dem Eichen- und Kiefernholz gestapelt war, sowie eine Schmiede.

Auf unserem Weg zur Kirche, die im Zentrum des Ortes lag, gingen wir in zwei Häuser hinein. Beide waren sie ganz nach puritanischer Mode eingerichtet und voll von Gegenständen, für die ein Sammler seinen Arm gegeben hätte, beide waren verlassen und erfüllt von dem gleichen fauligen Geruch.

Außer uns schien hier nichts zu leben oder sich zu bewegen. Wir sahen weder Insekten noch Vögel oder auch nur Spinnweben in irgendeiner Fensterecke. Nur Staub.

Endlich erreichten wir die Kirche. Sie ragte hoch über uns in den Himmel, düster, kalt und wenig einladend. Hinter den Fenstern gähnten schwarze Schatten aus dem Innern, und jede Gottheit oder Heiligkeit hatte diesen Ort schon vor langer Zeit verlassen, dessen bin ich gewiß. Wir stiegen die Stufen hinauf, und ich legte die Hand auf den großen, eisernen Türgriff. Ich warf einen finsteren, entschlossenen Blick auf Calvin und sah dann wieder vor mich. Wann mochte diese Tür wohl zum letztenmal geöffnet worden sein? Ich bin sicher, daß meine

Hand die erste seit bestimmt fünfzig Jahren – wenn nicht länger – war, die sie berührte. Rostige Angeln kreischten, als ich sie aufzog. Der Geruch nach Fäulnis und Verwesung, der uns entgegenschlug, war fast greifbar. Cal stieß einen würgenden Laut aus und drehte sich unwillkürlich nach frischer Luft herum.

»Sir«, fragte er, »sind Sie wirklich...?«

»Ich bin schon in Ordnung«, erwiderte ich ruhig, doch so ruhig fühlte ich mich ganz und gar nicht, Bones, genauso wenig wie jetzt. Ich glaube mit Moses, mit Jerobeam und mit unserem guten Hanson (wenn er in Philosophierlaune ist), daß es geistig ungesunde Orte oder Gebäude gibt, wo die Milch des Kosmos sauer und ranzig geworden ist. Diese Kirche ist ein solcher Ort, darauf könnte ich schwören.

Wir traten in ein langes Vestibül, das mit einem staubigen Kleiderständer und Regalen mit Gesangbüchern ausgestattet war. Es war fensterlos; hier und da standen Öllampen in Nischen. Ein ganz gewöhnlicher Raum, dachte ich, bis ich hörte, wie Cal scharf die Luft einsog und ich sah, was er bereits entdeckt hatte.

Es war eine Obszönität.

Ich wage das kunstvoll gerahmte Bild nicht näher zu beschreiben als wie folgt: daß es im fleischigen Stil von Rubens gemalt war; daß es eine groteske Karrikatur einer Madonna mit dem Kind darstellte und daß im Hintergrund seltsame, schemenhafte Kreaturen krochen und krabbelten.

»Mein Gott«, flüsterte ich.

»Hier gibt es keinen Gott«, sagte Calvin, und seine Worte schienen in der Luft zu hängen. Als ich die Tür öffnete, die in die eigentliche Kirche führte, wurde der Geruch zum Miasma und nahezu überwältigend.

Im schwachen Dämmerlicht des Nachmittags erstreckten sich die Kirchenstühle geisterhaft bis hin zum Altar. Über ihnen befand sich eine hohe Kanzel aus Eichenholz und ein Narthex, aus dem Gold schimmerte.

Mit einem Laut, der fast wie ein Schluchzen klang, bekreuzigte sich der fromme Protestant Calvin, und ich folgte seinem

Beispiel. Das, was da so golden schimmerte, war nämlich ein großes, prachtvoll geschmiedetes Kreuz – aber es war verkehrt herum aufgehängt, das Symbol der Satansmesse.

»Wir müssen ruhig bleiben«, hörte ich mich sagen. »Wir müssen ruhig bleiben, Calvin. Ganz ruhig.«

Aber ein Schatten hatte mein Herz getroffen, und ich fürchtete mich so sehr, wie ich mich noch nie in meinem Leben gefürchtet hatte.

Ich bin unter dem Schirm des Todes gegangen und habe gedacht, daß es nichts Dunkleres gibt. Aber ich habe mich geirrt. Es gibt etwas, das noch dunkler ist.

Wir gingen den Gang hinunter, und unsere Schritte hallten über uns und um uns herum. Wir hinterließen Spuren im Staub. Am Altar entdeckten wir andere kleinere Kunstgegenstände, aber ich will – und kann – meine Gedanken nicht auf ihnen verweilen lassen.

Ich machte mich daran, die Kanzel hinaufzusteigen.

»Tun Sie es nicht, Mr. Boone!« rief Cal plötzlich. »Ich habe Angst...«

Aber ich war bereits oben. Auf dem Pult lag ein großes Buch, das in Latein und in unleserlichen Runen geschrieben war, die für mein laienhaftes Auge nach druidisch oder vorkeltisch aussahen. Ich lege dem Brief eine Karte mit ein paar der Symbole bei, die ich aus dem Gedächtnis nachgezeichnet habe.

Ich schloß das Buch und betrachtete die Worte, die in das Leder geprägt waren: *De Vermis Mysteriis*. Meine Lateinkenntnisse sind zwar schon etwas angestaubt, reichten aber immer noch zur Übersetzung aus: *Die Geheimnisse des Wurmes.*

Als ich es berührte, schienen sich diese verfluchte Kirche und Calvins weißes, zu mir aufblickendes Gesicht vor mir zu drehen. Ich glaubte, leise, singende Stimmen zu hören, Stimmen, erfüllt von gräßlicher und heftiger Furcht. Ich zweifle nicht daran, daß es sich um eine Halluzination gehandelt hat – aber im selben Augenblick erfüllte ein sehr reales Geräusch die Kirche, das ich nicht anders als ein gewaltiges und grausiges *Winden* unter meinen Füßen beschreiben kann. Das Lesepult erzitterte unter meinen Fingern, und das entweihte Kreuz bebte an der Wand.

Wir gingen gemeinsam hinaus, Cal und ich, und überließen den Ort seiner eigenen Finsternis, und keiner von uns wagte, zurückzuschauen, bis wir die groben Planken überquert hatten, die über den Fluß führten. Ich will nicht sagen, daß wir die neunzehnhundert Jahre, die der Mensch gebraucht hat, um sich von einem gebückt gehenden und abergläubischen Wilden fortzuentwickeln, mit Füßen getreten haben, indem wir gerannt sind; aber ich wäre ein Lügner, wenn ich behaupten wollte, wir seien gemächlich davongeschlendert.

Dies ist meine Geschichte. Es ist überflüssig, daß Deine Genesung von der Angst überschattet wird, das Fieber habe mich wieder befallen; Cal kann all das, was ich Dir hier auf diesen Seiten berichtet habe, bestätigen, einschließlich des gräßlichen *Geräusches*.

Ich schließe nun und möchte nur noch sagen, daß ich mir wünsche, mit Dir sprechen zu können (weil ich weiß, daß ein Großteil meiner Verwirrung sofort von mir abfallen würde) und verbleibe als Dein Freund und Bewunderer

CHARLES.

17. Oktober 1850

Sehr geehrte Herren,
in der jüngsten Ausgabe Ihres Katalogs für Haushaltartikel (d. i. Sommer 1850) habe ich einen Artikel mit der Bezeichnung Rattengift gefunden. Ich möchte eine (1) 5-Pfund-Dose dieses Präparats zu dem angegebenen Preis von dreißig Cent ($ 0,30) erwerben. Rückporto füge ich bei. Bitte schicken Sie das Gewünschte an: Calvin McCann, Chapelwaite, Preacher's Corners, Cumberland County, Maine.

Ich bedanke mich im voraus und verbleibe hochachtungsvoll
Ihr Calvin McCann.

19. Oktober 1850

Liebes Bones,
Entwicklungen von beunruhigender Natur!

Die Geräusche im Haus sind lauter geworden, und ich komme immer mehr zu dem Schluß, daß es keine Ratten sind, die innerhalb unserer Mauern hin- und herhuschen. Calvin und ich haben uns erneut auf die Suche nach verborgenen Schlupfwinkeln oder Gänge gemacht, aber nichts gefunden. Welch jämmerliche Figuren wir in einem von Mrs. Radcliffs Abenteuerromanen abgeben würden! Cal ist der Meinung, daß die Geräusche zum großen Teil aus dem Keller kommen, den wir aus diesem Grund morgen erforschen wollen. Das Wissen um die Tatsache, daß Cousin Stephens Schwester dort ihr unglückliches Ende fand, macht das Unternehmen nicht gerade angenehmer.

Ihr Porträt hängt übrigens in der oberen Galerie. Marcella Boone war nicht gerade eine Schönheit, wenn der Künstler sie richtig getroffen hat, und mir ist bekannt, daß sie nie geheiratet hat. Manchmal glaube ich, daß Mrs. Cloris recht hatte und dies *wirklich* ein schlechtes Haus ist. Gewiß hat es seinen früheren Einwohnern nichts Gutes gebracht.

Aber ich habe Dir noch mehr von unserer Mrs. Cloris zu berichten, denn ich habe heute ein zweitesmal mit ihr gesprochen. Da sie die vernünftigste Person ist, der ich bisher in Preacher's Corners begegnet bin, habe ich sie heute nachmittag, nach einer unerfreulichen Begegnung, auf die ich gleich kommen werde, aufgesucht.

Das Holz sollte heute morgen geliefert werden, und als der Mittag kam und ging und es immer noch nicht da war, beschloß ich, meinen täglichen Spaziergang diesmal in den Ort zu machen. Mein Ziel war Thompson, der Mann, mit dem Cal das Geschäft abgeschlossen hatte.

Der heutige Tag war sonnig, die Luft erfüllt von der Frische eines strahlenden Herbsttages, und als ich Thompsons Gehöft erreichte (Cal, der zu Hause geblieben war, um weiter in Cousin Stephens Bibliothek herumzustöbern, hatte mir erklärt, wie ich dorthin kam), befand ich mich in der besten Laune, die die letzten Tage erlebt haben und war durchaus gewillt, Thompsons Unpünktlichkeit mit der Lieferung des Holzes zu verzeihen.

Das Gehöft war ein wildes Durcheinander aus Unkraut und halb verfallenen Gebäuden, die dringend eines neuen Anstrichs bedurft hätten: links von der Scheune grunzte ein enormes Schwein, das auf das Novemberschlachten wartete, und wälzte sich in einem schlammigen Pfuhl, und in dem schmutzigen Hof zwischen dem Wohnhaus und den Außengebäuden fütterte eine Frau in einem zerlumpten Gingankleid aus ihrer Schürze die Hühner. Als ich sie grüßte, drehte sie ihr blasses und ausdrucksloses Gesicht zu mir herum.

Die plötzliche Veränderung, die in ihrem Gesicht vorging, war erstaunlich; ihr Ausdruck wechselte von völliger, dummer Leere zu wildem Entsetzen. Ich kann mir nur vorstellen, daß sie mich für Stephen gehalten hat, denn sie hob die Hand, die Finger im Zeichen des bösen Blicks gespreizt, und stieß einen Schrei aus. Das Hühnerfutter fiel zu Boden, und die Hennen suchten gackernd das Weite.

Bevor ich auch nur einen Ton von mir geben konnte, kam ein Bär von einem Mann, der nichts weiter als Unterkleider am Leibe trug, mit einem Kleinkalibergewehr in der einen und einem Krug in der anderen Hand aus dem Haus gepoltert. Dem roten Licht in seinen Augen und seinem schwankenden Gang nach zu urteilen, hatte ich hier Thompson den Holzfäller in eigener Person vor mir.

»Ein Boone«, brüllte er. »Gott verfluche deine Augen!« Er ließ den Krug fallen, der davonrollte, und machte das Zeichen.

»Ich bin gekommen«, begann ich mit soviel Gleichmut, wie ich unter den gegebenen Umständen aufbringen konnte, »weil das Holz ausgeblieben ist. Laut der Abmachung, die Sie mit meinem Mann getroffen haben...«

»Gott verfluche auch deinen Mann, sage ich!« Erst jetzt bemerkte ich, daß er sich unter seinem lauten, polternden Gehabe zu Tode fürchtete. Ich begann mich ernsthaft zu fragen, ob er in seiner Aufregung nicht vielleicht tatsächlich auf mich schießen würde.

»Könnten Sie nicht, als Geste der Höflichkeit...« fing ich vorsichtig an.

»Gott verfluche deine Höflichkeit!«

»Nun gut«, antwortete ich mit soviel Artigkeit, wie ich aufbringen konnte. »Dann möchte ich mich verabschieden, bis Sie sich wieder etwas mehr in der Gewalt haben.« Mit diesen Worten wandte ich mich ab und machte mich auf den Weg, der zum Dorf führte.

»Komm ja nicht zurück!« kreischte er hinter mir her. »Bleib oben bei deinem Bösen! Verflucht! Verflucht! Verflucht!« Er warf mir einen Stein nach, der mich an der Schulter traf, weil ich ihm nicht die Genugtuung geben wollte, zur Seite zu springen.

Anschließend suchte ich Mrs. Cloris auf, fest entschlossen, wenigstens das Geheimnis um Thompsons feindselige Haltung zu lösen. Sie ist Witwe (Deine verflixten Kuppeleiversuche kannst Du Dir in diesem Fall sparen; die Dame ist leicht fünfzehn Jahre älter als ich, und ich habe die Vierzig bereits hinter mir) und lebt allein in einem reizenden kleinen Haus direkt an der Schwelle des Ozeans. Sie war gerade dabei, ihre Wäsche aufzuhängen, als ich eintraf, und schien sich wirklich zu freuen, mich zu sehen, was ich mit großer Erleichterung zur Kenntnis nahm, denn es ist unglaublich quälend, ohne verständlichen Grund als Paria behandelt zu werden.

»Mr. Boone«, begann sie nicht unfreundlich, »wenn Sie gekommen sind, um mich zu fragen, ob ich für Sie waschen kann, muß ich Ihnen sagen, daß ich nach September nichts annehme. Mein Rheumatismus plagt mich so schlimm, daß ich schon Mühe genug habe, meine eigene zu erledigen.«

»Ich wünschte, *Wäsche* wäre der Grund meines Besuchs. Ich bin hier, weil ich Ihre Hilfe brauche, Mrs. Cloris. Ich muß alles wissen, was Sie mir über Chapelwaite und Jerusalem's Lot sagen können, und warum mir die Menschen hier mit solcher Angst und solchem Mißtrauen begegnen!«

»Jerusalem's Lot! Sie wissen also davon.«

»Ja, und ich habe dem Ort zusammen mit meinem Begleiter vor einer Woche einen Besuch abgestattet.«

»Gütiger Gott!« Sie wurde kreidebleich und begann zu schwanken, und ich streckte die Hand aus, um sie zu stützen. Ihre Augen rollten wild, und einen Augenblick lang war ich überzeugt, sie würde in Ohnmacht fallen.

»Es tut mir leid, Mrs. Cloris, wenn ich irgend etwas gesagt haben sollte...«

»Kommen Sie mit ins Haus«, unterbrach sie mich. »Sie müssen es erfahren. Herr im Himmel, die Tage des Bösen sind wieder angebrochen!«

Danach sagte sie nichts mehr, bis sie in ihrer sonnigen Küche einen starken Tee aufgebrüht hatte. Als er vor uns stand, blickte sie eine Weile nachdenklich auf den Ozean hinaus. Unwillkürlich wurde ihr Blick und der meine von der ins Meer vorragenden Landzunge von Chapelwaite Head angezogen, auf dem das Haus über dem Wasser aufragte. Das große Erkerfenster glitzerte in den Strahlen der im Westen stehenden Sonne wie ein Diamant. Der Anblick war herrlich, aber seltsam beunruhigend. Plötzlich drehte sie sich zu mir herum und verkündete heftig:

»Mr. Boone, Sie müssen Chapelwaite sofort verlassen!«

Ich war sprachlos vor Erstaunen.

»Es liegt ein böser Hauch in der Luft, seit Sie in Chapelwaite eingezogen sind. In der letzten Woche – seit Sie den verfluchten Ort betreten haben – hat es Omen und böse Vorzeichen gegeben. Eine Glückshaube über dem Gesicht des Mondes, Ziegenmelker, die auf den Friedhöfen schlafen, ein mißgeborenes Kind. Sie *müssen* abreisen!«

Als ich endlich die Sprache wiedergefunden hatte, erwiderte ich so behutsam wie möglich: »Solche Dinge sind doch nur Phantasie, Mrs. Cloris. Das müssen Sie doch wissen.«

»Ist es etwa Phantasie, daß Barbara Brown ein Kind ohne Augen zur Welt gebracht hat? Oder daß Clifton Brockett im Wald hinter Chapelwaite, wo alles verdorrt und welk geworden ist, eine flache, eingedrückte Spur von fünf Fuß Breite

40

entdeckt hat? Und können Sie, der Sie Jerusalem's Lot besucht haben, mit Sicherheit sagen, daß dort nichts mehr lebt?«

Ich war nicht fähig, ihr zu antworten; vor meinen Augen tauchte wieder die Szene in jener gräßlichen Kirche auf.

Sie verschränkte fest ihre knorrigen Finger, bemüht, sich zu beruhigen. »Ich weiß von diesen Dingen nur durch meine Mutter und deren Mutter. Kennen Sie die Geschichte Ihrer Familie, soweit sie sich auf Chapelwaite bezieht?«

»Vage. Das Haus ist seit den achtziger Jahren des letzten Jahrhunderts das Zuhause von Philip Boones Linie; sein Bruder Robert, mein Großvater, ließ sich nach einem Streit, bei dem es um gestohlene Papiere ging, in Massachusetts nieder. Über Philips Seite weiß ich nur wenig, außer daß der Schatten des Unglücks auf diesen Zweig der Familie gefallen ist, der sich vom Vater auf den Sohn und die Enkel erstreckt – Marcella starb in einem tragischen Unfall, und Stephen stürzte zu Tode. Es war sein Wunsch, daß Chapelwaite das Zuhause von mir und den meinen und der Riß in der Familie auf diese Weise wieder zusammengefügt werden sollte.«

»Er läßt sich nicht zusammenfügen«, flüsterte sie. »Sie wissen nichts über die ursprüngliche Auseinandersetzung?«

»Robert Boone wurde dabei überrascht, wie er etwas aus dem Schreibtisch seines Bruders stehlen wollte.«

»Philip Boone war verrückt«, erklärte sie. »Ein Mann, der mit dem Bösen Geschäfte machte. Das, was Robert Boone *versuchte,* wegzunehmen, war eine gottlose Bibel, die in den alten Sprachen geschrieben war – Latein, Druidisch und anderen. Ein Höllenbuch.«

»*De Vermis Mysteriis.*«

Sie zuckte zusammen, als ob sie einen Schlag ins Gesicht bekommen hätte. »Sie kennen es?«

»Ich habe es gesehen ... es berührt.« Wieder sah es so aus, als ob sie in Ohnmacht fallen würde. Sie hob eine Hand an den Mund, als wolle sie einen Aufschrei unterdrücken. »Ja, in Jerusalem's Lot. Auf der Kanzel einer verderbten und entweihten Kirche.«

»Es ist also noch da; es ist immer noch da.« Sie schaukelte in ihrem Stuhl. »Ich hatte gehofft, Gott hätte es in Seiner Weisheit in den dunkelsten Schlund der Hölle geschleudert.«

»Welche Verbindung hatte Philip Boone zu Jerusalem's Lot?«

»Eine der Blutsverwandtschaft«, antwortete sie düster. »Das Mal des Tieres lag schon auf ihm, auch wenn er noch in den Kleidern des Lammes umherging. Und in der Nacht des 31. Oktober 1789 verschwand Philip Boone dann... und die gesamte Bevölkerung jenes verfluchten kleinen Dorfs mit ihm.«

Sie wollte nicht viel mehr sagen, und ich hatte den Eindruck, daß sie auch nicht viel mehr wußte. Mrs. Cloris wiederholte nur ihre inständige Bitte, ich möge abreisen, und gab als Grund irgend etwas von »Blut, das Blut ruft« an und murmelte etwas über »jene, die *wachen* und jene, die *hüten*«. Je weiter die Dämmerung fortschritt, desto erregter schien sie zu werden, und um sie zu beruhigen, versprach ich ihr, daß ich mir ihren Wunsch gründlich durch den Kopf gehen lassen würde.

Ich ging nach Hause durch länger werdende, düstere Schatten. Meine heitere Laune war gänzlich verflogen, und mein Kopf schwirrte vor Fragen, die mich auch jetzt noch quälen. Cal begrüßte mich mit der Neuigkeit, daß unsere Geräusche in den Wänden noch schlimmer geworden seien – wie ich selbst in diesem Moment bestätigen kann. Ich versuche, mir einzureden, daß ich nur Ratten höre, aber dann taucht vor meinen Augen das verängstigte, ernste Gesicht von Mrs. Cloris auf.

Der Mond ist über dem Meer aufgegangen, prall und aufgebläht, die Farbe wie Blut, besudelt er den Ozean mit einem verderblichen Schatten. Meine Gedanken kehren wieder zu jener Kirche zurück, und

(hier ist eine Zeile durchgestrichen)

Nein, das sollst Du nicht lesen, Bones. Es ist zu verrückt. Ich glaube, es ist Zeit, daß ich zu Bett gehe. Meine Gedanken gehen hinaus zu Dir.

Es grüßt Dich

Dein CHARLES.

(Das folgende stammt aus dem Tagebuch von Calvin McCann.)

20. Oktober '50

Nahm mir heute morgen die Freiheit, den Verschluß, der das Buch zusammenhält, aufzubrechen; habe es getan, bevor Mr. Boone aufstand. Keinen Sinn; es ist alles verschlüsselt. Ich glaube, es ist ein einfacher Code. Vielleicht kann ich ihn genauso leicht brechen wie den Verschluß. Ich bin überzeugt, daß es ein Tagebuch ist; die Handschrift ist der von Mr. Boone merkwürdig ähnlich. Von wem mag dieses Buch sein, das in der hintersten Ecke dieser Bibliothek versteckt stand und verschlossen war? Es sieht alt aus, aber wie kann man das genau sagen? Die zersetzende Luft ist größtenteils von den Seiten ferngehalten worden. Mehr später, wenn ich Zeit habe; Mr. Boone drängt darauf, den Keller zu untersuchen. Habe Angst, daß diese schrecklichen Vorgänge zu viel für seine noch labile Gesundheit sind. Ich muß versuchen, ihn zu überzeugen –
Aber er kommt.

20. Oktober 1850

Bones,
ich kann nicht schreiben ich kann[sic] noch nicht darüber schreiben ich ich ich

(Aus dem Tagebuch von Calvin McCann)

20. Oktober '50

Wie ich befürchtet habe, hat sich sein Gesundheitszustand wieder stark verschlechtert –
Gütiger Gott, unser Vater, der Du bist im Himmel!
Kann einfach nicht darüber nachdenken; und doch hat es

sich unauslöschlich in mein Gehirn eingebrannt; jenes Grauen im Keller...!

Bin jetzt allein; halb neun; das Haus ist still, aber...

Fand ihn ohnmächtig über seinem Schreibtisch; er schläft noch immer; und doch, wie vortrefflich hat er sich während jener wenigen Augenblicke gehalten, als ich selbst wie gelähmt und betäubt dastand!

Seine Haut ist wächsern und kalt. Gott sei Dank, daß es nicht wieder das Fieber ist. Ich wage nicht, ihn zu bewegen oder ihn alleinzulassen, um ins Dorf zu gehen. Und wenn ich ginge, wer würde schon mit mir zurückkommen, um ihm zu helfen? Wer würde dieses verfluchte Haus betreten?

Der Keller, mein Gott! Diese Kreaturen im Keller, die dieses Haus beherbergt!

22. Oktober 1850

Liebes Bones,
wenn auch schwach, so bin ich endlich, nach sechsunddreißig Stunden Bewußtlosigkeit, wieder ich selbst. Wieder ich selbst... welch ein grausamer und bitterer Scherz! Ich werde nie wieder ich selbst sein, nie wieder. Ich bin dem Wahnsinn und dem Grauen begegnet, wie es sich kein Mensch vorstellen kann. Und es ist noch nicht zu Ende.

Ich glaube, wenn Cal nicht wäre, würde ich meinem Leben in dieser Minute ein Ende machen. Er ist die einzige Insel der geistigen Normalität inmitten all dieses Wahnsinns.

Du sollst alles wissen.

Wir hatten uns für unsere Erkundung des Kellers mit Kerzen versorgt, die einen starken Schein warfen, der hell genug war – und wie hell genug! Cal versuchte, mir das Unternehmen auszureden, indem er meine kürzliche Krankheit anführte und meinte, daß wir wahrscheinlich allerhöchstens ein paar fette Ratten finden würden, für die wir Gift auslegen konnten.

Ich blieb jedoch bei meinem Entschluß, worauf Calvin

seufzte und antwortete: »Dann tun Sie, was Sie nicht lassen können, Mr. Boone.«

Man erreicht den Keller mittels einer Falltür in der Küche (die Calvin seitdem, wie er mir versichert, fest verbarrikadiert hat), und es gelang uns nur unter großer Mühe und Anstrengung, sie hochzuheben.

Ein überwältigender Gestank stieg aus der Dunkelheit zu uns herauf, nicht unähnlich dem, der das verlassene Dorf jenseits des Royal River durchzogen hatte. Die Kerze in meiner Hand warf ihr Licht auf eine steile Treppe, die hinunter in tiefe Schwärze führte. Die Stufen befanden sich in einem entsetzlichen Zustand – an einer Stelle fehlte eine ganz, und dort gähnte ein schwarzes Loch. Es war unschwer zu erkennen, wie die unglückliche Marcella hier möglicherweise ihr Ende gefunden hatte.

»Seien Sie vorsichtig, Mr. Boone!« warnte mich Cal, und ich versicherte ihm, daß ich seinen Rat ganz bestimmt beherzigen würde, worauf wir uns an den Abstieg machten.

Der Boden bestand aus Erde, die Wände waren aus hartem Granit. Es war kaum feucht hier unten, und der Keller sah ganz und gar nicht nach einem Paradies für Ratten aus, denn es gab nichts von der Art von Dingen, in denen Ratten gern ihre Nester bauen, wie alte Schachteln, ausrangierte Möbelstücke, Stapel von Papier und dererlei. Wir hoben unsere Kerzen höher und gewannen so einen kleinen Lichtkreis, konnten aber immer noch recht wenig sehen. Der Boden fiel allmählich ab und schien unter dem großen Wohnzimmer und dem Eßzimmer herzulaufen – das heißt, nach Westen. Dies war die Richtung, in die wir gingen. Alles war totenstill. Der Gestank in der Luft wurde zusehends intensiver, und die Dunkelheit um uns herum schien dicht wie Watte, als sei sie neidisch auf das Licht, das ihr nun nach so vielen Jahren unbestrittener Herrschaft vorübergehend die Macht nahm.

Auf der anderen Seite wurden die Granitwände von poliertem Holz abgelöst, das absolut schwarz und ohne jede reflektierende Eigenschaft zu sein schien. Hier endete der Keller in einer Art Alkoven, der sich an den Hauptraum anschloß. Er war in einem Winkel angelegt, der es einem unmöglich machte, in ihn hineinzusehen, ohne um die Ecke zu treten.

Das taten Calvin und ich nun.

Es war, als ob sich ein böses Gespenst dieser bedrückenden und finsteren Vergangenheit vor uns erhoben hätte. In diesem Alkoven stand ein einzelner Stuhl, und über ihm hing von einer Öse in einem der starken Deckenbalken eine vermoderte Schlinge herab.

»Hier also hat er sich erhängt«, murmelte Cal. »Mein Gott!«

»Ja ... und die Leiche seiner Tochter lag hinter ihm, am Fuß der Treppe.«

Cal setzte zu einer Bemerkung an; dann sah ich, wie sein Blick auf einen Punkt hinter mir herumfuhr, und seine Worte verwandelten sich in einem Schrei.

Wie kann ich den Anblick beschreiben, Bones, der sich unseren Augen bot? Wie kann ich Dir die gräßlichen Bewohner schildern, die unsere Mauern beherbergen?

Die andere Wand schwang zurück, und aus der Dunkelheit dahinter tauchte ein Gesicht auf – ein Gesicht mit Augen, die so schwarz waren wie der Styx. Der Mund war zu einem zahnlosen, qualvollen Grinsen aufgerissen, und eine gelbe, verweste Hand streckte sich uns entgegen. Es stieß einen gräßlichen, quäkenden Laut aus und machte einen schlurfenden Schritt in unsere Richtung. Das Licht meiner Kerze fiel auf –

Und jetzt sah ich den bläulichen Abdruck eines Stricks um seinen Hals!

Dahinter rührte sich plötzlich noch etwas, eine Kreatur, von der ich bis zu jenem Tag träumen werde, an dem alle Träume aufhören: ein Mädchen mit einem bleichen, vermoderten Gesicht, das zu einem Totengrinsen verzogen war und dessen Kopf in einem wahnwitzigen Winkel auf ihren Schultern saß.

Sie wollten uns; ich weiß es. Und ich weiß, daß sie uns in die Dunkelheit gezerrt und zu den ihren gemacht hätten, wenn ich nicht meine Kerze genau auf das Wesen in der Öffnung geschleudert hätte, und den Stuhl unter der Schlinge hinterher.

Was dann folgte, ist ein dunkles Wirrwarr. Mein Geist hat sich davor verschlossen. Ich erwachte, wie ich schon sagte, in meinem Zimmer, mit Cal an meiner Seite.

Wenn ich könnte, würde ich im Nachthemd, mit fliegenden Schößen, aus diesem Haus des Schreckens fliehen. Aber ich kann nicht. Ich bin eine Figur in einem tieferen, noch finsteren Drama geworden. Frage mich nicht, woher ich es weiß; ich weiß es einfach. Mrs. Cloris hatte recht, als sie davon sprach, daß Blut Blut ruft; und wie furchtbar recht hatte sie auch, als sie von jenen sprach, die *wachen* und jenen, die *hüten*. Ich fürchte, daß ich eine Macht geweckt habe, die ein halbes Jahrhundert in dem finsteren Dorf Salem's Lot geschlafen hat, eine Macht, die meine Vorfahren getötet und sie wie *Nosferatu*, der Untote, zu ihren unseligen Sklaven gemacht hat. Aber ich hege noch viel schlimmere Befürchtungen, Bones, doch noch kenne ich erst einen Teil. Wenn ich nur wüßte ... wenn ich nur alles wüßte.

CHARLES.

Postskriptum – Ich schreibe dies nur für mich auf, denn wir sind von Preacher's Corners isoliert. Ich wage mit meinem Mal nicht, dorthin zu gehen, und Calvin will mich nicht alleinlassen. Vielleicht, wenn Gott gnädig ist, erreicht Dich dieser Brief irgendwie.

C.

(Aus dem Tagebuch von Calvin McCann)

23. Oktober '50

Er ist heute kräftiger; wir haben kurz über die *Erscheinungen* im Keller gesprochen und sind beide einer Meinung, daß sie weder Halluzinationen noch *übersinnliche* Erscheinungen, sondern *real* gewesen sind. Ob Mr. Boone, wie ich, glaubt, daß sie verschwunden sind? Vielleicht; die Geräusche sind jedenfalls verstummt. Doch noch ist alles finster und bedrohlich, in einen dunklen Mantel gehüllt. Es scheint, als warteten wir in der trügerischen Ruhe vor dem Sturm ...

Habe in einem der oberen Schlafzimmer einen Stapel Papiere gefunden, die in der untersten Schublade eines alten Rollpults lagen. Einige Briefe und quittierte Rechnungen bringen mich zu dem Schluß, daß dies das Zimmer von Robert Boone gewesen sein muß. Der interessanteste Fund aber sind ein paar Notizen auf der Rückseite einer Anzeige für Biberpelzmützen für Herren. Zuoberst steht:

Selig die Demütigen.

Darunter steht folgendes, das augenscheinlich keinen Sinn ergibt:

s k l d g h i e d m m h t s g a n
e e m i o d r e r e s ü a i d e d

Ich glaube, daß dies der Schlüssel für das verschlossene und chiffrierte Buch in der Bibliothek ist. Der Code ist tatsächlich einfach und wurde im Unabhängigkeitskrieg benutzt. Wenn man die »Nullen« aus der zweiten Notiz streicht, erhält man dies hier:

s l g i d m t g n
e i d e e ü i e

Liest man die beiden Zeilen nach unten und oben statt waagerecht, kommt man auf das ursprüngliche Zitat aus den Seligpreisungen.

Bevor ich dies Mr. Boone zeigen kann, muß ich erst wissen, was in dem Buch steht...

24. Oktober 1850

Lieber Bones,

etwas Überraschendes ist passiert: Cal, der ja immer so lange schweigt, bis er seiner absolut sicher ist (ein seltener und bewundernswerter Charakterzug!), hat das Tagebuch meines Großvaters Robert gefunden. Die Aufzeichnungen waren in einem Code geschrieben, den Cal selbst entschlüsselt hat. Er behauptet in seiner Bescheidenheit, daß er die Entdeckung nur einem Zufall zu verdanken habe, aber ich vermute eher, daß die Lösung mehr auf Ausdauer und harte Arbeit zurückzuführen ist.

Wie auch immer, welch ein düsteres Licht wirft es auf unsere Geheimnisse hier!

Der erste Eintrag stammt vom 1. Juni 1789, der letzte vom 27. Oktober 1789 – vier Tage vor der Katastrophe in Jerusalem's Lot, von der Mrs. Cloris gesprochen hat. Das Buch erzählt die Geschichte einer wachsenden Besessenheit – nein, Wahnsinn – und macht in schrecklicher Weise die Verbindung zwischen Großonkel Philip, Jerusalem's Lot und dem Buch deutlich, das in jener entweihten Kirche ruht.

Das Dorf ist laut Robert Boone älter als Chapelwaite (das 1782 erbaut wurde) und Preacher's Corners (das damals den Namen Preacher's Rest trug und 1741 gegründet wurde); es wurde 1710 von einer Splittergruppe des puritanischen Glaubens gegründet, eine Sekte, deren Oberhaupt ein streng religiöser Fanatiker namens James Boon war. Wie überrascht ich war, als ich diesen Namen las! Ich glaube, es gibt kaum einen Zweifel daran, daß dieser Boon mit meiner Familie verwandt ist. Mrs. Cloris hatte absolut recht mit ihrer abergläubischen Behauptung, daß die familiäre Blutlinie in diesem Fall von entscheidender Bedeutung ist, und ich denke mit Entsetzen an ihre Antwort auf meine Frage nach Philip und *seiner* Verbindung zu Salem's Lot zurück. »Eine der Blutsverwandtschaft«, hatte sie gesagt, und ich fürchte, daß es tatsächlich so ist.

Es entstand eine feste Niederlassung um die Kirche herum, in der Boon predigte – oder hofhielt. Mein Großvater deutet an, daß er auch mit einer Reihe von Damen der Gemeinde Verkehr hatte und ihnen versicherte, daß dies Gottes Weg und Wille sei. Als Folge davon entwickelte sich die Gemeinde zu einer Anomalie, wie es sie nur in jenen isolierten und merkwürdigen Tagen gegeben haben konnte, als der Glaube an Hexen und die Jungfrauengeburt Hand in Hand existierten: ein durch Inzucht weitgehend degeneriertes Dorf, das von einem halb verrückten Prediger beherrscht wurde, dessen beide Evangelien die Bibel und de Goudges unseliges Buch *Wohnsitz der Dämonen* waren; eine Gemeinde, in der regelmäßig die Riten des Exorzismus abgehalten wurden; eine Gemeinde des Inzests, des Wahnsinns und der Mißgeburten, die jene Sünde so häufig begleiten. Ich vermute (was wohl auch Robert Boone vermutet hat), daß einer von Boons unehelichen Nachkommen Jerusalem's Lot verlassen hat (oder heimlich fortgeschafft worden ist), um sein Glück im Süden zu suchen – und so unsere jetzige Linie begründet hat. Nach dem, was mir von meiner Familie bekannt ist, soll unsere Sippe aus jenem Teil von Massachusetts stammen, der jüngst der souveräne Staat Maine geworden ist. Mein Urgroßvater, Kenneth Boone, wurde infolge des damals florierenden Pelzhandels zum reichen Mann. Mit seinem Geld, das im Laufe der Zeit und durch kluge Investitionen weiter vermehrt wurde, wurde dieser Familiensitz 1763, lange nach seinem Tod, gebaut. Es waren seine Söhne, Philip und Robert, die Chapelwaite bauten. *Blut ruft Blut*, hat Mrs. Cloris gesagt. Könnte es sein, daß Kenneth der Sohn von James Boon war, der vor dem Wahnsinn seines Vaters und des Dorfes floh, nur damit dann seine Söhne, die von all dem nichts wußten, *keine zwei Meilen vom Ursprung der Boons entfernt* den Familiensitz der Boones bauten? Wenn dies so ist, scheint es dann nicht so, daß uns eine mächtige und unsichtbare Hand geleitet hat?

Laut Roberts Tagebuch war James Boon 1789 bereits uralt – und das muß er tatsächlich gewesen sein. Angenommen, er war fünfundzwanzig, als das Dorf gegründet wurde, dann müßte er damals einhundertvier gewesen sein, ein ungewöhnliches Alter. Das folgende ist wörtlich aus Robert Boones Tagebuch zitiert:

4. August 1789

Heute bin ich zum erstenmal diesem Mann begegnet, von dem mein Bruder so gefährlich gefesselt ist; ich muß zugeben, daß von diesem Boon eine starke Anziehungskraft ausgeht, die mich in höchstem Maße beunruhigt. Er ist wahrhaft ein Alter, mit weißem Bart und bekleidet mit einer schwarzen Soutane, die mir irgendwie obszön vorkam. Noch beunruhigender aber war die Tatsache, daß er von Frauen umgeben war, so wie ein Sultan von seinem Harem; P. hat mir versichert, daß er noch aktiv sei, obwohl er mindestens achtzig sein muß ...

Das Dorf selbst hatte ich erst ein einziges Mal zuvor besucht, und ich werde es auch nicht wieder besuchen; seine Straßen sind still und erfüllt von der Angst, die der alte Mann von seiner Kanzel verbreitet. Ich fürchte auch, daß sich Gleiches mit Gleichem fortgepflanzt hat, da sich so viele der Gesichter ähnlich sind. Wohin ich mich auch wandte, immer glaubte ich, mich dem Gesicht des alten Mannes gegenüberzusehen ... sie sind alle so blaß, so stumpfsinnig, als seien sie aller Lebenskraft beraubt. Ich bin Kindern ohne Augen und ohne Nase begegnet, Frauen, die weinten und lallten und ohne Grund zum Himmel hinaufzeigten und die wirres Zeug aus der Bibel und über Dämonen redeten ...

P. wollte, daß ich zum Gottesdienst blieb, aber der Gedanke an jenen finsteren Alten auf der Kanzel vor der von Inzucht gezeichneten Bevölkerung dieses Dorfes stieß mich ab, und ich entschuldigte mich unter einem Vorwand ...

Die Einträge vor und nach diesem Zitat berichten von Philips wachsender Faszination von James Boon. Am 1. September 1789 wurde Philip getauft und als Mitglied in James Boons Kirche aufgenommen. Sein Bruder schreibt: »Ich bin sprachlos vor Erstaunen und Entsetzen – mein Bruder hat sich vor meinen eigenen Augen verändert – es scheint sogar, daß er allmählich dem abscheulichen Mann ähnlich wird.«

Das Buch wird erstmalig am 23. Juli erwähnt. Robert bezieht sich im Eintrag von diesem Tag nur kurz darauf: »P. kam heute abend mit, wie ich fand, einem ziemlich verstörten Ausdruck aus dem kleineren Dorf zurück. Wollte nicht sprechen, bis es Schlafenszeit war. Dann erklärte er, daß sich Boon nach einem Buch mit dem Titel *Die Geheimnisse des Wurms* erkundigt habe. Um P. einen Gefallen zu tun, habe ich ihm versprochen, eine Anfrage wegen des Buchs an Johns & Goodfellow zu schicken; P. ist fast hündisch dankbar.«

Am 12. August diese Notiz: »Bekam heute zwei Briefe mit der Post... einen von Johns & Goodfellow. Das Buch, für das sich P. interessiert, ist ihnen bekannt. Es existieren nur fünf Exemplare von ihm in diesem Land. Der Brief ist relativ kühl. Wirklich merkwürdig, wo ich Henry Goodfellow schon seit so vielen Jahren kenne.«

13. August

P. wahnsinnig aufgeregt über Goodfellows Brief; will nicht sagen, warum. Meinte nur, daß Boon *außerordentlich viel* daran läge, ein Exemplar zu bekommen. Kann mir nicht vorstellen, warum, da es sich dem Titel nach anscheinend nur um eine harmlose Abhandlung über Gartenbau handelt...

Mache mir Sorgen wegen Philip; er wird mir mit jedem Tag fremder. Ich wünsche, wir wären nicht nach Chapelwaite zurückgekehrt. Der Sommer ist heiß, drückend und erfüllt von düsteren Vorzeichen...

Robert erwähnt das infame Buch nur noch zweimal in seinem Tagebuch (offensichtlich hat er bis zuletzt dessen wirkliche Bedeutung nicht erkannt). Aus dem Eintrag vom 4. September:

Ich habe Goodfellow gebeten, als P.s Vermittler in der Kaufsache zu fungieren, obwohl mich mein gesunder Verstand laut davor warnt. Was nützen alle Bedenken? Hat er nicht eigenes Geld, wenn ich mich weigern würde? Außerdem habe ich Philip das Versprechen abringen können, als Gegenleistung diese unselige Taufe zu widerrufen... aber er ist so hektisch, fast fieberhaft; ich traue ihm nicht. Ich bin völlig ratlos...

Und schließlich, am 16. September:

Das Buch ist heute eingetroffen, mit einem Brief von Goodfellow, in dem er mir mitteilt, daß er keine Geschäfte mehr mit mir machen wolle... P. war über alle Maßen erregt; riß mir das Buch einfach aus den Händen. Es ist in einem Mischmasch aus Latein und einer Runenschrift geschrieben, die ich nicht lesen kann. Es kam mir fast warm vor, als ich es anfaßte, und schien in meinen Händen zu vibrieren, als ob es eine gewaltige Macht enthielte... Ich erinnerte P. an sein Versprechen, die Taufe zu widerrufen, doch er stieß nur ein häßliches, irres Lachen aus, schwenkte das Buch vor meinem Gesicht herum und schrie immer wieder: »Wir haben es! Wir haben es! Der Wurm! Das Geheimnis des Wurms!«
Er ist jetzt fort, ich nehme an, zu seinem verrückten Meister, und ich habe ihn heute noch nicht wieder gesehen...

Das Buch wird danach nicht mehr erwähnt, aber ich habe gewisse Schlußfolgerungen gezogen, die zumindest wahrscheinlich scheinen. Erstens, daß dieses Buch, wie Mrs. Cloris gesagt hat, der Grund für den Streit zwischen Robert und Philip war; zweitens, daß es eine Quelle böser Zauberei ist und möglicherweise druidischen Ursprungs (viele der druidischen Blutrituale wurden von den Römern, die Britannien eroberten, im Namen der Wissenschaft schriftlich festgehalten); und drittens, daß Boon und Philip die Absicht hatten, das Buch für ihre Zwecke zu benutzen. Vielleicht hatten sie auf irgendeine verdrehte Weise Gutes im Sinn, aber ich bezweifle es. Ich glaube, daß sie sich schon lange zuvor irgendwelchen anonymen Mächten, die hinter dem Rand des Universums existieren, verschrieben hatten; Mächte, die vielleicht außerhalb der Zeitstruktur existieren. Die letzten Einträge in Robert Boones Tagebuch verleihen diesen Mutmaßungen einen düsteren Schein der Bestätigung, und ich möchte sie für sich sprechen lassen:

Ein entsetzliches Geschwätz heute in Preacher's Corners; Frawley, der Schmied, ergriff mich am Arm und wollte wissen, »was Ihr Bruder und dieser verrückte Antichrist da oben vorhaben«. Frömmler Randall redet von *Zeichen* am Himmel, die ein *großes, nahe bevorstehendes Unglück* ankündigen. Es ist ein Kalb mit zwei Köpfen geboren worden.

Was mich betrifft, so weiß ich nicht, was bevorsteht; vielleicht, daß mein Bruder wahnsinnig wird. Sein Haar ist praktisch über Nacht grau geworden, und seine Augen sind große, blutunterlaufene Kreise, aus denen das wohltuende Licht eines gesunden Geistes gewichen zu sein scheint. Er grinst und flüstert vor sich hin und hat, aus einem Grund, der nur ihm bekannt ist, angefangen, in unseren Keller hinunterzusteigen, wenn er nicht in Jerusalem's Lot ist.

Die Ziegenmelker sammeln sich um das Haus und auf dem Rasen; ihre vereinten Rufe aus dem Nebel vermischen sich mit dem Donnern des Meeres zu einem schauerlichen Kreischen, das jeden Gedanken an Schlaf ausschließt.

27. Oktober 1789

Bin heute abend P. gefolgt, als er sich auf den Weg nach Jerusalem's Lot machte, wobei ich genügend Abstand hielt, um nicht entdeckt zu werden. Die verfluchten Ziegenmelker flogen in Schwärmen durch den Wald und erfüllten die Luft mit einem tödlichen, unheilvollen Gesang. Ich wagte nicht, die Brücke zu überschreiten; der Ort lag völlig im Dunkeln, mit Ausnahme der Kirche, die von einem geisterhaften, rötlichen Leuchten erhellt wurde, das die hohen, spitzen Fenster in die Augen der Hölle verwandelte. Stimmen hoben und senkten sich in einer Satanslitanei, manchmal erklang Lachen, manchmal Schluchzen. Der Boden unter meinen Füßen schien zu ächzen und sich zu heben, als trüge er ein schreckliches Gewicht, und ich floh, verwirrt und voller Entsetzen; die höllischen, kreischenden Schreie der Ziegenmelker klangen schrill in meinen Ohren, als ich durch den von Schatten erfüllten Wald rannte.

Alles strebt dem Höhepunkt zu, den ich noch nicht kenne. Ich wage nicht zu schlafen, aus Angst vor den Träumen, die kommen, aber ich will auch nicht wach bleiben, aus Angst vor dem Schrecklichen, das vielleicht kommt. Die Nacht ist voll greulicher Geräusche, und ich fürchte –

Und doch drängt es mich, wieder hinauszugehen, zu beobachten und zu *erfahren*. Es scheint, als ob Philip – und der alte Mann – mich rufen.

Die Vögel
verflucht verflucht verflucht

Hier endet das Tagebuch von Robert Boone.

Hast Du bemerkt, Bones, daß er am Schluß davon spricht, daß Philip selbst ihn zu rufen schien? Meine Schlußfolgerung basiert auf diesen Zeilen, auf dem, was Mrs. Cloris und die anderen gesagt haben, aber in erster Linie auf den Horrorwesen im Keller, die tot sind und dennoch leben. Unsere Linie ist eine unselige, Bones. Ein Fluch liegt auf uns, der sich nicht begraben lassen will; er lebt ein schreckliches Schattenleben in diesem Haus und jenem Dorf. Und wieder hat der Zyklus seinen Höhepunkt fast erreicht. Ich bin der letzte vom Blute der Boones. Ich fürchte, daß etwas dies weiß und daß ich mich inmitten eines bösen Bestrebens befinde, das sich mit dem gesunden Verstand nicht fassen läßt. Der Tag der Wiederkehr ist der Abend von Allerheiligen, das ist heute in einer Woche.

Wie soll ich weiter verfahren? Wärst Du nur hier bei mir, um mir Rat zu geben und mir zur Seite zu stehen! Wärst Du doch nur hier!

Ich muß alles wissen; ich muß zu dem verlassenen Dorf zurückgehen. Möge Gott mir beistehen!

CHARLES.

(Aus dem Tagebuch von Calvin McCann)

25. Oktober '50

Mr. Boone hat fast den ganzen Tag geschlafen. Sein Gesicht ist blaß und schmal. Ich fürchte, daß ein Wiederauftreten des Fiebers unvermeidlich ist.

Als ich seine Wasserkaraffe mit frischem Wasser auffüllte, entdeckte ich zwei Briefe an Mr. Granson in Florida. Er hat vor, nach Jerusalem's Lot zurückzugehen; es wird sein Tod sein, wenn ich es zulasse. Ob ich es wagen kann, heimlich nach Preacher's Corners zu gehen und einen Wagen zu mieten? Ich muß, was aber, wenn er erwacht? Wenn ich bei meiner Rückkehr entdecken müßte, daß er fort ist?

Die Geräusche in unseren Wänden haben wieder angefangen. Gott sei Dank schläft er noch! Mein Geist schreckt zurück vor dem Gedanken daran, was sie bedeuten.

Später

Ich habe ihm auf einem Tablett sein Abendessen gebracht. Er hat vor, später aufzustehen, und ich weiß, was er plant, trotz seiner Ausflüchte. Dennoch werde ich nach Preacher's Corners gehen. Ich habe bei meinen Sachen noch ein paar der Schlafmittel, die er während seiner jüngsten Krankheit verschrieben bekommen hat; er hat eins davon ahnungslos mit dem Tee zu sich genommen. Jetzt schläft er wieder.

Der Gedanke, ihn mit den Wesen alleinzulassen, die hinter unseren Wänden rumoren, beängstigt mich, doch der Gedanke, ihn noch einen Tag länger innerhalb dieser Wände zu lassen, beängstigt mich noch viel mehr. Ich habe ihn eingeschlossen.

Gott gebe, daß er dort immer noch liegt und schläft, wenn ich mit dem Wagen zurückkehre!

Noch später

Gesteinigt! Sie haben mich gesteinigt wie einen wilden, tollwütigen Hund! Diese Monster, diese Teufel, die sich *Menschen* nennen. Wir sind Gefangene hier –

Die Vögel, die Ziegenmelker, haben angefangen, sich zu sammeln.

26. Oktober 1850

Lieber Bones,
der Abend bricht bald herein, und ich bin soeben aufgewacht, nachdem ich die letzten vierundzwanzig Stunden fast ganz verschlafen habe. Obwohl Cal nichts gesagt hat, vermute ich, daß er mir ein Schlafpulver in den Tee gegeben hat, weil er wußte, was ich vorhatte. Er ist ein guter und treuer Freund, der nur das Beste für mich will, und deshalb werde ich nichts sagen.

Mein Entschluß steht jedoch fest. Morgen ist der Tag. Ich bin ruhig und entschlossen, aber ich meine auch, wieder den tückischen Beginn des Fiebers zu spüren. Wenn es so ist, dann muß es *morgen* geschehen. Vielleicht wäre es heute abend noch besser, doch nicht einmal das Feuer der Hölle selbst könnte mich dazu bewegen, nach Anbruch der Abenddämmerung noch einen Fuß in jenes Dorf zu setzen.

Sollte ich nicht mehr schreiben, möge Gott Dich segnen und beschützen.

CHARLES.

Postskriptum – Die Vögel haben ihr Geschrei begonnen, und auch die fürchterlichen, schlurfenden Geräusche haben wieder angefangen. Cal glaubt, ich würde es nicht hören, aber ich höre es doch.

C.

(Aus dem Tagebuch von Calvin McCann)

27. Oktober '50, *5 Uhr morgens*
Er will sich nicht von seinem Entschluß abbringen lassen. Also gut. Ich werde mit ihm gehen.

4. November 1850

Lieber Bones,

bin schwach, doch geistig klar. Ich bin mir nicht sicher, welches
Datum wir heute haben, aber nach dem Stand der Gezeiten
und dem Sonnenuntergang in meinem Kalender müßte es
stimmen. Ich sitze an meinem Schreibtisch, von wo aus ich Dir
zum erstenmal aus Chapelwaite geschrieben habe, und schaue
auf die dunkle See hinaus, über der die letzten Lichtstrahlen
rasch schwächer werden. Ich werde nie wieder die Sonne
sehen. Heute ist meine Nacht; ich werde sie den Schatten
überlassen, die da sind.

Wie das Meer gegen die Felsen schlägt! Es schleudert Wol-
kenfetzen aus Wasserschaum hoch in den dunkler werdenden
Himmel und läßt den Boden unter meinen Füßen erzittern. Im
Fensterglas sehe ich mein Spiegelbild, das Gesicht blaß wie das
eines Vampirs. Seit dem siebenundzwanzigsten Oktober bin
ich ohne Nahrung und wäre auch ohne Wasser gewesen, hätte
Cal nicht an jenem Tag die Karaffe neben mein Bett gestellt.

O, Cal! Er ist nicht mehr, Bones. Er ist an meiner Stelle
gestorben, an der Stelle dieses armen Teufels mit zündholzdür-
ren Armen und einem Totenschädel, dessen Spiegelbild das
dunkle Glas zurückwirft. Und doch ist er vielleicht der Glück-
lichere von uns beiden, denn ihn quälen keine Alpträume, wie
sie mich in den letzten Tagen gepeinigt haben – merkwürdige,
verzerrte Formen und Gestalten, die in den Traumkorridoren
des Deliriums lauern. Auch jetzt zittert meine Hand; ich habe
die Seite mit Tintenflecken beschmiert.

Calvin stellte mich an jenem Morgen, gerade als ich mich
davonschleichen wollte, zur Rede – und ich hatte gedacht, ich
wäre so schlau gewesen. Ich hatte ihm erklärt, ich sei zu dem
Schluß gelangt, daß wir abreisen müßten, und ihn gebeten,
nach Tandrell zu gehen, das ungefähr zehn Meilen entfernt
liegt und wo wir nicht so bekannt waren, um einen Einspänner
zu mieten. Er war einverstanden, und ich sah ihm nach, wie er
über die Küstenstraße davonging. Als er außer Sicht war,
machte ich mich rasch fertig, zog Mantel und Schal über (denn

das Wetter war frostig geworden; in der scharfen Brise jenes Morgens lag der erste Hauch des bevorstehenden Winters). Für einen kurzen Augenblick wünschte ich mir, jetzt ein Gewehr zu haben, doch dann mußte ich über meinen Wunsch lachen. Was nützt schon ein Gewehr in einer solchen Sache?

Ich verließ das Haus durch die Vorratskammer. Draußen blieb ich noch einmal stehen, um einen letzten Blick auf das Meer und den Himmel zu werfen; um noch einmal frische Luft einzuatmen, denn schon sehr bald würde sie von jenem gräßlichen Gestank abgelöst werden; um eine Möwe zu betrachten, die suchend unter den Wolken kreiste.

Ich drehte mich um – und sah mich Calvin McCann gegenüber.

»Sie gehen nicht allein«, sagte er, und ich habe sein Gesicht noch nie so entschlossen gesehen wie in diesem Moment.

»Aber Calvin –« begann ich.

»Nein, kein Wort mehr! Wir gehen zusammen und tun zusammen, was getan werden muß, oder ich bringe Sie mit Gewalt ins Haus zurück. Sie sind nicht gesund, und Sie dürfen nicht allein gehen.«

Ich kann unmöglich den Widerstreit der Gefühle beschreiben, die sich meiner bemächtigten: Verwirrung, Verstimmung, Dankbarkeit – doch das stärkste von allen war Liebe.

Schweigend machten wir uns auf den Weg, vorbei an dem Gartenhaus und der Sonnenuhr und über die überwucherte Grenze des Besitzes in den Wald hinein. Alles war totenstill – kein einziger Vogel sang, und nicht einmal eine Waldgrille zirpte. Die Welt schien in einen Mantel des Schweigens gehüllt zu sein. Da war nur der allgegenwärtige Geruch nach Salz und ein ferner, schwacher Geruch nach Holzrauch. Der Wald war eine Schwelgerei in leuchtenden Farben, doch für mich schien Scharlachrot alles andere zu überdecken.

Bald war der Geruch nach Salz verschwunden, und seine Stelle nahm ein anderer, bedrohlicherer Geruch ein; jener Geruch der Fäulnis, den ich schon erwähnte. Als wir den Steg erreichten, der über den Royal führt, wartete ich darauf, daß Cal erneut versuchen würde, mir mein Vorhaben auszureden, doch er sagte nichts. Er blieb stehen, blickte auf jenen düsteren Kirchturm, der dem blauen Himmel über ihm zu spotten schien und dann auf mich. Wir setzten unseren Weg fort.

Mit raschen, aber angsterfüllten Schritten näherten wir uns James Boons Kirche. Die Tür stand von unserem letzten Besuch noch ein Stück offen, und dahinter gähnte tiefe Finsternis. Als wir die Stufen hinaufstiegen, hatte ich das Gefühl, als würde mein Herz schwer wie Blei; meine Hand zitterte, als ich die Hand nach dem Griff ausstreckte und die Tür aufzog. Der Geruch, der uns aus dem Innern entgegenströmte, war intensiver und übler als je zuvor.

Wir betraten den dämmrigen Vorraum und begaben uns ohne zu zögern in den Hauptraum.

Ein Bild der Verwüstung bot sich uns.

Irgend etwas Gewaltiges war hier an der Arbeit gewesen und hatte wild gewütet. Kirchenstühle waren umgestürzt und wie Mikadostäbchen übereinandergeworfen worden. Das unselige Kreuz lag an der Ostwand, und ein gezacktes Loch im Putz zeugte von der Gewalt, mit der es durch die Luft geschleudert worden war. Die Öllampen waren heruntergerissen worden, und der Geruch nach Walöl vermischte sich mit jenem schrecklichen Gestank, der über dem Dorf lag. Und den Mittelgang hinunter lief, wie ein gespenstischer Hochzeitsteppich, eine schwarze Schleimspur, die von dunklen Blutfäden durchzogen war. Unsere Augen folgten ihr bis zur Kanzel – soweit wir sehen konnten, war sie allein von der Zerstörung ausgenommen worden. Auf ihr lag der Körper eines geschlachteten Lamms, das uns über jenes gotteslästerliche Buch hinweg aus glasigen Augen anstarrte.

»Mein Gott«, flüsterte Calvin.

Wir traten näher, wobei wir vermieden, mit dem Schleim auf dem Boden in Berührung zu kommen. Die Wände warfen das Geräusch unserer Schritte zurück und schienen sie in ein gigantisches Gelächter zu verwandeln.

Gemeinsam stiegen wir die Kanzel hinauf. Das Lamm war nicht aufgerissen und auch nicht angefressen; es sah eher so aus, als sei es so lange *gedrückt* worden, bis seine Adern gewaltsam geplatzt waren. Blut lag in dicken und ekelhaften Pfützen auf dem Pult selbst und an seinem Fuß... *doch wo es auf dem Buch lag, war es durchsichtig, und man konnte die unleserlichen Runen erkennen, als sehe man durch farbiges Glas!*

»Müssen wir es anfassen?« fragte Cal entschlossen.

»Ja. Ich muß es haben.«

»Was wollen Sie tun?«

»Was schon vor sechzig Jahren hätte getan werden sollen. Ich werde es vernichten.«

Wir rollten das tote Lamm von dem Buch herunter, und es schlug mit einem gräßlichen, dumpfen Laut auf dem Boden auf. Die blutbesudelten Seiten schienen jetzt von einem eigenen roten Leuchten erfüllt.

In meinen Ohren begann es zu klingen und zu dröhnen; es schien, als ginge ein leiser Gesang von den Wänden aus. Der verwirrte Ausdruck in Cals Gesicht sagte mir, daß er das gleiche hörte wie ich. Unter uns bebte der Boden, als wenn das, was in dieser Kirche wohnte, uns jetzt angreifen wollte, um das Seine zu beschützen. Die Struktur des normalen Raums und der normalen Zeit schien sich zu verziehen und Risse zu bekommen; die Kirche schien von Geistern zu wimmeln und erfüllt vom ewigen, kalten Feuer der Hölle. Ich glaubte, James Boon zu sehen, ungestalt und abstoßend, wie er um den Körper einer auf dem Rücken liegenden Frau herumstolzierte, und dahinter meinen Großonkel Philip als Akoluth. Er trug eine schwarze Kapuze mit Soutane und hielt ein Messer und eine Schale in den Händen.

»Deum vobiscum magna vermis...«

Die Worte zitterten und verzerrten sich auf der Seite vor mir, die mit dem Blut des Opfertieres getränkt war, das Loblied auf eine Kreatur, die irgendwo hinter den Sternen existiert...

Eine blinde, durch Inzucht entstandene Gemeinde, die sich in einem dämonischen Lobgesang wiegt; entstellte Gesichter, die von einer gierigen, namenlosen Erwartung erfüllt sind...

Und das Lateinische wurde von einer älteren Sprache abgelöst, eine Sprache, die schon uralt war, als Ägypten jung war und es die Pyramiden noch nicht gab, als diese Erde noch in einem formlosen, siedenden Firmament leeren Gases hing:

»Gyyagin vardar Yogsoggoth! Verminis! Gyyagin! Gyyagin! Gyyagin!«

Die Kanzel begann, sich zu bewegen, zu bersten, hob sich hoch...

Calvin stieß einen Schrei aus und nahm den Arm hoch, um sein Gesicht zu schützen. Ein gewaltiges, unheilvolles Zittern durchlief den Narthex, als ob ein Schiff in einem Sturm unterging. Ich ergriff das Buch und hielt es von mir weg; es schien erfüllt von der Hitze der Sonne, und ich dachte, daß ich verglühen und geblendet werden müßte.

»Laufen Sie!« schrie Calvin. »Laufen Sie weg!«

Doch ich stand da wie erstarrt, und die Gegenwart des Fremden erfüllte mich wie ein biblisches Werkzeug, das Jahre – ja Generationen – gewartet hatte.

»Gyyagin vardar!« schrie ich. »Diener von Yogsoggoth, dem Namenlosen! Der Wurm von jenseits des Raums! Sternenesser! Blender der Zeit! Verminis! Die Stunde Deines Erscheinens ist da, die Zeit ist gekommen! Verminis! Alyah! Gyyagin!«

Calvin versetzte mir einen Stoß, und ich stolperte. Die Kirche schien sich um mich zu drehen, und ich stürzte zu Boden, wobei ich mit dem Kopf gegen eine umgeworfene Kirchenbank schlug. Rotes Feuer erfüllte meinen Kopf – und schien mich gleichzeitig in die Wirklichkeit zurückzuholen.

Ich tastete nach den Schwefelhölzern, die ich mitgebracht hatte.

Ein unterirdisches Donnern erfüllte die Kirche. Putz fiel herunter. Die rostige Glocke im Turm schlug in Sympathieschwingung ein ersticktes Teufelscarillon an.

Mein Zündholz flammte auf. Genau in dem Augenblick, als ich es an das Buch hielt, barst die Kanzel auseinander und wurde in die Luft katapultiert. Darunter tauchte ein riesiges, schwarzes Maul auf, an dessen Rand Cal wankend stand, die Hände ausgestreckt, das Gesicht in einem wortlosen Schrei verzerrt, den ich auf ewig hören werde.

Und dann erhob sich eine gewaltige Woge von grauem,

zitterndem Fleisch. Der Gestank wurde zum Alptraum. Aus der Öffnung unter der Kanzel quoll eine klebrige, geleeartige Masse, eine riesengroße und greuliche Form, die direkt aus den Tiefen der Erde aufzusteigen schien. Und in einer plötzlichen, furchtbaren Erkenntnis begriff ich, was kein Mensch gewußt haben konnte: *nämlich daß es nur ein Ring, ein Segment eines Riesenwurms war, der Jahre in finsteren Kammern unter jener verfluchten Kirche sein Dasein geführt hatte!*

Das Buch in meinen Händen ging in Flammen auf, und das Wesen schien über mir einen lautlosen Schrei auszustoßen. Calvin wurde flüchtig getroffen und mit gebrochenem Genick wie eine Puppe durch die Kirche geschleudert.

Es verschwand – das Wesen zog sich zurück und hinterließ nur ein riesiges, zersplittertes Loch, das von schwarzem Schleim umgeben war. Noch einmal erklang ein lauter, quäkender Schrei, der in unvorstellbaren Fernen zu verhallen schien, und dann war es verschwunden.

Ich sah zu Boden. Das Buch war zu Asche verbrannt.

Ich fing an zu lachen und dann zu heulen wie ein geprügelter Hund.

Mein Verstand verließ mich; mit blutender Schläfe setzte ich mich auf den Boden und schrie und lallte in jene gottlosen Schatten, während Calvin, Arme und Beine von sich gestreckt, in der gegenüberliegenden Ecke lag und mich aus glasigen Augen, in denen noch sein Entsetzen zu sehen war, anstarrte.

Ich kann nicht sagen, wie lange ich in diesem Zustand da saß. Doch als ich wieder zur Besinnung kam, waren die Schatten um mich herum länger geworden, und ich fand mich im Dämmerlicht dort sitzen. Eine Bewegung hatte meine Aufmerksamkeit erregt, eine Bewegung in jenem Loch, das im Boden des Narthex war.

Eine Hand tastete über die geborstenen Holzplanken.

Mein irres Lachen erstickte mir in der Kehle. Alle Hysterie schmolz in betäubte Gefühllosigkeit.

Ganz langsam, entsetzlich langsam, zog sich eine verweste Gestalt aus der Dunkelheit empor, und ein Kopf, der teilweise nur noch aus nackten Knochen bestand, starrte mich an. Käfer krabbelten über die fleischlose Stirn. Eine vermoderte Soutane schlotterte um die halb verfaulten Schlüsselbeine. Nur die Augen lebten – rote Höhlen, aus denen mehr als bloßer Wahnsinn leuchtete, als sie mich anstarrten; in ihnen funkelte das eitle Leben der weglosen Öde hinter dem Rand des Universums.

Sie kam, um mich in die Dunkelheit hinunterzuzerren.

Ich floh schreiend und ließ den Leichnam meines lebenslangen Freundes unbeachtet an diesem Ort des Grauens zurück. Ich rannte, bis die Luft wie glühendes Magma in meinen Lungen und meinem Gehirn brannte. Ich rannte, bis ich dieses besessene und verfluchte Haus und mein Zimmer erreicht hatte, wo ich zusammenbrach und bis heute wie ein Toter gelegen habe. Ich rannte davon, weil ich sogar in meinem irren Zustand und obwohl jene tote und doch belebte Gestalt halb verwest war, *dennoch die Familienähnlichkeit bemerkt hatte.* Aber nicht mit Philip oder Robert, dessen Porträts in der oberen Galerie hängen. *Jenes vermoderte Gesicht gehörte James Boon, dem Hüter des Wurms!*

Er lebt noch immer in den gewundenen, finsteren Gängen unter Jerusalem's Lot und Chapelwaite – und auch *Es lebt immer noch.* Die Zerstörung des Buches hat *Ihm* zwar eine Niederlage beigebracht, aber es existieren noch andere Exemplare.

Doch ich bin das Tor, und ich bin der letzte vom Blute der Boones. Zum Wohl der ganzen Menschheit muß ich sterben... und die Fesseln für immer brechen.

Ich gehe jetzt hinunter zum Meer, Bones. Meine Reise, wie meine Geschichte, ist hier zu Ende. Möge Gott Euch beschützen und Euch Seinen Frieden geben.

CHARLES.

Die merkwürdigen Briefe erreichten schließlich Mr. Everett Granson, an den sie adressiert waren. Es wird vermutet, daß Charles Boone infolge eines neuerlichen Anfalls jenes unseligen Gehirnfiebers, an dem er schon einmal, nach dem Tod seiner Frau 1848, gelitten hatte, den Verstand verloren und seinen Begleiter und langjährigen Freund, Mr. Calvin McCann, ermordet hat.

Die Einträge in Mr. McCanns Tagebuch sind faszinierende Fälschungen, die Charles Boone zweifellos selbst begangen hat in dem Bestreben, seine eigenen paranoiden Selbsttäuschungen zu untermauern.

In zumindest zwei Punkten aber lassen sich Charles Boones Ausführungen widerlegen. Erstens, als der Ort Jerusalem's Lot »wiederentdeckt« wurde (ich benutze den Ausdruck natürlich in historischem Sinn), war der Boden des Narthex zwar sehr wohl verrottet, wies aber keine Spuren einer Zerstörung oder größerer Beschädigungen auf.

Die alten Kirchenstühle waren *tatsächlich* umgestürzt und mehrere Fenster zerbrochen, doch dies ist aller Wahrscheinlichkeit nach das Werk von Vandalen aus den umliegenden Orten gewesen, die im Laufe der Jahre hier gewütet haben. Unter den älteren Bewohnern von Preacher's Corners und Tandrell kursieren immer noch haltlose Gerüchte über Jerusalem's Lot (vielleicht ist es eine solche harmlose Überlieferung gewesen, die Charles Boones Geist auf jenen fatalen Weg gebracht hat), aber sie sind offensichtlich kaum von irgendeiner Bedeutung.

Zum zweiten war Charles Boone nicht der letzte seiner Linie. Sein Großvater, Robert Boone, hat wenigstens zwei uneheliche Söhne gezeugt.

Der eine starb bereits im frühen Kindesalter. Der zweite nahm den Namen Boone an und ließ sich in Central Fall, Rhode Island, nieder. Ich bin der letzte Nachkomme dieses Zweigs der Booneschen Linie, ein Cousin dritten Grades von Charles Boone. Diese Briefe befinden sich seit zehn Jahren in meinem Besitz.

Ich biete sie zur Veröffentlichung anläßlich meines Einzugs in den Familiensitz der Boones, Chapelwaite, an, in der Hoffnung, daß der Leser Verständnis für Charles Boones arme, irregeleitete Seele findet. Soweit ich es sagen kann, hatte er nur in einer Sache recht: Dieses Haus benötigt dringend die Dienste eines Kammerjägers.

Den Geräuschen nach zu urteilen, müssen ein paar große Ratten in den Wänden ihr Unwesen treiben.

Unterzeichnet
James Robert Boone
2. Oktober 1971.

Spätschicht

Zwei Uhr nachts. Freitag.

Hall saß im dritten Stock auf der Bank neben dem Aufzug. Nur hier konnte man gelegentlich in Ruhe eine rauchen. Aber schon stand Warwick vor ihm. Hall war alles andere als erfreut. Während der Spätschicht hatte der Vorarbeiter im dritten Stock nichts zu suchen. Um diese Zeit saß er gewöhnlich in seinem Büro im Erdgeschoß und trank Kaffee aus der riesigen Kanne, die immer auf seinem Schreibtisch stand. Außerdem war es warm.

Es war der heißeste Juni, den Gates Falls je erlebt hatte. Das Thermometer neben dem Aufzug hatte einmal sogar um drei Uhr morgens schon vierunddreißig Grad angezeigt. Er bedauerte jetzt schon die Leute der Schicht von fünfzehn bis dreiundzwanzig Uhr. Zu der Zeit konnte es höchstens in der Hölle heißer sein als in dieser verdammten Spinnerei.

Hall bediente den Picker, eine gewaltige, 1934 in Cleveland gebaute Maschine, deren Herstellerfirma schon lange nicht mehr existierte. Er arbeitete erst seit April in der Spinnerei und bekam deshalb nur den Mindestlohn von einem Dollar achtundsiebzig die Stunde. Er kam damit aus. Keine Frau, keine feste Freundin, keine Alimente. Er hatte sich während der letzten drei Jahre treiben lassen. Per Anhalter war er von Berkeley (Student), nach Lake Tahoe (Aushilfskellner), Galveston (Schauermann), Miami (Koch in einem Schnellimbiß), Wheeling (Taxifahrer und Tellerwäscher) gefahren und schließlich in Gates Falls gelandet, wo er jetzt den Picker bediente. Er hatte sich vorgenommen, erst im Winter weiterzuziehen. Er war ein Einzelgänger, und am besten gefielen ihm die Stunden von dreiundzwanzig bis sieben Uhr, wenn sich der hektische

Betrieb in der großen Spinnerei ein wenig abgekühlt hatte, von der jetzt herrschenden Hitze einmal abgesehen.

Nur die Ratten störten ihn.

Die lange, nur vom flackernden Licht einiger Neonlampen erhellte Flucht des dritten Stocks lag verlassen da. Im Gegensatz zu den übrigen Stockwerken war es hier relativ ruhig und kaum besucht – jedenfalls von Menschen. Bei den Ratten lag die Sache anders. Die einzige Maschine im dritten war der Picker. Sonst diente das Stockwerk als Lagerraum für die Zentnersäcke mit Fasern, die Hall alle irgendwann in seiner großen, über Zahnräder angetriebenen Maschine bearbeiten mußte. Wie dicke Würste lagen die Säcke in langen Reihen aufgestapelt. Einige (besonders die mit der nicht mehr gefragten groben Wolle und dem unsortierten Material, für das es keine Interessenten gab) lagerten hier schon seit Jahren. Sie boten idealen Unterschlupf für die Ratten, riesige fettbäuchige Tiere mit wütenden Augen, deren Fell von Läusen und sonstigem Ungeziefer wimmelte.

Hall hatte es sich zur Gewohnheit gemacht, während der Pausen ein kleines Arsenal von leeren Getränkedosen anzulegen, die er aus den Abfallbehältern holte. Wenn wenig zu tun war, warf er mit ihnen nach den Ratten und suchte die Dosen später wieder zusammen. Diesmal allerdings hatte Mister Vorarbeiter ihn erwischt. Statt den Aufzug zu benutzen, war dieser falsche Hund die Treppe raufgeschlichen.

»Was machen Sie denn da, Hall?«

»Die Ratten«, sagte Hall und merkte gleich, wie lahm diese Entschuldigung klingen mußte, denn die Ratten waren verschwunden und hockten schon längst wieder in ihren Nestern. »Wenn ich eine sehe, werfe ich mit Dosen.«

Warwick nickte nur kurz. Er war ein großer fetter Kerl mit Bürstenhaarschnitt. Die Ärmel hatte er aufgekrempelt und die Krawatte gelockert. Er sah Hall scharf an. »Wir bezahlen Sie nicht dafür, daß Sie Dosen nach den Ratten werfen, Mister. Auch nicht, wenn Sie sie wieder aufsammeln.«

»Harry hat schon seit zwanzig Minuten keinen Auftrag runtergeschickt«, sagte Hall und dachte: *Hättest du Scheißkerl nicht in deiner Bude bleiben und Kaffee trinken können?* »Was ich nicht habe, kann ich auch nicht durch die Maschine schicken.«

Warwick nickte, als interessierte ihn das Thema nicht mehr. »Vielleicht sollte ich nach oben gehen und mit Wisconsky reden«, sagte er. »Ich wette fünf zu eins, daß er 'ne Illustrierte liest, während sich das Zeug in seinen Behältern stapelt.«

Hall sagte nichts.

Plötzlich zeigte Warwick mit dem Finger. »Da ist eine! Die müssen Sie erwischen!«

Hall schleuderte die Dose, die er noch in der Hand hielt, mit aller Kraft. Die Ratte, die sie von einem der Säcke aus mit ihren klugen Augen beobachtet hatte, quiekte leise und schoß davon. Warwick warf den Kopf zurück und lachte, als Hall hinter der Dose herrannte.

»Ich wollte Sie wegen etwas anderem sprechen«, sagte Warwick.

»Tatsächlich?«

»Nächste Woche sind die Feiern anläßlich des Unabhängigkeitstages.« Hall nickte. Dann war die Spinnerei von Montag bis Samstag geschlossen – wer mindestens ein Jahr hier war, bekam bezahlten Urlaub, aber für ihn bedeutete es eine Woche ohne Lohn. »Wollen Sie dann arbeiten?«

Hall zuckte die Achseln. »Was denn?«

»Wir werden das ganze Untergeschoß reinigen. Das ist schon seit zwölf Jahren nicht mehr gemacht worden. Überall Dreck. Wir werden mit Schläuchen arbeiten.«

»Hat sich die Gewerbeaufsicht bei der Direktion beschwert?«

Warwick hielt Halls Blick stand. »Wollen Sie nun oder nicht? Zwei Dollar die Stunde. Am vierten Juli doppelter Lohn. Wir arbeiten in der Spätschicht, weil es dann etwas kühler ist.«

Hall rechnete kurz. Das wären etwa fünfundsiebzig Dollar nach Abzug der Steuern. Besser während der Feiertage arbeiten als eine Woche auf Null.

»Geht in Ordnung.«

»Dann melden Sie sich nächsten Montag unten in der Färberei.«

Hall schaute ihm nach, als er zur Treppe ging. Auf halbem

Wege blieb Warwick stehen und drehte sich um. Er sah Hall an. »Haben Sie nicht mal studiert?«

Hall nickte.

»Okay, Student, ich werde es mir merken.«

Er ging. Hall setzte sich und zündete sich noch eine Zigarette an. Er hatte schon wieder eine Dose in der Hand und hielt nach Ratten Ausschau. Er konnte sich so recht vorstellen, wie es im Untergeschoß aussehen würde – eigentlich war es das Kellergeschoß, denn es lag noch tiefer als die Färberei. Feucht, dunkel, voll Spinnen und verrottetem Material, und dann das Sickerwasser vom Fluß – und Ratten. Vielleicht sogar Fledermäuse, die Flieger unter den Nagetieren. Pfui Teufel.

Hall warf mit der Dose nach einer Ratte und lächelte dünn, als Warwicks Stimme von oben durch die Leitungsschächte drang. Er las gerade Harry Wisconsky die Leviten.

Okay, Student, ich werde es mir merken.

Abrupt wich das Lächeln aus seinem Gesicht, und er drückte die Zigarette aus. Nach wenigen Sekunden schickte Harry grobes Nylon durch das Gebläse nach unten, und Hall machte sich an die Arbeit. Die Ratten kamen aus ihren Löchern und sprangen am hinteren Ende des großen Raumes auf die Säcke. Aus ihren schwarzen Augen sahen sie ihn unverwandt an. Sie wirkten wie ein unheimliches Geschworenengericht.

Elf Uhr abends. Montag.

Es waren etwa sechsunddreißig Mann, die wartend herumsaßen, als Warwick kam. Er trug ein Paar alte Jeans, die in hohen Gummistiefeln steckten. Hall hatte gerade Harry Wisconsky zugehört, der ungeheuer fett, ungeheuer faul und ungeheuer mürrisch war.

»Das wird 'ne üble Sauarbeit«, sagte er, als Warwick hereinkam. »Wartet nur ab. Wenn wir fertig sind, sehen wir schwärzer aus als Mitternacht in Persien.«

»Kommen Sie!« sagte Warwick. »Wir haben unten sechzig Glühbirnen aufgehängt. Das gibt genügend Licht, daß ihr sehen könnt, was ihr tut. Ihr da hinten« – er zeigte auf eine

Gruppe von Leuten, die sich gegen die Trockengestelle gelehnt hatten – »ihr schließt die Schläuche an das Hauptrohr neben dem Treppenschacht an. Dann könnt ihr sie über die Treppe nach unten ausrollen. Wir haben ungefähr siebzig Meter pro Mann. Das dürfte reichlich sein. Kommt bloß nicht auf die Idee, euch gegenseitig zu bespritzen. Das könnte im Krankenhaus enden. Die Dinger haben enormen Druck.«

»Irgend jemand wird sich schon verletzen«, prophezeite Wisconsky finster. »Wartet nur ab.«

»Ihr anderen«, sagte Warwick und zeigte auf die Gruppe, zu der auch Hall und Wisconsky gehörten. »Ihr kümmert euch um das Gerümpel. Je zwei nehmen einen Elektrokarren. Da stehen alte Büromöbel, Säcke mit Stoffen, kaputte Maschinenteile und verschiedenes andere. Wir schaffen die Sachen zum Luftschacht im Westflügel. Weiß jemand nicht, wie der Karren funktioniert?«

Niemand hob die Hand. Die Elektrokarren waren batteriebetriebene Miniaturkippfahrzeuge. Nach längerem Einsatz entwickelten sie einen widerwärtigen Gestank, der Hall an durchgeschmorte Stromkabel erinnerte.

»Okay«, sagte Warwick. »Wir haben das Untergeschoß in Abschnitte eingeteilt und sind am Donnerstag fertig. Am Freitag holen wir das Gerümpel dann mit dem Flaschenzug raus. Noch Fragen?«

Es gab keine. Hall sah den Vorarbeiter prüfend an und hatte die plötzliche Ahnung, daß sich etwas Unheimliches ereignen würde. Der Gedanke gefiel ihm. Er mochte Warwick nicht besonders.

Zwei Uhr nachts. Dienstag.

Hall war erschöpft, und er war es leid, Wisconskys ständiges Gejammere zu hören. Er hatte nicht übel Lust, ihn zu verprügeln. Aber das wäre sinnlos. Dann hätte er nur einen weiteren Grund, sich zu beklagen.

Hall hatte gewußt, daß es schlimm werden würde, aber dies war mörderisch. Zum Beispiel hatte er den grauenhaften

Gestank nicht erwartet. Der faulige Geruch des Flusses mischte sich mit dem der vermodernden Textilien. Hinzu kam das verrottete Mauerwerk und der Gestank von Pflanzenresten. In der hinteren Ecke, wo sie angefangen hatten, entdeckte Hall eine Kolonie riesiger weißer Pilze, die aus dem aufgerissenen Beton herauswuchsen. Als er an einem rostigen Zahnrad zerrte, waren seine Hände mit ihnen in Berührung gekommen. Sie fühlten sich eigenartig warm und geschwollen an wie das Fleisch eines Mannes, der an Wassersucht leidet.

Die Glühbirnen konnten die zwölf Jahre alte Dunkelheit nicht bannen. Sie konnten sie nur zurückdrängen und den widerlichen Unrat in fahles gelbes Licht tauchen. Mit seiner hohen Decke, den riesigen ausrangierten Maschinenteilen, die sie nie würden von der Stelle rücken können, mit seinen feuchten moosbedeckten Wänden sah der Raum aus wie das zertrümmerte Mittelschiff einer geschändeten Kirche. Der Eindruck wurde noch verstärkt durch den atonalen Chor des Wassers, das aus den Schläuchen in die halb verstopften Abflüsse strömte, um sich dann unten in den Fluß zu ergießen.

Und dann die Ratten. Sie waren so groß, daß die im dritten Stock dagegen wie Zwerge wirkten. Der Himmel mochte wissen, was es hier unten für sie zu fressen gab. Immer wenn die Arbeiter Bretter umdrehten oder Säcke wegschoben, stießen sie auf riesige Nester aus zerfetztem Zeitungspapier und beobachteten mit atavistischem Ekel, wie die jungen Ratten mit ihren geschwollenen und von der ewigen Dunkelheit blinden Augen in Ritzen und Spalten verschwanden.

»Laß uns eine rauchen«, sagte Wisconsky. Er wirkte ein wenig außer Atem. Das konnte Hall sich nicht erklären, denn Wisconsky hatte die ganze Nacht nur so getan, als ob er arbeitete. Immerhin, warum sollten sie keine Pause einlegen? Es war gerade niemand in der Nähe.

»Okay.« Er lehnte sich gegen den Elektrokarren und zündete sich eine Zigarette an.

»Ich hätte mich von Warwick nicht überreden lassen sollen«, sagte Wisconsky mißmutig. »Diese Arbeit ist unzumutbar, aber er war neulich so wütend, als er mich oben im vierten im

Scheißhaus sitzen sah, ohne daß ich die Hose runter hatte. Der Kerl war vielleicht sauer.«

Hall sagte nichts. Er dachte an Warwick und an die Ratten. Seltsam, wie das eine mit dem anderen zusammenzuhängen schien. Nach ihrem langen Aufenthalt im Keller der Spinnerei schienen sich die Ratten an Menschen kaum noch zu erinnern. Sie waren dreist und hatten nicht die geringste Angst. Eine hatte sich wie ein Eichhörnchen auf die Hinterbeine gesetzt, und als Hall so nahe heran war, daß er nach ihr treten konnte, hatte sie sich auf seinen Stiefel gestürzt und in das Leder gebissen. Hier gab es Hunderte, vielleicht sogar Tausende. Wie viele verschiedene Krankheiten mochten sie in dieser schwarzen Höhle wohl mit sich herumschleppen? Und Warwick. Irgend etwas an ihm –

»Ich brauche das Geld«, sagte Wisconsky. »Aber, bei Gott, Kumpel, die Arbeit kann man einem Menschen nicht zumuten. Diese Ratten.« Er sah sich ängstlich um. »Sieht fast so aus, als könnten sie denken. Stell dir bloß vor, wenn wir nun klein wären und sie groß –«

»Halt endlich das Maul«, sagte Hall.

Wisconsky sah ihn gekränkt an. »Tut mir leid, Kumpel. Es ist ja nur, weil...« Seine Worte verloren sich. »Mein Gott, dieser Gestank. Das kann man einem Menschen doch nicht zumuten!« Eine Spinne kroch vom Rand des Karrens auf seinen Arm. Mit einem unterdrückten Entsetzensschrei fegte er sie weg.

»Los jetzt«, sagte Hall und trat seine Zigarette aus. »Je eher daran, desto eher davon.«

»Hoffentlich«, sagte Wisconsky kläglich. »Hoffentlich.«

Vier Uhr morgens. Dienstag.

Frühstück.

Hall und Wisconsky saßen mit drei oder vier anderen Männern zusammen und hielten ihre Sandwiches in schwarzen Händen. Sie waren nicht einmal von dem industriellen Reinigungsmittel sauber geworden. Während er aß, schaute Hall zu dem kleinen gläsernen Büro des Vorarbeiters hinüber. Warwick trank Kaffee und aß mit offensichtlichem Appetit kalte Hamburger.

»Ray Upson mußte nach Hause gehen«, sagte Charlie Brochu.

»Hat er gekotzt?« fragte jemand. »Das wäre mir fast passiert.«

»Nein. Ray muß schon Kuhmist fressen, bevor er kotzt. Eine Ratte hat ihn gebissen.«

Nachdenklich wandte Hall den Blick von Warwick. »Tatsächlich?« fragte er.

»Ja.« Brochu schüttelte den Kopf. »Ich habe mit ihm zusammengearbeitet. So was Entsetzliches habe ich noch nie gesehen. Das Biest kam plötzlich durch ein Loch aus einem der alten Säcke. So groß wie 'ne Katze. Verbiß sich sofort in seine Hand und fing an zu fressen.«

»Mein Gott«, sagte einer der Männer und wurde ganz grün im Gesicht.

»Ja«, sagte Brochu. »Ray hat geblutet wie ein Schwein. Glaubt ihr, daß das Vieh losließ? Kein Stück. Ich mußte drei- oder viermal mit einem Brett zuschlagen. Ray wäre fast verrückt geworden. Er hat auf der Ratte herumgetrampelt, bis sie nur noch ein pelziger Brei war. So was hab ich noch nicht erlebt. Warwick hat ihn verbunden und nach Hause geschickt. Hat ihm gesagt, er soll morgen zum Arzt gehen.«

»Wie nett von diesem Scheißkerl«, sagte jemand.

Als ob er es gehört hätte, stand Warwick auf, reckte sich und trat an die Tür seines Büros. »Wir wollen langsam weitermachen.«

Widerwillig standen die Männer auf. Sie versuchten, Zeit zu schinden, indem sie sich mit dem Verstauen ihrer Essengefäße nicht sonderlich beeilten und aus dem Automaten noch Getränke und Süßigkeiten zogen. Dann machten sie sich auf den Weg nach unten. Trostlos hallten ihre Schritte über die Eisenroste der Treppe.

Warwick überholte Hall und schlug ihm auf die Schulter. »Na, wie sieht's aus, Student?« Er wartete die Antwort nicht ab.

»Komm jetzt«, sagte Hall geduldig zu Wisconsky, der sich die Stiefel zuschnürte. Sie gingen die Treppe hinunter.

Sieben Uhr morgens. Dienstag.

Hall und Wisconsky verließen gemeinsam die Spinnerei. Es schien Hall fast, als hätte er den fetten Polen irgendwie geerbt. Wisconsky war so dreckig, daß es fast komisch wirkte. Sein dickes Mondgesicht war so beschmiert wie das eines kleinen Jungen, den ein größerer gerade verprügelt hat.

Es gab keinen der üblichen groben Scherze. Niemand zog einem andern das Hemd aus der Hose, und keiner fragte, wer sich denn zwischen eins und vier um Tonys Frau kümmerte. Nur Schweigen und hin und wieder ein hustendes Geräusch, wenn jemand auf den verschmutzten Fußboden rotzte.

»Soll ich dich mitnehmen?« fragte Wisconsky zögernd.

»Danke.«

Sie sprachen nicht, als sie die Mill Street hinauf und über die Brücke fuhren. Sie verabschiedeten sich nur kurz, als Wisconsky ihn vor seiner Wohnung absetzte.

Hall ging sofort unter die Dusche. Er dachte immer noch an Warwick.

Er versuchte, sich darüber klar zu werden, was an dem Vorarbeiter ihn so eigenartig faszinierte und ihm das Gefühl gab, daß sie irgendwie zusammengehörten.

Er lag kaum im Bett, als er auch schon einschlief, aber sein Schlaf war unruhig, und mehr als einmal schreckte er hoch: Er träumte von Ratten.

Ein Uhr nachts. Mittwoch.

Die Arbeit mit den Schläuchen war angenehmer.

Sie konnten nicht hinein, bevor die Leute eine Sektion entrümpelt hatten, und oft waren sie mit einer schon fertig, bevor die nächste ausgeräumt war. Das bedeutete jedesmal eine Zigarettenpause. Hall betätigte die Düse an einem der langen Schläuche, während Wisconsky hin und her lief und darauf achtete, daß sich der Schlauch nicht verheddere. Nach Bedarf drehte er den Wasserhahn auf oder zu und räumte Hindernisse aus dem Weg.

Warwick hatte schlechte Laune, denn die Arbeit ging nicht voran. Wenn es so weiterlief wie bisher, bestand nicht die geringste Aussicht, am Donnerstag fertigzuwerden.

In der nächsten Sektion lagen in einer Ecke Büromöbel aus dem neunzehnten Jahrhundert wild durcheinander – zertrümmerte Rollschränke, verrottete Akten, geheftete Rechnungen, zerbrochene Stühle.

Ein Paradies für Ratten. Zu Dutzenden rannten sie pfeifend zwischen dem Gerümpel hin und her. Als zwei Männer gebissen wurden, weigerten sich die anderen weiterzuarbeiten. Warwick mußte erst dicke Gummihandschuhe aus der Färberei holen lassen, wo mit Säure hantiert wurde.

Hall und Wisconsky standen mit ihren Schläuchen bereit, als Carmichael, ein rothaariger, stiernackiger Kerl, plötzlich fluchend zurücksprang und sich mit den Fäusten auf die Brust schlug.

Eine riesige Ratte mit graugestreiftem Fell und häßlichen funkelnden Augen hatte sich in sein Hemd verbissen und hing dort. Dabei zappelte sie mit den Hinterpfoten. Es gelang Carmichael, sie abzuschütteln, aber sein Hemd hatte ein großes Loch, und aus einer Wunde oberhalb der einen Brustwarze floß Blut. Die Wut wich aus seinem Gesicht. Er wandte sich zur Seite und übergab sich.

Hall richtete den Wasserstrahl auf die Ratte, ein altes, langsames Tier, das immer noch ein Stück von Carmichaels Hemd zwischen den Zähnen hatte. Der Druck schleuderte sie gegen die Wand, wo sie schlaff liegenblieb.

Mit seltsam verzerrtem Gesicht kam Warwick herbei. Er schlug Hall auf die Schulter. »Na, Student, das macht wohl mehr Spaß, als Dosen nach den kleinen Tierchen zu schmeißen.«

»Kleine Tierchen ist gut«, sagte Wisconsky. »Das Ding ist mindestens dreißig Zentimeter lang.«

»Den Schlauch dort rüber«, sagte Warwick und zeigte auf den Möbelhaufen. »Aus dem Weg, Jungs.«

»Mit Vergnügen«, murmelte jemand.

Carmichael baute sich vor Warwick auf. Er wirkte krank, und sein Gesicht zuckte. »Ich verlange eine Entschädigung! Ich werde nicht eher –«

»Klar«, sagte Warwick lächelnd. »Sie hat dich in die Titten gebissen. Und jetzt aus dem Weg, sonst klebst du gleich an der Wand.«

Hall richtete den Schlauch auf die Trümmer und legte los. Der Strahl explodierte förmlich. Weiß schäumend riß er einen Schreibtisch um und ließ zwei Stühle zersplittern. Überall rannten Ratten. So große hatte Hall noch nie gesehen. Er hörte die entsetzten Schreie der Männer, als die widerlichen Kreaturen mit ihren großen Augen und glatten fetten Leibern sich in Sicherheit brachten. Eine der Ratten war so groß wie ein gesunder sechs Wochen alter Hund. Hall machte weiter, bis er keine mehr sah. Dann stellte er das Wasser ab.

»Okay«, rief Warwick. »Schafft das Gerümpel raus!«

»Ich habe mich nicht als Kammerjäger einstellen lassen«, sagte Cy Ippeston aufsässig. Hall hatte vor einer Woche mit ihm ein paar getrunken. Er war noch jung und trug eine dreckige Baseballmütze und ein T-Shirt.

»Waren Sie das, Ippeston?« fragte Warwick freundlich.

Ippeston zögerte, aber dann trat er vor. »Sie haben mich zum Saubermachen herbestellt und nicht, um Tollwut oder Typhus zu kriegen. Sie sollten besser auf mich verzichten.«

Von den anderen kam zustimmendes Gemurmel. Wisconsky sah Hall verstohlen an, aber Hall inspizierte die Düse an seinem Schlauch. Sie hatte das Kaliber eines Fünfundvierzigers, und wahrscheinlich konnte man mit ihr jeden Mann von den Füßen holen.

»Sie wollen also die Uhr stechen, Cy?«

»Ich hätte nicht übel Lust«, sagte Ippeston.

Warwick nickte. »Okay. Wer will, kann gehen. Aber dieser Laden ist nicht gewerkschaftlich organisiert. Wer heute abhaut, braucht nicht wiederzukommen. Auch nicht nächste Woche. Dafür werde ich sorgen.«

»Scheißkerl«, murmelte Hall.

Warwick fuhr herum. »Sagten Sie was, Student?«

Hall sah ihn unschuldig an. »Ich hab mich nur geräuspert, Vorarbeiter.«

Warwick lächelte. »Ihnen hat wohl was nicht geschmeckt?«

Hall schwieg.

»Okay, weitermachen!« brüllte Warwick.

Sie machten sich wieder an die Arbeit.

Zwei Uhr nachts. Donnerstag.

Hall und Wisconsky arbeiteten wieder mit den Elektrokarren und suchten Gerümpel zusammen. Der Haufen im Westflügel hatte schon eine beachtliche Höhe erreicht, aber sie waren noch nicht halb fertig.

»Fröhlicher Vierter Juli«, sagte Wisconsky, als sie die Arbeit unterbrachen, um eine zu rauchen. Sie arbeiteten in der Nähe der Nordwand und waren weit von der Treppe entfernt. Hier war es fast dunkel, und irgendwie ließ die Akustik die andern Männer Meilen weit weg erscheinen.

»Danke.« Hall zog an seiner Zigarette. »Ich habe heute nacht nicht viele Ratten gesehen.«

»Das haben die andern auch nicht«, sagte Wisconsky. »Vielleicht sind sie endlich schlau geworden.«

Sie standen am Ende eines bizarren Ganges, der zwischen den Haufen alter Akten und Rechnungen, den vermoderten Stoffsäcken und zwei uralten Webstühlen hindurchführte. »Pfui Teufel«, sagte Wisconsky und spuckte aus. »Dieser Warwick –«

»Wohin sind wohl die Ratten verschwunden?« fragte Hall wie zu sich selbst. »In den Wänden können sie nicht sein –« Er betrachtete das feuchte bröckelnde Mauerwerk. »Da würden sie ersaufen. Überall ist das Flußwasser eingesickert.«

Etwas Schwarzes, Flatterndes schoß plötzlich von oben auf sie herab. Wisconsky schrie auf und riß die Hände über den Kopf.

»Eine Fledermaus«, sagte Hall, als Wisconsky sich wieder aufrichtete.

»Eine Fledermaus! Eine Fledermaus!« tobte Wisconsky. »Was hat eine Fledermaus im Keller zu suchen? Sie soll in einem Baum oder unter der Dachrinne hängen und –«

»Es war eine große«, sagte Hall leise. »Und was ist eine Fledermaus anderes als eine Ratte mit Flügeln?«

»Mein Gott«, stöhnte Wisconsky. »Wie ist sie denn –«

»Reingekommen? Vielleicht genauso wie die Ratten rausgekommen sind.«

»Was ist da hinten los?« schrie Warwick. »Wo seid ihr?«

»Leck mich am Arsch«, sagte Hall leise.

»Waren Sie das, Student?« rief Warwick. Seine Stimme klang schon näher.

»Alles in Ordnung!« brüllte Hall. »Ich habe mir nur das Schienbein gestoßen!«

Warwick stieß ein kurzes bellendes Lachen aus. »Wollen Sie das Verwundetenabzeichen?«

Wisconsky sah Hall an. »Warum redest du solche Scheiße?«

»Sieh dir das an.« Hall kniete sich hin und zündete ein Streichholz an. Im nassen und bröckelnden Zement zeichnete sich ein Quadrat ab.

»Klopf mal drauf.«

Wisconsky tat es. »Holz«, sagte er.

Hall nickte. »Darunter liegt ein Träger. Ich habe schon ein paar mehr davon gesehen. Unter diesem Teil des Kellers ist noch ein Raum.«

»O Gott«, sagte Wisconsky angewidert.

Drei Uhr dreißig morgens. Donnerstag.

Sie arbeiteten in der Nordostecke des Gebäudes. Ippeston und Brochu standen mit den Hochdruckschläuchen bereit. Plötzlich blieb Hall stehen und zeigte auf den Fußboden. »Ich wußte, daß wir das Ding finden.«

Sie standen über einer Klapptür mit einem rostigen Eisenring.

Hall ging auf Ippeston zu und sagte: »Stell das Wasser ab.« Als der Schlauch nur noch tröpfelte, brüllte er: »He! He! Warwick! Kommen Sie doch mal her!«

Durch das Wasser patschend kam Warwick angerannt und bedachte Hall mit einem bösen Lächeln. »Ist Ihnen der Schnürsenkel aufgegangen, Student?«

»Sehen Sie sich das an«, sagte Hall und stieß mit dem Fuß gegen die Klapptür. »Darunter liegt noch ein Keller.«

»Na und?« fragte Warwick. »Wir haben noch keine Pause, Stu–«

»Da unten sind Ihre Ratten. Da hocken sie, Wisconsky und ich haben sogar eine Fledermaus gesehen.«

Einige andere Männer hatten sich um sie versammelt und betrachteten die Klapptür.

»Interessiert mich nicht«, sagte Warwick. »Unsere Arbeit ist hier im Untergeschoß.«

»Sie werden ungefähr zwanzig Kammerjäger brauchen, aber richtige«, sagte Hall. »Das wird die Geschäftsleitung 'ne schöne Stange Geld kosten. Schade, was?«

Jemand lachte. »Das kann man wohl sagen.«

Warwick sah Hall an, als sei dieser ein seltenes Insekt. »Sie sind wirklich ein komischer Fall«, sagte er, und seine Stimme klang fasziniert. »Es interessiert mich einen Scheißdreck, wie viele Ratten da unten sind.«

»Ich war heute nachmittag und gestern in der Bibliothek«, sagte Hall. »Gut, daß Sie mich immer wieder daran erinnern, daß ich mal studiert hab. Ich habe ein paar Magistratsverordnungen gelesen, Warwick. Sie stammen aus dem Jahre 1911. Damals war diese Spinnerei noch zu klein, als daß man sich groß um sie kümmerte. Und wissen Sie, was ich festgestellt habe?«

Warwick sah ihn kalt an. »Machen Sie, daß Sie rauskommen, Student. Sie sind gefeuert.«

»Ich habe festgestellt«, fuhr Hall fort, als hätte er nichts gehört, »ich habe festgestellt, daß es in Gates Falls gewisse Verordnungen gibt, die Ungeziefer betreffen. Das schreibt man U-n-g-e-z-i-e-f-e-r, falls Ihnen das Wort nicht geläufig ist. Gemeint sind Tiere, die Krankheiten übertragen, wie Fledermäuse, Stinktiere, streunende Hunde – und Ratten. Besonders Ratten. Das Wort Ratten tauchte in zwei Paragraphen nicht weniger als dreizehnmal auf, Vorarbeiter. Sobald ich diesen Laden verlassen habe, werde ich mich mit der zuständigen Behörde in Verbindung setzen und berichten, wie es hier aussieht.«

Er machte eine Pause und freute sich über Warwicks wutverzerrtes Gesicht.

»Es wird ein leichtes sein, gegen diesen Laden eine Verfügung zu erwirken. Dann werden Sie verdammt länger schließen als nur bis Samstag, Mister Vorarbeiter. Und ich habe schon so eine Ahnung, was Ihr Boss dazu sagen wird, wenn er aufkreuzt. Hoffentlich haben Sie regelmäßig Ihre Arbeitslosenversicherung bezahlt, Warwick.«

Warwicks Hände ballten sich zu Fäusten. »Sie verdammte Rotznase, ich sollte Sie –« Er sah sich die Klapptür an, und plötzlich lächelte er wieder. »Betrachten Sie sich als neu eingestellt, Student.«

»Ich wußte, daß Sie Vernunft annehmen würden.«

Warwick nickte und hatte immer noch dieses seltsame Lächeln im Gesicht. »Sie sind doch so schlau, Hall. Ich finde, Sie sollten selbst hinuntersteigen. Dann haben wir wenigstens einen Studierten, der uns einen fundierten Bericht geben kann. Sie und Wisconsky.«

»Ich nicht!« rief Wisconsky. »Ich nicht, ich –«

Warwick sah ihn an. »Sie was?«

Wisconsky hielt den Mund.

»Gut«, sagte Hall vergnügt. »Wir brauchen drei Taschenlampen. Im Hauptbüro habe ich doch ein paar mit sechs Batterien gesehen, oder irre ich mich?«

»Wollen Sie sonst noch jemanden mitnehmen?« fragte Warwick entgegenkommend. »Suchen Sie sich einen Mann aus.«

»Sie«, sagte Hall leise, und auch er hatte wieder diesen seltsamen Ausdruck im Gesicht. »Nur, damit die Geschäftsleitung vertreten ist. Sonst sehen Wisconsky und ich am Ende *zu* viele Ratten.«

Jemand lachte laut. Es hörte sich nach Ippeston an.

Warwick schaute in die Runde. Die Männer starrten verlegen auf ihre Stiefelspitzen. Dann zeigte er auf Brochu, »Brochu, gehen Sie ins Büro und holen Sie drei Taschenlampen. Sagen Sie dem Wachmann von mir, er soll Sie reinlassen.«

»Warum hast du mich in diese Sache reingezogen?« klagte Wisconsky, an Hall gewandt. »Du weißt doch, wie ich diese Ratten hasse–«

»Das war ich doch nicht«, sagte Hall und sah Warwick an.

Warwick gab den Blick zurück. Keiner von beiden schaute weg.

Vier Uhr morgens. Donnerstag.

Brochu kam mit den Taschenlampen. Er gab sie an Hall, Wisconsky und Warwick weiter.

»Ippeston, gib Wisconsky den Schlauch.« Ippeston gehorchte. Die Düse zitterte in der Hand des Polen.

»Okay«, sagte Warwick zu Wisconsky. »Du gehst in der Mitte. Wenn du Ratten siehst, gibst du ihnen Saures.«

Natürlich, dachte Hall. Und wenn es dort Ratten gibt, wird Warwick sie nicht bemerken. Auch Wisconsky wird sie nicht bemerken, wenn er zehn Dollar extra in seiner Lohntüte findet.

Warwick zeigte auf zwei Männer. »Luke aufmachen.«

Einer packte den Eisenring und riß daran. Zuerst glaubte Hall, daß der Mann es nicht schaffen würde, aber mit einem eigenartigen Knarren gab die Klapptür nach. Der zweite schob von unten und fuhr mit einem Aufschrei zurück. Über seine Hände krochen riesige blinde Käfer.

Ächzend riß der andere die Tür ganz auf und ließ sie fallen. Die Unterseite war mit schwarzen Pilzen bedeckt, eine Sorte, die Hall noch nie gesehen hatte. Die Käfer fielen in die Tiefe oder rannten über den Fußboden, wo sie von den Männern zertreten wurden.

»Seht euch das an«, sagte Hall. An der Unterseite der Klapptür war ein altes verrostetes Schloß angeschraubt. Es war zerbrochen. »Das dürfte doch nicht unten sitzen«, sagte Warwick. »Es müßte oben sein. Warum–«

»Dafür kann es viele Gründe geben«, sagte Hall. »Vielleicht sollte niemand die Tür von hier oben öffnen können – jedenfalls nicht, als das Schloß noch neu war. Vielleicht sollte auch nichts von unten nach oben kommen können.«

»Aber wer hat abgeschlossen?« fragte Wisconsky.

»Oh«, sagte Hall spöttisch und sah Warwick an. »Das ist ein Geheimnis.«

»Hört ihr?« flüsterte Brochu.

»O Gott«, schluchzte Wisconsky. »Ich geh da nicht runter!«

Ein leises Geräusch, als warteten sie. Ein Huschen und Trippeln von tausend Pfoten. Das Quietschen der Ratten.

»Könnten auch Frösche sein«, meinte Warwick.

Hall lachte laut.

Warwick leuchtete mit seiner Lampe nach unten. Eine Holztreppe, deren Stufen sich nach unten durchbogen, führte in die Dunkelheit hinab. Ratten waren nicht zu sehen.

»Die Treppe hält nicht«, entschied Warwick.

Brochu trat zwei Schritte vor und sprang auf der obersten Stufe auf und ab. Sie knarrte, aber sie hielt.

»Wer hat dir gesagt, daß du das tun sollst?« fragte Warwick.

»Sie waren nicht dabei, als Ray von der Ratte gebissen wurde«, sagte Brochu leise.

»Gehen wir«, sagte Hall.

Warwick warf noch einen höhnischen Blick auf die Umstehenden und trat mit Hall an die Luke. Widerwillig schloß Wisconsky sich ihnen an. Sie stiegen einzeln in die Dunkelheit hinab, zuerst Hall, dann Wisconsky und als letzter Warwick. Im Strahl ihrer Lampen erkannten sie die Unebenheiten und Verwerfungen des Betonfußbodens. Der Schlauch plumpste wie eine ungefüge Schlange hinter Wisconsky die Stufen herab.

Als sie unten angekommen waren, leuchtete Warwick mit seiner Lampe in die Ecken. Sie sahen ein paar verrottete Kisten und einige Fässer. Sonst nichts.

Das Sickerwasser vom Fluß stand in Pfützen und reichte ihnen bis an die Knöchel.

»Ich höre sie nicht mehr«, flüsterte Wisconsky.

Langsam entfernten sie sich von der Treppe unter der Luke, und ihre Füße schlurften durch den Schlamm. Hall blieb stehen und richtete den Strahl seiner Taschenlampe auf eine riesige

Holzkiste, die eine Aufschrift trug. »Elias Varney«, las er, »1841. Gab es die Spinnerei damals schon?«

»Nein«, sagte Warwick. »Sie wurde erst 1897 gebaut. Aber ist das nicht scheißegal?«

Hall antwortete nicht. Sie gingen weiter. Der untere Keller dehnte sich weiter aus als erwartet. Hier stank es noch schlimmer. Fäulnis und Moder. Irgendwo tropfte Wasser. Sonst war es still.

»Was ist denn das?« fragte Hall und zeigte auf einen Betonpfeiler, der seitlich in den Keller hineinragte. Vor ihnen lag Dunkelheit, und Hall meinte, leise Geräusche zu hören.

Warwick betrachtete den Pfeiler. »Das ist... nein, das kann nicht stimmen.«

»Die Außenwand der Spinnerei, nicht wahr? Und vor uns...«

»Ich geh zurück«, sagte Warwick plötzlich und drehte sich um.

Hall packte ihn im Genick. »Sie gehen nirgends hin, Vorarbeiter.«

Warwick sah ihn an, und sein Grinsen war in der Dunkelheit deutlich zu erkennen.

»Sie sind ja verrückt, Student. Reif fürs Irrenhaus.«

»Schubsen Sie mich nicht, alter Freund«, sagte Hall. »Schön weitergehen.«

Wisconsky stöhnte auf. »Hall —«

»Gib her.« Hall nahm den Schlauch. Er ließ Warwicks Genick los und richtete den Schlauch auf seinen Kopf. Wisconsky rannte plötzlich zur Luke zurück. Hall drehte sich nicht einmal um. »Nach Ihnen, Vorarbeiter.«

Warwick ging zwischen den Wandvorsprüngen hindurch, an denen die Spinnerei über ihnen endete. Hall ließ den Strahl seiner Taschenlampe spielen und empfand kalte Befriedigung — seine Ahnung hatte sich erfüllt. Stumm wie der Tod kamen die Ratten von allen Seiten dichtgedrängt auf sie zu. Tausende von Augen sahen ihn gierig an. Bis hinten an die Wand wimmelte es von Ratten. Einige reichten ihm fast bis an die Knie.

Dann hatte auch Warwick sie bemerkt und blieb stehen. »Sie sind überall um uns herum, Student.« Seine Stimme klang ruhig und kontrolliert, aber er konnte sein Entsetzen nicht verbergen.

»Ja«, sagte Hall. »Gehen Sie weiter.«

Sie gingen weiter, und der Schlauch schleifte hinter ihnen her. Hall schaute sich einmal um und bemerkte, daß die Ratten ihnen den Rückweg durch den Gang abgeschnitten hatten. Einige fingen an, am Material des Schlauchs zu nagen.

Eine sah ihn an, und ihm schien, als grinste sie. Jetzt sah er auch die Fledermäuse, die von der Decke hingen. Sie waren so groß wie Rabenkrähen.

»Da!« rief Warwick und richtete den Strahl seiner Lampe ein paar Meter voraus.

Ein grünlich vermoderter Schädel starrte sie aus leeren Augenhöhlen an. Weiter hinten sah Hall einen Ellenknochen, ein Becken und Teile eines Brustkorbs. »Weitergehen«, sagte Hall. Er fühlte Wahnsinn in sich aufsteigen, Wahnsinn in düsteren Farben. *Bei Gott, du wirst vor mir den Verstand verlieren, Mister Vorarbeiter.*

Sie gingen an den Skelettresten vorbei. Die Ratten rückten nicht näher an sie heran. Der Abstand schien sich nicht zu verringern. Vor ihnen sah Hall eine über den Weg laufen. Sie war nur als Schatten zu erkennen, aber er sah ihren zuckenden rosafarbenen Schwanz. Er war so dick wie ein Telefonkabel.

Vor ihnen stieg der Fußboden steil an, um dann wieder abzufallen. Hall hörte ein leises, raschelndes Geräusch. Etwas Großes mußte dieses Geräusch verursacht haben. Etwas, das vielleicht kein lebender Mensch je gesehen hatte. Vielleicht hatte er in all den unsteten Jahren auf so etwas nur gewartet, fuhr es Hall durch den Sinn.

Die Ratten kamen jetzt näher. Sie bewegten sich auf den Bäuchen vorwärts. »Sehen Sie sich das an«, sagte Warwick kalt.

Hall sah es. Mit den Ratten hier unten war etwas geschehen. Eine grauenhafte Mutation, die es unter freiem Himmel nie gegeben hätte. Die Natur hätte es nicht zugelassen. Hier unten aber zeigte die Natur ein anderes, ein gespenstisches Gesicht.

Die Ratten war riesig, einige fast einen Meter hoch, aber sie hatten keine Hinterbeine mehr und waren blind wie Maulwürfe, genau wie ihre fliegenden Vettern. Mit widerwärtiger Hast schoben sie sich vorwärts.

Warwick drehte sich um und sah Hall an. Mit schierer Willenskraft brachte er ein Lächeln zustande. Hall konnte nicht anders. Er mußte den Mann bewundern. »Wir können nicht weitergehen, Hall. Das müssen Sie einsehen.«

»Ich glaube, die Ratten wollen was von Ihnen«, sagte Hall.

Warwick verlor die Selbstkontrolle. »Bitte«, sagte er. »Bitte.«

Hall lächelte. »Weitergehen.«

Warwick schaute zurück. »Sie nagen am Schlauch. Wenn sie durch sind, können wir nicht mehr zurück.«

»Ich weiß. Gehen Sie weiter.«

»Sie sind wahnsinnig–« Eine Ratte schob sich über Warwicks Fuß, und er kreischte auf. Hall lächelte und ließ den Lichtstrahl kreisen. Überall Ratten. Eine war schon auf weniger als einen halben Meter herangekommen.

Warwick ging weiter, und die Ratten zogen sich zurück.

Sie stiegen die kleine Erhebung hinauf und schauten nach unten. Warwick erreichte die Stelle als erster. Hall sah, daß sein Gesicht kalkweiß wurde. Speichel lief ihm über das Kinn. »Oh. Mein Gott.«

Er wollte zurücklaufen.

Hall öffnete die Düse, und der Hochdruckstrahl traf Warwicks Brust und riß ihn von den Füßen.

Aus der Tiefe übertönte ein langgezogener Schrei das Geräusch des Wassers. Klatschende Laute.

»*Hall!*« Ein Ächzen. Ein unheimliches Quietschen, das den ganzen Raum zu füllen schien.

»HALL, UM GOTTES WILLEN –«

Plötzlich ein nasses, reißendes Geräusch. Wieder ein Schrei, diesmal schwächer. Etwas Riesiges regte sich dort unten. Deutlich hörte Hall das Knacken brechender Knochen.

Von irgendeinem abnormen Ortungsorgan gelenkt, fiel eine blinde Ratte ohne Beine Hall an und biß zu. Wie abwesend drehte er das Wasser auf und spülte sie davon. Der Druck war nicht mehr ganz so stark wie vorher.

Er trat an den Rand und schaute hinab.

Die Ratte füllte den ganzen Abflußschacht am hinteren Ende dieses widerlichen Grabes aus. Eine riesige pulsierende graue Masse, ohne Augen und mit völlig zurückgebildeten Beinen. Als Halls Lichtstrahl sie traf, wimmerte sie ekelerregend. Es war die Rattenkönigin, die *Magna Mater*. Ein riesiges namenloses Wesen, dessen Nachkommen wohl eines Tages Flügel haben würden. Warwicks Überreste wirkten neben ihr fast zwergenhaft, aber das mußte Täuschung sein. Es war der Schock, eine Ratte zu sehen, die größer war als ein Holsteiner Kalb.

»Alles Gute, Warwick«, sagte Hall. Die Ratte hockte jetzt über dem Vorarbeiter und riß Fleisch von einem seiner schlaffen Arme.

Hall wandte sich ab und rannte zurück. Mit dem Wasserstrahl wehrte er die Ratten ab, aber der Druck wurde immer geringer. Einige bissen ihn in die Beine. Eine andere hing an seinem Schenkel und riß seine Kordhose auf. Er schlug sie mit der Faust weg.

Er hatte etwa dreiviertel des Weges geschafft, als er in der Dunkelheit ein gewaltiges Surren hörte. Er schaute hoch, und ein riesiges fliegendes Wesen klatschte ihm ins Gesicht.

Die mutierten Fledermäuse hatten ihre Schwänze noch nicht verloren. Dieses Exemplar ringelte seinen Schwanz um Halls Genick und würgte ihn, während es gleichzeitig versuchte, ihn in den Hals zu beißen. Dabei krallte es sich in den Fetzen seines Hemdes fest und schlug mit den häutigen Schwingen.

Hall riß den Schlauch hoch und schlug immer wieder zu. Das Wesen fiel von ihm ab, und er zertrat es. Ihm war kaum bewußt, daß er dabei laut kreischte. Und jetzt kamen die Ratten. Sie liefen über seine Füße und kletterten an seinen Beinen hoch. Er rannte taumelnd weiter und konnte einige Ratten abschütteln. Die anderen bissen ihn in Bauch und Brust. Eine sprang auf seine Schulter und steckte die Schnauze in sein Ohr.

Dann traf er auf die zweite Fledermaus. Quietschend saß sie einen Augenblick auf Halls Kopf, und im Davonfliegen riß sie ihm ein großes Stück aus der Kopfhaut.

Er spürte, wie sein Körper erstarrte. Er hörte das Pfeifen und Quietschen von Hunderten von Ratten. Noch einmal bäumte er sich auf, dann sank er in die Knie. Er fing an zu lachen. Es war ein schauriges kreischendes Lachen. Überall die pelzigen Leiber.

Fünf Uhr morgens. Donnerstag.

»Jemand müßte runtergehen«, sagte Brochu zaghaft.

»Ich nicht«, flüsterte Wisconsky. »Ich nicht.«

»Nein, du natürlich nicht, du Fettsack«, sagte Ippeston verächtlich.

»*Gehen wir*«, sagte Brogan und ergriff einen Schlauch. »Ich, Ippeston, Dangerfield, Nedeau. Stevenson, du gehst ins Büro und holst noch ein paar Taschenlampen.«

Ippeston starrte nachdenklich in die Dunkelheit hinab. »Wahrscheinlich machen sie nur eine Zigarettenpause«, sagte er. »Ein paar Ratten. Daß ich nicht lache.«

Stevenson brachte die Taschenlampen. Kurz darauf stiegen die Männer nach unten.

Nächtliche Brandung

Nachdem der Bursche gestorben war, und der Gestank seines verbrannten Fleisches sich verzogen hatte, gingen wir alle zurück hinunter zum Strand. Corey hatte sein Radio mit, einen dieser koffergroßen Transistorkästen, für die man an die vierzig Batterien braucht und mit denen man Tonbänder aufnehmen und abspielen kann. Man konnte nicht gerade behaupten, daß die Klangwiedergabe besonders gut gewesen wäre, aber auf jeden Fall war das Ding laut. Vor dem Auftauchen von A6 war Corey ziemlich wohlhabend gewesen, doch das zählte nicht mehr. Selbst sein riesiger Radio-Recorder war kaum mehr als ein hübsch anzusehender Haufen Schrott. Es gab nur noch zwei Rundfunkstationen, die sendeten und die wir empfangen konnten. Die eine war der Sender WKDM in Portsmouth – betrieben von irgendeinem Steinzeitdiskjockey, der auf so 'nem bescheuerten Religionstrip war. Er spielte eine Perry-Como-Platte, sprach ein Gebet, lamentierte ein bißchen, spielte eine Johnny-Ray-Platte, las aus Psalmen (komplett mit jedem Sela genau wie James Dean in *Jenseits von Eden*), dann lamentierte er wieder zur Abwechslung. So richtig was zum Wohlfühlen und sich die Zeit vertreiben. Eines Tages sang er »Bringing in the Sheaves« mit einer krächzenden, faden Stimme, über die Needles und ich uns fast totlachten.

Der Sender in Massachusetts war besser, doch den bekamen wir nur nachts rein. Es waren ein paar Kids, die das Programm machten. Ich schätze, sie übernahmen die Sendeanlagen von WRKO oder WBZ, nachdem alle abgehauen oder gestorben waren. Sie meldeten sich mit irgendwelchen witzigen Sendernamen wie WDOPE oder KUNT oder WA6 und ähnlichem. Richtig spaßig, ehrlich – man konnte sich kaputtlachen. Das war die Station, der wir auf unserem Rückweg zum Strand lauschten. Ich ging Hand in Hand mit Susie; Kelly und Joan waren uns ein Stück voraus, und Needles hatte bereits die Dünenkuppe überschritten und war außer Sicht. Corey bildete die Nachhut und schwenkte sein Radio hin und her. Die Stones sangen gerade »Angie«.

»Liebst du mich?« fragte Susie gerade. »Das ist alles, was ich wissen möchte – liebst du mich?« Susie brauchte permanente Bestätigung. Ich war ihr Teddybär.

»Nein«, antwortete ich. Sie wurde allmählich fett, und wenn sie lange genug lebte, womit nicht zu rechnen war, würde sie richtig aus dem Leim gehen. Schon jetzt wurde sie immer geschwätziger.

»Du bist ein Schwein«, sagte sie und fuhr sich mit einer Hand ins Gesicht. Ihre lackierten Fingernägel schimmerten schwach im Licht eines Halbmondes, der vor etwa einer Stunde aufgegangen war.

»Fängst du jetzt wieder an zu weinen?«

»Sei still!« Ihre Stimme klang so, als würde sie jeden Moment wieder losflennen.

Wir überwanden den Dünenkamm, und ich legte eine Rast ein. Ich mußte immer eine Pause einlegen. Vor A6 war dies ein öffentlicher Strand gewesen. Er wimmelte von Touristen, Picknickern, rotznasigen Kindern und fetten, schwabbeligen Großmüttern mit sonnenverbrannten Ellbogen, Bonbonpapier und Dauerlutschern im Sand, dann die reizenden Leute, die miteinander schmusend auf ihren Strandlaken herumlagen, und darüber der Abgasgestank vom Parkplatz, vermischt mit dem Geruch nach Seetang und Sonnenöl.

Doch nun waren der Dreck und der ganze Mist verschwunden. Der Ozean hatte alles verschlungen, ebenso lässig und beiläufig, wie man eine Handvoll Cracker vertilgt und sich nichts dabei denkt. Es gab keine Menschen mehr, die zurückkamen und alles wieder verdreckten. Nur uns, und wir waren nicht genug, um soviel Schmutz zu hinterlassen. Auch wir liebten den Strand, glaube ich zumindest – hatten wir ihm nicht gerade erst eine Art von Opfer dargebracht? Sogar Susie, das kleine Biest Susie mit ihrem fetten Arsch und der roten Jeans mit den weiten Beinen.

Der Sand war weiß und dünenartig gewellt, lediglich begrenzt durch die Flutlinie – ein gewundener Strang aus Seetang, Kelp und Treibholz. Das Mondlicht umnähte alles mit tintigen, schlangenförmigen Schatten. Der einsame Wachturm der Strandaufsicht stand weiß und skelettartig rund fünfzig Yards von den Umkleidekabinen entfernt und wies zum Himmel wie ein entfleischter Fingerknochen.

Und dazu die Brandung, die nächtliche Brandung, die Schaumwolken vor sich hertrieb und, so weit unser Auge reichte, in endlosen Attacken gegen die Landzungen anrannte. Möglich, daß die Wassermassen am Abend vorher sich auf halbem Wege von England nach hier befunden hatten.

»›Angie‹ von den Stones«, sagte die krächzende Stimme in Coreys Radio. »Ich weiß, daß ihr alle drauf abgefahren seid, 's war 'ne Stimme aus der Vergangenheit, der goldenen, kam direkt vom Friedhof, eine Scheibe, die's voll bringt. Ich bin Bobby. Eigentlich sollte Fred jetzt am Mikro sitzen, aber Fred hat die Grippe. Der ist total aufgebläht.« Darauf begann Susie zu kichern, wobei die ersten Tränen noch zwischen ihren Wimpern funkelten. Ich beeilte mich, zum Strand zu kommen, um sie zu beruhigen.

»Warte!« rief Corey. »Bernie? He, Bernie, warte auf mich!«

Der Typ im Radio verlas ein paar schmutzige Limericks, und im Hintergrund fragte ein Mädchen, wo er das Bier hingepackt hätte. Er entgegnete darauf etwas, doch da waren wir bereits am Strand.

Ich schaute mich nach Corey um, wie er zurechtkam. Er rutschte auf seinem Hintern runter, wie immer, und er wirkte dabei so lächerlich, daß er mir sogar ein wenig leidtat.

»Lauf ein Stück mit mir«, sagte ich zu Susie.

»Warum?«

Ich gab ihr einen Klaps auf den Hintern, und sie kreischte auf. »Weil es ein gutes Gefühl ist zu laufen.«

Wir rannten. Sie blieb zurück, keuchte wie ein Pferd und rief hinter mir her, auf sie zu warten, doch ich verdrängte sie aus meinem Kopf. Der Wind pfiff an meinen Ohren vorbei und blies mir die Haare aus der Stirn. Ich konnte das Salz in der Luft riechen, scharf und klar. Die Brandung donnerte. Die Wogen waren wie schaumiges, schwarzes Glas. Ich schleuderte die Gummisandalen von den Füßen und stampfte barfuß über den Strand, ohne auf den stechenden Schmerz einer gelegentlichen Muschel unter meinen Sohlen zu achten. Mein Blut rauschte.

Und dann war da der Schuppen, und Needles war bereits drin, und Kelly und Joan standen Hand in Hand daneben und sahen zum Wasser. Ich vollführte eine Rolle vorwärts, spürte, wie Sand in meinen Kragen rieselte, und prallte gegen Kellys Beine. Er fiel auf mich und drückte mein Gesicht in den Sand, während Joan schallend lachte.

Wir standen auf und grinsten uns gegenseitig an. Susie hatte die Lust am Laufen verloren und stapfte auf uns zu. Corey hatte sie fast eingeholt.

»Das war'n Feuer«, sagte Kelly.

»Meint ihr, er ist den ganzen Weg von New York hergekommen, wie er es erzählt hat?« fragte Joan.

»Weiß ich nicht.« Ich wußte nicht, was das überhaupt ausgemacht hätte. Er hatte hinter dem Lenkrad eines großen Lincoln gesessen, als wir ihn fanden, halb bewußtlos und delirierend. Sein Kopf war zur Größe eines Fußballs aufgedunsen, und sein Hals sah aus wie eine prall gestopfte Wurst. Er hatte sich Captain Trips gefangen und ohnehin keinen weiten Weg mehr vor sich. Deshalb brachten wir ihn zum Aussichtspunkt oberhalb des Strandes und verbrannten ihn. Er meinte, sein Name sei Alvin Sackheim. Er rief dauernd nach seiner Großmutter. Er glaubte, Susie sei seine Großmutter. Das fand sie besonders lustig, Gott weiß warum. Die seltsamsten Dinge kommen Susie lustig vor.

Es war Coreys Idee, ihn zu verbrennen, dabei war es im Anfang eher ein Scherz. Er hatte im College haufenweise Bücher über Hexerei und Schwarze Magie gelesen und schlich die ganze Zeit um Alvin Sackheims Lincoln herum, starrte uns geheimnisvoll an und redete uns ein, wir sollten den dunklen Göttern ein Opfer darbringen, damit deren Geister uns vor A6 beschützten.

Natürlich glaubte keiner von uns an einen solchen Blödsinn,

doch unsere Rederei darüber wurde immer ernsthafter. Es war etwas Neues, eine Abwechslung, und am Ende redeten wir nicht mehr, sondern taten es wirklich. Wir fesselten ihn an dieses Beobachtungsding dort oben – man muß eine Münze reinwerfen und kann an klaren Tagen damit bis zum Portland-Leuchtfeuer rüberschauen. Zum Festbinden nahmen wir unsere Gürtel, und dann suchten wir abgestorbene Buschäste und Treibholz zusammen und benahmen uns dabei wie Kinder bei einer neuen Art von Versteckspiel. Die ganze Zeit, während wir herumliefen, hing oder lehnte Alvin Sackheim an dem Pfosten mit dem Fernglas und unterhielt sich murmelnd mit seiner Großmutter. Susies Augen fingen richtig an zu leuchten, und ihr Atem beschleunigte sich. Das Ganze machte sie richtig an. Als wir die Senke jenseits der Buschreihen durchstöberten, drängte sie sich mir plötzlich entgegen und küßte mich. Sie hatte zuviel Lippenstift aufgelegt, und es war genauso, als küßte man einen fettigen Teller.

Ich stieß sie weg, und das war der Moment, als sie anfing zu schmollen.

Wir wanderten zurück, wir alle, und stapelten trockene Äste und Zweige um Alvin Sackheim auf. Needles zündete den Scheiterhaufen mit seinem Zippo-Sturmfeuerzeug an, und schon loderten die Flammen hoch. Am Ende, kurz bevor seine Haare Feuer fingen, begann der Kerl zu schreien. Ein Geruch lag in der Luft wie nach süßem, chinesischem Schweinefleisch.

»Hast du 'ne Zigarette, Bernie?« fragte Needles.

»Hinter dir liegen an die fünfzig Stangen.«

Er grinste und zerquetschte eine Mücke, die sich auf seinem Arm niedergelassen hatte. »Ich hab' jetzt keine Lust, mich zu bewegen.«

Ich gab ihm was zu rauchen und ließ mich nieder. Susie und ich hatten Needles in Portland getroffen. Er hockte auf dem Bordstein vor dem State Theater und spielte Leadbelly-Songs auf einer großen alten Gibson-Gitarre, die er irgendwo hatte mitgehen lassen. Die Melodien hallten die ganze Congress Street rauf und runter, als spielte er in einem Konzertsaal.

Susie blieb vor uns stehen, sie war immer noch außer Atem. »Du bist widerlich, Bernie.«

»Hör doch auf, Susie. Dreh die Platte um. Diese Seite stinkt.«

»Bastard. Du saublöder, gefühlloser Hurensohn. *Schwein!*«

»Verschwinde«, sagte ich, »oder ich verhelf dir zu 'nem blauen Auge, Susie. Sag Feigling!«

Sie fing wieder an zu weinen. Darin war sie richtig gut. Corey kam heran und versuchte, einen Arm um sie zu legen. Sie rammte ihm den Ellbogen in den Unterleib, und er spuckte ihr ins Gesicht.

»Ich bringe dich um!« Sie stürzte sich auf ihn, kreischend und heulend, und ruderte mit den Händen in der Luft herum. Corey wich zurück, fiel beinahe hin, dann wandte er sich um und nahm die Beine in die Hand. Susie verfolgte ihn und kreischte hysterisch Schimpfworte hinter ihm her. Needles legte den Kopf in den Nacken und brach in schallendes Gelächter aus. Die Stimmen aus Coreys Radio durchdrangen schwach das Rauschen der Brandung.

Kelly und Joan hatten sich von uns entfernt. Ich konnte sie unten dicht am Wasser sehen, wo sie engumschlungen dahinschlenderten. Sie sahen aus wie ein Werbefoto im Schaufenster eines Reisebüros – *Machen Sie Urlaub im traumhaften St. Lorca.* Es war gut so. Zwischen ihnen schien es gut zu laufen.

»Bernie?«

»Was ist?« Ich saß da und rauchte und dachte über Needles nach, der sein Feuerzeug auf und zu schnippte, das Reibrad drehte und mit dem Feuerstein Feuer machte wie ein Höhlenmensch.

»Jetzt hab' ich's«, sagte Needles.

»Tatsächlich?« Ich sah ihn an. »Bist du sicher?«

»Klar bin ich sicher. Ich hab' Kopfschmerzen. Mein Magen tut weh. Und es brennt beim Pinkeln.«

»Vielleicht ist es nur die Hongkong-Grippe. Susie hatte Hongkong-Grippe. Sie fragte nach einer Bibel.« Ich lachte. Das war, als wir noch die Universität besuchten, etwa eine Woche, bevor sie ganz geschlossen wurde und etwa einen Monat, bevor man die Leichen in Kipplastwagen abtransportierte und sie mit Sprengladungen in Massengräbern bestattete.

»Sieh doch.« Er zündete ein Streichholz an und hielt es unter seinen Jochbogen. Ich konnte die ersten dreieckigen Flecken erkennen, die erste Schwellung. Es war tatsächlich A6.

»Okay«, sagte ich.

»Ich fühl mich gar nicht so schlecht«, meinte er. »Rein geistig, meine ich. Bei dir sieht's wohl anders aus. Du denkst viel darüber nach. Da bin ich ganz sicher.«

»Nein, stimmt nicht.« Eine Lüge.

»Und wie du drüber nachdenkst. Wie dieser Kerl heute abend. Auch darüber denkst du nach. Wahrscheinlich haben wir ihm einen Gefallen getan. Ich glaube, daß er noch nicht einmal wußte, was mit ihm geschah.«

»Er wußte es.«

Er zuckte die Achseln und drehte sich auf seine Seite. »Ist auch egal.«

Wir rauchten, und ich sah zu, wie die Brandung den Strand hinaufrollte und wieder zurückfloß. Needles hatte Captain Trips. Das ließ wieder die Wirklichkeit über uns hereinbrechen. Es war bereits Ende August, und schon in zwei Wochen würde die erste Herbstkühle sich breitmachen. Zeit, sich unter ein schützendes Dach zu verziehen. Winter. Zu Weihnachten tot, vielleicht wir alle. In irgendeinem Zimmer, daneben Coreys sündteurer Radiorecorder auf einem Regal voll mit Romanbüchern des Reader's Digest und über allem das fahle Licht der entkräfteten Wintersonne, die sinnlose Fensterrahmenmuster auf den Teppich zeichnet.

Die Vision war so eindringlich, daß ich erschauerte. Niemand sollte schon im August an den Winter denken. Es ist genauso, als watschelte eine Weihnachtsgans über das eigene Grab.

Needles lachte. »Siehst du? Du denkst doch daran.«

Was sollte ich darauf erwidern? Ich stand auf. »Ich seh mal nach Susie.«

»Möglich, daß wir die letzten Menschen auf der Erde sind,

Bernie. Hast du jemals daran gedacht?« In dem schwachen Mondlicht sah er fast halbtot aus mit Rändern unter den Augen und bleichen, reglosen Fingern wie Bleistifte.

Ich ging hinunter zum Wasser und schaute hinaus. Dort war nichts zu sehen, außer ruhelosen, rollenden Wellenbuckeln, die von zarten Schaumkränzen bedeckt waren. Das Donnern der Brecher war hier unten überwältigend, mächtiger als die Welt. Es war, als stünde man inmitten eines Gewitters. Ich schloß die Augen und wiegte mich auf meinen nackten Füßen. Der Sand war kalt und feucht und wie festgestampft. Und wenn wir wirklich die letzten Menschen auf der Erde waren, was machte es schon aus? Dies hier würde weitergehen, solange es einen Mond gab, der das Wasser anzog.

Susie und Corey waren am Strand. Susie ritt auf ihm, als wäre er ein widerspenstiger Hengst, der mit dem Kopf voran durch die kochenden Wellen stürmte. Corey ruderte und planschte. Sie waren beide völlig durchnäßt. Ich ging weiter und stieß sie mit dem Fuß hinunter. Corey entfernte sich wild um sich spritzend auf allen Vieren und spuckte und brüllte dabei.

»Ich *hasse dich!*« schrie Susie mich an. Ihr Mund war eine düster grinsende Schlange. Er sah aus wie der Eingang zu einem Kuriositätenkabinett.

Als ich noch ein Kind war, nahm meine Mutter uns Winzlinge mit zum Harrison State Park, und dort gab es ein Kuriositätenkabinett mit einem riesigen Clownsgesicht als Fassade, und man betrat die Bude durch den Mund des Clowns.

»Komm schon, Susie. Auf, Hundchen!« Ich streckte meine Hand aus. Sie griff mißtrauisch danach und erhob sich. Feuchter Sand klebte an ihrer Bluse und auf der Haut.

»Du brauchtest mich nicht wegzustoßen, Bernie. Du brauchst noch nicht einmal ...«

»Komm schon.« Sie war ganz anders als eine Musikbox. Man brauchte nie eine Münze hineinzuwerfen, und niemals konnte ihr Stecker aus der Steckdose gezogen werden.

Wir wanderten über den Strand hinauf zum Kaufhaus. Der Mann, der den Laden leitete, hatte sich darüber ein kleines

Apartment eingerichtet. Ein Bett stand dort. Sie hatte wirklich kein Bett verdient, doch Needles hatte darin ganz recht. Es machte keinen Unterschied. Es war gleichgültig. Niemand kümmerte sich mehr darum, wie das Spiel endete.

Die Treppe befand sich an der Außenwand des Gebäudes, doch ich blieb einen Moment stehen und betrachtete durch das geborstene Schaufenster die verstaubten Waren, die zu plündern niemand sich die Mühe gemacht hatte – stapelweise Sweatshirts (mit der Schrift »Anson Beach« und einem Bild mit viel Himmel und Wellen auf der Brust), goldglänzende Armbänder, die einem schon am zweiten Tag das Handgelenk grün färbten, glitzernde Blechohrringe, Strandbälle, schmuddelige Ansichtskarten, dilettantisch bemalte Tonmadonnen, Erbrochenes aus Plastik *(Täuschend echt! Erschrecken Sie damit die eigene Ehefrau!)*, Wunderkerzen für einen 4. Juli, der niemals mehr stattfinden würde, Strandlaken mit verführerischen Bikinischönheiten, die sich inmitten Hunderter Namen berühmter Seebäder räkelten, Fähnchen *(Erinnerung an Anson Beach und Park)*, Luftballons, Badekleidung. Im vorderen Teil des Ladens war eine Imbißstube eingerichtet, in deren Fenster ein großes Schild verkündete: KOSTEN SIE UNSERE SPEZIAL MUSCHELSUPPE.

Als ich noch die High-School besuchte, war ich oft zum Anson Beach gekommen. Das war sieben Jahre vor A6, und ich ging damals mit einem Mädchen namens Maureen. Sie war ziemlich groß. Sie hatte einen Badeanzug mit pinkfarbenen Karos. Ich sagte ihr immer, er sähe aus wie eine Tischdecke. Wir waren auf dem Gehsteig vor dem Gebäude spazierengegangen, barfuß, die Bohlen heiß und sandig unter unseren Fußsohlen. Die Spezial Muschelsuppe hatten wir nie versucht.

»Wonach hältst du Ausschau?«

»Nach nichts. Komm weiter.«

Ich hatte einen verschwitzten, häßlichen Traum mit Alvin Sackheim. Er hockte aufrecht hinter dem Lenkrad seines blitzenden gelben Lincoln und sprach von seiner Großmutter. Er war nicht mehr als ein aufgedunsener schwarzer Kopf und ein verkohltes

Skelett. Er stank verbrannt. Er redete und redete, und nach einer Weile konnte ich kein einziges Wort mehr verstehen. Heftig atmend wachte ich auf.

Susie lag auf meinen Schenkeln, blaß und aufgedunsen. Meine Uhr verkündete 3:50, doch sie war stehengeblieben. Draußen war es noch dunkel. Die Brandung donnerte und rauschte, Hochflut. Das hieß etwa 4:15 Uhr. Bald schon hell. Ich stieg aus dem Bett und ging zur Tür. Die Meerbrise umfächelte angenehm meinen erhitzten Körper. Trotz allem wollte ich nicht sterben.

Ich ging rüber in die Ecke und holte mir ein Bier. Drei oder vier Kästen Budweiser waren an der Wand aufgestapelt. Das Bier war warm, weil es keinen Strom mehr gab. Doch ich hab' nichts gegen warmes Bier wie viele andere Leute. Es schäumt nur etwas stärker. Bier ist Bier. Ich ging hinaus auf den Treppenabsatz und setzte mich nieder und riß den Verschluß auf.

Da waren wir also, die gesamte menschliche Rasse, ausgelöscht, und zwar nicht von Atomwaffen oder biologischen Kriegswaffen oder von der Umweltverschmutzung oder irgend etwas *Großem. Nur von der Grippe.* Ich würde am liebsten irgendwo, vielleicht in den Salzseen um Bonneville, ein riesiges Zeichen auslegen. Eine Bronzeinschrift. Drei Meilen lang. Und in mächtigen Lettern würde sie verkünden, um alle möglicherweise zur Landung ansetzenden Besucher von anderen Sternen zu warnen: NUR VON DER GRIPPE.

Ich warf die Bierdose über das Geländer. Sie landete mit einem hohlen Scheppern auf dem Zementweg, der das Gebäude umrundete. Der Schuppen war ein dunkles Dreieck auf dem Sand. Ich überlegte, ob Needles wohl wach war. Ich fragte mich, ob ich es wäre.

»Bernie?« Sie stand in der Tür und trug eines meiner Hemden. Ich hasse das. Sie stinkt wie ein Schwein.

»Du magst mich nicht mehr besonders, nicht wahr, Bernie?«

Ich erwiderte nichts. Es gab Zeiten, da empfand ich einfach für alles Mitleid. Sie verdiente mich nicht mehr, als ich sie verdiente.

»Darf ich mich zu dir setzen?«

»Ich glaube, für uns beide ist es nicht breit genug.«

Sie gab einen erstickten Schluckauflaut von sich und schickte sich an, wieder ins Haus zurückzugehen.

»Needles hat A6«, sagte ich.

Sie verharrte und starrte mich an. Ihr Gesicht blieb sehr ruhig. »Mach keine Witze, Bernie.«

Ich zündete eine Zigarette an.

»Das ist unmöglich! Er hatte–«

»Ja, er hatte A2. Hongkong-Grippe. Genau wie du und ich und Corey und Kelly und Joan.«

»Aber das würde doch bedeuten, daß er nicht–«

»– immun ist.«

»Ja. Dann könnten wir es bekommen.«

»Vielleicht hat er gelogen, als er sagte, er hätte A2 gehabt. Damit wir ihn damals bei uns aufnahmen«, meinte ich.

Erleichterung machte sich auf ihrem Gesicht breit. »Sicher, das ist es. An seiner Stelle hätte ich auch gelogen. Niemand ist gerne allein.« Sie zögerte. »Kommst du zurück ins Bett?«

»Nicht gerade jetzt.«

Sie ging hinein. Ich brauchte ihr nicht zu erklären, daß A2 keine Garantie vor A6 war. Das wußte sie. Sie hatte es nur verdrängt. Ich saß da und beobachtete die Brandung. Sie hatte tatsächlich den höchsten Punkt erreicht. Vor Jahren war Anson der einzige halbwegs anständige Ort im Staat zum Wellenreiten gewesen. Der Point war ein düsterer, kantiger Klotz gegen den Himmel. Ich dachte, ich könnte den hoch oben liegenden Beobachtungsstand erkennen, doch das war wahrscheinlich reine Einbildung. Manchmal nahm Kelly Joan dorthin mit. Ich glaube nicht, daß sie in jener Nacht dort oben waren.

Ich legte mein Gesicht in die Hände und betastete es, spürte die Haut, ihre Körnung und Struktur. Alles verging so schnell, und es war so gemein – es lag keine Würde darin.

Die Brandung rollte herein und herein. Endlos. Sauber und tief. Wir waren im Sommer hergekommen, Maureen und ich, im Sommer nach der High-School, im Sommer vor dem College und vor der Wirklichkeit und ehe A6 aus Südostasien herüberkam und die Welt wie ein Leichentuch zudeckte, Juli, wir hatten Pizza gegessen und lauschten ihrem Radio, ich hatte Öl auf ihrem Rücken verteilt, sie hatte Öl auf meinem Rücken verteilt, es war heiß gewesen, der Sand hell, die Sonne wie ein Brennglas.

Ich bin das Tor

Richard und ich saßen auf meiner Veranda und schauten über die Dünen auf den Golf hinaus. Der Rauch seiner Zigarre hing träge in der Luft, und die Moskitos blieben in gemessener Entfernung. Das Wasser war ein kaltes Blaugrün, der Himmel ein tieferes, echteres Blau. Eine angenehme Kombination.

»Du bist das Tor«, wiederholte Richard nachdenklich. »Du bist also sicher, daß du den Jungen umgebracht hast. Oder hast du das Ganze vielleicht nur geträumt?«

»Ich habe es nicht geträumt. Und ich habe ihn auch nicht umgebracht. Das habe ich dir doch schon erzählt. Sie waren es. Ich bin nur das Tor.«

Richard seufzte. »Hast du ihn begraben?«

»Ja.«

»Weißt du noch wo?«

»Ja.« Ich griff in die Brusttasche und holte eine Zigarette raus. Mit den Bandagen an den Händen war das gar nicht so einfach. Das Jucken war unerträglich. »Wenn du das Grab sehen willst, müssen wir deinen Buggy nehmen. Du kannst mich doch nicht«– ich zeigte auf meinen Rollstuhl – »auf diesem Ding durch den Sand rollen.«

Richards Buggy war ein 1959er VW mit riesigen Reifen. Mit dem Ding sammelte er Treibholz. Er war Immobilienmakler in Maryland gewesen, und seit er sich aus dem Gewerbe zurückgezogen hatte, lebte er in Key Caroline. Aus dem Treibholz schnitzte er Figuren, die er im Winter zu unverschämten Preisen an Touristen verkaufte.

Er zog an seiner Zigarette und schaute auf das Wasser hinaus. »Noch nicht. Willst du mir nicht alles noch einmal erzählen?«

Ich seufzte und versuchte, mir die Zigarette anzuzünden. Er nahm mir die Streichhölzer weg und tat es selbst. Ich zog zweimal an der Zigarette und atmete den Rauch tief ein. Das Jucken an meinen Fingern machte mich fast wahnsinnig.

»Okay«, sagte ich. »Gestern abend um sieben war ich hier draußen und schaute auf den Golf hinaus und rauchte. Genau wie jetzt.«

»Geh weiter zurück«, bat er.

»Weiter?«

»Erzähl mir von dem Flug.«

Ich schüttelte den Kopf. »Richard, darüber haben wir uns doch schon hundertmal unterhalten. Da ist nichts–«

Sein zerfurchtes Gesicht wirkte so rätselhaft wie seine Treibholzfiguren. »Vielleicht erinnerst du dich dann«, sagte er. »Vielleicht fällt dir dabei etwas ein.«

»Meinst du wirklich?«

»Es ist doch möglich. Und wenn du fertig bist, suchen wir das Grab.«

»Das Grab«, sagte ich. Es klang hohl und entsetzlich und dunkel. Dunkler noch als der ganze schreckliche Ozean, durch den Cory und ich vor fünf Jahren hindurch mußten. Dunkel, dunkel, dunkel.

Unter den Bandagen starrten meine neuen Augen blind in die Dunkelheit, die ihnen eben diese Bandagen aufzwang. Sie juckten.

Eine Saturn 16 trug Cory und mich in die Umlaufbahn. Die Kommentatoren nannten sie die Empire-State-Building-Rakete. Sie war wirklich ein Ungetüm. Verglichen mit ihr wirkte die alte Saturn 1-B wie eine Redstone. Die 16 startete aus einem sechzig Meter tiefen Schacht, denn sonst hätte sie das halbe Cape Kennedy mitgerissen.

Während der Erdumkreisung überprüften wir alle Systeme und schwenkten dann auf unsere Flugbahn ein. Unser Ziel war die Venus. Wir ließen einen Senat zurück, der darüber zerstritten war, ob er noch weitere Raumfahrtprojekte finanzieren solle, und einen Haufen NASA-Leute, die händeringend hofften, daß wir etwas finden würden. Irgend etwas.

»Ganz gleich was«, sagte Don Lovinger gern, wenn er ein paar getrunken hatte. Dieser Wichtigtuer vertrat bei dem Projekt Zeus die Privatindustrie. »Ihr seid hervorragend ausgerüstet«, sagte er. »Ihr habt fünf hochgezüchtete TV-Kameras und ein hübsches kleines Teleskop mit Millionen von Linsen und Filtern. Ihr müßt Gold oder Platin finden. Besser noch findet ihr ein paar kleine blaue Männchen, die wir studieren und denen wir uns überlegen fühlen können. Und wenn ihr nur Rotkäppchen und den bösen Wolf findet, wäre das besser als gar nichts.«

Wenn es nur möglich gewesen wäre, hätten Cory und ich den Leuten gern den Gefallen getan. Im Raumfahrtprogramm lief überhaupt nichts mehr. Von Borman, Anders und Lovell, die 1968 den Mond umrundeten und eine öde leere Welt vorfanden, die wie verdreckter Strandsand aussah, bis zu Markham und Jacks, die zwanzig Jahre später auf dem Mars landeten, wo sie nur trockene Wüste und ein paar Flechten sahen, war das gesamte Raumfahrtprogramm nichts als ein teurer Fehlschlag gewesen. Und es hatte Tote gegeben. Pedersen und Lederer sind dazu verdammt, bis in alle Ewigkeit um die Sonne zu kreisen. Bei dieser zweitletzten Apollomission hatte plötzlich überhaupt nichts mehr funktioniert. Das kleine Raumobservatorium, in dem John Davis sich auf einer Umlaufbahn befand, wurde – die Wahrscheinlichkeit war eins zu tausend – von einem Meteoriten durchlöchert. Nein, das Raumfahrtprogramm gab nichts mehr her. Wie die Dinge standen, war unser Flug zur Venus wahrscheinlich unsere letzte Chance, den Leuten zu sagen, daß wir es von Anfang an gewußt hätten.

Der Hinflug dauerte sechzehn Tage – wir aßen eine Menge Konzentrate, spielten oft Rommé und steckten uns immer wieder gegenseitig mit einer Erkältung an – und vom Technischen her war das Ganze Routine. Am dritten Tag verloren wir einen Luftfeuchtigkeitskonverter. Bis zum Wiedereintritt war das, von Kleinigkeiten abgesehen, auch schon alles. Wir sahen die Venus von einem Stern zur Größe einer Vierteldollarmünze anwachsen, und schließlich hing sie als milchige Kristallkugel vor uns. Die Leute von der Kontrolle in Huntsville erzählten uns Witze und umgekehrt. Wir hörten Musik von Wagner und von den Beatles und überwachten die automatisch ablaufenden Experimente, vom Messen der Solarwinde bis zu Navigationsexperimenten. Wir veranlaßten zwei geringfügige Kurskorrekturen, und am neunten Tag ging Cory nach draußen und schlug so lange gegen die einfahrbare DESA, bis sie endlich funktionierte. Es geschah absolut nichts Ungewöhnliches, bevor wir ...

»DESA«, sagte Richard. »Was ist das?«

»Ein Experiment, das kein Ergebnis brachte. Eine NASA-Bezeichnung für Raumantenne – wir funkten Pi in Hochfrequenzschwingungen, für den Fall, daß jemand zuhörte.« Ich rieb die Finger an der Hose, aber es half nicht. Das Jucken wurde eher noch schlimmer. »Etwas Ähnliches wie das Radioteleskop in West Virginia«, fuhr ich fort, »mit dem Signale aus dem All aufgefangen werden können. Wir haben allerdings nicht gelauscht, sondern selbst gesendet. Hauptsächlich zielten wir dabei auf die äußeren Planeten – Jupiter, Saturn, Uranus. Falls es dort intelligente Wesen gibt, müssen sie gepennt haben.«

»Ging nur Cory nach draußen?«

»Ja. Und wenn er irgendeine interstellare Pest eingeschleppt haben sollte ... die Telemetrie hat es nicht registriert.«

»Trotzdem –«

»Es spielt keine Rolle«, sagte ich wütend. »Nur das Hier und Jetzt ist wichtig. Sie haben den Jungen gestern abend umgebracht, Richard. Es war kein schöner Anblick – es war entsetzlich. Sein Kopf ... explodierte. Als ob jemand ihm das Gehirn herausgekratzt und eine Handgranate in den Schädel gesteckt hätte.«

»Erzähl die Geschichte zu Ende«, sagte er.

Ich lachte hohl. »Was gibt es da zu erzählen?«

Wir gingen in eine exzentrische Bahn um den Planeten. Eine extreme Bahn, die immer schwieriger wurde, drei zwanzig mal sechsundsiebzig Meilen. Das war bei der ersten Umrundung. Bei der zweiten erreichten wir einen noch höheren Wert für die größte Erdferne, und die größte Erdnähe war geringer. Wir hatten maximal vier Umläufe. Wir haben alle vier gemacht. Wir konnten den Planeten gut beobachten.

Wir machten über sechshundert Aufnahmen und verschossen Gott weiß wie viele Meter Film.

Die Wolkendecke besteht zu gleichen Teilen aus Methan, Ammoniak, Staub und fliegender Scheiße. Der ganze Planet sieht aus wie der Grand Canyon im Windkanal. Cory schätzte die Windgeschwindigkeit in Bodennähe auf etwa 600 Meilen pro Stunde. Wir hörten die Signale unserer Sonde, bis sie gelandet war. Dann gab sie ein Kreischen von sich und verstummte. Wir sahen keine Vegetation und auch sonst keine Anzeichen von Leben. Das Spektroskop registrierte nur Spuren von wertvollen Mineralien. Das also war die Venus. Nichts als nichts – und dennoch hatte ich Angst. Es war, als umkreiste man mitten im Raum ein Haus, in dem es spukte. Ich weiß, es klingt recht unwissenschaftlich, aber ich hatte eine panische Angst. Ich war erleichtert, als wir wieder auf dem Rückweg waren. Wenn unsere Raketen nicht gezündet hätten... wahrscheinlich hätte ich mir auf dem Weg nach unten die Kehle durchgeschnitten. Die Venus ist anders als der Mond. Der Mond ist zwar öde und irgendwie antiseptisch. Die Welt, die wir sahen, war völlig anders als alles, was je ein Mensch gesehen hat. Vielleicht ist es gut, daß der Planet eine Wolkendecke hat. Er wirkt wie ein Schädel, von dem alles Fleisch abgenagt wurde – besser kann ich es nicht beschreiben.

Auf dem Rückweg erfuhren wir, daß der Senat die Zuweisungen für die Welraumerforschung halbiert hatte. »Jetzt sind wir nur noch mit Wettersatelliten im Geschäft«, sagte Cory, oder so ähnlich. Aber ich war eigentlich ganz froh. Gehören wir wirklich dort draußen hin?

Zwölf Tage später war Cory tot und ich lebenslang ein Krüppel. Der ganze Ärger fing nach dem Wiedereintritt an. Der

Fallschirm funktionierte nicht ordnungsgemäß. Eine der kleinen Ironien des Lebens! Wir waren über einen Monat im Raum gewesen. Wir waren weiter gelangt als je ein Mensch vor uns, und alles mußte so enden, weil irgendein Idiot seine Kaffeepause nicht abwarten konnte und deshalb ein paar Leinen durcheinanderbrachte.

Eine verdammt harte Landung. Einer der Hubschrauberpiloten sagte, es habe ausgesehen, als fiele ein Riesenbaby vom Himmel und zöge die Plazenta hinter sich her. Beim Aufschlag verlor ich das Bewußtsein.

Ich kam erst wieder zu mir, als sie mich über das Deck der *Portland* trugen. Der rote Teppich, auf dem wir hätten gehen sollen, war noch gar nicht ausgerollt. Ich blutete. Sie trugen mich über einen roten Teppich, der nicht halb so rot war wie ich, ins Lazarett...

»Zwei Jahre blieb ich im Bethesda-Hospital. Ich bekam eine Tapferkeitsmedaille, einen Haufen Geld und diesen Rollstuhl. Ein Jahr darauf kam ich hierher. Ich beobachte gern die Raketenstarts.«

»Ich weiß«, sagte Richard und schwieg eine Weile. Dann sagte er: »Zeig mir deine Hände.«

»Nein!« Meine Antwort kam schnell und scharf. »Sie dürfen sie nicht sehen. Das habe ich dir doch gesagt.«

»Es ist fünf Jahre her«, sagte Richard. »Warum denn immer noch, Arthur? Kannst du mir das erklären?«

»Ich weiß es nicht. Ich weiß es doch nicht! Was es auch ist, vielleicht wirkt es lange nach. Und wer will behaupten, daß ich es dort draußen gekriegt habe? Was es auch ist, es kann mich auch in Fort Lauderdale erwischt haben. Oder vielleicht sogar hier auf dieser Veranda. Weiß ich das?«

Richard seufzte und schaute auf das Wasser hinaus, das die sinkende Sonne jetzt in rötliches Licht tauchte. »Es fällt mir schwer, Arthur, aber ich möchte nicht gerne glauben, daß du im Begriff bist, den Verstand zu verlieren.«

»Wenn ich unbedingt muß, zeige ich dir meine Hände«,

sagte ich. Der Satz kostete mich einige Anstrengung. »Aber nur, wenn ich muß.«

Richard stand auf und nahm seinen Stock. Er sah alt und gebrechlich aus. »Ich hole den Buggy. Wir werden nach dem Jungen suchen.«

»Danke, Richard.«

Er ging auf dem ausgefahrenen Sandweg davon, der zu seiner Hütte führte. Hinter der großen Düne, die sich an Key Caroline entlangzog, war gerade noch das Dach zu sehen. Über dem Wasser zum Kap hin hatte der Himmel eine häßliche violette Farbe angenommen, und in der Ferne hörte ich es leise donnern.

Ich wußte nicht, wie der Junge hieß, aber ich sah ihn hin und wieder, wenn er mit einem Sieb unter dem Arm den Strand entlangging. Er war von der Sonne fast schwarzgebrannt und trug immer nur alte abgeschnittene Jeans. Am anderen Ende von Key Caroline liegt ein öffentlicher Badestrand, und ein fleißiger junger Mann kann am Tag gut und gern fünf Dollar zusammenbekommen, wenn er nur geduldig den Sand nach Münzen durchsiebt. Gelegentlich winkte ich ihm zu, und er winkte zurück. Eine unverbindliche Bekanntschaft. Wir waren Fremde und doch Brüder, denn wir wohnten hier das ganze Jahr über und hatten mit den Touristen nichts zu schaffen, die viel Geld ausgaben, Cadillacs fuhren und auch sonst großspurig auftraten. Ich nahm an, daß er in einem der Häuser wohnte, die in etwa achthundert Metern Entfernung um das kleine Postamt herumstanden.

Als er an jenem Abend vorbeikam, hatte ich schon eine Stunde reglos auf der Veranda gesessen und die Szenerie beobachtet. Vorher hatte ich die Bandagen abgenommen. Das Jucken war unerträglich geworden. Ein wenig besser wurde es nur, wenn meine Hände ihre Augen benutzen konnten.

Ein unbeschreibliches Gefühl – ich kam mir vor wie ein Portal, das ein wenig offenstand und durch das meine Hände eine Welt erblickten, die sie haßten und fürchteten. Aber das

Schlimmste war, daß ich auch selbst irgendwie sehen konnte. Stellen Sie sich vor, Ihr Gehirn stecke im Kopf einer Stubenfliege, und diese Stubenfliege schaute Sie aus tausend Augen an. Dann würden Sie vielleicht begreifen, warum ich meine Hände bandagierte, selbst wenn niemand sie sehen konnte.

In Miami fing es an. Dort hatte ich mit einem Mann namens Cresswell zu tun. Der Mann ist hoher Marineoffizier und muß mich einmal im Jahr überprüfen. Schließlich bin ich im Zusammenhang mit der Raumfahrt Geheimnisträger. Was erwartet der Kerl? Verschlagene Blicke? Kainszeichen auf der Stirn? Das mag der Himmel wissen. Jedenfalls ist meine Pension so hoch, daß es mir fast peinlich ist.

Cresswell und ich saßen auf dem Balkon seines Hotelzimmers und tranken. Wir diskutierten das Raumfahrtprogramm der Vereinigten Staaten. Es war etwa Viertel nach drei. Meine Finger begannen zu jucken. Nicht etwa allmählich. Nein, es war, als würde Strom eingeschaltet. Das sagte ich Cresswell.

»Sie haben auf dieser skrofulösen kleinen Insel wohl giftige Blätter angefaßt«, sagte er grinsend.

»Das einzige Laubwerk auf Key Caroline ist ein lächerliches Fächerpalmengestrüpp«, sagte ich. »Vielleicht kommt das Jukken nur alle sieben Jahre.« Ich betrachtete meine Hände. Sie waren völlig normal. Aber sie juckten.

Später unterschrieb ich dann wieder das gleiche Formular (»Ich versichere hiermit an Eides Statt, daß ich weder Informationen erhalten noch weitergegeben habe, die geeignet wären...«) und fuhr nach Hause. Ich habe einen alten Ford mit Handgas. Auch die Bremsen betätige ich mit der Hand. Ich hänge an dem Schlitten. Er gibt mir das Gefühl, nicht auf fremde Hilfe angewiesen zu sein. Der Rückweg über die Route 1 ist weit, und als ich endlich die Ausfahrt nach Key Caroline erreichte, war ich dem Wahnsinn nahe. Meine Hände juckten wie verrückt. Wenn Sie jemals an sich selbst erlebt haben, wie eine tiefe Schnittwunde oder eine Operationsnaht verheilt, wissen Sie ungefähr, wie dieses Jucken sich anfühlt. Es war, als kröchen Lebewesen über meine Hände und bohrten sich in das Fleisch.

Die Sonne war fast untergegangen, und im trüben Licht der Armaturenbrettbeleuchtung betrachtete ich lange meine Hände. Die Fingerspitzen waren jetzt rot, und ich sah wie mit dem Zirkel gezogene winzige rote Kreise. Sie saßen ein wenig oberhalb der Fingerkuppen, von denen man Abdrücke nehmen kann, und an denen man Hornhaut kriegt, wenn man Gitarre spielt. Auch zwischen dem ersten und zweiten Glied der Daumen und Finger und zwischen zweitem Glied und Knöchel entdeckte ich diese roten Kreise. Ich hob die Finger der rechten Hand an die Lippen und ließ sie angewidert fallen. Mich packte dumpfes Entsetzen. Meine Kehle war wie zugeschnürt. Die Stellen mit den roten Flecken fühlten sich heiß an, als hätte ich Fieber, aber die übrige Haut war weich und kalt wie die eines verrotteten Apfels.

Während ich weiterfuhr, versuchte ich, mir einzureden, daß ich tatsächlich irgendwelche giftigen Pflanzen angefaßt haben mußte. Aber dann kam mir ein entsetzlicher Gedanke. In meiner Kindheit hatte ich eine Tante. Sie verbrachte die letzten zehn Jahre ihres Lebens völlig isoliert in einem Zimmer im Obergeschoß unseres Hauses. Meine Mutter trug ihr das Essen hinauf, und ihr Name durfte nicht erwähnt werden. Später erfuhr ich, daß sie an der Hansenschen Krankheit litt – Lepra.

Als ich zu Hause war, rief ich Dr. Flanders an, der auf dem Festland wohnte. Es meldete sich nur der Telefonauftragsdienst. Dr. Flanders sei zum Angeln gefahren. Wenn es aber dringend sei, dann könnte man Dr. Ballanger –

»Wann ist Dr. Flanders zurück?«

»Spätestens morgen nachmittag. Würde das...?«

»Aber ja.«

Nachdenklich legte ich auf und rief wenig später Richard an. Ich ließ es ein dutzendmal klingeln. Nichts. Unentschlossen saß ich eine Weile herum. Das Jucken war schlimmer geworden. Es ging jetzt vom Fleisch selbst aus.

Ich rollte mit meinem Stuhl an das Bücherregal und zog das zerfledderte medizinische Wörterbuch heraus, das ich schon seit Jahren hatte. Ich fand keine Erklärung für meine Symptome. Alle zu vage. Es hätte alles Mögliche oder gar nichts sein können.

Ich lehnte mich zurück und schloß die Augen. Ich hörte die alte Schiffsuhr drüben in der Ecke ticken. Das pfeifende Dröhnen eines Jets, der gerade in Richtung Miami startete. Den leisen Hauch meines Atems.

Ich starrte immer noch auf das Buch in meiner Hand.

Mir kam eine grauenhafte Erkenntnis, langsam erst und dann auf einen Schlag. Ich hatte die Augen geschlossen und doch *sah* ich das Buch! Was ich sah, war verschwommen und monströs, das verzerrte vierdimensionale Abbild eines Buches, dennoch als solches deutlich zu erkennen.

Und ich war nicht der einzige Betrachter.

Ich riß die Augen auf und spürte, wie sich mir das Herz zusammenzog. Dieses Gefühl ließ nach, wenn es auch nicht ganz wich. Ich betrachtete die aufgeschlagenen Seiten und sah mit eigenen Augen das Schriftbild und die Diagramme. Eine alltägliche Sache. Aber gleichzeitig sah ich alles von unten, aus einem anderen Winkel und aus anderen Augen. Und ich sah kein Buch mehr, sondern etwas Schauriges, Fremdartiges und Unheilkündendes.

Ich schlug die Hände vor die Augen und sah mein Wohnzimmer als Horrorvision.

Ich schrie.

Durch die Risse im Fleisch meiner Finger schauten Augen mich an. Ich sah, wie das Fleisch sich öffnete und zurückschob, damit diese toten Augen an die Oberfläche gelangten.

Aber nicht deshalb schrie ich. Ich hatte mir selbst ins Gesicht gesehen und ein Ungeheuer erblickt.

Die Schnauze des Buggy tauchte über dem Hügel auf, und Richard hielt vor meiner Veranda. Der Motor lief unregelmäßig, und es gab ein paar Fehlzündungen. Ich fuhr mit dem Rollstuhl die Schräge neben der Treppe hinab, und Richard half mir in den Wagen.

»Okay, Arthur«, sagte er. »Dies ist deine Party. Wohin?«

Ich zeigte zum Wasser hinunter, wo die große Düne auslief. Richard nickte. Die Hinterräder drehten durch und ließen den Sand spritzen. Normalerweise machte ich hämische Bemerkungen über Richards Fahrkünste, aber heute abend versagte ich mir das. Ich mußte an zu viele Dinge denken. Und dann war das Gefühl: Sie wollen nicht im Dunkeln bleiben. Ich spürte, wie sie versuchten, durch die Bandagen hindurchzuschauen, wie sie mich veranlassen wollten, die Bandagen abzunehmen.

Holpernd und rüttelnd dröhnte der Buggy durch den Sand zum Wasser hinunter. Auf dem Weg nach unten schien er manchmal fast abheben zu wollen. Blutrot ging links die Sonne unter. Direkt vor uns zogen Gewitterwolken auf. Blitze zuckten über der See.

»Nach rechts«, sagte ich. »Bei dem Schuppen dort.«

Richard brachte den Buggy neben den verrotteten Überresten des Schuppens zum Stehen. Er griff nach hinten und hielt plötzlich einen Spaten in der Hand. Ich zuckte zusammen. »Wo?« fragte Richard ohne jede Regung.

»Gleich hier.« Ich zeigte ihm die Stelle.

Er stieg aus und ging langsam durch den Sand. Dann stieß er den Spaten in den Boden. Er grub lange. Der Sand, den er hinter sich warf, war feucht. Die Gewitterwolken waren dunkler geworden und standen hoch über uns, und unter ihrem Schatten wirkte die See um so bedrohlicher. Dieser Eindruck wurde noch verstärkt durch das erlöschende Rot der sinkenden Sonne.

Lange bevor er aufhörte zu graben, wußte ich schon, daß er den Jungen nicht finden würde. Sie hatten ihn fortgeschafft. Denn gestern abend waren meine Hände nicht bandagiert gewesen. Deshalb hatten sie auch sehen können. Schlimmer noch: Sie hatten gehandelt. Und wenn sie mich dazu bringen konnten, den Jungen zu töten, dann konnten sie mich auch dazu veranlassen, ihn wegzuschaffen. Selbst im Schlaf.

»Hier liegt der Junge nicht, Arthur.« Er warf die dreckige Schaufel in den Buggy und ließ sich erschöpft auf den Sitz fallen. Die aufziehenden Wolken zeichneten Schatten in den Sand, die sich ständig veränderten. Der Wind fegte den Sand gegen die verrosteten Blechteile des Buggys. Meine Finger juckten.

»Sie haben mich als Werkzeug benutzt«, sagte ich dumpf. »Und ich habe ihn von hier entfernt. Sie gewinnen die Oberhand, Richard. Mit Gewalt öffnen sie das Tor. Ganz langsam nur, aber sie öffnen es. Hundertmal am Tag sehe ich etwas mir völlig Vertrautes – einen Spachtel, ein Bild oder nur eine Dose Bohnen. Ich stehe direkt vor diesen Dingen und weiß nicht, wie ich dort hingekommen bin. Ich strecke die Hände aus und zeige es ihnen, und genau wie sie sehe ich etwas Obszönes, etwas Verbogenes, etwas Groteskes–«

»Arthur«, sagte er. »Arthur, hör auf. Laß diesen Unfug.« Im Licht der sinkenden Sonne sah ich das Mitleid in seinem Gesicht. »Du sagst, du hättest vor etwas *gestanden*. Du sagtest, du hättest die Leiche des Jungen von hier fortgeschafft. *Du kannst doch nicht gehen, Arthur.* Von der Hüfte abwärts bist du tot.«

Ich griff an das Armaturenbrett des Buggy. »Dieses Ding ist auch tot. Aber wenn man einsteigt, kann man es in Bewegung setzen. Man kann es sogar zwingen, jemanden zu töten, und selbst wenn es wollte, könnte es das nicht verhindern.« Ich hörte, wie laut und hysterisch meine Stimme klang. »Ich bin das Tor. Begreifst du das denn nicht? Sie haben den Jungen umgebracht, Richard! Sie haben die Leiche fortgeschafft!«

»Du solltest einen Arzt aufsuchen«, sagte er leise. »Wir fahren jetzt zurück. Wir–«

»Erkundige dich doch! Erkundige dich nach dem Jungen! Es müßte sich doch feststellen lassen–«

»Du kennst doch noch nicht einmal seinen Namen.«

»Er muß aus dem Dorf stammen. Es besteht nur aus ein paar Häusern. Erkundige dich–«

»Als ich den Buggy holte, habe ich mit Maud Harrington telefoniert. Ich kenne in der ganzen Gegend keine neugierigere Frau. Sie weiß alles. Ich habe sie gefragt, ob jemand vielleicht seinen Sohn vermißt. Nicht, daß sie wüßte.«

»Aber er muß von hier sein. Ganz bestimmt!«

Er griff nach dem Zündschlüssel, aber ich legte ihm die Hand auf den Arm. Er sah mich an, und ich löste meine Bandagen.

Ich ging nicht zum Arzt, und ich rief Richard auch nicht wieder an. Drei Wochen lang hatte ich Bandagen an den Händen, wenn ich das Haus verließ. Drei Wochen lang hoffte ich, daß es verschwinden würde. Eine irrationale Verhaltensweise, wie ich zugeben muß. Wenn ich ein ganzer Mann gewesen wäre, der seine Beine nicht durch einen Rollstuhl hätte ersetzen müssen, und der normal gelebt hätte, wäre ich wohl zu Dr. Flanders gegangen oder hätte mich an Richard gewandt. Ich hätte es dennoch getan, wenn ich nicht dauernd an meine Tante hätte denken müssen, die man praktisch gefangengehalten hatte und die bei lebendigem Leibe verfault war. Wie die Dinge standen, schwieg ich verzweifelt und hoffte, daß ich eines Morgens wie aus einem Alptraum erwachen würde und alles wäre vorbei.

Und ganz allmählich spürte ich sie. Eine anonyme Intelligenz. Ich fragte mich eigentlich nie, wie sie aussahen oder woher sie gekommen waren. Das mochte auf sich beruhen. Ich war jedenfalls ihr Tor, ihr Fenster zur Welt. Und ich empfand ihren Ekel und ihr Entsetzen und wußte, daß unsere Welt zutiefst von der ihren verschieden sein mußte. Ich erkannte ihren blinden Haß. Ihr Fleisch steckte in meinem. Ich begann zu ahnen, daß sie mich benutzten, mich manipulierten.

Als der Junge vorbeiging und wie üblich lässig die Hand zum Gruß hob, war ich schon fast entschlossen, Cresswell im Marineministerium anzurufen. In einem hatte Richard recht gehabt – was immer mich befallen hatte, mußte ich mir im Raum oder während dieser wahnsinnigen Bahn um die Venus zugezogen haben. Die Marine würde mich beobachten lassen, aber sie würde mich nicht von vornherein für verrückt erklären. Ich würde nicht mehr voller Entsetzen in kreischender Dunkelheit hochschrecken und meine verzweifelten Schreie unterdrücken müssen, während sie mich immer und immer wieder anstarrten.

Meine Hände streckten sich nach dem Jungen aus, und ich merkte, daß ich sie nicht bandagiert hatte. Im fahlen Licht der sinkenden Sonne sah ich die stummen Blicke der Augen. Sie waren groß und weit aufgerissen, und ihre Regenbogenhäute schimmerten golden. Einmal war ich mit einem gegen die

Spitze eines Bleistifts gestoßen, und rasender Schmerz war durch meinen Arm gefahren. Das Auge hatte mich mit unterdrücktem Haß angestarrt. Ich habe mir nie wieder den Finger gestoßen.

Und nun beobachteten sie den Jungen. Ich spürte meine Gedanken abschweifen. Wenig später hatte ich mich nicht mehr in der Gewalt. Das Tor war offen. Ich taumelte durch den Sand auf ihn zu, und spürte meine Beine nicht mehr. Sie waren wie totes Treibholz. Meine Augen waren wie versiegelt, und ich sah nur mit jenen fremden Augen – ich sah einen monströsen Alabasterstrand, über dem purpurn der Himmel hing, sah die Überreste eines verrotteten Schuppens, der das Skelett einer unbekannten fleischfressenden Kreatur hätte sein können, sah ein grauenhaftes Wesen, das sich bewegte und atmete, das ein Gerät aus Holz und Draht unter dem Arm trug, das aus geometrisch unmöglichen rechten Winkeln konstruiert war.

Ich fragte mich, was der unglückliche fremde Junge wohl dachte, als er mit dem Sieb unter dem Arm und den von Touristenmünzen ausgebeulten Taschen vor mir stand, was er dachte, als er mich wie einen blinden Dirigenten auf sich zutaumeln sah, die Hände über einem wahnsinnigen Orchester erhoben, was er dachte, als das letzte Tageslicht auf meine Hände fiel, die rot und aufgerissen von der Last ihrer Augen glänzten, was er dachte, als diese Hände ruckartige Bewegungen machten, kurz bevor ihm der Kopf platzte.

Ich wußte, was ich selbst dachte.

Ich dachte, ich hätte über den Rand des Universums geschaut und die Feuer der Hölle gesehen.

Als ich die Bandagen löste, zerrte der Wind an ihnen und ließ sie wie kleine Wimpel fliegen. Die Wolken hatten den letzten roten Glanz der sinkenden Sonne ausgelöscht, und die Dünen lagen unter dunklen Schatten. Über uns raste und kochte der Himmel.

»Du mußt mir eins versprechen, Richard«, schrie ich über

den Wind hinweg. »Du mußt sofort wegrennen, wenn es so aussieht, als versuchte ich... dir etwas zu tun. Hast du mich verstanden?«

»Ja.« Der Wind ließ sein offenes Hemd flattern. Sein Gesicht war unbewegt, und von seinen eigenen Augen waren nur noch die Höhlen zu erkennen.

Die letzte Bandage fiel.

Ich sah Richard an, und auch sie sahen Richard an. Ich sah ein Gesicht, das ich seit fünf Jahren kannte und das mir vertraut war. Sie sahen einen verzerrten lebenden Monolithen.

»Da hast du deinen Willen«, sagte ich heiser. »Jetzt siehst du sie.«

Unwillkürlich trat er einen Schritt zurück. In seinem Gesicht flackerte ungläubiges Entsetzen auf. Blitze zuckten vom Himmel. Hoch in den Wolken rollte der Donner, und das Wasser war zurückgewichen wie das des Styx, des Flusses der Unterwelt.

»Arthur –«

Wie abscheulich er aussah! Wie hatte ich nur in seiner Nähe leben, je mit ihm sprechen können? Er war kein menschliches Wesen, sondern eine stumme Pestilenz. Er war –

»Lauf! Lauf, Richard!«

Und er lief. In riesigen Sätzen rannte er davon. Vor dem drohenden Himmel wurde er zu einem grotesken Knochengerüst. Meine Hände flogen hoch. Schreiend riß ich sie in einer bizarren Geste über den Kopf, und meine Finger griffen nach dem einzigen, das mir in dieser Alptraumwelt noch vertraut war – sie griffen nach den treibenden Wolken.

Die Wolken brüllten ihr Echo.

Ein gewaltiger blauweißer Blitz fuhr herab, als sei dies das Ende der Welt. Er traf Richard, er hüllte Richard völlig ein. Dann erinnerte ich mich nur noch an elektrischen Ozongestank und an den Gestank von verbranntem Fleisch.

Als ich wieder zu mir kam, saß ich ruhig auf meiner Veranda und schaute zu der großen Düne hinüber. Der Sturm hatte sich gelegt, und die Luft war angenehm kühl. Die schmale Sichel des Mondes hing am Himmel. Der Sand schien unberührt – Richard und sein Buggy waren nirgends zu sehen.

Ich betrachtete meine Hände. Die Augen waren geöffnet, aber ihr Blick war glasig. Sie hatten sich verausgabt. Sie schliefen.

Ich wußte nur zu gut, was zu tun war. Bevor das Tor sich weiter öffnete, mußte ich es schließen. Für immer. Ich bemerkte schon strukturelle Veränderungen an den Händen selbst. Die Finger fingen an, kürzer zu werden ... und sich zu verändern.

Im Wohnzimmer war ein kleiner Kamin, in dem ich gelegentlich ein Feuer anzündete, wenn sich die feuchte Kühle Floridas allzusehr bemerkbar machte. Auch jetzt zündete ich eins an. Ich beeilte mich. Sie konnten mir jeden Augenblick auf die Schliche kommen.

Als das Feuer hell brannte, fuhr ich nach draußen an das Kerosinfaß und überschüttete meine Hände mit dem Brennstoff. Sie wurden sofort wach und schrien vor Schmerz. Ich hätte den Weg ins Wohnzimmer und an das Feuer fast nicht mehr geschafft.

Aber ich schaffte ihn.

Das alles liegt schon sieben Jahre zurück.

Ich bin immer noch hier, und immer noch beobachte ich die Raketenstarts. In letzter Zeit sind sie häufiger. Die jetzige Regierung hat wieder größeres Interesse an der Raumfahrt. Es wurde sogar davon gesprochen, daß es weitere bemannte Venussonden geben soll.

Ich habe den Namen des Jungen ermittelt, wenn das auch keine Rolle spielt. Seine Mutter hatte geglaubt, er habe auf dem Festland einen Freund besucht. So wurde die Polizei erst am darauffolgenden Montag alarmiert. Richard – nun, die meisten hatten Richard ohnehin für einen komischen alten Trottel gehalten. Sie glaubten, er sei wieder in Maryland oder habe sich mit irgendeiner Frau zusammengetan.

Ich selbst wurde stillschweigend geduldet, obwohl die Leute

mich für ziemlich exzentrisch halten. Welcher Astronaut schreibt schließlich ständig an seine gewählten Vertreter in Washington, um ihnen zu sagen, daß die Mittel für die Erforschung des Weltraums bessere Verwendung finden könnten?

Ich komme mit diesen Haken ganz gut zurecht. Etwa ein Jahr lang hatte ich entsetzliche Schmerzen, aber der menschliche Körper kann sich an fast alles anpassen. Ich rasiere mich mit ihnen und kann mir sogar die Schuhe zubinden. Und, wie Sie sehen, schreibe ich auf meiner Schreibmaschine sauber und gleichmäßig. Ich glaube nicht, daß es mir Schwierigkeiten bereiten wird, den Lauf meiner Schrotflinte in den Mund zu nehmen und den Abzug zu betätigen. Es hat nämlich vor drei Wochen wieder angefangen.

In einem perfekten Kreis wachsen zwölf goldene Augen aus meiner Brust.

Der Wäschemangler

Officer Hunton erreichte gerade in dem Augenblick die Wäscherei, als der Krankenwagen abfuhr – langsam, ohne Sirene oder Blaulicht. Das ließ nichts Gutes ahnen. Drinnen war das Büro voll von schweigend umherlaufenden Leuten, einige weinten. An den Waschanlagen selbst stand niemand; die großen Waschautomaten am Ende des Raumes liefen noch. Hunton wurde mißtrauisch. Die Menge müßte doch eigentlich an der Unfallstelle stehen und nicht im Büro. Das war nun einmal so – der Mensch hat den instinktiven Drang, die Überreste betrachten zu wollen. Hier mußte es also schon sehr schlimm sein. Hunton fühlte, daß sich sein Magen verkrampfte, wie immer, wenn es ein besonders grausamer Unfall war. Vierzehn Jahre lang menschliche Überreste von Autobahnen und Straßen oder von Bürgersteigen am Fuße sehr hoher Gebäude zu entfernen – selbst eine so lange Zeit hatte dieses kleine Problem in seinem Bauch nicht lösen können, als wenn sich dort etwas Ungesundes festgesetzt hätte.

Ein Mann in einem weißen Hemd sah Hunton und näherte sich ihm widerwillig. Es war ein bulliger Kerl, der Kopf saß ihm fast auf den Schultern, und an Nase und Wangen waren die Äderchen geplatzt – entweder wegen zu hohen Blutdrucks oder zu vielen Begegnungen mit dem Whisky. Er versuchte, Worte zu formulieren, aber nach zwei Versuchen unterbrach Hunton ihn schnell:

»Sind Sie der Besitzer? Mr. Gartley?«

»Nein... nein. Ich bin Stanner. Der Vorarbeiter. Gott, dieser –«

Hunton nahm sein Notizbuch. »Bitte zeigen Sie mir die

Unfallstelle, Mr. Stanner, und erzählen Sie mir, was passiert ist.«

Stanner schien noch bleicher zu werden; aber die Flecken auf seiner Nase und seinen Wangen leuchteten wie Muttermale. »M – muß ich wirklich?«

Hunton zog die Augenbrauen hoch. »Ich fürchte, ja. Der Anrufer sagte, es sei schlimm.«

»Schlimm –« Stanner schien mit einem Würgen zu kämpfen; einen Moment lang hüpfte sein Adamsapfel rauf und runter, wie ein Affe auf der Kletterstange. »Mrs. Frawley ist tot. Herrgott, ich wünschte, Bill Gartley wäre hier.«

»Was ist passiert?«

Stanner erwiderte: »Kommen Sie besser hier herüber.«

Er führte Hunton an einer Reihe von Büglern und einem Hemdenfaltgerät vorbei und hielt dann an einer Maschine, die die Wäsche markierte. Mit zittriger Hand fuhr er sich über die Stirn: »Sie müssen selbst rübergehen, Officer. Ich kann mir das nicht noch mal anschauen. Es macht mich ... ich kann einfach nicht. Tut mir leid.«

Hunton ging mit einem leichten Gefühl der Verachtung für den Mann um die Maschine herum. Diese Kerle machen dicke Geschäfte, manipulieren das Kontrollverfahren, leiten glühendheißen Dampf durch selbstgeschweißte Leitungen, arbeiten ohne den geringsten Schutz mit gefährlichen Reinigungsmitteln, und plötzlich wird jemand verletzt. Oder stirbt. Und dann können sie nicht hinschauen. Sie können einfach nicht ...

Hunton sah es.

Die Maschine lief noch. Keiner hatte sie abgestellt. Er sollte sie später noch gründlich kennenlernen: Es war ein Hadley-Watson-6-Gang-Bügel- und Faltautomat. Ein langer und schwerfälliger Name. Die Leute, die hier in Dampf und Feuchtigkeit arbeiteten, hatten einen besseren Namen dafür: der Mangler.

Hunton blickte versunken, erstarrt, und zum ersten Mal in seinen vierzehn Jahren als Polizeibeamter hielt er sich krampfhaft die Hand vor den Mund und übergab sich.

»Du hast nicht gerade viel gegessen«, meinte Jackson.

Die Frauen waren im Haus, wuschen das Geschirr ab und unterhielten sich über ihre Babies, während John Hunton und Mark Jackson in der Nähe eines duftenden Grills in Gartenstühlen saßen. Hunton lächelte leicht über diese Untertreibung. Er hatte gar nichts gegessen.

»Heute war es schlimm«, antwortete er. »Das Allerschlimmste seit Jahren.«

»Autounfall?«

»Nein. Betriebsunfall.«

»Dreckig?«

Hunton antwortete nicht sofort, aber sein Gesicht zuckte unwillkürlich. Er nahm sich ein Bier aus der Kühlbox zwischen ihnen, öffnete es und trank es halb leer. »Ich vermute, ihr College-Profs versteht nicht viel von Industriewäschereien?«

Jackson kicherte. »Der hier schon. Ich habe als Student mal einen Sommer in einer gearbeitet.«

»Dann kennst du die Maschine, die man Schnellbügler nennt?«

Jackson nickte. »Sicher. Sie lassen feuchte Mangelwäsche durchlaufen, hauptsächlich große Stücke und Leinen. Eine riesige, lange Maschine.«

»Genau«, erwiderte Hunton. »Eine Frau namens Adelle Frawley wurde von so einer Maschine erfaßt. In der Blue-Ribbon-Wäscherei, auf der anderen Seite der Stadt. Sie wurde richtig reingezogen.«

Jackson sah plötzlich krank aus. »Aber ... das kann doch gar nicht passieren, Johnny. Wegen des Sicherheitsriegels. Wenn einer Frau, die Wäsche in die Maschine eingibt, versehentlich die Hand reinrutscht, springt der Riegel sofort auf und stoppt die Maschine. So habe ich es jedenfalls in Erinnerung.«

Hunton nickte. »Das ist sogar gesetzlich vorgeschrieben. Aber trotzdem ist es passiert.«

Hunton schloß die Augen und sah den Hadley-Watson-Schnellbügler im Geiste vor sich, so wie er heute nachmittag dagestanden hatte. Ein langer, rechteckiger Kasten, gut zehn Meter von einem Ende zum anderen. Dort, wo die Wäsche in die Maschine eingegeben wird, verläuft ein Fließband aus Segeltuch unter dem Sicherheitsriegel her leicht nach oben und dann wieder abwärts. Das Band transportiert ohne Unterbrechung die bügelfeuchten, knittrigen Wäschestücke zwischen sechzehn riesige Walzen, die den Hauptteil der Maschine ausmachen.

Acht Walzen oben und acht Walzen unten pressen die Wäsche wie dünnen Schinken zwischen Lagen überhitzten Brotes. Die Walzen können auf eine maximale Trockenstufe von 300 Grad gebracht werden. Der Druck auf die Wäsche liegt bei 800 Pfund pro Quadratzentimeter, um auch die kleinste Falte rauszubügeln.

Und Mrs. Frawley wurde irgendwie erfaßt und reingezogen. Die stählernen, asbestverkleideten Druckwalzen waren so rot wie Ziegellack, und der aufsteigende Dampf aus der Maschine stank ekelerregend nach heißem Blut. Teile ihrer weißen Bluse und blauen Hose und sogar abgerissene Stücke ihres BHs und Slips wurden 30 Fuß weiter hinten, am anderen Ende der Maschine ausgeworfen. Die größeren, blutgetränkten Kleidungsstücke wurden mit geradezu grotesker Ordentlichkeit automatisch gefaltet. Aber das war noch nicht einmal das Schlimmste.

»Die Maschine versuchte einfach alles zu falten«, sagte er zu Jackson und fühlte, wie ihm etwas Bitteres vom Magen hochstieg. »Aber ein Mensch ist kein Stück Wäsche, Mark. Was ich sah ... was von ihr übrigblieb ...« Wie Stanner, der arme Vorarbeiter, konnte er den Satz nicht beenden. »Sie trugen es in einem Korb hinaus«, fuhr er leise fort.

Jackson pfiff. »Und wer bekommt jetzt eins aufs Dach? Die Wäscherei oder die Kontrolleure?«

»Weiß ich noch nicht genau«, gab Hunton zurück. Dieses unheimliche Bild stand ihm immer noch vor Augen. Das Bild dieses keuchenden, krächzenden, zischenden Manglers, an dessen grünen Seitenwänden das Blut in kleinen Bächen herunterlief, der Gestank ihres verbrannten Körpers ... »Kommt drauf an, wer diesen verdammten Sicherheitsriegel genehmigt hat und unter welchen Umständen.«

»Falls die Geschäftsleitung was damit zu tun hat, können die sich da raus winden?«

Hunton lächelte trocken. »Die Frau ist tot, Mark. Falls Gartley und Stanner die Maschine tatsächlich auch nur im geringsten manipuliert haben, wandern sie ins Gefängnis. Egal wen sie im Stadtrat kennen.«

»Glaubst du, sie haben was manipuliert?«

Hunton dachte an die Blue-Ribbon-Wäscherei; schlecht beleuchtet, die Fußböden naß und rutschig, einige Maschinen unglaublich veraltet und quietschend. »Ich halte es für wahrscheinlich«, erwiderte er ruhig.

Sie standen auf und gingen ins Haus. »Erzähl mir später, wie es ausgegangen ist, Johnny«, meinte Jackson noch. »Es interessiert mich.«

Hunton irrte sich, was den Mangler betraf; die Sache war eindeutig ohne Fremdverschulden – ohne wenn und aber. Sechs staatliche Aufsichtsbeamte der technischen Überwachung untersuchten den Mangler Stück für Stück vor der gerichtlichen Untersuchung der Todesursache. Das Endergebnis ergab absolut nichts.

Tod durch Unfall.

Er war sprachlos. Nach der Untersuchung hängte er sich an Roger Martin, einen der Kontrolleure. Martin war ein großer, schlanker Mann und trug eine Brille, dick wie Brenngläser. Während Huntons Fragen spielte er an einem Kugelschreiber herum.

»Nichts? Absolut nichts, was mit der Maschine zu tun hat?«

»Nichts«, erwiderte Martin. »Natürlich haben wir uns besonders auf den Sicherheitsriegel konzentriert. Er arbeitet einwandfrei. Sie haben doch die Zeugenaussage dieser Mrs. Gillian gehört. Mrs. Frawley muß ihre Hand zu weit reingeschoben haben. Das hat aber niemand genau gesehen; sie waren alle mit ihrer eigenen Arbeit beschäftigt. Plötzlich fing sie an zu schreien. Ihre Hand war schon drin, und die Maschine erfaßte ihren Arm. Sie versuchten, sie rauszuziehen, anstatt das Ding abzustellen – reine Panik. Eine andere Frau, Mrs. Keene, sagte aus, sie hätte versucht, die Maschine auszustellen, aber in der Aufregung den Startknopf mit dem Ausknopf verwechselt. Und dann war es auch schon zu spät.«

»Also hat der Sicherheitsriegel doch nicht funktioniert«, erwiderte Hunton kategorisch. »Es sei denn, sie hatte ihre Hand drüber und nicht drunter?«

»Das geht gar nicht. Über dem Sicherheitsriegel ist eine Chrom-Mangan-Verkleidung. Und der Sicherheitsriegel selbst hat nicht versagt. Er ist mit der Maschine gleichgeschaltet. Wenn er defekt ist, schaltet die Maschine automatisch ab.«

»Also, wie um Gottes willen ist es dann passiert?«

»Das wissen wir eben nicht. Meine Kollegen und ich sind der Auffassung, daß es nur eine Möglichkeit gegeben haben kann, wie der Schnellbügler Mrs. Frawley getötet hat; sie muß von oben reingefallen sein. Aber sie stand mit beiden Beinen fest auf dem Boden. Ein Dutzend Zeugen können das bestätigen.«

»Sie beschreiben da einen unmöglichen Unfall«, meinte Hunton leicht gereizt.

»Nein. Nur eines verstehen wir nicht.« Er hielt inne, zögerte und sagte dann: »Ich werde Ihnen jetzt was erzählen, Hunton, da Sie sich diesen Fall offensichtlich sehr zu Herzen nehmen. Wenn Sie es aber irgend jemandem gegenüber erwähnen, werde ich alles ableugnen. Ich mag diese Maschine nicht. Sie schien sich ... fast über uns lustig zu machen. Ich habe in den letzten fünf Jahren über ein Dutzend Schnellbügler regelmäßig überprüft. Einige sind in einem derart miserablen Zustand, daß ich dort noch nicht mal einen Hund frei herumlaufen lassen würde – das Gesetz ist bedauerlicherweise sehr lasch. Aber es gibt nun mal Maschinen für den ganzen Bügel-Kram. Doch diese hier ... ist wie ein Gespenst. Ich weiß nicht warum, aber sie ist eins. Ich glaube, wenn ich nur irgendwas gefunden hätte, selbst die kleinste Kleinigkeit, hätte ich die sofortige Stillegung angeordnet. Verrückt, was?«

»Mir ging's genauso«, antwortete Hunton.

»Lassen Sie mich Ihnen von einer Sache erzählen, die vor zwei Jahren in Milton passiert ist«, fuhr der Überwachungs-

beamte fort. Er nahm seine Brille ab und polierte sie gemächlich an seiner Weste.

»Ein gewisser Fella hatte einen alten Kühlschrank in seinem
Hof abgestellt. Die Frau, die uns anrief, berichtete, ihr Hund
sei dort hineingeraten und erstickt. Wir informierten den
zuständigen Polizeibeamten darüber, daß das Ding auf die
städtische Müllkippe gebracht werden müsse. Schön für Fella,
schade um den Hund. Er lud den Schrank in seinen Klein-
transporter und schaffte ihn am nächsten Morgen auf die
Müllkippe. An diesem Nachmittag meldete eine Frau aus der
Nachbarschaft ihren Sohn als vermißt.«

»Guter Gott«, erwiderte Hunton, Böses ahnend.

»Der Kühlschrank war auf der Müllkippe, und das Kind lag
drin, tot. Nach Aussage der Mutter ein cleveres Kerlchen. Sie
sagte, er würde genauso wenig in einem leeren Kühlschrank
spielen, wie er mit einem fremden Mann mitgehen würde.
Nun, er hatte drin gespielt. Wir schrieben die Sache ab. Fall
abgeschlossen?«

»Ich vermute«, sagte Hunton.

»Nein. Am nächsten Tag wollte der Verwalter des Müllplat-
zes die Kühlschranktüre abmontieren. Städtische Verordnung
Nr. 58 über die Unterhaltung öffentlicher Müllablageplätze.«
Martin blickte ihn ausdruckslos an. »Er fand sechs tote Vögel
darin. Möwen, Sperber, ein Rotkehlchen. Und er sagte, die
Tür schloß sich um seinen Arm, während er die Tiere heraus-
kehrte. Hat sich höllisch erschrocken. Der Mangler in der
Blue-Ribbon-Wäscherei kommt mir ebenso komisch vor, wie
diese Geschichte hier. Hunton, ich mag diesen Mangler
nicht.«

Sie blickten sich wortlos an in dem leeren Untersuchungszimmer, etwa sechs Häuserblocks von dem Hadley-Watson-6-
Gang-Bügel- und Faltautomaten entfernt, der in der geschäf-
tigen Wäscherei dampfend Wäschestücke mangelte.

Innerhalb einer Woche hatte er den Fall unter dem Streß
alltäglicher Polizeiarbeit vergessen. Er wurde erst wieder

daran erinnert, als er mit seiner Frau abends zu Mark Jackson auf eine Partie Whist und Bier ging.

Jackson begrüßte ihn: »Hast du dich schon mal gefragt ob es in der Maschine, von der du mir neulich erzähltest, vielleicht spukt, Johnny?«

Hunton stutzte. »Was?«

»Na, der Schnellbügler in der Blue-Ribbon-Wäscherei. Ich vermute, diesmal hast du das Geschrei nicht mitbekommen.«

»Welches Geschrei?« fragte Hunton interessiert.

Jackson reichte ihm die Abendzeitung und zeigte auf einen Bericht auf Seite zwei unten. Eine Dampfleitung war über dem Schnellbügler abgerissen, aufgeplatzt und hatte drei von sechs Frauen verbrüht, die am vorderen Teil der Maschine gearbeitet hatten, dort, wo die Wäsche eingegeben wird. Der Unfall passierte um 15.45 Uhr und wird auf einen Anstieg des Dampfdrucks durch den Kessel der Wäscherei zurückgeführt. Eine der Frauen, Mrs. Annette Gillian, wurde mit Verbrennungen zweiten Grades in das City-Receiving-Hospital eingeliefert.

»Komischer Zufall«, knurrte Hunton kurz angebunden, doch plötzlich fielen ihm Martins Worte in dem leeren Untersuchungszimmer wieder ein: Es ist ein Gespenst... Und die Geschichte über den Hund und den Jungen und die Vögel in dem ausrangierten Kühlschrank.

In dieser Nacht spielte er sehr schlecht Karten.

Mrs. Gillian saß aufgestützt im Bett und las in einer Illustrierten, als Hunton in das Vier-Bett-Krankenzimmer trat. Ein großer Verband bedeckte ihren Arm und die seitliche Halspartie. Die andere Zimmergenossin, eine junge Frau mit bleichem Gesicht, schlief.

Mrs. Gillian schaute auf die blaue Uniform und lächelte zögernd. »Wenn Sie zu Mrs. Cherinikov möchten, müssen Sie später noch mal wiederkommen. Sie hat gerade Medikamente bekommen.«

»Nein, ich komme zu Ihnen, Mrs. Gillian.« Ihr Lächeln schwand ein wenig. »Ich bin inoffiziell hier – das heißt, ich bin

neugierig wegen des Unfalls in der Wäscherei. John Hunton.«
Er streckte ihr seine Hand entgegen. Das war genau das Richtige. Mrs. Gillian strahlte übers ganze Gesicht und erwiderte
den Gruß unbeholfen mit ihrer gesunden Hand.

»Wenn ich Ihnen irgendwie behilflich sein kann, fragen Sie
ruhig. Guter Gott, ich dachte schon, mein Andy hätte wieder
Schwierigkeiten in der Schule.«

»Was ist passiert?«

»Nun, wir ließen Tücher durchlaufen, und der Bügler explodierte irgendwie – oder es schien jedenfalls so. Ich war mit
meinen Gedanken schon auf dem Nachhauseweg und bei
meinen Hunden, die ich noch ausführen wollte, als es plötzlich
donnerte und knallte wie bei einer Bombe. Vor lauter Dampf
konnte man kaum sehen, und dann dieses Zischen... schrecklich.« Ihr Lächeln zitterte bei dem bloßen Gedanken daran. »Es
war so, als ob der Mangler geatmet hätte. Wie ein Drachen.
Und Alberta – das ist Alberta Keene – schrie, daß irgendwas
explodierte, alle liefen schreiend durcheinander, und plötzlich
fing Ginny Jason an zu kreischen, sie hätte sich verbrannt. Ich
lief weg, fiel aber hin. Bis dahin wußte ich noch gar nicht, daß
es mich am schlimmsten erwischt hatte. Gott sei Dank ist es
nicht noch schlimmer. Dieser glühende Dampf ist 300 Grad
heiß.«

»In der Zeitung stand, eine Dampfleitung sei runtergekommen. Was bedeutet das?«

»Die Oberleitung mündet in diesen elastischen Schlauch, der
die Maschine versorgt. George – Mr. Stanner – meinte, es
müsse einen Hitzestau im Kessel gegeben haben. Die Leitung
war richtig aufgeplatzt.«

Hunton fielen keine Fragen mehr ein. Er wollte gerade
gehen, als sie nachdenklich sagte:

»Eigentlich hatten wir nie Ärger mit dieser Maschine. Erst
kürzlich fing das Theater an. Die Dampfleitung platzte. Dann
dieser schreckliche Unfall mit Mrs. Frawley. Und kleinere
Sachen. Wie an dem Tag, als sich Essies Kleid im Kettenantrieb
verhedderte. Das hätte gefährlich werden können, hätte sie es
nicht herausgerissen. Schrauben und anderes Zeug fielen her-

aus. Oh, Herb Diment – er ist der Handwerker der Wäscherei –
hatte alle Hände voll zu tun. Tücher verfingen sich im Faltgerät.
George sagt, das passiert nur, weil sie zuviel Bleichmittel beim
Waschen verwenden; aber früher ist nie etwas vorgekommen.
Jetzt hassen es die Mädchen, überhaupt an dem Mangler zu
arbeiten. Essie behauptet sogar, es wären immer noch kleine
Stücke von Adelle Frawley darin, und es sei gottlos oder so was.
Als wenn ein Fluch auf der Maschine läge. Seit dem Tag, an dem
Sherry ihre Hand an einer der Schraubzwingen schnitt.«

»Sherry?« fragte Hunton.

»Sherry Ouelette. Hübsches kleines Ding. Ist gerade mit der
Schule fertig. Eine gute Kraft. Aber manchmal ein wenig ungeschickt. Sie wissen ja, wie junge Mädchen sind.«

»Sie hat ihre Hand an etwas geschnitten?«

»So schlimm war es nun auch wieder nicht. Da sind solche
Schraubzwingen, um die Fließbänder zu regulieren. Sherry
stellte die Schrauben ein, damit wir eine schwerere Ladung
durchlaufen lassen konnten und träumte wahrscheinlich gerade
von irgendeinem Jungen. Sie schnitt sich in den Finger und
blutete fürchterlich.« Mrs. Gillian blickte verdutzt. »Erst danach
fielen die Schrauben heraus. Adelle war... wie Sie wissen...
eine Woche später. Als wenn die Maschine Blut geleckt und
Gefallen daran gefunden hätte. Haben Frauen nicht manchmal
komische Gedanken, Officer Hinton?«

»Hunton«, erwiderte er nachdenklich und starrte über ihren
Kopf hinweg ins Leere.

Ironischerweise traf er Mark Jackson ausgerechnet im Waschsalon in dem Block, der ihre beiden Häuser trennte, und noch
immer war das der Platz, wo der Cop und der Englischprofessor
ihre interessantesten Gespräche führten.

Jetzt saßen sie nebeneinander in nüchternen Plastikstühlen,
und ihre Wäsche drehte sich hinter den gläsernen Bullaugen der
Münzwaschautomaten. Jacksons Taschenbuchausgabe von Mil-
tons gesammelten Werken lag vernachlässigt neben ihm, während er Huntons Bericht über Mrs. Gillian lauschte.

Als Hunton fertig war, meinte Jackson: »Ich habe dich schon mal gefragt, ob es in dem Mangler vielleicht spukt. Ich meinte das nur halb zum Scherz. Ich frage dich jetzt noch mal.«

»Nein«, antwortete Hunton unsicher. »Sei nicht albern.«

Jackson betrachtete nachdenklich die sich drehende Wäsche. »Spuk ist nicht das richtige Wort. Sagen wir lieber ein Fall von Besessenheit. Es gibt fast ebenso viele Zaubersprüche, um Dämonen zu rufen, wie um sie auszutreiben. Fraziers ›Der goldene Zweig‹ ist voll davon. Druidische und aztekische Überlieferungen enthalten jede Menge weitere. Sogar noch ältere sind aufgezeichnet, bis zurück ins alte Ägypten. Fast alle können erstaunlicherweise auf gemeinsame Grundlagen zurückgeführt werden. Der häufigste Zauber ist natürlich das Blut einer Jungfrau.« Er blickte Hunton an: »Mrs. Gillian sagte doch, der Ärger fing an, nachdem sich diese Sherry Ouelette versehentlich geschnitten hatte.«

»Ach, hör auf«, brummte Hunton zurück.

»Du mußt zugeben, sie scheint genau der richtige Typ zu sein«, erwiderte Jackson.

»Ich gehe gleich zu ihr«, antwortete Hunton mit einem leicht gequälten Grinsen. »Ich kann es mir genau vorstellen: Miss Ouelette, ich bin Officer John Hunton. Ich untersuche gerade einen Bügelautomaten wegen eventueller dämonischer Besessenheit und hätte gerne gewußt, ob Sie noch Jungfrau sind. Glaubst du, ich kann Sandra und den Kindern noch rechtzeitig auf Wiedersehen sagen, bevor sie mich in die Klapsmühle stecken?«

»Ich würde jederzeit mit dir wetten, daß du bald aufhörst, so zu reden«, meinte Jackson ohne jede Ironie. »Ich meine es wirklich ernst, Johnny. Diese Maschine jagt mir eine Heidenangst ein, obwohl ich sie noch nie gesehen habe.«

»Na gut, der Unterhaltung zuliebe«, erwiderte Hunton, »Was gibt es also sonst noch für sogenannte gemeinsame Grundlagen?«

Jackson zuckte mit den Achseln. »Schwer zu sagen, ohne nähere Studien. Die meisten angelsächsischen Hexenformeln schreiben Friedhofsdreck oder ein Krötenauge vor. Europäische Zaubersprüche erwähnen oft die glorreiche Hand, was tatsächlich als Hand eines Toten interpretiert werden kann, oder eines von den Rauschmitteln, die in Verbindung mit dem Hexensabbath gebraucht werden – meist Belladonna oder ein Psilocybin-Derivat. Es kann noch mehr geben.«

»Und du glaubst, das ist alles in dem Bügelautomaten? Himmel, Mark! Ich wette, im Umkreis von 500 Meilen gibt es kein Belladonna. Oder glaubst du vielleicht, jemand hat seinem Onkel Fred die Hand abgehackt und sie in die Faltmaschine gesteckt?«

»Wenn siebenhundert Affen siebenhundert Jahre lang getippt hätten –«

»Hätte sicher einer von ihnen auch Shakespeares Werke geschrieben«, schloß Hunton griesgrämig. »Geh zum Teufel. Du bist dran, drüben im Drugstore Zehncentstücke für die Trockner zu holen.«

Seltsam, wie George Stanner seinen Arm im Mangler verlor.

Am Montagmorgen um sieben Uhr war die Wäscherei bis auf Stanner und Herb Diment, dem Wartungsmann, wie ausgestorben. Sie bereiteten gerade das Ölen der Lager des Bügelautomaten vor, das zweimal im Jahr fällig ist. Diment stand am hinteren Teil der Maschine, schmierte vier Nebenlager und dachte daran, wie unangenehm jede Arbeit an diesem Ding ihm neuerdings war, als der Mangler plötzlich losröhrte.

Er hielt vier der Treibriemen hoch, um an den darunterliegenden Motor zu kommen. Auf einmal liefen ihm die Bänder in die Hand, schnitten ihm in das Fleisch seines Handtellers und zogen ihn mit sich.

Sekunden bevor sie seine Hände in die Faltmaschine zogen, konnte er sich mit einem heftigen Ruck befreien.

»Um Himmels willen, George!« brüllte er. »Stell das verdammte Ding ab!«

George Stanner begann zu schreien.

Es war ein schriller, aufheulender, unerträglicher Schrei, der die Wäscherei durchdrang und von den stählernen Waschmaschinen, den grinsenden Öffnungen der Dampfpressen und den leeren Augen der Trockner widerhallte. Stanner holte stöhnend Luft und schrie aus vollem Hals: »Oh, mein Gott, mich hat's erwischt! MICH HAT'S ERWISCHT—«

Die Walzen produzierten mehr Dampf. Das Faltgerät knirschte und stampfte. Lager und Motor schienen aus einem verborgenen Leben heraus zu heulen und zu schreien.

Diment raste zum anderen Ende der Maschine.

Die erste Walze war bereits dunkelrot gefärbt. Diment stöhnte und schluckte. Der Mangler schnaufte, stampfte und zischte.

Ein tauber Beobachter hätte zunächst meinen können, Stanner hätte sich nur in seltsamer Lage über die Maschine gebückt. Aber dann hätte selbst er die hervorquellenden, weit aufgerissenen Augen seines Gesichtes gesehen, den durch anhaltendes Schreien schmerzverzerrten Mund. Der Arm war bereits unter dem Sicherheitsbügel und zwischen der ersten Walze verschwunden; das Hemd war an der Schulternaht gerissen, und sein Oberarm schwoll grotesk an, als das Blut langsam weiter nach oben gepreßt wurde.

»Stell ihn ab!« kreischte Stanner. Es knackte laut, als sein Ellbogen brach.

Diment drückte den Ausknopf.

Doch der Mangler surrte, brummte und drehte sich weiter.

Ungläubig hieb Diment immer und immer wieder auf die Taste – keine Reaktion.

Die Haut an Stanners Arm glänzte und war stark gespannt. Jeden Augenblick würde sie unter dem Druck der Walze reißen; und noch immer war er bei vollem Bewußtsein und schrie. Diment hatte das alptraumhafte Bild eines Mannes vor Augen, der von einer Dampfwalze zerquetscht wird und von dem nichts als ein Schatten übrigbleibt.

»Die Sicherungen—« kreischte Stanner. Sein Kopf wurde langsam niedergedrückt, während er immer weiter hineingezogen wurde.

Diment wirbelte herum und rannte in den Kesselraum, Stanners Schreie verfolgten ihn wie wahnsinnige Geister. Der Gestank von Blut und heißem Dampf stieg in die Luft.

An der linken Wand hingen drei schwere, graue Kästen, die sämtliche Sicherungen der Wäscherei enthielten. Diment riß sie auf, brach die langen, zylinderförmigen Sicherungen wie ein Verrückter heraus und schleuderte sie über seine Schultern hinweg auf den Boden. Die Oberlichter gingen aus; dann der Luftkompressor; als nächstes – mit einem gewaltigen, langsam ausklingenden Aufheulen der Kessel selbst. Doch der Mangler lief immer weiter. Stanners Schreie hatten sich in blubberndes Stöhnen verwandelt.

Diments Blick fiel auf eine Axt in einem Glaskasten. Er schnappte sie mit einem leisen Seufzer und rannte zurück. Stanners Arm war schon fast bis zur Schulter drin. Innerhalb weniger Sekunden würde sein gekrümmter, überdehnter Hals gegen den Sicherheitsbügel gedrückt werden.

»Ich kann es nicht...«, stammelte Diment, die Axt in der Hand. »Mein Gott, George, ich kann nicht, ich –«

Die Maschine wurde zum Schlächter. Der Faltautomat spuckte Ärmelstücke aus, Fleischfetzen, einen Finger. Stanner stieß einen gewaltigen, aufheulenden Schrei aus, und da ließ Diment die Axt mit einem kräftigen Schlag in die verschwommene Dunkelheit der Wäscherei niedergehen. Zweimal. Und noch einmal.

Stanner fiel bewußtlos zu Boden. Blut spritzte aus dem Stumpf unterhalb der Schulter. Der Mangler zog das, was noch übrig war, in sich hinein... und stand plötzlich still.

Weinend zog Diment seinen Gürtel aus den Schlaufen und machte eine Aderpresse.

Hunton telefonierte mit Roger Martin, dem Kontrolleur. Jackson beobachtete ihn, während er der dreijährigen Patty Hunton geduldig immer wieder einen Ball zuwarf.

»Er hat alle Sicherungen rausgerissen?« fragte Hunton. »Und der Ausknopf hat einfach nicht funktioniert, hm?... Wurde die

Maschine inzwischen abgestellt?... Gut. Großartig, was?...
Nein, nicht offiziell.« Hunton runzelte die Stirn und blickte zu
Jackson herüber: »Denkst du noch an den Kühlschrank,
Roger?... Ja. Ich auch. Auf Wiederhören.«

Er legte auf und sah Jackson an. »Komm, wir statten dem
Mädchen mal einen Besuch ab, Mark.«

Sie besaß ein eigenes Apartment (die Art, wie sie die beiden
hereinbat, zögernd, aber dennoch zeigend, daß sie die Besitze-
rin war, ließ Hunton vermuten, daß es ihr noch nicht lange
gehörte). In dem sorgfältig eingerichteten Wohnzimmer setzte
sie sich ihnen unbequem gegenüber.

»Ich bin Officer Hunton, und das ist mein Kollege, Mr.
Jackson. Wir kommen wegen des Unfalls in der Wäscherei.«
Ihm war nicht sehr wohl in seiner Haut, bei diesem dunkelhaa-
rigen, schüchternen, hübschen Mädchen.

»Schrecklich«, murmelte Sherry Ouelette. »Das ist meine
erste Arbeitsstelle. Mr. Gartley ist mein Onkel. Ich mochte die
Stelle, weil ich mir dadurch diese Wohnung leisten und meine
eigenen Freunde empfangen konnte. Aber jetzt... es ist so
gespenstisch dort.«

»Die Sicherheitsbehörde hat den Bügler wegen der anstehen-
den gründlichen Untersuchungen stillgelegt«, erklärte ihr Hunton. »Wußten Sie das?«

»Sicher«, seufzte sie unruhig. »Ich weiß nur nicht, was ich –«

»Miss Ouelette«, unterbrach Jackson sie. »Sie hatten einen
Unfall mit dem Bügler, nicht wahr? Schnitten sich Ihre Hand an
einer Schraubzwinge, glaube ich?«

»Noch nicht mal, ich habe mir in den Finger geschnitten.« Ihr
Gesicht verfinsterte sich plötzlich. »Damit fing alles an.« Sie sah
die beiden traurig an. »Manchmal habe ich das Gefühl, die
Mädchen mögen mich gar nicht mehr so gern... Als wenn ich
schuld daran wäre.«

»Ich muß Ihnen eine schwere Frage stellen«, begann Jackson
langsam. »Eine Frage, die Ihnen nicht gefallen wird. Die Frage
ist sehr persönlich und scheint nichts mit dem Fall zu tun zu

haben, aber ich kann Ihnen versichern, sie hat etwas damit zu tun. Ihre Antworten werden weder in einer Akte, noch in irgendeinem Bericht auftauchen.«

Sie blickte ihn ängstlich an. »H-habe ich etwas angestellt?«

Jackson lächelte und schüttelte den Kopf; sie entspannte sich. Lieber Gott, ich danke dir für Mark, dachte Hunton.

»Ich sage das nur, weil die Antwort Ihnen helfen könnte, Ihre hübsche, kleine Wohnung hier zu behalten, Ihren Job zurückzubekommen und in der Wäscherei wieder alles so laufen zu lassen wie früher.«

»Ich sage Ihnen alles, was Sie wissen wollen«, antwortete sie.

»Sherry, sind Sie noch Jungfrau?«

Sie blickte völlig entgeistert, total geschockt, als wenn ein Priester ihr erst die Kommunion erteilt und sie anschließend auf den Kopf geschlagen hätte. Dann hob sie den Blick, zeigte auf ihr ordentliches Apartment, so als wenn sie fragen wollte, wie sie glauben könnten, daß das ein Platz für Schäferstündchen wäre.

»Ich hebe mich für meinen Mann auf«, erklärte sie schlicht.

Hunton und Jackson blickten sich ruhig an, und in dieser Sekunde wußte Hunton, daß alles wahr sein mußte: Ein Teufel hatte Besitz von dem leblosen Stahl, den Zähnen und den Gängen des Manglers ergriffen, und ihn in etwas verwandelt, das ein Eigenleben besaß.

»Ich danke Ihnen«, antwortete Jackson ruhig.

»Was jetzt?« fragte Hunton rauh, als sie zurückfuhren. »Einen Priester finden, der ihm den Teufel austreibt?«

Jackson prustete. »Da wirst du aber lange suchen müssen, bis du einen findest, der dir nicht mal eben ein paar fromme Blättchen zu lesen gibt, während er in der Klapsmühle anruft. Das ist allein unser Spiel, Johnny.«

»Können wir es denn schaffen?«

»Vielleicht. Das Problem ist folgendes: Wir wissen, irgend etwas ist in dem Mangler. Wir wissen aber nicht, was.« Hunton lief es kalt den Rücken herunter, als wenn er von einem fleischlosen Finger berührt worden wäre. »Es gibt jede Menge Dämonen. Gehört der, mit dem wir uns befassen, zum Kreis von Bubastis oder Pan? Baal? Oder der christlichen Gottheit, die wir Satan nennen? Wir wissen es nicht. Wenn der Dämon absichtlich eingesetzt worden wäre, hätten wir eine bessere Chance. Aber das scheint mir eher ein Fall von zufälliger Besessenheit zu sein.«

Jackson fuhr sich mit den Fingern durchs Haar. »Das Blut einer Jungfrau, ja. Aber darauf allein können wir uns nicht beschränken... Wir müssen sicher sein, ganz sicher.«

»Warum?« fragte Hunton geradeheraus. »Warum sammeln wir nicht einfach einen Stapel exorzistischer Formeln und probieren sie aus?«

Jacksons Gesicht wurde eisig. »Denk nicht, wir spielen Räuber und Gendarm, Johnny. Glaub das um Himmels willen nicht. Der exorzistische Ritus ist verdammt gefährlich. Etwa so wie kontrollierte Kernspaltung. Wir könnten einen Fehler machen und uns selbst zerstören. Der Dämon ist in dieser Maschine gefangen. Aber gib ihm eine Chance und –«

»Er könnte ausbrechen?«

»Er würde liebend gern ausbrechen«, erwiderte Jackson grimmig. »Und er liebt es, zu töten. Das haben wir ja schon gemerkt.«

Als Jackson am nächsten Abend herüber kam, hatte Hunton seine Frau und seine Tochter ins Kino geschickt. Sie hatten das Wohnzimmer ganz für sich, und darüber war Hunton erleichtert. Er konnte noch immer kaum glauben, in was er da hereingeraten war.

»Ich habe meinen Schülern frei gegeben«, sagte Jackson, »und den Tag mit den beschissensten Büchern verbracht, die du dir vorstellen kannst. Heute nachmittag habe ich den Computer mit über dreißig Geheimnissen gefüttert, wie man Dämonen ruft. Ich habe ein paar Gemeinsamkeiten herausgefunden. Erstaunlich wenige.«

Er zeigte Hunton die Liste: Blut einer Jungfrau, Friedhofsdreck, die glorreiche Hand, Fledermausblut, Nachtmoos, ein Pferdehuf, Krötenauge. Es standen noch mehr drauf, aber sie waren alle zweitrangig.

»Pferdehuf«, meinte Hunton nachdenklich. »Komisch –«

»Wirklich sehr gewöhnlich –«

»Könnten alle diese Dinge – jedes von ihnen – auch frei interpretiert werden?« unterbrach Hunton.

»Daß zum Beispiel Nachtmoos durch bei Nacht gepflückte Flechten ersetzt werden kann?«

»Ja.«

»Das ist sehr wahrscheinlich«, antwortete Jackson. »Magische Formeln sind häufig zweideutige und dehnbare Begriffe. Die schwarzen Künste haben immer sehr viel Kreativität erlaubt.«

»Ersetze Pferdehuf durch Wackelpeter«, fuhr Hunton fort. »Sehr beliebt in Lunchpaketen. Ich habe einen Karton davon unter der Wäscheablage des Manglers gesehen, an dem Tag, als Mrs. Frawley starb. Gelatine wird aus Pferdehufen hergestellt.«

Jackson nickte. »Sonst noch was?«

»Fledermausblut... na ja, es ist ein großer Raum. Jede Menge dunkler Ecken und Ritzen. Fledermäuse erscheinen wahrscheinlich, obwohl ich bezweifle, daß die Geschäftsleitung das eingesteht. Es hätte sich durchaus eine in der Maschine verfangen können.«

Jackson legte seinen Kopf zurück und preßte seine blutunterlaufenen Augen aufeinander. »Es paßt alles zusammen... es paßt alles zusammen.«

»Wirklich?«

»Ja. Die glorreiche Hand können wir getrost ausschließen, glaube ich. Es hat sicherlich niemand vor Mrs. Frawleys Tod eine Hand in den Bügler gesteckt, und Belladonna gibt's in diesem Gebiet hier bestimmt nicht.«

»Friedhofsdreck?«

»Was glaubst du?«

»Das müßte schon ein teuflischer Zufall sein«, meinte Hunton. »Der nächste Friedhof ist Pleasant Hill, und der ist fünf Meilen vom Blue Ribbon entfernt.«

«Okay», erwiderte Jackson. »Ich habe den Operator – der glaubte, ich bereite mich auf Allerheiligen vor – eine positive Zusammenstellung aller auf der Liste stehenden primären und sekundären Elemente erstellen lassen. Etwa zwei Dutzend, völlig bedeutungslose, habe ich bereits gestrichen. Die restlichen fallen in ganz klare Kategorien. Die Elemente, die wir isoliert haben, sind in einer dieser Kategorien enthalten.«

»Was ist es für eine?«

Jackson grinste. »Eine einfache. Der Mythos ist hauptsächlich in Südamerika verbreitet, mit Ausläufern bis in die Karibik. Verwandt mit Voodoo. Die Literatur, die ich darüber habe, sieht diese Götter als absolute Dilettanten an, verglichen mit wirklichen Größen wie Saddath oder dem Namenlosen. Dieses Ding in der Maschine wird sich davonschleichen wie ein Tyrann aus der Nachbarschaft.«

»Wie wollen wir es anstellen?«

»Weihwasser und etwas heilige Eucharistie müßten genügen. Und wir können aus dem Dritten Buch Moses vorlesen. Strenge weiße Magie.«

»Bist du sicher, daß es nicht schlimmer wird?«

»Stell dir nicht vor, wie es sein könnte«, sagte Jackson nachdenklich. »Ich gebe gerne zu, daß ich über die glorreiche Hand besorgt war. Das ist strenge Schwarze Magie.«

»Würde Weihwasser es nicht aufhalten?«

»Ein Dämon, der in Verbindung mit der glorreichen Hand gerufen wird, könnte einen Stapel Bibeln zum Frühstück essen! Wir kämen in ganz schöne Schwierigkeiten, wenn wir auch noch damit herumexperimentieren würden. Besser, diese verdammte Hand völlig wegzulassen.«

»Gut, bist du vollkommen sicher –«

»Nein, aber ziemlich. Es paßt alles zu gut zusammen.«

»Wann?«

»Je schneller, desto besser«, erwiderte Jackson. »Wie kommen wir rein? Schlagen wir ein Fenster ein?«

Hunton lächelte, griff in seine Tasche und ließ einen Schlüssel vor Jacksons Nase baumeln.

»Woher hast du den? Gartley?«

»Nein, von einem Kontrolleur namens Martin.«

»Weiß er, was wir vorhaben?«

»Ich glaube, er vermutet es. Vor ein paar Wochen hat er mir eine komische Geschichte erzählt.«

»Über den Mangler?«

»Nein. Über einen Kühlschrank. Komm jetzt.«

Adelle Frawley war tot; zusammengenäht von einem geduldigen Leichenbestatter, lag sie in ihrem Sag. Und doch war vielleicht noch immer etwas von ihrem Geist in der Maschine verblieben, und wenn ja, dann schrie er auf. Sie hätte es wissen können, hätte sie warnen können. Sie neigte zu Magenverstimmungen, und gegen dieses gewöhnliche Leiden hatte sie ein gewöhnliches Magenmittel genommen: E-Z-Gel, für neunundsiebzig Cents in jedem Drugstore erhältlich. Auf der Schachtelseite stand eine Warnung: E-Z-Gel nicht anwenden bei grünem Star, da die aktiven Bestandteile des Präparates eine Verschlimmerung dieses Zustandes hervorrufen. Unglücklicherweile litt Adelle Frawley nicht unter diesen Beschwerden.

Sie hätte sich vielleicht noch an den Tag erinnern können, kurz bevor sich Sherry Ouelette in die Hand schnitt, als ihr versehentlich ein ganzes Päckchen E-Z-Gel-Tabletten in den Mangler fiel. Aber sie war tot und wußte nicht, daß der aktive Bestandteil, der ihr Sodbrennen linderte, ein Derivat von Belladonna war, in manchen europäischen Ländern drolligerweise als die glorreiche Hand bekannt.

Plötzlich wurde die gespenstische Stille in der Blue-Ribbon-Wäscherei von einem gräßlichen, glucksenden Geräusch unterbrochen – eine Fledermaus flatterte wie verrückt um ihr Nest zwischen der Isolierung über den Trocknern und ließ sich dann auf einer Stange nieder; den blinden Kopf von den Flügeln umhüllt.

Das Geräusch erinnerte fast an ein Kichern.

Ruckartig und knirschend begann der Mangler zu laufen – Bänder liefen in der Dunkelheit, Zahnräder trafen sich, griffen mahlend ineinander, schwere, zerdrückende Walzen drehten sich.

Er war bereit für sie.

Als Hunton auf den Parkplatz fuhr, war es kurz nach Mitternacht, und der Mond versteckte sich hinter einer vorbeiziehenden Wolkendecke. Hunton machte eine Vollbremsung und knipste gleichzeitig die Scheinwerfer aus; Jacksons Stirn knallte fast gegen das Armaturenbrett.

Er machte die Zündung aus, und das gleichmäßig Stampf-Zisch-Stampf wurde lauter. »Es ist der Mangler«, begann er langsam. »Es ist der Mangler. Läuft von selbst. Mitten in der Nacht.«

Sie saßen einen Moment lang ganz still und fühlten die Angst in ihnen hochsteigen.

»Also dann«, sagte Hunton. »Bringen wir's hinter uns.«

Sie stiegen aus und gingen zu dem Gebäude hinüber. Das Geräusch des Manglers wurde immer lauter. Als Hunton den Schlüssel in das Schloß der Eingangstür steckte, hatte er den Eindruck, daß die Maschine wirklich lebte, daß sie in tiefen Zügen atmete und mit zischendem, sardonischem Geflüster zu sich selbst sprach.

»Ich bin plötzlich ganz schön froh, einen Bullen bei mir zu haben«, meinte Jackson. Er nahm die braune Tasche, die er bei sich hatte, von einer Hand in die andere. Sie enthielt ein kleines Marmeladenglas mit Weihwasser, eingewickelt in Wachspapier, und eine Gideon Bibel.

Sie gingen hinein, und Hunton knipste den Lichtschalter neben der Tür an.

Das kalte Licht der Neonlichter flackerte auf. Im gleichen Augenblick stand der Mangler still. Eine Dunstglocke hing über seinen Walzen. Er erwartete sie in dieser neuen, unheimlichen Stille.

»Gott, ist das ein häßliches Ding«, flüsterte Jackson.

»Komm«, erwiderte Hunton. »Bevor wir völlig die Nerven verlieren.«

Sie gingen hinüber. Der Sicherheitsriegel lag in seiner normalen Position über dem Förderband.

Hunton streckte eine Hand aus. »Nah genug, Mark. Gib mir das Zeug und sag mir, was ich tun soll.«

»Aber –«

»Kein Aber.«

Jackson gab ihm die Tasche, und Hunton stellte sie auf den Wäschetisch vor der Maschine. Er reichte Jackson die Bibel.

»Ich fange jetzt an zu lesen«, sagte Jackson. »Wenn ich dir ein Zeichen gebe, sprenkelst du das Weihwasser über die Maschine. Du sagst: Im Namen des Vaters, des Sohnes und des Heiligen Geistes, gehe fort von diesem Platz, Du Unreiner. Verstanden?«

»Ja.«

»Wenn ich das zweite Mal auf dich zeige, brichst du die Hostie und wiederholst die Zauberformel.«

»Woher wissen wir, daß es klappt?«

»Das wirst du schon sehen. Dieses Zeug da drin ist fähig, jedes Fenster hier zu durchbrechen, um rauszukommen. Wenn es beim ersten Mal nicht funktioniert, machen wir eben so lange weiter, bis es klappt.«

»Ich habe ganz schön Schiß«, meinte Hunton.

»Wenn ich ehrlich bin, ich auch«, gab Jackson zu.

»Was ist, wenn wir mit der glorreichen Hand falsch liegen?«

»Das tun wir nicht«, erwiderte Jackson. »Fangen wir an.«

Er begann. Gespenstisch hallte seine Stimme in der leeren Wäscherei wider. »Du sollst keine anderen Götter neben mir haben und Dir keine eigenen Götter schaffen. Ich bin der Herr, Dein Gott...«

Die Worte fielen wie Steine in diese Stille, die plötzlich von einer grabähnlichen Kälte erfüllt wurde. Der Mangler stand still und ruhig unter den Neonlichtern, und Hunton hatte den Eindruck, als ob er grinste.

»... und das Land wird Dich ausspucken, weil Du es geschändet hast, so wie es schon Völker vor Dir ausspie.« Jackson blickte auf, sein Gesicht war gespannt, und er gab das Zeichen.

Hunton sprenkelte Weihwasser über das Förderband. Dort, wo das Weihwasser die Segeltuchbänder berührt hatte, stieg rötlicher Rauch auf. Plötzlich erwachte der Mangler zum Leben.

»Wir haben's geschafft!« rief Jackson über den Krach der Maschine hinweg. »Er läuft!«

Mit erhobener Stimme las Jackson noch einmal. Er zeigte auf Hunton, und dieser zerbröselte die Hostie. Doch während er das tat, fuhr ihm der eiskalte Schrecken in die Knochen. Er hatte plötzlich das lebhafte Gefühl, daß es schiefgelaufen war, daß die Maschine es darauf ankommen lassen wollte – und die Stärkere war.

Jacksons Stimme wurde immer lauter und hatte schon fast den Höhepunkt erreicht.

Funken sprühten über den Bogen zwischen dem Haupt- und dem Nebenmotor; der Geruch von Ozon erfüllte den Raum, ähnlich wie der Gestank heißen Blutes. Der Hauptmotor begann zu qualmen; die Maschine lief jetzt mit einer irrsinnigen Geschwindigkeit; hätte ein einziger Finger das Hauptförderband berührt, wäre der ganze Körper innerhalb von fünf Sekunden hineingezogen und in einen blutigen Fleischfetzen verwandelt worden. Unter ihren Füßen zitterte und bebte der Beton.

Ein Hauptlager flog, dunkelrot glühend und blitzend, auseinander. Die frische Luft roch nach Gewitter, der Mangler lief immer schneller und schneller, Bänder, Walzen und Zahnräder rasten mit einer Geschwindigkeit, die sie ineinanderlaufen, verschmelzen und sich verwandeln ließ. –

Hunton, der die ganze Zeit wie hypnotisiert dagestanden hatte, trat plötzlich einen Schritt zurück. »Geh weg!« schrie er durch den Lärm.

»Wir haben es fast geschafft!« brüllte Jackson zurück. »Warum –«

Mit lautem Beben riß der Boden an ihnen vorbei auf und klaffte immer weiter auseinander. Zementsplitter wurden explosionsartig durch die Luft geschleudert.

Jackson blickte auf den Mangler und schrie.

Er versuchte, sich irgendwie aus dem Beton zu befreien, wie ein Dinosaurier, der versucht, einer Teergrube zu entrinnen. Es war kein Bügelautomat mehr, ständig veränderte und verwandelte er sich. Das 550-Volt-Kabel fiel, blaues Feuer speiend, in die Walzen und wurde zerstört. Zwei Feuerbälle starrten sie einen Moment lang wie flammende Augen an, Augen, die kalt und hungrig waren.

Eine weitere defekte Leitung riß auf. Der Mangler hatte sich aus den Betonverankerungen gelöst und beugte sich ihnen triumphierend entgegen. Er grinste sie heimtückisch an; der Sicherheitsriegel war hochgeklappt, und Hunton sah ein klaffendes, hungriges, mit Dampf gefülltes Maul.

Blitzschnell drehten sie sich um und wollten weglaufen, als der Boden genau vor ihren Füßen aufriß. Hinter ihnen ertönte lautes Gebrüll, der Mangler hatte sich jetzt vollständig befreit. Hunton sprang über den aufgespaltenen Boden, doch Jackson stolperte und fiel der Länge nach hin.

Als Hunton sich umwandte, um ihm zu helfen, fiel ein riesiger, formloser Schatten auf ihn und verdeckte die Neonlichter.

Der Schatten legte sich langsam über Jackson, der auf dem Rücken lag und starr vor Entsetzen aufblickte – die perfekte Opferung. Hunton sah nur etwas Schwarzes, Verschwommenes, das sich riesengroß vor ihnen aufbaute, ein offenes Maul mit einer Zunge aus Segeltuch, und elektrische Augen, groß wie Fußbälle, die sie böse anfunkelten.

Er rannte los: Jacksons Todesschrei verfolgte ihn.

Als Roger Martin endlich die Tür aufmachte, schlief er noch halb, doch als Hunton ins Zimmer taumelte, war er mit einem Schlag hellwach.

Huntons wahnsinniger, schreckgeweiteter Blick durchbohrte ihn, seine Hände krallten sich in Martins Morgenmantel. Auf der Wange hatte Hunton eine kleine, blutende Schnittwunde, ansonsten war sein Gesicht über und über mit schmutziggrauem Zementstaub bedeckt.

Seine Haare waren ganz grau.

»Hilf mir ... um Gottes willen, hilf mir. Mark ist tot. Jackson ist tot.«

»Beruhige dich«, erwiderte Martin. »Komm mit ins Wohnzimmer.«

Hunton folgte ihm weinend.

Martin schenkte ihm einen doppelten Jim Beam ein. Hunton hielt das Glas mit beiden Händen fest und würgte den puren Whisky mit einem einzigen Schluck herunter. Das Glas fiel unbeachtet auf den Teppich, und seine zitternden Hände griffen wieder nach Martins Kragen.

»Der Mangler hat Mark Jackson getötet. Er... er, o mein Gott, er könnte ausbrechen! Wir müssen verhindern, daß er da rauskommt! Wir müssen... wir...oh–«

Hunton schluchzte laut vor sich hin.

Martin wollte ihm nachschenken, aber Hunton wehrte ab. »Wir müssen ihn verbrennen«, fuhr er fort. »Verbrennen, bevor er raus kann. Oh, was ist, wenn er ausbricht. O Gott, was ist, wenn–« Seine Augen zuckten plötzlich, blickten glasig, verdrehten sich, und er fiel ohnmächtig zu Boden.

Mrs. Martin stand in der Tür und klammerte sich an den Kragen ihres Morgenmantels. »Wer ist das, Rog? Ist er verrückt? Ich dachte–« Sie erschauerte.

»Ich glaube nicht, daß er verrückt ist.« Der Ausdruck nackter Angst im Gesicht ihres Mannes beunruhigte sie plötzlich. »Lieber Gott, ich hoffe nur, er kam früh genug.«

Er ging zum Telefon, nahm den Hörer ab – und erstarrte.

Von der Ostseite des Hauses, von der auch Hunton gekommen war, näherte sich ein schwaches, langsam anschwellendes Geräusch. Ein gleichmäßiges, schleifendes, immer lauter werdendes Trampeln. Durch das halb geöffnete Wohnzimmerfenster drang Martin ein schwerer Geruch in die Nase. Es roch nach Ozon... oder Blut.

Er stand da, mit dem nutzlos gewordenen Telefonhörer in der Hand, während das Geräusch immer lauter und lauter wurde, knirschend und fauchend, etwas Heißes und Dampfendes auf der Straße. Der Gestank von Blut erfüllte das Zimmer.

Er ließ den Hörer fallen.

Es war schon zu spät.

Das Schreckgespenst

»Ich bin zu Ihnen gekommen, weil ich meine Geschichte erzählen will«, sagte der Mann auf Dr. Harpers Couch. Er hieß Lester Billings und stammte aus Waterbury in Connecticut. Nach den Angaben, die Schwester Vickers notiert hatte, war er achtundzwanzig Jahre alt, arbeitete in einem Industriebetrieb in New York, war geschieden und Vater von drei Kindern. Alle tot.

»Ich kann nicht zum Pfarrer gehen, denn ich bin nicht katholisch. Ich kann nicht zum Anwalt gehen, denn ich habe nichts getan, weshalb ich einen Anwalt konsultieren müßte. Ich habe nur meine Kinder umgebracht. Nacheinander. Ich habe sie alle umgebracht.«

Dr. Harper stellte das Tonband an.

Stocksteif lag Billings auf der Couch, und am unteren Ende ragten seine Füße hervor. Er bot das Bild eines Mannes, der gelassen eine Demütigung erträgt. Er hatte die Hände über der Brust gefaltet, wie man es bei Leichen sieht. Seinem Gesicht war keine Regung anzumerken. Er starrte zur weißen Stuckdecke hinauf, als spiegelten sich dort dramatische Szenen ab.

»Wollen Sie damit sagen, daß Sie sie wirklich getötet haben, oder –«

»Nein.« Ungeduldig schnippte er mit den Fingern. »Aber ich war verantwortlich. Denny 1967. Shirl 1971. Und in diesem Jahr war es Andy. Ich will es Ihnen erzählen.«

Dr. Harper sagte nichts. Er fand, daß Billings hager und alt aussah. Die Haare fielen ihm schon aus, und er hatte eine ungesunde Gesichtsfarbe. In seinen Augen lag das ganze Elend des ständigen Whiskysaufens.

»Sie wurden ermordet, verstehen Sie? Aber das glaubt keiner. Wenn sie es nur glauben würden, wäre alles in Ordnung.«

»Wieso das?«

»Weil...«

Billings sprach nicht weiter. Er fuhr plötzlich hoch und stützte sich auf die Ellenbogen. Er starrte zur gegenüberliegenden Wand. »Was ist das?« brüllte er. Seine Augen waren schwarze Schlitze.

»Was ist was?«

»Die Tür da.«

»Der Schrank«, sagte Dr. Harper. »Da hängt mein Mantel, und da stehen meine Galoschen.«

»Aufmachen. Das will ich sehen.«

Wortlos stand Dr. Harper auf, ging durch das Zimmer und öffnete den Schrank. Auf einem der vier oder fünf Bügel hing ein brauner Regenmantel, und unten standen schwarzglänzende Galoschen. In einer steckte eine zusammengerollte *New York Times*. Sonst nichts.

»Zufrieden?« fragte Dr. Harper.

»Ja.« Billings ließ sich auf die Couch zurücksinken.

»Sie behaupteten eben«, sagte Dr. Harper, als er wieder zu seinem Stuhl ging, »daß Sie keine Schwierigkeiten mehr hätten, wenn sich der Mord an Ihren Kindern beweisen ließe. Wieso?«

»Ich würde in den Knast gehen«, sagte Billings schnell. »Lebenslänglich. Und im Knast kann man in alle Räume sehen. Alle Räume.« Er lächelte dümmlich.

»Wie wurden Ihre Kinder ermordet?«

»Drängen Sie mich doch nicht!« Billings fuhr herum und sah Harper traurig an.

»Sie brauchen sich keine Sorgen zu machen«, sagte er. »Ich bin keiner von den Typen, die herumlaufen und behaupten, sie seien Napoleon. Oder die behaupten, daß sie nur deshalb Heroin spritzen, weil ihre Mutter sie nie geliebt hat. Ich weiß, daß Sie mir nicht glauben werden. Scheißegal. Hauptsache, ich kann es erzählen.«

»Dann tun Sie's doch.« Dr. Harper holte seine Pfeife aus der Tasche.

»Ich habe Rita 1965 geheiratet – ich war einundzwanzig und sie achtzehn. Sie war schwanger. Mit Denny.« Seine Lippen verzogen sich zu einem öligen Grinsen, das sofort wieder erlosch. »Ich mußte die Universität verlassen und mir einen Job suchen, aber das machte mir nichts aus. Ich liebte sie beide. Wir waren sehr glücklich.

Kurz nach Dennys Geburt wurde Rita wieder schwanger, und Shirl kam im Dezember 1966. Andy wurde 1969 im Sommer geboren. Zu der Zeit war Denny schon tot. Andy war ein Betriebsunfall. So ähnlich drückte Rita sich aus. Sie jammerte immer, daß es keine sicheren Verhütungsmittel gibt. Aber es war schlimmer als ein Betriebsunfall. Mit Kindern hat ein Mann einen Klotz am Bein. Besonders, wenn der Mann gescheiter ist als die Frau. Finden Sie das nicht auch?«

Harper bezog nicht Stellung. Er räusperte sich nur.

»Das spielt aber keine Rolle. Ich habe den Jungen trotzdem geliebt.« Er sagte es fast boshaft. Ganz, als hätte er sein Kind geliebt, um seine Frau zu ärgern.

»Wer hat die Kinder umgebracht?« fragte Harper.

»Das Schreckgespenst«, sagte Lester Billings hastig. »Das Schreckgespenst hat sie alle umgebracht. Es kam einfach aus dem Schrank und tötete sie.« Wieder rutschte er auf der Couch hin und her und grinste. »Sie halten mich für verrückt. Das sehe ich Ihnen an. Aber das ist mir egal. Ich will es Ihnen nur erzählen, und dann zur Hölle mit mir.«

»Ich höre«, sagte Dr. Harper.

»Es fing an, als Denny fast zwei Jahre alt war. Shirl war noch ein Baby. Denny weinte, als Rita ihn zu Bett brachte. Unsere Wohnung hatte zwei Schlafzimmer, müssen Sie wissen. Shirl schlief bei uns. Zuerst dachte ich, daß er nur deshalb heulte, weil wir ihm nicht mehr die Flasche gaben. Rita sagte: Ist das denn so wichtig? Gib ihm doch die Flasche. Eines Tages wird er sie von selbst leid. Aber so kann aus Kindern nichts werden. Man sieht ihnen alles nach und verwöhnt sie. Und dann machen sie einem Kummer. Schwängern Mädchen, wissen Sie, oder spritzen Heroin. Oder sie werden schwul. Können Sie sich vorstellen, daß Sie eines Morgens aufwachen und feststellen, daß Ihr Kind – Ihr Sohn – schwul ist?

Als das nicht aufhörte, brachte ich ihn immer selbst zu Bett.

Und wenn er nicht aufhörte zu heulen, hab ich ihn verprügelt. Und Rita sagte mir, daß er immer wieder nach ›Licht‹ gerufen hätte. Ich hab das nicht kapiert. Wer versteht schon, was Kinder sagen, wenn sie noch so klein sind? Das weiß nur eine Mutter.

Rita wollte, daß wir eine Lampe brennen lassen. Sie kennen doch diese Tischlampen mit Mickymausfiguren. Ich habe das aber nicht zugelassen. Ein Kind muß seine Angst vor der Dunkelheit überwinden, solange es noch klein ist, sonst verliert es sie nie.

Jedenfalls starb er im Sommer nach Shirls Geburt. Ich hatte ihn abends ins Bett gebracht, und er fing sofort wieder an zu heulen. Diesmal verstand ich, was er sagte. Er zeigte auf den Schrank, als er es sagte. ›Schreckgespenst‹, sagte der Junge. ›Schreckgespenst, Daddy.‹

Ich machte das Licht aus, ging in unser Schlafzimmer und fragte Rita, wieso sie dem Jungen solche Worte beibringt. Am liebsten hätte ich ihr eine aufs Maul gehauen, aber ich tat es nicht. Sie sagte, sie hätte ihm das Wort nicht beigebracht, und ich nannte sie eine dreckige Lügnerin.

Ein schlimmer Sommer für mich, wissen Sie. Ich hatte keine Arbeit. Endlich fand ich einen Job. Ich mußte in einem Lagerhaus Pepsi-Cola-Kästen auf Lastwagen laden. Ich war dauernd müde. Shirl wachte jede Nacht auf und heulte. Rita nahm sie dann immer auf den Arm und heulte auch. Zuweilen hatte ich nicht übel Lust, alle beide aus dem Fenster zu schmeißen. Verdammt, Kinder können einen manchmal verrückt machen. Man möchte sie umbringen.

Das Kind weckte mich morgens pünktlich um drei Uhr. Ich ging ins Badezimmer. Ich war noch schlaftrunken, wissen Sie, und Rita bat mich, nach Denny zu schauen. Ich sagte ihr, sie soll es gefälligst selbst tun und ging wieder ins Bett. Ich war schon fast eingeschlafen, als sie plötzlich schrie.

Ich stand auf und ging hinein. Das Kind lag tot auf dem Rücken. Es war weiß wie Mehl, außer wo das Blut... ausgetreten war. Hinten an den Beinen, am Kopf, am Ar– an den Hinterbacken. Es hatte die Augen weit geöffnet. Das war ja das

Schreckliche. Sie waren weit geöffnet und glasig, wie die Augen an einem Elchkopf, den sich jemand über den Kamin gehängt hat. Oder wie die Bilder von den toten Vietnamesenkindern. So darf doch kein amerikanisches Kind aussehen. Tot auf dem Rücken. Es hatte Windeln und Gummihosen an, weil es sich in den letzten Wochen immer wieder naßgemacht hatte. Entsetzlich. Wie habe ich das Kind geliebt.«

Billings schüttelte langsam den Kopf. Wieder verzog er die Lippen zu einem widerwärtigen schmierigen Grinsen.

»Rita schrie wie verrückt. Sie wollte Denny hochnehmen und ihn schütteln, aber das ließ ich nicht zu. Die Polizei sieht es nicht gern, wenn man Spuren verwischt oder was verändert. Das weiß ich genau.«

»Wußten Sie zu der Zeit schon, daß es das Schreckgespenst war?« fragte Harper ruhig.

»O nein. Zu der Zeit noch nicht. Aber ich sah etwas. Es war für mich in dem Augenblick ohne Bedeutung, aber ich habe es nicht vergessen.«

»Was war das?«

»Die Schranktür war offen. Nicht weit, nur einen Spalt. Aber ich wußte, daß ich den Schrank geschlossen hatte. Ich bewahre dort Plastiksäcke von der chemischen Reinigung auf. Wenn ein Kind damit spielt, ist es plötzlich passiert. Es erstickt. Wußten Sie das?«

»Ja. Und was geschah dann?«

Billings zuckte die Achseln. »Wir haben ihn begraben.«

Unglücklich betrachtete er die Hände, die Erde auf drei kleine Särge geworfen hatten.

»Wurde denn kein Arzt zugezogen?«

»Natürlich.« Billings sah Harper höhnisch an. »Irgend so ein Hinterwäldler kam. Ein Arschloch mit einem Stethoskop und einer schwarzen Tasche voll Pillen. Apnoe nannte er das! Bei Babys gelegentlich auftretende unzureichende Steuerung des Atems durch das Gehirn. Haben Sie solche Scheiße schon mal gehört? Der Junge war schon drei Jahre alt!«

»Apnoe tritt gewöhnlich nur während des ersten Lebensjahres auf«, sagte Harper vorsichtig. »Aber diese Diagnose hat man schon bei Kindern bis zu fünf Jahren auf den Totenscheinen gelesen, weil man keine bessere wußte –«

»*Scheiße!*« zischte Billings wütend.

Harper zündete sich die Pfeife wieder an.

»Einen Monat nach der Beerdigung ließen wir Shirl in Dennys früherem Zimmer schlafen. Rita wehrte sich erbittert, aber ich hatte das letzte Wort. Es tat mir ja selbst leid. Mein Gott, wie gern hatte ich es, wenn die Kinder bei uns im Zimmer schliefen. Aber man darf Kinder nicht übermäßig verhätscheln. So macht man aus ihnen seelische Krüppel. Als ich noch ein Kind war, nahm meine Mutter mich an den Strand mit. Und dann schrie sie sich heiser. ›Geh nicht so weit raus! Bleib da weg! Denk an die Strömung! Nur bis zum Hals ins Wasser! Du hast vor einer Stunde erst gegessen!‹ Mein Gott, ich mußte mich sogar vor Haifischen in acht nehmen. Und was war der Erfolg? Mir wird übel, wenn ich Wasser nur von weitem sehe. Das ist die reine Wahrheit. Ich kriege Krämpfe, wenn ich an einen Strand gehe. Als Denny noch lebte, verlangte Rita mal von mir, daß ich mit ihr und den Kindern nach Savin Rock fahre. Mir wurde speiübel. Nein, man darf Kinder nicht verhätscheln. Und man darf sich selbst auch nicht verweichlichen. Das Leben geht weiter. Shirl mußte dann in Dennys Bett schlafen. Die alte Matratze haben wir natürlich weggeworfen. Ich wollte nicht, daß meine Tochter sich vielleicht ansteckt.

So vergeht ein Jahr. Und eines Abends, als ich Shirl ins Bett bringe, fängt sie an zu jaulen und zu schreien und zu weinen. ›Schreckgespenst, Daddy, Schreckgespenst, Schreckgespenst!‹

Ich war entsetzt. Genau wie bei Denny. Und ich erinnerte mich an die Schranktür, die einen Spalt offenstand, als wir ihn fanden. Ich wollte sie für die Nacht in unser Schlafzimmer mitnehmen.«

»Taten Sie das?«

»Nein.« Billings betrachtete wieder seine Hände, und sein Gesicht zuckte. »Wie konnte ich Rita gegenüber zugeben, daß ich unrecht hatte? Ich *mußte* stark sein. Wo sie doch selbst so schlapp ist ... wenn ich daran denke, daß sie ohne weiteres mit mir ins Bett ging, als wir noch nicht verheiratet waren.«

»Andererseits sind Sie ohne weiteres mit *ihr* ins Bett gegangen«, sagte Harper.

Billings Bewegungen erstarrten, und ganz langsam drehte er sich zu Harper um. »Sie wollen wohl besonders schlau sein, was?«

»Durchaus nicht«, sagte Harper.

»Dann lassen Sie es mich doch auf meine Weise erzählen«, keifte Billings. »Ich bin hergekommen, um mir alles von der Seele zu reden. Meine Geschichte zu erzählen. Ich will nicht über mein Sexualleben reden, wenn Sie das vielleicht geglaubt haben. Rita und ich hatten ein ganz normales Sexualleben. Ohne jede Sauerei. Ich weiß, daß einige Leute geil darauf sind, darüber zu reden, aber zu denen gehöre ich nicht...«

»Okay«, sagte Harper.

»Okay«, wiederholte Billings mit halbherziger Arroganz. Er schien den Faden verloren zu haben. Unruhig schaute er zum Schrank hinüber. Die Tür war fest geschlossen.

»Soll ich ihn öffnen?« fragte Harper.

»Nein!« sagte Billings schnell. Er lachte nervös. »Wozu soll ich mir Ihre Galoschen ansehen?«

»Das Schreckgespenst hat auch meine Tochter geholt«, sagte Billings dann. Er wischte sich über die Stirn, als versuchte er, sich an etwas zu erinnern. »Einen Monat später. Aber vorher passierte noch etwas anderes. Ich hörte eines Abends ein Geräusch. Und dann fing sie an zu schreien. Ich öffnete rasch die Tür – das Flurlicht brannte – und... sie saß in ihrem Bettchen und weinte, und... etwas *bewegte* sich. Hinten im Schatten, am Schrank. Etwas rutschte da herum.«

»War die Schranktür offen?«

»Nur einen Spalt.« Billings leckte sich die Lippen. »Shirl schrie immer noch vom Schreckgespenst. Und sie sagte noch etwas anderes, das sich wie ›Pranke‹ anhörte. Kleine Kinder sprechen manche Worte noch falsch aus. Rita rannte nach oben und fragte, was los sei. Ich sagte, die Kleine hätte sich nur vor den Schatten der Zweige an der Decke gefürchtet.«

»Schrank?« fragte Harper.

»Was?«

»Schrank... vielleicht wollte sie ›Schrank‹ sagen.«

»Vielleicht«, meinte Billings. »Vielleicht wollte sie das. Aber ich glaube es nicht. Ich glaube, es war das Wort ›Pranke‹.« Sein Blick richtete sich wieder auf die Schranktür. »Klauen, lange Klauen.« Seine Stimme war nur noch ein Flüstern.

»Haben Sie in den Schrank hineingeschaut?«

»J-ja.« Billings hatte die Hände so fest vor der Brust verschränkt, daß die Knöchel weiß hervortraten.

»War denn etwas darin? Sahen Sie das–«

»*Ich habe gar nichts gesehen!*« schrie Billings plötzlich. Und die Worte sprudelten aus ihm hervor, als ob man aus den Tiefen seiner Seele einen schwarzen Korken herausgezogen hätte:

»Ich fand sie, als sie starb, wissen Sie. Und sie war schwarz. Ganz schwarz. Sie war an ihrer eigenen Zunge erstickt und schwarz wie ein Negerdarsteller im Varieté. Und sie starrte mich an. Ihre Augen sahen aus wie die Augen von ausgestopften Tieren. Entsetzlich. Sie glänzten wie lebende Murmeln, und sie sagten, es hat mich gekriegt, Daddy, du hast mich umgebracht, du hast ihm geholfen, mich umzubringen...« Er verstummte, und eine einzige große Träne lief ihm über die Wange.

»Es war ein Gehirnkrampf«, fuhr Billings fort. »Das kriegen Kinder manchmal. Falsche Signale aus dem Gehirn. In Hartford wurde eine Obduktion durchgeführt, und man sagte uns, sie sei durch die Krämpfe an ihrer eigenen Zunge erstickt. Ich mußte allein nach Hause gehen, denn sie hatten Rita Beruhigungsmittel gegeben. Sie war völlig verstört. Ich ging allein zum Haus zurück, und ich weiß, daß ein Kind nicht gleich Krämpfe kriegt, nur weil sein Gehirn mal nicht richtig funktioniert. Man kann ein Kind aber so sehr erschrecken, daß es Krämpfe kriegt. Und ich mußte in das Haus zurück, wo das *Gespenst* war.«

Er flüsterte: »Ich schlief auf der Couch und ließ das Licht an.«

»Geschah irgend etwas?«

»Ich hatte einen Traum«, sagte Billings. »Ich war in einem dunklen Raum, und da war etwas, das ich nicht... das ich nicht richtig erkennen konnte. Im Schrank. Es machte ein

Geräusch ... ein quietschendes Geräusch. Es erinnerte mich an ein Comic-Heft, das ich als Kind mal gelesen habe. *Geschichten aus der Gruft*, wenn Sie das vielleicht kennen. Von einem gewissen Graham Ingles. Der konnte die grausigsten Dinge der Welt zeichnen. Mein Gott! In dieser Geschichte ertränkte eine Frau ihren Mann. Sie band ihm Betonklötze an die Füße und stieß ihn in einen Teich. Aber er kam wieder. Er war ganz verfault und schwarzgrün, und die Fische hatten eins seiner Augen gefressen, und in seinen Haaren hingen Wasserpflanzen. Er kam wieder und tötete sie. Und als ich mitten in der Nacht aufwachte, dachte ich, daß er sich über mich beugte. Mit Klauen ... mit langen Klauen.«

Dr. Harper sah auf die in seinen Schreibtisch eingelassene Digitaluhr. Lester Billings hatte fast eine halbe Stunde lang geredet. »Wie war die Einstellung Ihrer Frau gegenüber, als sie wieder nach Hause kam?« fragte Dr. Harper.

»Sie liebte mich immer noch«, sagte Billings nicht ohne Stolz. »Sie tat immer noch alles, was ich ihr sagte. Das gehört sich auch für eine Frau, nicht wahr? Diese Feministinnen machen mich krank. Das Wichtigste im Leben ist, daß jemand weiß, wo er steht. Daß er eine ... seine ... äh ...«

»Daß er seinen Platz im Leben kennt?«

»Das wollte ich sagen!« Billings schnippte mit den Fingern. »Genau das. Und eine Frau muß ihrem Mann gehorchen. Oh, in den ersten vier oder fünf Monaten danach war sie zu nichts zu gebrauchen. Sie schlich im Haus herum, sang nicht, sah nicht fern, und sie lachte auch nicht. Aber ich wußte, daß sie darüber hinwegkommen würde. Wenn sie noch so klein sind, hängt man noch nicht so sehr an ihnen. Nach einiger Zeit muß man ein Bild aus der Schublade holen, damit man weiß, wie sie überhaupt ausgesehen haben.«

»Sie wollte noch ein Kind«, fügte er finster hinzu. »Ich hielt das für keine gute Idee. Jedenfalls vorläufig nicht. Ich sagte ihr, daß wir den Verlust erst verarbeiten müßten und uns endlich einmal Zeit füreinander nehmen sollten. Das hatten wir vorher nicht gekonnt. Wenn wir ins Kino gehen wollten, mußten wir uns einen Babysitter besorgen. Wir konnten nicht in die Stadt zur Oper fahren, wenn ihre Eltern nicht die Kinder hüteten. Meine Mutter wollte mit uns nichts zu tun haben. Sie müssen wissen, daß Denny gleich nach der Hochzeit geboren wurde. Sie sagte, Rita sei ein Flittchen, eine gewöhnliche kleine Nutte. Ist das nicht ein Ding. Einmal erzählte sie mir die Krankheiten auf, die man kriegen kann, wenn man zu einer Nut... zu einer Prostituierten geht. Wie dann der Schwa... der Penis eines Tages eine winzige wunde Stelle hat und schon am nächsten Tag abfault. Sie ist nicht einmal zur Hochzeit gekommen.«

Billings trommelte sich mit den Fingern auf die Brust.

»Ritas Arzt hatte ihr diese Spirale angedreht. Narrensicher, sagte der Arzt. Er steckt es der Frau einfach in die... an die richtige Stelle. Wenn da irgend etwas drinsteckt, kann das Ei nicht befruchtet werden. Man merkt nicht einmal, daß das Ding da steckt.« Er starrte verzückt gegen die Decke. »Also weiß kein Mensch, ob es da steckt oder nicht. Und im nächsten Jahr wird sie schon wieder schwanger. Das war vielleicht narrensicher.«

»Keine Verhütungsmethode ist perfekt«, sagte Harper. »Die Pille ist es nur zu achtundneunzig Prozent. Die Spirale kann sich durch Krämpfe oder starke Menstruationsblutungen lösen. In besonderen Fällen wird sie ganz einfach ausgeschieden.«

»Ja. Oder man nimmt sie raus.«

»Durchaus möglich.«

»Und was nun? Sie strickt kleine Kleidungsstücke, singt unter der Dusche und frißt eine saure Gurke nach der anderen. Sie setzt sich auf meinen Schoß und erzählt mir, daß alles Gottes Wille gewesen sei. Was für ein Schwachsinn!«

»Das Kind wurde also im Jahr nach Shirls Tod geboren, und zwar gegen Ende des genannten Jahres?« wollte Harper wissen.

»So ist es. Es war ein Junge. Sie nannte ihn Andrew Lester Billings. Ich selbst wollte nichts damit zu tun haben, wenigstens zuerst nicht. Ich sagte mir: Sie hat sich absichtlich schwängern lassen, also ist es ganz allein ihre Sache. Ich weiß, das hört sich nicht gut an, aber Sie dürfen nicht vergessen, daß ich eine Menge durchgemacht hatte.

Aber ich gewöhnte mich an ihn. Er war der einzige aus dem

ganzen Wurf, der mir ähnlich sah. Denny hatte seiner Mutter ähnlich gesehen und Shirl niemandem, außer vielleicht meiner Großmutter Ann. Aber Andy war mir wie aus dem Gesicht geschnitten.

Wenn ich von der Arbeit nach Hause kam, spielte ich mit ihm in seinem Laufstall. Er nahm meinen Finger und gluckste und lächelte. Schon mit neun Wochen lächelte er seinen Dad an. Können Sie sich das vorstellen?

Dann habe ich eines Abends in irgendeinem Laden ein Mobile gekauft, das ich dem Kind über das Bett hängen wollte. Ausgerechnet *ich*! Kinder machen sich nichts aus Geschenken. Erst wenn sie alt genug sind, daß sie danke sagen können. Das war immer mein Motto. Trotzdem kaufe ich diesen albernen Scheißdreck. Und plötzlich weiß ich, daß ich ihn mehr liebe als meine anderen Kinder. Zu der Zeit hatte ich schon einen neuen Job. Nicht schlecht. Ich verkaufte Bohrer für Cluett and Sons. Das lief gut, und als Andy ein Jahr alt war, zogen wir nach Waterbury. An die alte Wohnung hatten wir zu viele schlimme Erinnerungen.

Und da gab es zu viele Schränke.

Das nächste Jahr war unser bestes. Ich würde jeden Finger meiner rechten Hand dafür geben, wenn ich es noch mal erleben könnte. Der Krieg in Vietnam war noch nicht zu Ende, und die Hippies liefen immer noch nackt herum, und die Nigger machten Krawall. Aber das alles berührte uns gar nicht. Wir lebten in einer ruhigen Straße und hatten nette Nachbarn. Wir waren glücklich. Ich fragte Rita einmal, ob sie sich keine Sorgen machte. Sie wissen ja, aller guten Dinge sind drei. Aber davon wollte sie nichts wissen. Sie sagte, Andy sei etwas ganz Besonderes. Gott würde ihn schützen.«

Wieder starrte Billings traurig gegen die Decke.

»Das letzte Jahr war nicht so gut. Irgend etwas am Haus war plötzlich anders. Ich stellte meine Schuhe nicht mehr in den Schrank, sondern ließ sie im Flur. Ich wollte die Schranktür nicht mehr öffnen. Ich dachte immer: Wenn es nun im Schrank hockt? Geduckt, und bereit, mich sofort anzuspringen, sobald ich die Tür öffne? Und ich meinte auch, quietschende Geräusche zu hören, als ob etwas Schwarzgrünes und Nasses sich im Schrank leise regte.

Rita fragte mich, ob ich nicht zuviel arbeitete, und ich brüllte sie an. Ganz wie früher. Mir drehte sich der Magen um, wenn ich zur Arbeit ging und die beiden alleinlassen mußte, aber ich war froh, wenn ich das Haus verlassen konnte. Gott verzeihe mir, aber ich war heilfroh, daß ich wegkonnte. Ich hoffte schon, daß es vielleicht unsere Spur verloren hatte, als wir umzogen. Es mußte uns jagen, nachts durch die Straßen schleichen, vielleicht aus der Kanalisation hervorkriechen. Unsere Witterung aufnehmen. Es dauerte ein Jahr, aber es hat uns gefunden. Es ist wieder hier, dachte ich. Es will Andy und mich. Wenn man lange genug an etwas denkt, dachte ich, dann wird es Wirklichkeit. Vielleicht existieren all die Ungeheuer wirklich, vor denen wir als Kinder Angst hatten. Frankenstein und der Wolfsmann und die Mumie. Vielleicht gibt es sie wirklich. Vielleicht waren sie es, die die Kinder umbrachten, von denen man glaubte, sie seien in Kiesgruben verschüttet worden oder in Teichen ertrunken, und die doch nie gefunden wurden. Vielleicht...«

»Sollten Sie nicht noch etwas erwähnen, Mr. Billings?«

Billings schwieg lange – auf der Digitaluhr liefen zwei Minuten ab. Dann sagte er plötzlich: »Andy ist im Februar gestorben. Rita war nicht da. Ihr Vater hatte sie angerufen. Ihre Mutter war bei einem Autounfall schwer verletzt worden. Keiner glaubte, daß sie durchkommen würde. Es war am Tag nach Neujahr. Rita kam abends mit dem Bus zurück.

Ihre Mutter starb nicht, aber zwei Monate lang blieb ihr Zustand kritisch. Ich fand eine tüchtige Frau, die tagsüber bei Andy blieb. Nachts war ich mit dem Jungen allein. Und immer wieder gingen die Schranktüren auf.«

Billings leckte sich die Lippen. »Das Kind schlief bei mir im Zimmer. Es ist komisch, aber einmal fragte Rita mich, ob er nicht lieber in einem anderen Zimmer schlafen solle. Spock oder irgendein Quacksalber hatte ihr gesagt, daß es nicht gut ist, wenn die Kinder bei den Eltern schlafen. Dann könnten sie ein sexuelles Trauma kriegen und dergleichen. Aber wir taten es nur, wenn er schon schlief. Ich wollte ihn nicht im anderen Zimmer schlafen lassen. Ich hatte Angst, nach dem, was mit Denny und Shirl passiert war.«

»Aber Sie taten es doch?« fragte Dr. Harper.

Wieder Schweigen. Billings kämpfte mit sich.

»Ich mußte es!« brüllte er endlich. »Ich mußte es! Es war alles in Ordnung, als Rita noch da war, aber als sie weg war, wurde es immer frecher. Es fing an...« Augenrollend sah er Harper an und fletschte die Zähne zu einem bösen Grinsen. »Ach, Sie glauben es ja doch nicht. Ich weiß, was Sie denken. Sie halten mich für verrückt. Für Sie bin ich nur ein weiterer Fall in Ihrer Kartei. Das weiß ich, aber Sie waren ja nicht dabei, Sie widerlicher, arroganter Seelenschnüffler.

Einmal flogen nachts alle Türen im Haus weit auf, und eines morgens fand ich eine Dreckspur quer durch den Flur, vom Kleiderschrank bis zur Haustür. War es verschwunden? War es gekommen? Ich weiß es nicht! Bei Gott, ich weiß es einfach nicht! Alle Schallplatten waren zerkratzt und mit Schleim bedeckt, die Spiegel zerbrochen... und die Geräusche... die Geräusche...«

Er fuhr sich mit der Hand durch das Haar. »Man wacht morgens um drei auf und starrt in die Dunkelheit und sagt sich: ›Es ist nur die Uhr.‹ Aber dann hört man neben dem Geräusch, daß sich etwas leise bewegt. Aber ganz leise auch wieder nicht, denn es will ja, daß man es hört. Ein schleimiges gleitendes Geräusch, wie von Klauen, die sich über das Treppengeländer schieben. Und man schließt die Augen und weiß: Es ist schlimm genug, es zu hören, aber es zu *sehen*...

Und immer hat man Angst, daß das Geräusch plötzlich aufhört, daß es über einem lacht, daß man einen Lufthauch wie von verfaultem Kohl ins Gesicht bekommt, daß sich einem Hände um die Kehle legen.«

Billings war leichenblaß. Er zitterte.

»Ich brachte ihn also in das andere Zimmer. Ich wußte, daß es *ihn* holen würde, denn er war schwächer. Und das tat es auch. Gleich in der ersten Nacht hörte ich ihn laut kreischen, und als ich zu ihm hineinlief, stand er im Bett und schrie:

›Schreckgespenst, Daddy... Schreckgespenst... will mit Daddy gehen, will mit Daddy gehen‹.« Billings' Stimme klang hoch und schrill wie die eines Kindes. Sein Gesicht bestand nur noch aus Augen. Er schien auf der Couch zusammenzuschrumpfen.

»Aber ich nahm ihn nicht mit«, fuhr er mit seiner Kinderstimme fort. »Das konnte ich nicht tun. Und eine Stunde später wieder ein Schrei. Ein entsetzlicher, gurgelnder Schrei. In diesem Augenblick wußte ich, wie sehr ich ihn liebte. Ich machte nicht einmal Licht, ich rannte los. Und, o mein Gott, es hatte ihn. Es schüttelte ihn, schüttelte ihn, wie ein Terrier einen alten Lappen schüttelt. Und ich sah etwas mit gräßlichen abfallenden Schultern und dem Kopf einer Vogelscheuche, und ein Gestank wie nach toten Mäusen hing in der Luft. Und ich hörte...« Seine Stimme verlor sich, und als er weitersprach, nahm sie wieder den Tonfall eines Erwachsenen an. »Ich hörte, wie Andys Genick brach.« Billings' Stimme war kalt und tot. »Es war ein Geräusch, als ob Eis knackt, wenn man im Winter auf einem Teich schlittschuhläuft.«

»Und was geschah dann?«

»Ich rannte weg«, sagte Billings mit derselben kalten und toten Stimme. »Wenn das keine Feigheit war. Ich rannte zu einem Imbiß, der die ganze Nacht geöffnet ist, und trank sechs Tassen Kaffee. Dann ging ich nach Hause. Es dämmerte schon. Noch bevor ich nach oben ging, rief ich die Polizei an. Er lag auf dem Fußboden und starrte mich an. Eine einzige Anklage. Aus einem Ohr war etwas Blut gelaufen. Eigentlich nur ein Tropfen. Und die Schranktür war offen – aber nur einen Spalt.«

Er schwieg. Harper schaute auf die Digitaluhr. Fünfzig Minuten waren vergangen.

»Lassen Sie sich von der Schwester einen Termin geben«, sagte er. »Besser mehrere. Dienstags und donnerstags?«

»Ich wollte Ihnen nur meine Geschichte erzählen«, sagte Billings. »Ich mußte es mir von der Seele reden. Die Polizei hab ich belogen, wissen Sie. Ich habe ihnen erzählt, daß er versucht haben muß, nachts aus dem Bett zu klettern... und sie schluckten es. Warum auch nicht, denn es sah doch ganz so aus. Ein Unfall wie bei den anderen. Aber Rita wußte es. Rita... wußte... es.«

Er hielt sich den rechten Arm vor die Augen und fing an zu weinen.

»Mr. Billings, wir müssen uns noch über vieles unterhalten«, sagte Dr. Harper nach einer Weile. »Ich glaube, wir können Sie von Ihren Schuldgefühlen befreien, aber Sie müssen sie auch loswerden wollen.«

»Glauben Sie etwa, daß ich sie nicht loswerden will?« rief Billings und nahm den Arm von den Augen. Sie waren rot und wund und blickten gekränkt.

»Da bin ich noch nicht ganz sicher«, sagte Harper ruhig. »Immer dienstags und donnerstags?«

Nach längerem Schweigen murmelte Billings: »Verdammter Quacksalber. Okay, meinetwegen.«

»Dann machen Sie mit der Schwester einen Termin aus. Guten Tag.«

Billings lachte hohl, und ohne sich umzuschauen verließ er rasch das Behandlungszimmer.

Das Vorzimmer war nicht besetzt. Auf dem Schreibtisch lag ein Zettel: »Bin in einer Minute zurück.«

Billings drehte sich um und ging wieder in das Behandlungszimmer. »Doktor, Ihre Schwester ist nicht...«

Der Raum war leer.

Aber die Schranktür war offen. Nur einen Spalt.

»Wie schön«, sagte die Stimme aus dem Schrank. »Wie schön.« Die Worte klangen, als kämen sie aus einem Mund voll verfaulter Wasserpflanzen.

Billings blieb wie angewurzelt stehen, als sich die Schranktür langsam öffnete. Er spürte schwach die Wärme zwischen den Beinen, als er sich naßmachte.

»Wie schön«, sagte das Schreckgespenst, als es aus dem Schrank trat.

In einer verfaulten Klauenhand hielt es noch Dr. Harpers Maske.

Graue Masse

Seit einer Woche war Schnee vorausgesagt, und am Donnerstag kam er dann auch. Und wie! Um vier Uhr nachmittags lag er schon zwanzig Zentimeter hoch, und es sah nicht so aus, als sollte es aufhören zu schneien. Die üblichen fünf oder sechs Leute hatten sich in Henrys Lokal am Stammtisch versammelt. Der Laden hieß »Nachteule« und war der einzige kleinere Laden diesseits von Bangor, der rund um die Uhr geöffnet hatte.

Henry macht keinen gewaltigen Umsatz – hauptsächlich versorgt er die Jungs vom College mit Bier und Wein –, aber er kommt zurecht. Und auch wir Sozialrentner treffen uns hier und erzählen uns, wer in letzter Zeit gestorben ist, und wie die Welt zum Teufel geht.

Heute nachmittag stand Henry hinter dem Tresen. Bill Pelham, Bertie Connors, Carl Littlefield und ich hockten am Ofen. Kein einziger Wagen zeigte sich draußen auf der Ohio Street, und die Schneepflüge hatten reichlich zu tun. Der Sturm hatte Schneewehen aufgetürmt, die aussahen wie die Rücken von Dinosauriern.

Henry hatte den ganzen Nachmittag nur drei Kunden – wenn man den blinden Eddie mitzählt. Eddie ist ungefähr siebzig, und er ist nicht völlig blind. Er stößt nur dauernd irgendwo an. Er kommt ein- oder zweimal die Woche herein, steckt sich ein Brot unter den Mantel und verschwindet wieder. Sein Gesichtsausdruck läßt vermuten, daß er dabei denkt: *Seht mal, ihr dummen Schweine, ich habe euch schon wieder angeschissen.*

Bertie fragte Henry einmal, warum er sich das gefallen ließe.

»Das will ich dir erzählen«, sagte Henry. »Vor ein paar Jahren brauchte die Air Force zwanzig Millionen Dollar, um den

Prototyp eines Flugzeugs zu bauen, das ihre Ingenieure entworfen hatten. Es kostete am Ende fünfundsiebzig Millionen, aber das verdammte Ding flog nicht. Das war vor zehn Jahren, als der blinde Eddie und ich noch wesentlich jünger waren. Ich wählte damals die Politikerin, die das Projekt befürwortete, der blinde Eddie nicht. Und seitdem bezahle ich sein Brot.«

Bertie sah nicht so aus, als hätte er auch nur die Hälfte verstanden, aber er lehnte sich zurück und dachte über die Geschichte nach.

Jetzt ging die Tür wieder auf, und ein eisiger Windstoß fuhr in den Raum. Ein kleiner Junge betrat den Laden und stampfte sich den Schnee von den Stiefeln.

Nach ein paar Sekunden erkannte ich ihn. Es war Richie Grenadines Junge, und er sah aus, als hätte er eben das Baby am falschen Ende geküßt. Sein Adamsapfel ging auf und ab, und sein Gesicht war weiß wie Wachs.

»Mr. Parmalee«, sagte er zu Henry und ließ die Augen rollen wie Kugellager. »Sie müssen kommen. Sie müssen ihm sein Bier bringen. Ich geh nicht mehr zurück. Ich hab Angst.«

»Nun mal langsam«, sagte Henry, band sich die weiße Schlachterschürze ab und kam hinter dem Tresen hervor. »Was ist los? Ist Daddy wieder besoffen?«

Als er das sagte, fiel mir ein, daß Richie ziemlich lange nicht mehr hiergewesen war. Gewöhnlich kommt er einmal am Tag und kauft einen Kasten von dem Bier, das gerade am billigsten ist. Er ist ein großer fetter Kerl mit Schweinsbacken und Armen so dick wie Oberschenkel. Im Biersaufen war Richie auch immer ein Schwein. Aber während der Arbeit im Sägewerk in Clifton konnte er damit umgehen. Dann hatte Richie einen Arbeitsunfall. Er verhob sich an einer zu schweren Ladung. Vielleicht hat er es auch nur so dargestellt. Jedenfalls brauchte er nicht mehr zu arbeiten, und das Sägewerk zahlte ihm eine Rente. Er hatte was am Rücken. Und er wurde immer fetter. Er war lange nicht hiergewesen. Ich hatte allerdings gelegentlich seinen Sohn gesehen, wenn er für seinen Vater den täglichen Kasten Bier holte. Ein netter Junge. Henry verkaufte ihm das Bier natürlich, denn er wußte, daß der Junge ja nur tat, was sein Vater sagte.

»Natürlich ist Daddy wieder besoffen«, hörte ich den Jungen sagen, »aber darum geht es gar nicht. Es ist... es ist... oh mein Gott, es ist so entsetzlich.«

Henry merkte, daß der Bengel anfing zu heulen. Deshalb sagte er schnell: »Carl, kannst du einen Augenblick aufpassen?«

»Gern.«

»So, Timmy, jetzt komm mal mit ins Lager und erzähl mir, was los ist.«

Er ging mit dem Jungen weg, und Carl stellte sich hinter den Tresen. Nach einer Weile setzte er sich auf Henrys Schemel. Eine Zeitlang schwiegen alle. Wir hörten sie hinten sprechen, Henrys tiefe bedächtige Stimme und Timmy Grenadines hellen Sopran. Der Junge sprach sehr schnell. Dann fing er an zu weinen. Bill Pelham räusperte sich und stopfte seine Pfeife.

»Ich habe Richie ein paar Monate nicht gesehen«, sagte ich.

»Kein großer Verlust«, brummte Bill.

»Zuletzt war er... ja, Ende Oktober war er hier«, sagte Carl. »Kurz vor Allerheiligen. Kaufte einen Kasten Schlitz-Bier. Mein Gott, war der Kerl fett geworden!«

Viel mehr war nicht zu sagen. Der Junge weinte immer noch, aber gleichzeitig redete er. Draußen heulte der Wind, und im Radio wurde wieder Schnee angesagt. Bis morgen früh etwa fünfzehn Zentimeter. Es war Mitte Januar, und ich fragte mich, wer überhaupt Richie seit Ende Oktober gesehen hatte – abgesehen von seinem Sohn natürlich.

Sie redeten noch eine ganze Weile, aber dann kamen Henry und der Junge wieder in den Laden. Der Junge hatte den Mantel abgelegt, aber Henry seinen angezogen. Der Junge wirkte erleichtert, als sei das Schlimmste für ihn vorbei, aber seine Augen waren gerötet, und wenn er einen ansah, schlug er sofort die Augen nieder.

Henry wirkte besorgt. »Ich denke, ich schicke Timmy nach oben. Meine Frau kann ihm einen Käsetoast machen oder sonstwas. Ein paar von euch können vielleicht zu Richies Wohnung mitkommen. Timmy sagt, er braucht Bier. Das Geld hat er mir schon gegeben.« Er versuchte zu lächeln, aber es gelang ihm nicht ganz. Er gab es auf.

»Klar«, sagte Bertie. »Was für Bier? Ich hole es.«

»Nimm Harrow-Supreme«, sagte Henry. »Steht links hinten.«

Auch ich stand auf. Bertie und ich würden wohl mitgehen. Carls Arthritis machte ihm besonders an kalten Tagen zu schaffen, und Billy Pelham kann seinen rechten Arm nicht mehr so recht gebrauchen.

Bertie brachte vier Sechserpacks Harrow, und ich verstaute sie in einem Karton, während Henry den Jungen nach oben in die Wohnung brachte.

Er machte alles mit seiner Alten klar und kam wieder runter. Er sah sich noch einmal um, ob die Tür nach oben dicht war. Billy meldete sich zu Wort. »Was ist los? Hat er den Jungen schon wieder verprügelt?«

»Nein«, sagte Henry. »Ich werde euch vorläufig nichts erzählen, sonst haltet ihr mich für verrückt, aber ich werde euch etwas zeigen. Das Geld, mit dem Timmy das Bier bezahlt hat.« Er zog vier Dollarnoten aus der Tasche und hielt sie an den Ecken fest. Die Scheine waren mit grauem Schleim bedeckt, ähnlich wie die obere Schicht, wenn man eine vergammelte Konserve öffnet. Er legte sie auf den Tresen und lächelte komisch. Dann sagte er zu Carl: »Niemand darf sie anfassen. Schon gar nicht, wenn auch nur die Hälfte von dem stimmt, was das Kind mir erzählt hat!«

Und er ging an die Spüle neben der Fleischtheke und wusch sich die Hände.

Ich stand auf, zog mir meine warme Jacke an und knöpfte sie zu. Es hatte keinen Zweck, einen Wagen zu nehmen. Richie wohnte in einem Block in der Curve Street. Nicht weit, aber ein wenig abseits. Die Schneepflüge konnten dort noch nicht gewesen sein.

Als wir hinausgingen, rief Bill Pelham uns nach: »Seid bloß vorsichtig.«

Henry nickte nur und stellte den Karton Bier auf den kleinen Handkarren, der immer neben der Tür stand. Dann marschierten wir los.

Mit aller Wucht schlug uns der eisige Wind ins Gesicht, und ich wickelte mir sofort den Schal um die Ohren. Wir blieben eine Weile im Eingang stehen, während Bertie sich die Handschuhe anzog. Sein Gesicht zuckte gequält, und ich verstand sehr gut, daß er sich nicht sonderlich wohl fühlte. Junge Leute haben gut lachen. Es macht ihnen nichts aus, den ganzen Tag skizulaufen oder mit diesen verdammten wespenflügeligen Schneemobilen in der Gegend herumzufahren. Aber wenn man erst einmal siebzig ist, und das ohne Ölwechsel, geht einem der Nordostwind durch Mark und Bein.

»Ich will euch nicht erschrecken, Jungs«, sagte Henry und hatte immer noch dieses seltsame, angewiderte Lächeln auf den Lippen. »Aber ich werde euch alles zeigen. Und unterwegs werde ich euch erzählen, was der Junge mir gesagt hat... das müßt ihr nämlich wissen, versteht ihr?«

Und er zog eine Pistole Kaliber .45 aus der Tasche. Seit er den Laden rund um die Uhr geöffnet hielt, lag das Ding ständig schußbereit unter seinem Tresen. Ich weiß nicht, woher er die Waffe hat, aber ich weiß, daß er sie einmal zog, als ein Kerl reinkam und Geld wollte. Der Junge verschwand wesentlich schneller als er gekommen war. Henry war schon kaltblütig. Einmal schmiß er einen Studenten raus, der unbedingt mit einem Scheck bezahlen wollte.

Der Junge ging raus, als säße ihm der Arsch schief. Anschließend machte er sich in die Hose.

Ich erzähle das alles nur, weil Henry Bertie und mir zeigen wollte, daß die Sache nicht lustig war, und das glaubten wir ihm gern.

Wir machten uns also auf den Weg und stemmten uns wie die Waschfrauen gegen den Wind. Henry schob den Karren und erzählte uns, was der Junge gesagt hatte. Der Wind wollte die Worte wegreißen, bevor wir sie hörten, aber wir verstanden das meiste – wir verstanden mehr, als uns lieb war. Ich war verdammt froh, daß Henry seine Kanone in der Manteltasche stecken hatte.

Der Junge sagte, es muß das Bier gewesen sein – man weiß ja, daß hin und wieder eine Dose schlecht ist. Schal oder sauer oder grün wie die Pinkelflecken in der Unterwäsche eines Iren. Jemand hat mir mal gesagt, daß ein winziges Loch genügt, und schon kommen Bakterien rein und verursachen seltsame Veränderungen. Das Loch mag so klein sein, daß kein Bier rausläuft, aber die Bakterien kommen rein, und Bier ist für einige der kleinen Dinger hervorragende Nahrung.

Jedenfalls sagte der Junge, Richie hätte an jenem Oktoberabend wie immer einen Karton Golden Light mit nach Hause gebracht. Während Timmy seine Hausaufgaben machte, fing Richie an zu saufen.

Timmy wollte gerade ins Bett gehen, als er Richie sagen hörte: »Mein Gott, hier stimmt was nicht.«

Und Timmy fragte: »Was ist denn, Daddy?«

»Das Bier«, sagte Richie. »Verdammt, das ist der schlechteste Geschmack, den ich je im Mund hatte.«

Man könnte sich fragen, warum in aller Welt Richie das Bier getrunken hat, wenn es so schlecht schmeckte, aber man muß Richie Grenadine einmal Bier trinken gesehen haben. Ich war an einem Nachmittag in Wallys Kneipe und habe gesehen, wie er eine Wahnsinnswette gewann. Er wettete mit einem Kerl, daß Richie in einer Minute zwanzig Glas Bier trinken könne. Von den Einheimischen ging keiner darauf ein, aber dieser Handelsvertreter aus Montpelier legte eine Zwanzigdollarnote hin und Richie legte seine daneben. Er trank alle zwanzig und hatte noch sieben Sekunden Zeit.

Als er rausging, war er allerdings nicht mehr sonderlich gut zu Fuß. Deshalb glaube ich, daß er die Dose wohl schon ausgesoffen hatte, bevor sein Verstand ihn warnte.

»Ich muß kotzen«, sagte Richie. »Paß auf!«

Als er die Toilette erreichte, war der Anfall aber schon vorüber. Der Junge sagte, er habe an der Dose gerochen, und sie habe gerochen, als sei etwas hineingekrochen und gestorben. Und oben an der Dose seien graue Tropfen gewesen.

Zwei Tage später kam der Junge aus der Schule, und Richie saß vor der Glotze und sah sich irgendeine Schnulze an. Es war erst Nachmittag, aber alle Vorhänge in der ganzen Wohnung waren zugezogen.

»Was ist los?« fragte Timmy, denn Richie trudelte selten vor neun Uhr abends zu Hause ein.

»Ich sehe fern«, sagte Richie. »Heute hatte ich keine Lust auszugehen.«

Timmy schaltete das Licht über der Spüle an, und Richie brüllte ihn an: »Mach das verdammte Licht aus!«

Das tat Timmy, und er hat nicht erst gefragt, wie er denn im Dunkeln seine Hausaufgaben machen soll. Wenn Richie in einer solchen Stimmung ist, fragt man ihn am besten überhaupt nichts.

»Geh los und hol mir einen Karton Bier«, sagte Richie. »Geld liegt auf dem Küchentisch.«

Als der Junge zurück kam, saß sein Vater immer noch im Dunkeln, nur, daß es jetzt auch draußen dunkel war. Das Fernsehen war ausgeschaltet. Das Kind bekam es mit der Angst – und wem würde es nicht ähnlich gehen? Die ganze Wohnung dunkel, und Daddy hockte wie ein großer Klumpen in der Ecke.

Timmy stellte also das Bier auf den Tisch, denn er wußte, daß Richie es nicht gern so kalt trank, davon bekam er Kopfschmerzen. Als der Junge in die Nähe des Alten kam, bemerkte er einen fauligen Geruch, wie von altem Käse, den jemand übers Wochenende auf dem Tisch stehengelassen hat. Er dachte sich aber weiter nichts dabei, denn der Alte war nie besonders sauber. Statt dessen ging Timmy in sein Zimmer, schloß die Tür und machte seine Hausaufgaben. Nach einer Weile hörte er, wie Richie die erste Dose des Abends aufriß.

Und so ging es zwei Wochen lang. Der Junge stand morgens auf und ging in die Schule, und wenn er nach Hause kam, saß Richie vor dem Fernsehgerät, und das Biergeld lag auf dem Tisch.

Die Wohnung roch immer übler, und Richie zog die Vorhänge überhaupt nicht mehr auf. Ungefähr Mitte November durfte Timmy in seinem Zimmer nicht mehr arbeiten. Das Licht, das unten durch den Türspalt fiel, störte Richie. Wenn er für seinen Vater Bier geholt hatte, ging Timmy also immer ein paar Häuser weiter zu einem Freund.

Als Timmy eines Tages von der Schule nach Hause kam – es war vier Uhr nachmittags und schon fast dunkel –, sagte Richard: »Dreh das Licht an.«

Das Kind drehte das Licht über der Spüle an, und was sah der völlig verdutzte Junge? Richie hatte sich total in eine Wolldecke eingewickelt.

»Sieh mal«, sagte Richie, und eine Hand schob sich unter der Decke hervor. Aber es war gar keine Hand. Es war etwas *Graues*, mehr konnte das Kind nicht sagen. *Es sah überhaupt nicht wie eine Hand aus. Es war nur ein grauer Klumpen.*

Jedenfalls bekam Timmy Grenadine einen fürchterlichen Schrecken. »Was ist mit dir los, Daddy?« fragte er.

Und Richie sagte: »Weiß nicht. Aber es tut nicht weh. Es fühlt sich... gar nicht schlecht an.«

Und Timmy sagte: »Ich hole Dr. Westphail.«

Und die ganze Wolldecke fing an zu zittern, als ob sich darunter etwas Entsetzliches schüttelte. Und Richie sagte: »Untersteh dich! Wenn du das tust, fasse ich dich an, und du wirst genauso enden wie ich.« Und er ließ die Decke für einen Augenblick vom Gesicht gleiten.

Inzwischen waren wir an der Ecke von Harlow und Curve Street angekommen, und es war jetzt noch kälter, als das Thermometer vor Henrys Laden angezeigt hatte. Man möchte so etwas kaum glauben, und doch, es gibt seltsame Dinge in der Welt.

Ich kannte mal einen Mann namens George Kelso, der bei den Stadtwerken in Bangor beschäftigt war. Fünfzehn Jahre lang reparierte er Hauptwasserrohre und elektrische Kabel und dergleichen, und keine zwei Jahre vor seiner Pensionierung gab er plötzlich seinen Job auf. Frankie Haldeman, der ihn kannte, sagte, George sei lachend und scherzend wie immer in Essex in einen Abwasserschacht hineingestiegen, und als er nach fünfzehn Minuten wieder herauskam, war sein Haar schlohweiß, und seine Augen blickten so irre, als hätte er durch ein Fenster direkt in die Hölle gesehen.

Er ging sofort zur Garage der Stadtwerke und stempelte seine Karte. Anschließend ging er in Wallys Kneipe und fing an zu saufen. Zwei Jahre später hatte er sich totgesoffen. Frankie sagte, er hätte versucht, mit ihm darüber zu reden, und einmal hatte George auch etwas gesagt, als er ziemlich voll war. George hatte sich auf seinem Hocker umgedreht und Frankie Haldeman gefragt, ob er schon mal eine Spinne gesehen hätte, so groß wie ein mittlerer Hund, in einem Netz mit lauter jungen Spinnen, alle in Seidenfäden eingehüllt. Was hätte Frankie darauf antworten sollen? Ich sage nicht, daß es stimmt. Ich sage nur, daß es in einigen Ecken der Welt Dinge gibt, die einen Mann in den Wahnsinn treiben können, wenn er sie vor sich sieht.

Trotz des Windes, der durch die Straße fegte, blieben wir einen Augenblick an der Ecke stehen.

»Was hat er gesehen?« fragte Bertie.

»Er konnte seinen Daddy noch erkennen«, antwortete Henry, »aber er sagte, es war, als steckte er in einer grauen gallertartigen Masse... alles eine Art Brei. Seine Kleidung klebte ihm in und an der Haut, als sei sie auf seinem Körper geschmolzen.«

»Heiliger Himmel«, sagte Bertie.

»Dann zog er die Decke wieder vor das Gesicht und brüllte den Jungen an, er solle das Licht ausmachen.«

»Wie Schwamm«, sagte ich.

»Ja«, sagte Henry. »So ungefähr.«

»Mach die Pistole klar«, sagte Bertie.

»Ja, das ist wohl besser«, sagte Henry, und wir gingen die Curve Street hinunter.

Das Etagenhaus, in dem Richie Grenadine seine Wohnung hatte, lag fast ganz oben am Hügel. Es war eine dieser viktorianischen Scheußlichkeiten, die um die Jahrhundertwende von den Papierbaronen errichtet wurden. Sie wurden fast alle später zu Mehrfamilienhäusern umgebaut. Als Bertie Luft geholt hatte, sagte er uns, daß Richie im dritten Stock unter dem

Fenstergiebel wohnt, der wie eine Augenbraue vorsteht. Bei der Gelegenheit fragte ich Henry, was denn mit dem Jungen geschehen sei.

Etwa in der dritten Novemberwoche kam der Junge eines Nachmittags nach Hause und stellte fest, daß nicht nur die Vorhänge zugezogen waren. Darüber hinaus hatte Richie vor sämtliche Fenster Wolldecken genagelt. Es stank schlimmer als je zuvor. Es war ein saurer Gestank, ähnlich dem von Obst, das man mit Hefe gären läßt.

Ungefähr eine Woche später befahl Richie dem Jungen, das Bier auf dem Herd warmzumachen. Könnt ihr euch das vorstellen? Das Kind ganz allein in der Wohnung, und sein Vater verwandelt sich in... nun, in irgend etwas... und er muß das Bier anwärmen, und muß dann zuhören, wie er es trinkt – hört die widerlichen, erstickten schlürfenden Geräusche. Ganz wie bei einem alten Mann, der seinen Fischbrei ißt. Könnt ihr euch das vorstellen?

Und so ging es bis heute. Nur heute war die Schule wegen des Schneesturms früher aus.

»Der Junge behauptet, daß er gleich nach Hause gegangen sei«, sagt Henry. »Oben im Treppenhaus brannte kein Licht. Der Junge meint, daß sein Vater die Birne zerschlagen haben muß. Er mußte sich bis an die Tür vortasten.

Er hört, daß sich drinnen etwas bewegt, und plötzlich fällt ihm ein, daß er ja gar nicht weiß, was sein Vater die Woche über treibt. Er hat seit einem Monat nicht mehr gesehen, daß sein Vater aus diesem Stuhl aufsteht, und ein Mensch muß doch auch schlafen und manchmal zur Toilette gehen.

Mitten in der Tür ist ein Guckloch, und innen müßte es eine Klappe haben, mit der man es verschließen kann, aber die war schon abgebrochen, als sie einzogen. Der Junge schleicht sich also zur Tür und legt das Auge an das Guckloch.«

Wir hatten inzwischen den Eingang erreicht, und das Haus ragte vor uns auf wie ein riesiges häßliches Gesicht mit den Fenstern im dritten Stock als Augen. Ich schaute nach oben, und richtig, die Fenster waren pechschwarz, als hätte jemand sie übermalt – oder Decken davorgenagelt.

»Er brauchte eine Minute, um seine Augen an das Dämmerlicht zu gewöhnen. Und dann sah er einen großen dicken Klumpen, der überhaupt nicht mehr wie ein Mensch aussah, über den Fußboden gleiten, wobei er eine graue schleimige Spur hinter sich herzog. Und dann streckte der Klumpen den Arm aus – oder etwas Ähnliches wie einen Arm – und riß ein Brett aus der Wand. Und holte eine Katze heraus.« Henry schwieg ein paar Sekunden. Bertie schlug die Hände aneinander, und es war verdammt kalt auf der Straße, aber keiner von uns war bereit, jetzt schon hinaufzugehen. »Eine tote Katze«, fuhr Henry fort, »die schon verwest war. Sie war ganz aufgedunsen und steif, sagt der Junge, und kleine weiße Dinger krochen auf ihr herum...«

»Um Gottes willen«, sagte Bertie. »Aufhören!«

»Und dann aß sein Daddy sie.«

Ich mußte schlucken, aber ich hatte einen Kloß im Hals und einen ekelhaften Geschmack im Mund.

»Timmy nahm das Auge vom Guckloch«, sagte Henry leise. »Und er rannte.«

»Ich glaube nicht, daß ich raufgehen kann«, sagte Bertie.

Henry sagte nichts. Er sah Bertie nur an, dann mich und dann wieder Bertie.

»Wir sollten raufgehen«, sagte ich. »Schließlich haben wir Richies Bier.«

Bertie sagte nichts. Wir gingen die Stufen hoch und durch die Eingangstür. Ich roch es sofort.

Wissen Sie, wie eine Obstbrennerei im Sommer riecht? Man erkennt dabei nie den Geruch von Äpfeln. Im Herbst ist es besser. Dann riechen sie scharf und würzig, und der Geruch sticht einem in die Nase. Aber im Sommer riecht es ganz einfach gemein. Dieser Geruch war genauso, nur noch schlimmer.

Im unteren Treppenhaus gab es Licht, eine trübe Birne unter Milchglas, die nur schwach schimmerte. Und dann die Treppe, die in die Schatten hinaufführte.

Henry stellte den Karren ab, und während er den Karton mit Bier aufnahm, drückte ich auf den Knopf für das Licht im zweiten Stock. Aber die Birne war kaputt, wie der Junge gesagt hatte.

Bertie zitterte. »Ich trage das Bier. Kümmere du dich um deine Pistole.«

Henry machte keine Einwände. Er reichte ihm den Karton, und wir gingen nach oben. Zuerst Henry, dann ich, und als letzter Bertie mit dem Karton unter dem Arm. Als wir im zweiten Stock angekommen waren, stank es entsprechend schlimmer. Nach faulen, gegorenen Äpfeln, und in das Ganze mischte sich ein noch widerwärtigerer Gestank.

Als ich noch draußen in Levant wohnte, hatte ich mal einen Hund. Er hieß Rex und war ein gutmütiger Trottel, aber er nahm sich nicht genügend vor den Autos in acht. An einem Nachmittag, als ich noch arbeitete, erwischte es ihn. Er kroch unter das Haus und starb dort. Mein Gott, was für ein Gestank. Ich mußte zuletzt runter und ihn mit einer Stange rausholen. Hier stank es genauso, nach Aas und Verwesung.

Bis dahin hatte ich noch gedacht, daß das alles ein schlechter Witz sein könnte, aber jetzt wußte ich es besser.

»Mein Gott, warum beschweren sich die Nachbarn denn nicht?« fragte ich.

»Welche Nachbarn?« fragte Henry zurück, und wieder lächelte er dieses seltsame Lächeln.

Ich schaute mich um und sah, daß das Treppenhaus einen dreckigen und unbenutzten Eindruck machte. Die Türen zu allen drei Wohnungen im zweiten Stock waren versiegelt.

»Wer mag wohl der Eigentümer sein?« fragte Bertie und stellte seinen Karton auf einem Treppenpfosten ab. Er holte tief Luft. »Vielleicht Gaiteau? Ich bin erstaunt, daß er ihn nicht rausschmeißt.«

»Wer sollte denn raufgehen und ihn zur Räumung zwingen?« fragte Henry. »Du etwa?«

Bertie sagte nichts.

Dann gingen wir die nächste Treppe hinauf, die noch schmaler und steiler als die letzte war. Gleichzeitig wurde es heißer. Es hörte sich an, als ob die gesamte Klimaanlage in dem Gebäude klapperte und zischte. Der Gestank war entsetzlich,

169

und ich hatte das Gefühl, als rührte mir jemand mit einem Stock im Magen herum.

Oben war ein kurzer Flur und eine Tür mit einem Guckloch in der Mitte.

Bertie schrie leise auf und flüsterte: »Seht nur, worin wir gehen!«

Ich schaute nach unten und sah, daß sich kleine Pfützen von diesem schleimigen Zeug gebildet hatten. Hier schien früher ein Teppich gewesen zu sein, aber das graue Zeug hatte ihn weggefressen.

Henry trat an die Tür, und wir folgten ihm. Ich weiß nicht, wie es Bertie erging, aber ich schlotterte. Ohne zu zögern, hob Henry seine Waffe und schlug mit dem Griff gegen die Tür.

»Richie?« rief er, und seine Stimme verriet nicht die geringste Angst, obwohl sein Gesicht leichenblaß war. »Hier ist Henry Parmalee von der Nachteule. Ich bringe dir dein Bier.«

Etwa eine Minute lang hörten wir nichts, und dann sagte eine Stimme: »Wo ist Timmy? Wo ist mein Junge?«

Ich wäre fast jetzt schon weggelaufen. Die Stimme hatte nichts Menschliches. Sie klang tief und hohl, wie durch klebrigen Talg gesprochen.

»Er ist in meinem Laden«, sagte Henry, »und ißt gerade was Vernünftiges. Bei dem armen Kerl kann man ja schon die Rippen zählen, Richie.«

Eine Weile nichts. Dann waren grauenhafte quietschende Geräusche zu hören, als liefe ein Mann mit Gummistiefeln durch Schlamm. Dann hörten wir diese verweste Stimme direkt hinter der Tür.

»Mach die Tür auf, und schieb das Bier durch«, sagte sie. »Du mußt aber alle Ringverschlüsse öffnen. Ich kann es nicht.«

»Sofort«, sagte Henry. »Wie ist dein Zustand, Richie?«

»Das spielt keine Rolle«, sagte die Stimme, und sie klang fürchterlich gierig.

»Schieb das Bier durch und verschwinde.«

»Es sind also nicht mehr nur tote Katzen, was?« sagte Henry, und seine Worte klangen traurig. Er hielt nicht mehr den Griff der Pistole hoch, sondern hatte die Waffe umgedreht.

Und plötzlich durchfuhr es mich wie ein Lichtblitz. Ich stellte eine Gedankenverbindung her, was Henry wahrscheinlich schon während seines Gesprächs mit Timmy gelungen war. Den Gestank von Fäulnis und Verwesung empfand meine Nase doppelt so stark, als ich mich erinnerte: Zwei junge Mädchen und ein alter Weinsäufer von der Heilsarmee waren in den letzten drei Wochen verschwunden – alle nach Einbruch der Dunkelheit.

»Schiebe es rein, oder ich komme raus und hole es«, sagte die Stimme.

Henry bedeutete uns, zurückzutreten, und wir gehorchten.

»Das kannst du gern tun, Richie.« Er spannte die Waffe.

Lange Zeit geschah nichts. Um die Wahrheit zu sagen, ich hatte das Gefühl, daß alles vorüber sei. Dann flog die Tür so plötzlich und heftig auf, daß sie sich durchbog, bevor sie gegen die Wand knallte. Und Richie kam raus.

Es dauerte nur eine Sekunde, eine einzige Sekunde, und Bertie und ich rannten wie Schulkinder die Treppe hinunter, vier oder fünf Stufen auf einmal, bis wir durch die Tür sausten und draußen im Schnee landeten.

Als wir hinunterrasten, hörten wir Henry dreimal feuern. Die Schüsse hallten wie Bombenexplosionen im leeren Treppenhaus dieses verfluchten Gebäudes.

Was wir in den ein oder zwei Sekunden sahen, wird mir für den Rest meines Lebens reichen. Es war eine riesige graue Gallertmasse, eine Gallertmasse, die wie ein Mann aussah und eine widerliche Schleimspur hinter sich herzog.

Aber das war nicht das Schlimmste. Seine Augen waren flach und gelb und wild, und aus ihnen sprach keine menschliche Seele. Aber es waren keine zwei Augen, sondern vier. Und direkt in der Mitte zwischen den beiden Augenpaaren verlief ein faseriger Strich von oben nach unten, und rotes, pulsierendes Fleisch zeigte sich, wie bei einem Längsschnitt im Bauch eines Schweines.

Es teilte sich, wissen Sie. Es teilte sich in zwei Wesen.

Bertie und ich sprachen nicht, als wir zum Laden zurückgingen. Ich weiß nicht, was ihm durch den Kopf ging, aber ich weiß sehr wohl, woran ich dachte: an das Einmaleins. Zwei mal zwei sind vier, vier mal zwei sind acht, acht mal zwei sind sechzehn, sechzehn mal zwei sind –

Wir erreichten den Laden. Carl und Billy sprangen auf und fingen sofort an zu fragen. Keiner von uns antwortete. Wir drehten uns nur um und warteten, ob vielleicht Henry aus dem Schnee auftauchen und in den Laden kommen würde. Ich war inzwischen bei 32 768 mal zwei sind das Ende der Menschheit angekommen, und so saßen wir gemütlich bei reichlich Bier und warteten gespannt darauf, wer zurückkommen würde. Und hier sitzen wir immer noch.

Ich hoffe, es wird Henry sein. Das dürfen Sie mir glauben.

Schlachtfeld

»Mr. Renshaw?«

Er war schon auf halbem Wege zum Aufzug, als er den Portier seinen Namen rufen hörte. Ungeduldig blickte er sich um und wechselte seinen Reisekoffer von der einen in die andere Hand. In der Brusttasche seines Mantels knisterte der schwere, mit Zwanzig- und Fünfzigdollarnoten prall gefüllte Umschlag. Der Job war auftragsgemäß erledigt und, selbst nach Abzug der fünfzehn Prozent, die die Organisation als Vermittlungsgebühr einbehalten hatte, außerordentlich gut bezahlt worden. Alles, was er jetzt noch brauchte, war eine heiße Dusche, ein Gin Tonic und viel, viel Schlaf.

»Was gibt's?«

»Ein Paket für Sie, Sir. Würden Sie bitte den Empfang quittieren?«

Während er unterschrieb, warf Renshaw einen forschenden Blick auf das rechteckige Paket. Die gestochene Handschrift, mit der sein Name und seine Adresse in den aufgeklebten Adressenvordruck eingetragen waren, kam ihm bekannt vor. Behutsam schob er das Paket auf der marmorierten Oberfläche des Rezeptionsschalters hin und her und hörte, wie sein Inhalt leise klirrte.

»Soll ich es Ihnen nach oben bringen lassen, Mr. Renshaw?«

»Danke, ich nehme es schon.«

Der Karton war etwa fünfzig Zentimeter breit, und er konnte ihn gerade mit einem Arm halten. Im Aufzug setzte er ihn auf dem mit weichen Teppich ausgelegten Boden ab und steckte seinen Schlüssel in den Schalter für die Penthouse-Etage, der über den anderen Knöpfen angebracht war.

Geräuschlos und beinahe unmerklich glitt der Aufzug nach

oben. Renshaw schloß die Augen. Vor der dunklen Leinwand seiner Erinnerung ließ er die Geschehnisse der vergangenen Tage noch einmal Revue passieren. Der Job hatte wie immer mit einem Anruf von Cal Bates begonnen.

»Bist du gerade abkömmlich, Johnny?«

Er war es, zweimal im Jahr, für ein Mindesthonorar von 10 000 Dollar. Er erledigte seine Sache immer gut und zuverlässig, doch was seine Auftraggeber am meisten an ihm schätzten, war sein raubtierhafter Instinkt. John Renshaw war ein Bussard in Menschengestalt, den sowohl seine Veranlagung als auch sein soziales Umfeld zu zwei Dingen mehr als zu allem anderen befähigt hatten: zu töten und zu überleben.

Wenige Tage nach Bates Anruf hatte er einen bräunlich-gelben Umschlag in seinem Briefkasten gefunden. Dieser enthielt ein Photo, einen Namen und eine Adresse. Er speicherte das alles in seinem Gedächtnis und behielt nichts davon zurück außer einem Häufchen Asche, das zusammen mit den verkohlten Überresten des Couverts im Müllcontainer verschwand.

Diesmal zeigte das Photo das Gesicht eines bläßlichen Geschäftsmannes aus Miami namens Hans Morris, Inhaber der Morris Spielwarenfabrik. Irgend jemandem war er anscheinend im Wege, und dieser Jemand hatte sich an die Organisation gewandt, die sich wiederum in der Person von Cal Bates mit ihm in Verbindung gesetzt hatte.

Peng. Von Beileidsbezeugungen am Grabe bitten wir abzusehen.

Lautlos glitt die Tür des Lifts zur Seite. Renshaw hob sein Paket auf und trat in den Gang hinaus. Dann öffnete er die Tür zu seiner Penthousewohnung und ging hinein. Es war drei Uhr nachmittags, und der große Wohnraum war überflutet vom hellen Licht der Aprilsonne. Er blieb einen Augenblick stehen, blinzelte, setzte dann sein Paket auf dem Couchtisch ab und lockerte den Knoten seiner Krawatte. Den Umschlag mit dem Geld legte er auf den Karton und ging hinüber zum Balkon.

Er öffnete die verglaste Schiebetür und trat hinaus ins Freie. Trotz der Sonne war es kühl, und ein schneidender Wind bohrte sich messerscharf durch den dünnen Stoff seines

Trenchcoats. Dennoch blieb er eine Weile draußen stehen und ließ den Blick über die Stadt schweifen, mit der gleichen Selbstzufriedenheit und Genugtuung, wie sie ein General empfinden mochte, der nach gewonnener Schlacht auf das eroberte Land schaut. Wie ein Heer von Ameisen krabbelten die Autos unten in den Straßen, und im grellen Licht der Nachmittagssonne flimmerten die Konturen der Bay Bridge wie eine Fata Morgana am Horizont.

Nach Osten hin erstreckten sich die metallenen Wipfel eines riesigen Antennenwaldes auf den Dächern der ärmlicheren, schmutzigeren Häuser, die hier und da von den kolossalen Wolkenkratzern der City verdeckt wurden. Hier oben aber war es schön, besser jedenfalls als unten in der Gosse.

Nach einer Weile ging Renshaw zurück in die Wohnung und begab sich ins Bad, wo er lange und ausgiebig duschte.

Als er vierzig Minuten später mit einem Glas Gin in der Hand auf der Couch saß und das Paket betrachtete, streckten bereits die ersten Schatten ihre langen Finger über den weinroten Teppichboden aus. Der schönste Teil des Nachmittags war vorüber.

Eine Bombe. Natürlich war es keine, aber man mußte sich so verhalten, als wäre es zumindest möglich. Nur so hatte man die Garantie dafür, daß man am Leben blieb, während andere sich bereits auf dem Weg ins Reich des ewigen Müßiggangs befanden.

Wenn es also eine Bombe wäre, dann hätte sie keinen Zeitzünder. Nicht das leiseste Ticken war zu hören in diesem geheimnisvollen Quader. Obwohl, heutzutage gab es Quarzuhren. Sie liefen zuverlässiger und weniger unberechenbar als die besten Uhrwerke von Westclox oder Big Ben.

Renshaw warf einen Blick auf den Poststempel. Miami, 15. April. Das war vor fünf Tagen. Ein Zeitzünder war demnach auszuschließen. Er hätte bereits in der Aufbewahrung explodieren können.

Ja. Miami... Und dann diese gestochene Handschrift... Hatte nicht auf dem Schreibtisch dieses bläßlichen Spielwarenfabrikanten eine gerahmte Photographie gestanden, die eine noch hagerere, noch blassere Gestalt mit einem schmucklosen Kopftuch zeigte? Und hatte er nicht in der unteren rechten Ecke eine mit gestochener Handschrift gekritzelte Widmung gelesen? »Alles Liebe von deinem treuesten Mädchen – Mutter.«

Was für einen Einfall hatte das treueste Mädchen da gehabt? Vielleicht ein selbstgebasteltes Killervernichtungsgerät? Mit verschränkten Armen und äußerster Konzentration saß Renshaw da und betrachtete das Paket. Die Frage, wie es Morris' treuestem Mädchen beispielsweise gelungen war, seine Adresse ausfindig zu machen, stellte er zunächst zurück. Dergleichen Probleme waren jetzt zweitrangig und würden später immer noch gelöst werden können. Cal Bates würde sich eine Antwort einfallen lassen müssen. Im Augenblick war das nebensächlich.

Mit einer fahrigen, beinahe motorischen Bewegung griff er in seine Westentasche und zog seinen kunststoffgebundenen Taschenkalender hervor. Er schob ihn zwischen Packpapier und Kordel, mit der der Karton verschnürt war. Mit dem scharfen Rand des Kalenders löste er das Klebeband, das die Papierlaschen an den Seiten hielt, bis sie absprangen und gegen die Kordel hingen.

Dann hielt er einen Augenblick inne, tat einen tiefen Atemzug und wanderte um den Tisch herum. Kordel, Packpapier, Pappe. Sonst nichts.

Draußen dämmerte es bereits, und das Zwielicht warf lange graue Schatten in den Raum, die mit langen Spinnenbeinen über den Boden krochen.

Plötzlich rutschte eine der Papierlaschen unter der Kordel durch, öffnete sich ein wenig und gab ein Stück des Inhalts frei. Es sah aus wie die mattgrüne Oberfläche einer Metallbox, allem Anschein nach mit Scharnieren versehen. Renshaw holte ein Taschenmesser und durchtrennte die Kordel. Sie sprang ab, und nachdem er das restliche Papier mit der Spitze seines Messers aufgerissen hatte, lag die Box vor ihm.

Sie war grün und am Rand schwarz, und in ihren Deckel waren mit weißen Buchstaben die Worte graviert:

VIETNAM – FELDKISTE

Und darunter stand: 20 INFANTRISTEN, 10 KAMPF-HUBSCHRAUBER, 2 ARTILLERISTEN, 2 GRANATWERFER, 2 SANITÄTER, 4 JEEPS. Und darunter: 1 FLAK-Vorrichtung. Und wiederum darunter, in einer Ecke: MORRIS' SPIELWA-RENFABRIK, MIAMI, FLORIDA. Renshaw steckte die Hand nach der Kiste aus, zuckte jedoch sofort zurück. Irgend etwas in ihrem Inneren hatte sich bewegt. Ohne ersichtliche Eile stand er auf und ging, ohne den Tisch aus den Augen zu lassen, rückwärts durch das Zimmer an der Küche vorbei in den Flur. Dort knipste er das Licht an.

Die Vietnam-Feldkiste bewegte sich ruckweise, so daß das Packpapier unter ihr raschelte. Plötzlich kippte sie und fiel mit einem dumpfen Aufprall zu Boden. Dort kam sie auf einer der Schmalseiten zu stehen, und ihr an zwei Scharnieren befestigter Deckel klappte einige Zentimeter auseinander.

Winzige Fußsoldaten, nur etwa drei Zentimeter groß, krabbelten ins Freie. Mit aufgerissenen Augen stand Renshaw da und sah ihnen zu. Nicht einen Augenblick lang fragte er sich, ob das, was sich dort abspielte, Traum oder Wirklichkeit war. Das einzige, was ihn beschäftigte, war die Frage, wie er sich retten, die Situation in den Griff bekommen könnte.

Die Soldaten trugen Uniformen, Helme und Tornister in Miniaturausgabe. An ihren Schultern hingen streichholzdünne Maschinengewehre. Zwei von ihnen hatten Renshaw sofort gesehen und spähten zu ihm herüber. Ihre winzigen, stecknadelkopfgroßen schwarzen Augen funkelten böse.

Erst zählte er fünf, dann zehn, dann zwölf, schließlich alle zwanzig. Einer von ihnen gestikulierte wild, anscheinend, um den anderen Befehle zu erteilen. Sie nahmen entlang der Kante des Kistendeckels Aufstellung und begannen wie auf Kommando zu schieben. Millimeter für Millimeter weitete sich die Öffnung.

Renshaw ging wieder hinüber zur Couch und bewaffnete sich mit einem Kissen. Dann bewegte er sich langsam auf die Kiste zu.

Der Kommandeur der Truppe drehte sich um und machte ein Zeichen. Sogleich fuhren auch die anderen herum, die Maschinengewehre im Anschlag. Renshaw hörte leise, beinahe lustig hell klingende Geräusche, so, als fielen eine Handvoll Murmeln auf einen gepflasterten Gehsteig. Dann hatte er das Gefühl, als fiele ein Schwarm Wespen über ihn her. Er schleuderte das Kissen und traf. Er zersprengte die geordnete Reihe der kleinen Soldaten und warf sie in alle Himmelsrichtungen auseinander. Dann schlug es gegen die Kiste, deren Deckel sich durch den Stoß weit öffnete.

Ein heller zirpender Ton, und wie eine dicke Wolke kleiner olivgrüner Insekten schwirrten mehrere winzige Helikopter in die Höhe. Sekunden später hörte Renshaw das Surren ihrer Propeller dicht an seinem Ohr und sah, wie aus den zurückgeschobenen Seitentüren funkengroße Mündungsfeuer aufblitzten. Seine Brust, sein rechter Arm und die rechte Partie seines Halses wurden wie von feinen Nadelstichen durchbohrt. Er holte aus und konnte tatsächlich einen der Hubschrauber erwischen, zugleich aber durchzuckte ihn ein jäher Schmerz. Blut quoll zwischen seinen brennenden Fingern hervor. Die messerscharfen Propeller hatten seine Haut zerfetzt und bis auf die Knochen durchschlagen. Die Innenfläche seiner Hand war übersät von diagonal verlaufenden blutigen Streifen.

Die anderen Hubschrauber befanden sich nun außer Reichweite und umkreisten Renshaws Kopf in sicherer Entfernung wie Bienen einen Honigtopf. Derjenige von ihnen, den er hatte erwischen können, war auf den Boden gefallen und lag reglos da.

Plötzlich schrie er laut auf vor Schmerz. Ein kleiner Soldat stand auf seinem Schuh und rammte ohne Unterlaß sein Bajonett in Renshaws Fußgelenk. Keuchend hob er sein Gesichtchen und verzog es zu einem satanischen Grinsen.

Renshaw holte aus und schleuderte das Männchen mit dem Fuß quer durch den Raum. Sein winziger Körper schmetterte gegen die Wand und fiel auf den Boden. Er blutete nicht, hinterließ jedoch eine eigenartig klebrige purpurfarbene Schmierspur. Sekunden später gab es einen leisen Puff, eine winzige Detonation, und einen Augenblick lang wurde ihm schwarz vor Augen.

Ein Soldat mit einem Granatwerfer hatte sich über den Rand der Kiste gezogen. Eine fadendünne Rauchwolke kräuselte sich noch über der Mündung seiner Waffe. Renshaw sah an seinem Hosenbein hinunter und entdeckte ein pfenniggroßes Loch, dessen Ränder versengt und ausgefranst waren. Die bloße Haut darunter war verkohlt.

Der kleine Bastard hat mich angeschossen!

Er machte kehrt und lief in den Flur, von dort aus in sein Schlafzimmer. Einer der Hubschrauber verfolgte ihn, und er spürte den leichten Lufthauch, den seine Propeller verursachten, dicht an seinem Kinn. Er hörte das stoßweise Knattern von Maschinengewehren, dann drehte der Helikopter ab.

Die Waffe, die er unter seinem Kopfkissen aufbewahrte, war eine Magnum 44, so großkalibrig, daß sie in alles, was sie traf, faustgroße Löcher zu reißen vermochte.

Renshaw blickte sich um, den Revolver hielt er mit beiden Händen umklammert. Er war realistisch genug zu wissen, daß es galt, mit Kanonenkugeln auf Spatzen zu schießen – und sie zu treffen.

Zwei der Kampfhubschrauber surrten durch die offene Tür ins Zimmer. Auf der Bettkante sitzend hob Renshaw seine Waffe, zielte und feuerte. Einer der beiden Hubschrauber torkelte, explodierte sofort und löste sich in Nichts auf. Das wären schon zwei, dachte Renshaw. Dann nahm er den nächsten ins Visier, den Finger am Abzug.

Er ist so flink! Wenn er nur nicht so verdammt flink wäre!

Mit einem unerwarteten fatalen Schwung drehte der Helikopter auf ihn zu, während seine Propellerchen mit rasender Geschwindigkeit rotierten. Aus den Augenwinkeln heraus erkannte Renshaw einen Soldaten an der Türöffnung, der immer neue Maschinengewehrsalven auf ihn abfeuerte. Geblendet warf er sich auf den Boden, die Hände schützend vor das Gesicht gehalten, und krümmte sich vor Schmerz.

Meine Augen! Der Bastard hat es auf meine Augen abgesehen!

Er kroch über den Boden und brachte sich mit dem Rücken

zur Wand mühsam in eine sitzende Stellung. Den Revolver hielt er in Brusthöhe im Anschlag.

Der Helikopter aber trat den Rückzug an. Sekundenlang schwebte er auf- und abtanzend in der Luft, bemüht, der übermächtigen Abwehr seines Gegners keine Angriffsfläche zu bieten. Dann schwenkte er ab ins Wohnzimmer.

Renshaw versuchte, sich aufzurichten. Als er sein Gewicht auf das verletzte Bein verlagern wollte, zuckte er zusammen. Die Wunde blutete jetzt heftiger. Warum auch nicht, dachte er grimmig, wer wird schon von einem Granatwerfer getroffen und könnte später noch davon erzählen?

Mit herzlichen Grüßen von Mutter, dem treuesten Mädchen. Treu war sie, in der Tat. Das und noch vieles mehr. Er zog den Kopfkissenbezug ab und riß ihn in schmale Streifen, mit denen er sein verletztes Bein notdürftig verband. Dann nahm er den Rasierspiegel vom Nachttisch und ging zurück bis zur Wohnzimmertür. Den Spiegel hielt er leicht abgewinkelt in Augenhöhe vor sich und spähte so unbemerkt ins Innere des Raumes.

Verflucht wollte er sein, wenn die nicht am Fuße der Kiste so etwas wie ein Lager errichtet hatten. Die vier kleinen Jeeps, jeder gerade zehn Zentimeter groß, brausten mit gewichtiger Geschäftigkeit umher. Ein Sanitäter verarztete den Soldaten, den Renshaw mit dem Fuß gegen die Wand geschleudert hatte, und über dem Camp, etwa in Tischhöhe, kreisten die verbliebenen acht Helikopter und sicherten die kleine Armee aus der Luft.

Dann aber schienen sie auf den Spiegel hinter der Tür aufmerksam geworden zu sein, und schon im nächsten Moment gingen drei der Infanteristen in die Knie und eröffneten das Feuer. Der Spiegel zerbarst in tausend Splitter.

Also gut, wie ihr wollt.

Renshaw schlich zurück zu seinem Nachttisch und holte die schwere Kramkiste hervor, die Linda ihm zu Weihnachten geschenkt hatte. Er hob sie an, nickte befriedigt und trug sie durch die Diele ins Wohnzimmer. Mit einem kräftigen Schwung stemmte er sie hoch und schleuderte sie von sich wie eine Diskusscheibe. Pfeilgerade schoß die Kiste auf das Lager zu und mähte die kleinen Soldaten um wie Kegelklötze. Einer der Jeeps überschlug sich mehrmals. Renshaw wagte sich weiter ins Zimmer vor. Zu seinen Füßen lag einer der winzigen Kämpfer, und er zertrat ihn wie einen Wurm.

Die anderen aber hatten sich schon wieder von dem Schlag erholt. Manche von ihnen hatten sich in die formale Gefechtsstellung begeben und feuerten auf Renshaw. Einige hatten Deckung bezogen, andere wiederum waren in die Feldkiste zurückgekrochen. Feine Nadelstiche durchbohrten seine Beine und seinen Unterleib, keiner jedoch reichte höher als bis zum Brustkasten. Vermutlich war die Entfernung zu groß. Um so besser. Er hatte nicht die Absicht, sich in die Flucht schlagen zu lassen. Jetzt ging es ums Ganze.

Der nächste Schuß, den Renshaw abgab, verfehlte sein Ziel nur um Haaresbreite. Sie waren so verdammt klein! Mit dem zweiten aber traf er einen der kleinen Soldaten und riß ihn in Stücke. Jetzt flogen die Kampfhubschrauber zu einer erbarmungslosen Attacke an. Die stecknadelkopfgroßen Kugeln bohrten sich in sein Gesicht ober- und unterhalb der Augen. Während unerträgliche Schmerzen am ganzen Körper ihn peinigten, gelang es ihm doch, nacheinander zwei der Helikopter abzuschießen. Die verbliebenen sechs bildeten zwei Flügel und schwenkten ab.

Renshaws Gesicht war blutüberströmt. Er hob den Arm und wischte es so gut es ging mit dem Ärmel ab. Gerade wollte er den Kampf wieder aufnehmen, als er etwas sah, das seinen Atem stocken ließ. Die Soldaten, die sich nach dem Schlag mit der Kramkiste in die Metallbox zurückgezogen hatten, waren jetzt dabei, etwas herauszuschieben. Etwas, das aussah wie...

Ein plötzliches grelles Aufflackern, eine gelbliche Stichflamme, und im nächsten Augenblick splitterten Holz- und Tapetenfetzen aus dem Türrahmen zu seiner Linken.

Ein Raketenwerfer!

Er feuerte einen Schuß in diese Richtung ab, verfehlte jedoch sein Ziel, warf sich herum und rannte ins Bad am Ende der Diele. Er riß die Tür hinter sich ins Schloß und schob den Riegel vor. Das Gesicht, das ihm aus dem Spiegel über dem Waschbecken entgegenblickte, war rot wie das eines Indianers. Die Augen starrten glanzlos, der Blick war verschwommen. Ein Indianer in voller Kriegsbemalung, mit roten und weißen Streifen quer über den von winzigen dunklen Einstichen übersäten Wangen. Ein Fetzen Haut hing lose über den Wangenknochen. Tiefe blutige Schrammen zogen sich diagonal verlaufend über seinen Hals.

Ich verliere!

Mit zitternden Fingern fuhr er sich durchs Haar. Der Weg durch die Korridortür auf den Hausflur war versperrt, ebenso unzugänglich waren Küche und Telefon. Wenn er seine Deckung verließ, würde ein gezielter Schuß mit dem Raketenwerfer genügen, um ihm den Kopf von den Schultern zu reißen.

Der verdammte Raketenwerfer stand noch nicht einmal auf der Liste!

Er holte tief Atem, verschluckte sich und rang prustend nach Luft. Mit einem lauten Knall hatte irgend etwas ein faustgroßes Loch in die Tür geschlagen, Stichflammen züngelten hoch und verglimmten in dem zerborstenen Holz. Dann wurde ein weiteres verkohltes Oval aus dem Furnier gerissen, Splitter schleuderten nach innen und fraßen sich wie silberne Pfeile glimmend in den Badevorleger. Er trat sie aus und sah, wie zwei der Kampfhubschrauber durch die Löcher in der Tür drangen und auf ihn zuflogen. Winzige Kugeln schlugen an seine Brust. Aufheulend griff er einen der Helikopter mit der bloßen Hand und nahm in Kauf, daß sich seine Propeller wie die spitzen Zacken eines Stacheldrahtzaunes in seine Handflächen bohrten. Nach dem anderen schlug er, einer verzweifelten Eingebung folgend, mit einem schweren Badetuch. Der Helikopter stürzte ab und kreiselte auf den glatten Fliesen, bis Renshaw ihn in Stücke trat. Er schnaufte wie ein Pferd. Blut rann ihm in ein Auge und vernebelte heiß und ätzend seinen Blick.

Da habt ihr's! Das fürs erste! Demnächst werdet ihr vorsichtiger sein!

Tatsächlich sah es so aus, als seien sie vorsichtiger geworden. Eine Viertelstunde lang tat sich nichts. Renshaw saß auf dem Rand der Badewanne und dachte fieberhaft nach. Es mußte einen Weg geben, der ihn aus dieser Sackgasse hinausführte. Es mußte! Wenn es nur eine Möglichkeit gäbe, sie zu umgehen und aus dem Hinterhalt anzugreifen...

Da streifte sein Blick das schmale Fenster über der Badewanne. Das war es! Natürlich. Das war seine Chance!

Gerade wollte er nach der Nachfüllflasche für sein Benzinfeuerzeug greifen, die oben auf dem Apothekenschrank stand, als er ein leises Knistern aus Richtung der Tür vernahm. Blitzschnell fuhr er herum, den Revolver im Anschlag... Doch sah er nichts als einen Fetzen Papier, der unter der Tür durchgeschoben wurde.

Mit einiger Genugtuung stellte er fest, daß sie anscheinend selbst zu groß waren, um darunter durchkriechen zu können. Auf dem Zettelchen stand nur eine lapidare Aufforderung, so klein geschrieben, daß er Mühe hatte, sie zu entziffern.

Gib auf

Renshaw grinste böse, griff in seine Westentasche, holte einen Bleistift heraus und verstaute anschließend dort die Benzinnachfüllflasche. Dann kritzelte er etwas auf das Papier und schob es wieder durch die Tür. Seine Antwort lautete:

Ihr könnt mich...

Plötzlich prasselte ein greller Hagel von Raketengeschossen in hohem Bogen durch das Loch in der Tür. Renshaw rettete sich mit einem Sprung zur Seite. Die Geschosse krachten gegen die hellblauen Kacheln über der Handtuchstange und verwandelten die makellos gefliese Wand in eine trostlose zerklüftete Mondlandschaft.

Unter dem staubigen Regen von Kalk und Granatsplittern zog Renshaw den Kopf ein und versuchte, die Augen mit den Händen zu schützen. Sengende Kugeln bohrten sich durch den Stoff seines Hemdes in den Rücken. Erst als der Geschoßhagel ein bißchen nachgelassen hatte, wagte er eine vorsichtige Bewegung. Er stieg auf den Rand der Wanne und öffnete das Fenster.

Unzählige Sterne glänzten metallisch kalt am Himmel. Die

Luke war eng, ebenso schmal wie das Fensterbrett darunter. Aber das war nun einmal nicht zu ändern.

Er quälte sich bis zum Rumpf durch die Fensteröffnung und suchte außen mit den Händen Halt. Die kühle Abendluft traf sein wundes zerkratztes Gesicht wie ein Schlag mit der flachen Hand. Er starrte hinunter. Vierzig Stockwerke lagen unter ihm. Aus dieser Höhe wirkten selbst die breiten Avenues nicht größer als die Schienen einer Spielzeugeisenbahn. Die hellen Neonlichter der Stadt tanzten vor seinen Augen und funkelten wie Juwelen auf dunklem Samt.

Renshaw war ein durchtrainierter und athletischer Mann. Mit Schwung zog er die Knie hoch auf das Fensterbrett. Wenn in diesem Moment einer der Hubschrauber hineingeflogen gekommen wäre und ihn angegriffen hätte, so hätte ein gezielter Schuß auf sein Hinterteil genügt, und er wäre schreiend vornüber gestürzt. Doch es geschah nichts.

Er richtete sich ein wenig auf und zog erst das eine, dann das andere Bein über den unteren Fensterrahmen, die Finger fest um den Sims gekrallt. Schließlich stand er aufrecht auf der Brüstung vor dem Fenster.

Er durfte jetzt nur nicht daran denken, was geschehen würde, wenn er das Gleichgewicht verlöre oder einer plötzlichen Attacke der Hubschrauber ausgesetzt sein würde. Mit zusammengebissenen Zähnen arbeitete er sich Zentimeter um Zentimeter bis zu der Ecke des Gebäudes vor. Noch fünfzehn Schritte... noch zehn... Geschafft!

Er blieb stehen, Oberkörper und Handflächen fest gegen den rauhen Putz der Außenwand gepreßt. Sein Hemd spannte über der Brust, und er spürte den harten kalten Druck der Benzinampulle bis auf die bloße Haut. Der Revolver hing zentnerschwer in seinem Gürtel.

Jetzt mußte er nur noch um die verfluchte Ecke kommen. Langsam tastete er mit dem rechten Fuß nach vorne vor und verlagerte sein Gewicht auf das rechte Bein. Die Kante des Gemäuers bohrte sich wie die Klinge eines scharfen Messers gegen seine Brust. Dicht vor seinen Augen klebten bröckelige Spuren von Vogelexkrementen auf dem Putz. Gott, ich hätte nie gedacht, daß die so hoch fliegen können, schoß es ihm in einem irrsinnigen Augenblick nachlassender Konzentration durch den Kopf.

Da verlor er mit dem linken Fuß den Halt. Eine sterbensnahe Sekunde lang drohte er zu kippen, fing sich jedoch wieder, ruderte mit den Armen und umklammerte die beiden aneinandergrenzenden Seiten der Hauswand wie den Körper einer Geliebten. Dabei preßte er sein Gesicht gegen die scharfe Eckkante, und sein Atem ging wie rasend. Dann, nachdem er einen Augenblick unbeweglich so gestanden hatte, zog er den linken Fuß nach. In etwa zehn Metern Entfernung ragte der Balkon seines Wohnzimmers vor. Er tastete sich Schritt für Schritt weiter. Sein Atem ging flach und stoßweise. Zweimal mußte er stehenbleiben, wenn eine plötzlich aufkommende Windböe ihn von dem schmalen Sims zu reißen drohte.

Endlich aber hatte er den Balkon erreicht. Er griff nach dem schmiedeeisernen Geländer und schwang sich hinüber. Die gläserne Schiebetür war nur halb von den Vorhängen verdeckt, so daß er einen vorsichtigen Blick ins Zimmer wagen konnte.

Sie standen genau so, wie er sie haben wollte: mit dem Rücken zum Fenster. Vier Soldaten und ein Hubschrauber, die offenbar zur Bewachung der Feldkiste zurückgeblieben waren. Die anderen hatten sich wahrscheinlich mit dem Raketenwerfer vor der Badezimmertür postiert.

Okay. Jetzt mußte er nur noch leise wie ein Dieb durch die halboffene Schiebetür ins Zimmer, die neben der Feldkiste unschädlich machen und durch die Korridortür nach draußen. Rasch ein Taxi zum Flughafen und ab nach Miami, Morris' treuestem Mädchen einen kleinen Besuch abstatten. Vielleicht würde er ihr mit dem Granatwerfer das Gesicht verbrennen. Das wäre dann bühnenreif.

Er zog sein Hemd aus und riß einen der Ärmel in Streifen. Den Rest ließ er auf den Boden fallen. Dann öffnete er den Verschluß der Benzinflasche mit den Zähnen, tränkte das eine Ende des Stoffstreifens mit Benzin und stopfte das andere Ende so tief in die Öffnung der Flasche, daß nur noch ein etwa fünfzehn Zentimeter langes Stück heraushing. Zum Schluß nahm er sein Feuerzeug und hielt es unter das Tuch, das sofort in Flammen stand. Dann schob er die Glastür zurück und stürzte ins Zimmer.

Der Helikopter reagierte prompt, und noch während Renshaw mit großen Sätzen auf die Feldkiste zusprang, Funken aus dem brennenden Tuch sprühten und glimmend auf den Teppichboden fielen, warf sich der Hubschrauber in selbstmörderischem Sturzflug auf ihn. Mit dem ausgestreckten Arm schlug Renshaw ihn in Stücke, biß dabei die Zähne zusammen und versuchte, den Schmerz zu ignorieren, den die wirbelnden Propeller ihm verursachten. Die kleinen Infanteriesoldaten flüchteten sich ins Innere der Kiste.

Dann ging alles blitzschnell. Renshaw warf die Benzinflasche. Sie explodierte, loderte auf und verwandelte sich sekundenschnell in eine brennende Kugel. Renshaw drehte sich um und rannte zu Tür.

Was ihn traf, konnte er nicht mehr feststellen. Es war, als donnerte ein schwerer stählerner Safe aus großer Höhe auf Beton. Nur dieses Geräusch, wie ein heftiger dumpfer Aufprall, hallte durch alle Stockwerke des Hochhauses. Es ließ die Scheiben in den Fensterrahmen vibrieren, als hätte gerade ein Flugzeug die Schallmauer durchbrochen. Die Korridortür seiner Wohnung flog aus den Angeln und schmetterte an die gegenüberliegende Wand.

Ein Pärchen, das unten auf der Straße Hand in Hand vorbeiging, schaute nach oben, gerade, als eine riesige Flamme aus dem Fenster schlug.

»Da hat es wahrscheinlich eine Explosion gegeben«, sagte der junge Mann, »es sieht so aus, als —«

»Sieh mal da!« rief seine Freundin.

Irgend etwas schwebte durch die Luft herab und landete genau vor ihren Füßen. Er hob es auf und betrachtete es.

»Du lieber Himmel, das ist ja ein Männerhemd, ganz durchlöchert und voller Blut!«

Die junge Frau schauderte. »Das ist mir unheimlich«, sagte sie nervös. »Bitte, ruf uns ein Taxi, Ralph. Wenn da etwas passiert ist, werden wir vielleicht von der Polizei verhört, und das wäre dir doch auch nicht recht, oder?«

»Hm, natürlich nicht.«

Er blickte sich um, erspähte ein Taxi und winkte es herbei. Als es hielt, rannten sie über die Straße und stiegen ein.

An genau derselben Stelle, wo die beiden eben noch gestanden hatten, tanzte ein kleines Stück Papier wie eine Feder durch die Luft und landete auf dem Pflaster dicht neben John Renshaws Hemd.

Mit gestochener Handschrift stand darauf geschrieben:

Hallo Kinder! In dieser Vietnam-Feldkiste
findet Ihr eine besondere Überraschung!
(Nur für eine begrenzte Zeit)

1 *RAKETENWERFER*
20 *FLA-FLUGKÖRPER MARKE »TWISTER«*
1 *WASSERSTOFFBOMBE*

Lastwagen

Der Mann hieß Snodgrass, und ich sah, daß er im Begriff war, etwas Verrücktes zu tun. Seine Augen waren ganz groß geworden, und man sah viel Weißes, wie bei einem angriffslustigen Hund. Die beiden jungen Leute, die mit ihrem alten Fury auf den Parkplatz gerutscht waren, redeten auf ihn ein, aber er hielt den Kopf schräg, als hörte er fremde Stimmen. Sein praller kleiner Bauch steckte in einem teuren Anzug, der am Hosenboden schon ein wenig glänzte. Er war Handelsvertreter, und seine Mustertasche lag dicht neben ihm, wie ein Hund, der eingeschlafen war.

»Versuchen Sie es noch mal mit dem Radio«, sagte der Lastwagenfahrer am Tresen.

Der Imbißkoch zuckte die Achseln. Er stellte das Gerät wieder an und drehte am Einstellknopf, aber er bekam nur statische Geräusche.

»Sie machen es zu schnell« protestierte der Fahrer. »Sie haben vielleicht was übersprungen.«

»Verdammt«, sagte der Imbißkoch. Er war ein älterer Schwarzer mit goldblitzendem Lächeln. Er schaute an dem Fahrer vorbei durch das Fenster, das die ganze Länge des Raumes einnahm, auf den Parkplatz hinaus.

Sieben oder acht schwere Lastwagen standen draußen mit laufenden Motoren. Ihr Dröhnen im Leerlauf hörte sich an wie das Schnurren von Raubkatzen. Es waren ein paar Macs, ein Hemingway und vier oder fünf Reos, alle mit Anhängern. Es waren Fahrzeuge für den Interstate-Verkehr mit mehreren Nummernschildern und CB-Antennen hinten am Führerhaus.

Der Fury der jungen Leute lag umgestürzt am Ende einer langen Rutschspur im losen Kies des Parkplatzes. Er war total zertrümmert. In der Nähe der Auffahrt zum Parkplatz stand ein völlig ruinierter Cadillac. Sein Besitzer starrte wie ein ausgenommener Fisch durch die geplatzte Windschutzscheibe. An einem Ohr hing noch seine Hornbrille.

Mitten auf dem Platz lag die Leiche eines Mädchens in einem rosa Kleid. Als sie sah, daß es krachen würde, war sie aus dem Caddy gesprungen und weggerannt, aber sie hatte keine Chance. Sie sah am schlimmsten aus, wenn sie auch mit dem Gesicht nach unten lag. Wolken von Fliegen umschwärmten sie. Auf der anderen Straßenseite war ein Ford-Kombi durch die Leitplanke geschleudert worden. Das war vor einer Stunde passiert. Seitdem war niemand gekommen. Die Straße konnte man vom Fenster aus nicht sehen, und das Telefon war tot.

»Sie machen es zu schnell«, wiederholte der Fahrer seinen Protest. »Sie sollten . . .«

In diesem Augenblick rannte Snodgrass los. Er stieß den Tisch um, als er aufsprang. Die Kaffeetassen klirrten, und der Zucker spritzte in hohem Bogen. Er rollte wild mit den Augen, und seine Lippen hingen schlaff herab. »Wir müssen hier raus«, brabbelte er. »Wir müssen hier raus, wir müssen hier raus –«

Der junge Mann schrie, und seine Freundin kreischte.

Snodgrass stürzte zur Tür und rannte über den Kies zum Abflußgraben an der linken Seite. Zwei der Wagen rasten auf ihn zu. Ihre nach oben führenden Auspuffrohre stießen dunkelbraunen Dieselqualm in den Himmel, und die riesigen Hinterräder ließen den Sand wegspritzen, als würde aus Maschinengewehren geschossen.

Er war höchstens fünf oder sechs Schritte vom Ende des Parkplatzes entfernt, als er sich umdrehte. In seinem Gesicht stand nackte Angst. Er stolperte über seine eigenen Beine und wäre fast gestürzt. Er fing sich wieder, aber es war zu spät.

Einer der Lastwagen machte Platz, und der andere beschleunigte. Sein riesiges Kühlergrill funkelte bösartig in der Sonne. Snodgrass stieß einen hohen dünnen Schrei aus, der im dumpfen Brüllen des Diesels fast unterging.

Der Wagen überfuhr ihn nicht. Wie sich später zeigen sollte, wäre das besser gewesen. Er stieß ihn weg, wie ein Rugbyspieler den Ball wegschlägt. Ganz kurz zeichnete sich seine Silhouette wie eine verbogene Vogelscheuche vor dem heißen Nachmittagshimmel ab, und dann verschwand er im Abwassergraben.

Die Bremsen des großen Lastwagens zischten wie der Atem eines Drachen, und die Vorderräder blockierten und zogen tiefe Schneisen durch den Kies. Nur Zentimeter vor dem Graben kam er zum Stehen. Das Schwein.

Das Mädchen in der Nische kreischte wieder. Die Finger hatte sie in die Wangen gekrallt, daß sie das Fleisch abzog. Ihr Gesicht wirkte wie eine Hexenmaske.

Glas splitterte. Ich drehte mich um und sah, daß der Lastwagenfahrer sein Glas so fest gepackt hatte, daß es zerbrach. Wahrscheinlich wußte er es noch nicht. Mit etwas Blut vermischte Milch floß auf den Tresen.

Der Schwarze am Tresen stand wie angewurzelt neben seinem Radio, einen Wischlappen in der erhobenen Hand. Er wirkte sehr erstaunt. Seine Zähne glitzerten. Einen Augenblick lang hörte man nur das Summen der Westclox an der Wand und das Dröhnen des Motors, als der Reo zu seinen Kollegen zurückfuhr. Dann fing das Mädchen an zu weinen, und das war gut – oder wenigstens besser.

Mein eigener Wagen stand seitlich neben dem Gebäude und war nur noch Schrott. Ein 1971er Camaro, auf den ich noch abzahlte, aber ich glaube, das spielte jetzt keine Rolle mehr.

In den Lastwagen saß niemand.

Die Sonne spiegelte sich in leeren Fahrerhäusern. Die Räder drehten sich von selbst. Man durfte darüber nicht viel nachdenken. Wenn man darüber nachdachte, mußte man verrückt werden. Wie Snodgrass.

Zwei Stunden vergingen. Die Sonne ging langsam unter. Draußen patrouillierten die Wagen in langsamen Kreisen und Achterschleifen. Ihre Scheinwerfer und Parklichter waren jetzt eingeschaltet. Ich ging zweimal am ganzen Tresen hin und her, denn meine Beine waren eingeschlafen, und dann setzte ich mich in eine der Nischen vor der langen vorderen Scheibe. Dies war eine ganz normale Raststätte in der Nähe einer Autobahn. Hier konnte man Benzin und Diesel tanken, und die Fahrer tranken hier ihren Kaffee oder aßen eine Kleinigkeit.

»Mister?« Die Stimme klang zögernd.

Ich sah mich um. Es waren die beiden jungen Leute mit dem Fury. Der Junge sah aus wie neunzehn. Er hatte lange Haare und einen Bart, der gerade erst Form gewann. Das Mädchen wirkte jünger.

»Ja?«

»Was ist Ihnen passiert?«

Ich zuckte die Achseln. »Ich fuhr auf der Interstate nach Pelson«, sagte ich. »Hinter mir ein Lastwagen – ich sah ihn im Spiegel. Er war noch weit entfernt, aber er fuhr Höchstgeschwindigkeit. In einer Entfernung von einer Meile konnte man ihn schon hören. Er überholte einen VW-Käfer. Der Anhänger schleuderte, und er fegte den Käfer einfach von der Straße, wie man eine Papierkugel vom Tisch schnippt. Ich dachte schon, der Laster würde auch von der Straße abkommen. Kein Fahrer hätte ihn halten können, wenn der Anhänger so schleudert. Aber er blieb auf der Spur. Der VW überschlug sich sechs- oder siebenmal und explodierte. Den nächsten erwischte der Laster auf die gleiche Weise. Er kam immer näher, und was meinen Sie, wie schnell ich die nächste Ausfahrt erwischte.« Ich lachte, aber mein Lachen war nicht echt. »Und da bin ich bei dieser Raststätte gelandet. Vom Regen in die Traufe.«

Das Mädchen schluckte. »Wir sahen einen Greyhound-Bus, der auf der Richtungsfahrbahn Süden nach Norden fuhr. Er... pflügte... nur so durch die Wagen hindurch. Dann explodierte er und brannte aus, aber vorher... ein Blutbad.«

Ein Greyhound-Bus. Das war etwas Neues. Und etwas Entsetzliches.

Plötzlich ging draußen bei allen Fahrzeugen gleichzeitig das Fernlicht an und tauchte alles in unheimlichen Glanz. Brummend fuhren sie hin und her. Die Scheinwerfer schienen ihnen Augen zu geben, und in der zunehmenden Dunkelheit sahen die Anhängeraufbauten aus wie die krummen breiten Rücken prähistorischer Riesen.

Der Mann am Tresen sagte: »Ob es wohl gefährlich ist, das Licht anzuschalten?«

»Tun Sie es doch«, sagte ich. »Dann werden Sie es ja erfahren.« Er betätigte den Schalter, und an der Decke leuchteten ein paar mit Fliegenschmutz bedeckte Lampen auf. Gleichzeitig flackerte draußen eine Neonreklame auf: »Conants Raststätte und Imbiß – Gutes Essen«. Nichts geschah. Die Wagen draußen drehten weiter ihre Runden.

»Ich begreife das nicht«, sagte der Fahrer. Er war von seinem Hocker gestiegen und ging im Raum auf und ab. Um seine Hand hatte er ein rotes Halstuch gewickelt. »Ich hatte nie Probleme mit meiner Karre. Ein gutes altes Mädchen. Ich bin hier reingefahren, weil ich Spaghetti essen wollte, und nun dies.« Er zeigte nach draußen, und das Halstuch flatterte an seiner Hand. »Meine eigene Karre steht da draußen. Es ist die mit dem schwachen linken Hecklicht. Ich fahre sie schon seit sechs Jahren. Aber wenn ich jetzt rausginge –«

»Sie fährt gerade an«, sagte der Mann hinter dem Tresen. Sein Blick war verhangen, aber hellwach. »Schlimm, daß das Radio nicht funktioniert. Sie fährt gerade an.«

Dem Mädchen war alles Blut aus dem Gesicht gewichen. »Macht nichts«, sagte ich zu dem Mann am Tresen. »Jedenfalls noch nicht.«

»Woran kann das nur liegen?« fragte der Fahrer besorgt. »Elektrische Entladung in der Atmosphäre? Atombombentests? Was?«

»Vielleicht sind sie einfach verrückt geworden«, sagte ich.

Gegen sieben Uhr ging ich zu dem Mann am Tresen. »Wie sind Sie ausgestattet? Ich meine, für den Fall, daß wir hier länger bleiben müssen?«

Er runzelte die Stirn. »Eigentlich nicht schlecht. Gestern kriegten wir die letzte Lieferung. Wir haben zwei- bis dreihundert Blätterteigtaschen für Hamburger, Dosenfrüchte und Dosengemüse, Nährmittel, Eier... an Milch nur noch, was in der Kühlung steht, aber wir haben ja noch das Wasser aus dem

Brunnen. Wenn nötig, könnten wir fünf es hier länger als einen Monat aushalten.«

Der Fahrer kam rüber und sagte, ohne jemanden anzusehen: »Ich habe keine einzige Zigarette mehr. Aber dieser Zigarettenautomat...«

»Er gehört mir nicht«, sagte der Schwarze. »No, Sir.«

Der Fahrer hatte ein Stemmeisen aus den hinten gelegenen Vorratsräumen mitgebracht. Er fing an, den Automaten zu bearbeiten.

Der Junge ging an die glitzernde Musikbox und warf eine Münze ein. John Fogarty verkündete singend, daß er auf dem Bayou geboren sei.

Ich setzte mich und schaute aus dem Fenster. Ich sah etwas, was mir gleich nicht gefiel. Ein Chevrolet-Kleinlaster hatte sich zu der Runde gesellt wie ein Shetlandpony zu einer Herde von Percheronpferden. Ich beobachtete ihn, bis er einfach über die Leiche des Mädchens aus dem Caddy hinwegrollte, und dann sah ich weg.

»Wir Menschen haben sie doch *gebaut*«, sagte das Mädchen plötzlich kläglich. »Sie *können* so was doch nicht tun!«

Ihr Freund beruhigte sie. Der Fahrer hatte den Automaten geöffnet und bediente sich. Er nahm sechs oder acht Packungen Viceroy. Er steckte sie in verschiedene Taschen und riß eine Schachtel auf. Er wirkte so gierig, daß ich nicht wußte, ob er sie rauchen oder essen wollte.

Aus der Musikbox ertönte der nächste Song. Es war acht Uhr.

Um acht Uhr dreißig fiel der Strom aus.

Als das Licht ausging, schrie das Mädchen. Der Schrei verstummte plötzlich, als hätte ihr Freund ihr die Hand auf den Mund gelegt. Die Musik verebbte mit einem absterbenden Grunzen.

»Verdammt noch mal!« sagte der Fahrer.

»Haben Sie Kerzen?« rief ich zu dem Schwarzen am Tresen hinüber.

»Ich glaube wohl. Warten Sie ... ja, hier liegen ein paar.«

Ich stand auf und ließ sie mir geben. Wir zündeten sie an und stellten sie auf. »Seien Sie vorsichtig«, sagte ich. »Wenn wir den Schuppen anstecken, ist der Teufel los.«

Der Schwarze lachte grimmig. »Was Sie nicht sagen.«

Als wir die Kerzen aufgestellt hatten, hockten sich der Junge und seine Freundin nebeneinander. Der Fahrer stand an der Hintertür und beobachtete sechs weitere schwere Lastwagen, die zwischen den Betonstreifen mit den Zapfsäulen hin und her pendelten. »Dies ändert die Lage, nicht wahr?« sagte ich zu dem Mann am Tresen.

»Verdammt übel, wenn der Strom endgültig ausgefallen ist.«

»Und was bedeutet das für uns?«

»Das Hackfleisch für die Hamburger hält sich höchstens drei Tage. Das übrige Fleisch vergammelt natürlich genauso schnell. Die Konserven brauchen keine Kühlung, auch die trockenen Lebensmittel nicht. Aber das ist nicht das Problem. Ohne die Pumpen haben wir kein Wasser.«

»Das ist sehr schlecht.«

»Ja«, sagte der Schwarze, »denn ohne Wasser halten wir es höchstens eine Woche aus.«

»Füllen Sie alle Gefäße, die Sie haben. Holen Sie alles Wasser raus, bis nur noch Luft kommt. Wo sind die Toiletten? Das Wasser in den Spültanks ist gut.«

»Der Aufenthaltsraum für die Angestellten liegt hinten. Aber wenn man zu den Toiletten will, muß man nach draußen.«

»Zur Werkstatt rüber?« Dazu war ich nicht bereit. Noch nicht.

»Nein. Durch den Seitenausgang und dann ein Stück weiter.«

»Geben Sie mir einen Eimer.«

Er hatte zwei verzinkte. Der Junge kam herüber.

»Was wollen Sie tun?«

»Wir brauchen Wasser. Soviel wir kriegen können.«

»Dann geben Sie mir auch einen Eimer.«

Ich reichte ihm einen.

»Jerry!« rief das Mädchen. »Du–«

Er sah sie nur an, und sie schwieg. Aber sie nahm eine Serviette und fing an, sie zu zerreißen. Der Fahrer rauchte seine zweite Zigarette und schaute zu Boden. Dabei grinste er, aber er sagte nichts.

Wir gingen zur Seitentür, durch die ich am Nachmittag hereingekommen war. Wir blieben einen Augenblick stehen und sahen die Schatten dunkler werden, während die Wagen immer noch hin und her fuhren.

»Und jetzt?« fragte der Junge. Sein Arm streifte meinen, und seine Muskeln spannten sich und summten wie Drähte. Wer jetzt mit ihm aneinandergeraten wäre, hätte sein Testament machen können.

»Beruhigen Sie sich«, sagte ich.

Er lächelte ein wenig. Es war ein gequältes Lächeln, aber besser als gar keins.

»Okay.«

Wir glitten durch die Tür.

Die Nachtluft hatte sich abgekühlt. Grillen zirpten im Gras, und im Abwassergraben quakten die Frösche. Hier draußen hörte man das Poltern und Dröhnen der Lastwagen lauter und drohender. Hier draußen war es Wirklichkeit. Hier konnte man getötet werden.

Wir schlichen an der gekachelten Außenwand entlang. Das leicht vorspringende Dach ließ uns ein wenig im Schatten. Drüben am Windschutzzaun lag mein zertrümmerter Camaro, und das schwache Licht der Verkehrszeichen spiegelte sich auf dem zerfetzten Metall und in Lachen von Benzin und Öl.

»Sie gehen in die Damentoilette«, flüsterte ich. »Nehmen Sie das Wasser aus dem Spültank.«

Die Diesel dröhnten gleichmäßig. Es war tückisch. Man glaubte, sie kommen zu hören, aber es war nur das Echo, das von den Ecken und Kanten des Gebäudes zurückgeworfen wurde. Wir mußten nur etwa sechs Meter weit laufen, aber es kam uns viel weiter vor.

Er öffnete die Tür zur Damentoilette und ging hinein. Ich rannte an ihm vorbei in die Herrentoilette. Ich merkte, wie meine Muskeln sich spannten, und stieß hörbar die Luft aus. Ich sah mich im Spiegel. Mein Gesicht war blaß, und ich hatte dunkle Ringe unter den Augen.

Ich nahm den Porzellandeckel vom Spültank und füllte meinen Eimer. Ich goß ein wenig zurück, damit er nicht überschwappte, und ging zur Tür. »He?«

»Ja«, ächzte der Junge.

»Bist du fertig?«

»Ja.«

Wir gingen wieder nach draußen. Wir waren vielleicht sechs Schritte gelaufen, als uns Scheinwerfer anstrahlten. Er hatte sich herangeschlichen, und die riesigen Räder mahlten ganz langsam den Kies. Er hatte auf der Lauer gelegen, und jetzt sprang er uns an, die Scheinwerfer zogen wilde Kreise, der riesige Kühlergrill schien die Zähne zu blecken.

Der Junge erstarrte. In seinem Gesicht stand blankes Entsetzen. Sein Blick war leer, und seine Pupillen hatten sich bis aufs äußerste verengt. Ich stieß ihn vorwärts, und er verschüttete die Hälfte von seinem Wasser.

»Lauf!«

Das Donnern des Dieselmotors wurde zu einem hellen Kreischen. Ich griff an dem Jungen vorbei, um die Tür zu öffnen, aber bevor ich den Griff erreichte, wurde sie von innen aufgestoßen. Der Junge warf sich vorwärts, und ich sprang an ihm vorbei. Ich drehte mich um und sah den riesigen Peterbilt die gekachelte Wand streifen. Es gab ein ohrenbetäubendes knirschendes Geräusch, und die zersplitterten Kacheln flogen davon. Es war, als kratzten Riesenfinger über eine Wandtafel. Dann krachte der Laster mit seinem rechten Kotflügel und dem Kühlergrill gegen die noch immer offene Tür, und Glassplitter stoben in den Raum. Die stählernen Türangeln rissen wie Toilettenpapier, und die Tür flog in die Nacht hinaus wie in einem Gemälde von Dali. Der Wagen raste auf den Parkplatz zurück, und sein Auspuff knatterte wie ein Maschinengewehrfeuer. Es klang wütend und enttäuscht.

Der Junge stellte den Eimer ab und ließ sich zitternd in die Arme des Mädchens fallen.

Mein Herz hämmerte gegen meinen Brustkorb, und meine Waden fühlten sich wie Wasser an. Und da wir von Wasser sprechen, wir hatten einen ganzen und einen viertel Eimer mitgebracht. Es hatte sich kaum gelohnt.

»Ich will diese Tür verrammeln«, sagte ich zu dem Mann am Tresen. »Wie können wir das machen?«

»Warten Sie–«

Der Fahrer meldete sich zu Wort. »Warum? Die großen Laster kriegen hier doch kein Rad rein.«

»Um die großen Laster mache ich mir auch keine Sorgen.«

Der Fahrer suchte nach einer Zigarette.

»Wir haben im Lagerraum noch ein paar Wandverkleidungen aus Metall«, sagte der Mann am Tresen. »Der Boss wollte einen Schuppen bauen, wo das Butangas gelagert werden soll.«

»Die stellen wir vor den Eingang und stützen sie mit dem Holz von den Nischen ab.«

»Das wäre gut«, sagte der Fahrer.

Wir brauchten ungefähr eine Stunde, und alle arbeiteten mit, sogar das Mädchen. Wir hatten eine solide Sperre errichtet, aber eine solide Sperre würde natürlich nicht reichen, wenn einer der Laster mit Vollgas dagegendonnerte. Das wußten wir alle.

Drei Nischen standen noch, und ich setzte mich in eine von ihnen. Die Uhr hinter dem Tresen war um acht Uhr zweiunddreißig stehengeblieben, aber es mußte jetzt ungefähr zehn Uhr sein. Draußen hörte ich das Brummen der Motoren und sah die Wagen ihre Runden drehen. Einige verschwanden mit unbekanntem Ziel, aber neue tauchten auf. Ich sah jetzt drei Kleinlaster, die sich zwischen ihren größeren Brüdern wichtig taten.

Ich nickte ein, und statt Schafe zu zählen, zählte ich Lastwagen. Wie viele gab es in diesem Staat und wie viele in ganz Amerika? Lastwagen mit Anhängern, Kleinlaster, Sattelschlepper, Dreivierteltonner, Zehntausende von Armeelastwagen und Busse. Ich hatte die alptraumhafte Vision eines Stadtbusses, der mit zwei Rädern auf der Fahrbahn und mit den anderen beiden auf dem Bürgersteig fuhr und schreiende Passanten niedermähte wie eine Kugel, die Kegel trifft. Ich schüttelte diese Visionen ab und schlief ein. Ein leichter, unruhiger Schlaf.

Es muß schon früher Morgen gewesen sein, als Snodgrass anfing zu schreien. Ein fahler Neumond zeigte sich am Himmel und schickte sein eisiges Licht durch die Wolkenschleier. Ein neues, klapperndes Geräusch überlagerte jetzt das dumpfe Röhren der leerlaufenden Diesel. Ich suchte seine Quelle und sah eine Heupresse auf den Platz fahren. Die Speichen ihres Rechens drehten sich langsam, und der Mondschein ließ das Metall glänzen.

Wieder ein Schrei, und er kam zweifellos aus dem Abwassergraben: »Hilfe ... Hiiiilfe ...«

»Was war das?« fragte das Mädchen. Im Halbdunkel sah man ihre aufgerissenen Augen. Sie mußte entsetzliche Angst haben.

»Nichts«, sagte ich.

»Er lebt«, flüsterte sie. »Mein Gott, er lebt noch.«

Ich mußte ihn nicht unbedingt sehen. Ich konnte es mir nur allzu gut vorstellen. Snodgrass, halb noch im Graben und halb herausgekrochen, Beine und Rückgrat gebrochen und sein sorgfältig gebügelter Anzug mit Schlamm bedeckt, das bleiche Gesicht zum Himmel erhoben, wo der Mond gleichgültig seine Bahn zog.

»Ich habe nichts gehört«, sagte ich. »Sie etwa?«

Sie sah mich an. »Wie können Sie das sagen?«

»Wecken Sie doch Ihren Freund«, sagte ich und zeigte mit dem Daumen hinüber. »Vielleicht hört *er* ja etwas und geht hinaus. Würde Ihnen das gefallen?«

Ihr Gesicht verzog sich und zuckte wie von unsichtbaren Nadeln gestochen. »Nichts«, flüsterte sie. »Da draußen ist nichts.«

Sie ging zu ihrem Freund zurück und lehnte ihren Kopf gegen seine Brust. Im Schlaf legte er den Arm um sie.

Von den anderen wachte keiner auf. Snodgrass rief und weinte und schrie noch lange. Dann war Stille.

Morgendämmerung.

Ein weiterer Lastwagen war angekommen. Ein Tieflader mit einem riesigen Kran. Ein Abschleppfahrzeug. Hinter ihm eine Planierraupe. Das machte mir Angst.

198

Der Fahrer kam und kniff mir in den Arm. »Kommen Sie mit nach hinten«, flüsterte er aufgeregt. Die anderen schliefen noch. »Sehen Sie sich das an.«

Ich folgte ihm nach hinten in den Lagerraum. Etwa zehn Wagen patrouillierten da draußen. Zuerst bemerkte ich nichts Besonderes.

»Sehen Sie nicht?« fragte er und zeigte nach draußen. »Gleich hier vorn.«

Dann sah ich es. Einer der Kleinlaster war stehengeblieben. Er stand da wie ein großer Klumpen und wirkte überhaupt nicht mehr bedrohlich.

»Kein Treibstoff mehr?«

»Ganz richtig, Kumpel. *Und sie können sich nicht selbst betanken.* Jetzt haben wir sie. Wir brauchen nur zu warten.« Er lächelte und suchte nach einer Zigarette.

Es war etwa neun Uhr, und ich aß zum Frühstück den Rest der Pastete vom Vortage, als das Gellen der Hupe ertönte – langgezogen und so laut, daß man Kopfschmerzen bekam. Wir sprangen auf und rannten ans Fenster. Die Wagen standen, und die Motoren brummten im Leerlauf. Ein Lastwagen mit Anhänger, ein riesiger Reo mit rotem Fahrerhaus, war fast bis an den schmalen Grasstreifen zwischen Parkplatz und Restaurant herangefahren. Bei der kurzen Entfernung wirkte die viereckige Kühlerverkleidung gewaltig. Ein Mordinstrument.

Wieder gellte die Hupe, harte wütende Stöße, deren Echo von den Wänden zurückgeworfen wurde. Ich glaubte, ein Muster zu erkennen. Kurz, dann wieder langgezogen, und das Ganze in einer Art Rhythmus.

»Das ist Morsen!« rief der Junge plötzlich.

Der Fahrer sah ihn an. »Woher willst du das denn wissen?«

Jerry wurde rot. »Das hab ich bei den Pfadfindern gelernt.«

»Du?« sagte der Fahrer. »Ausgerechnet *du*?« Er schüttelte den Kopf.

»Lassen Sie das«, sagte ich. »Verstehst du davon noch genug, um–«

»Klar. Ich muß nur zuhören. Hat jemand einen Bleistift?«

Der Mann am Tresen gab ihm einen, und der Junge schrieb

die Buchstaben auf eine Serviette. Nach einer Weile hielt er inne. »Er sagt immer nur ›Achtung‹. Wir müssen warten.«

Wir warteten. Die Hupe brüllte ihre langen und kurzen Töne in die stille Morgenluft. Dann änderte sich das Muster, und der Junge fing wieder an zu schreiben. Wir sahen ihm über die Schulter und erkannten, wie sich eine Botschaft formte. »Jemand muß Treibstoff pumpen. Ihm wird nichts geschehen. Der ganze Treibstoff muß gepumpt werden. Es muß sofort sein. Jemand muß jetzt Treibstoff pumpen.«

Die Hupe dröhnte weiter, aber der Junge schrieb nicht mehr mit. »Er wiederholt nur immer wieder ›Achtung‹!«, sagte er.

Immer wieder hupte der Lastwagen seine Botschaft. Mir gefielen die Worte nicht, wie sie da in Blockschrift auf der Serviette standen. Sie sahen maschinell und kalt aus. Diese Worte ließen keinen Kompromiß zu. Man tat es, oder man tat es nicht.

»Das wär's«, sagte der Junge. »Was wollen wir tun?«

»Nichts«, sagte der Fahrer. Er war aufgeregt, und in seinem Gesicht arbeitete es. »Wir brauchen nur zu warten. Sie haben alle nicht mehr viel Treibstoff. Wir brauchen nur–«

Die Hupe verstummte. Der Laster fuhr zu den anderen zurück. Sie warteten in einem Halbkreis, und ihre Scheinwerfer waren auf uns gerichtet.

»Ich habe draußen eine Planierraupe gesehen«, sagte ich.

Jerry sah mich an. »Glauben Sie, daß sie das Gebäude einreißen wollen?«

Er sah den Mann am Tresen an. »Das schaffen sie doch wohl nicht, oder?«

Der Schwarze zuckte die Achseln.

»Wir sollten abstimmen«, sagte der Fahrer. »Wir lassen uns nicht erpressen. Wir brauchen nur zu warten, verdammt.« Das hatte er inzwischen dreimal wiederholt. Wie eine Beschwörung.

»Okay«, sagte ich. »Wir stimmen ab.«

»Moment«, sagte der Fahrer sofort.

»Ich denke, wir sollten ihnen Treibstoff geben«, sagte ich. »Wir warten dann eben auf eine bessere Gelegenheit abzuhauen.« Ich wandte mich an den Schwarzen. »Was meinen Sie?«

»Bleiben Sie bloß hier«, sagte er. »Wollen Sie sich zu ihrem Sklaven machen? Wollen Sie den Rest Ihres Lebens damit verbringen, Ölfilter zu wechseln, wenn eines dieser... *Dinger* hupt? Ich nicht.« Er blickte wütend durch das Fenster. »Sollen sie doch verhungern.«

Ich sah das Mädchen und ihren Freund an.

»Ich finde, er hat recht«, sagte der Junge. »Nur so können wir sie aufhalten. Wenn jemand uns hier hätte rausholen wollen, hätte er es schon getan. Wer weiß, was woanders geschieht.« Und das Mädchen, das gerade an Snodgrass dachte, nickte und trat näher an ihren Freund heran.

»Das wäre dann also erledigt«, sagte ich.

Ich ging an den Zigarettenautomaten und nahm mir eine Packung, ohne auf die Marke zu achten. Ich hatte vor einem Jahr aufgehört zu rauchen, aber dies war der günstigste Augenblick, wieder damit anzufangen. Der Rauch brannte mir in den Lungen.

Die nächsten zwanzig Minuten schlichen träge dahin. Die Wagen vorne warteten. Die anderen hinten hatten sich schon an den Zapfsäulen aufgereiht.

»Ich glaube, das Ganze war nur ein Bluff«, sagte der Fahrer. »Nur –«

Dann war ein lauteres, brüllenderes, abgehackteres Geräusch zu hören. Ein Motor, der auf Touren kommt, abfällt und wieder hochgejagt wird. Die Planierraupe.

Wie eine riesige gelbe Wespe glänzte sie in der Sonne, ein Caterpillar mit gewaltigen Stahlketten. Als er in unsere Richtung wendete, rülpste er schwarzen Qualm aus seinem kurzen Auspuff.

»Er greift an«, sagte der Fahrer. In seinem Gesicht lag ein Ausdruck höchster Überraschung. »Er greift an!«

»Zurück«, rief ich. »Hinter den Tresen!«

Die Planierraupe ließ wieder den Motor aufheulen. Die Schalthebel bewegten sich von selbst. Über dem qualmenden Auspuff flimmerte die Luft. Plötzlich fuhr die Schaufel der

Raupe hoch, ein schweres gebogenes Stahlgerät, an dem noch getrockneter Schlamm klebte. Dann donnerte sie mit aufbrüllendem Motor direkt auf uns zu.

»Zum *Tresen*!« Ich gab dem Fahrer einen Stoß, und das setzte auch die anderen in Bewegung.

Zwischen dem Parkplatz und dem Rasen lag eine schmale Betoneinfassung. Mit hoch erhobener Schaufel rollte die Raupe darüber hinweg und rammte frontal die vordere Wand. Knallend explodierte das Glas nach innen, und der Holzrahmen zersplitterte. Eine der Deckenleuchten sauste herab und spritzte weiteres Glas durch den Raum. Geschirr kippte aus den Regalen. Das Mädchen schrie, aber ihre Schreie gingen im Brüllen des Motors unter.

Der Caterpillar setzte zurück und wühlte dabei den Rasen auf. Dann schoß er wieder vorwärts und ließ die restlichen Nischen krachend zersplittern. Der Karton mit den Pasteten fiel vom Tresen, und die Pasteten verteilten sich über den Fußboden.

Der Schwarze stand geduckt und hatte die Augen geschlossen. Der junge Mann hielt sein Mädchen fest. Der Fahrer schielte vor Angst.

»Wir müssen ihn stoppen«, brabbelte er. »Sagt ihnen, daß wir ihn stoppen. Wir werden—«

»Ein bißchen spät, was?«

Der Caterpillar setzte zurück, bereit, erneut vorzupreschen. Die Einschnitte in seiner Schaufel waren jetzt vom Schlamm befreit, und das Metall glänzte in der Sonne. Dann rollte er mit Vollgas auf das Gebäude zu. Diesmal knickte er den Träger links vom Fenster um. Krachend stürzte das Dach ein. Staub flog auf.

Die Raupe fuhr rückwärts aus den Trümmern heraus, und hinter ihr sah ich die Lastwagen. Sie warteten.

Ich griff mir den Schwarzen. »Wo stehen die Ölfässer?« Der Herd wurde mit Butan beheizt, aber ich hatte die vergitterten Öffnungen für einen Heißluftofen gesehen.

»Im Vorratsraum ganz hinten«, sagte er.

Ich griff mir den Jungen. »Komm mit.«

Wir standen auf und rannten in den Vorratsraum. Wieder schlug die Raupe zu, und das ganze Gebäude erzitterte. Zwei oder drei weitere Anläufe, und sie konnte am Tresen Kaffee trinken.

Wir fanden zwei große Fässer mit je fünfzig Gallonen, von denen aus die Heizung gespeist wurde. Beide Fässer hatten Zapfhähne. Neben der Hintertür stand ein Karton mit leeren Ketchupflaschen. »Bring sie her, Jerry.«

Während er sie holte, zog ich mir das Hemd aus und riß es in Fetzen. Wieder rannte die Raupe gegen das Gebäude an, dann noch einmal. Jedesmal hörten wir das berstende Geräusch neuer Zerstörung.

Ich füllte die Ketchupflaschen aus den Zapfhähnen, und er stopfte die Fetzen in die Flaschen. »Spielst du Football?« fragte ich ihn.

»In der Schule habe ich gespielt«, sagte er.

»Okay. Dann tu so, als ob du einen Einwurf machst.«

Wir gingen ins Restaurant zurück. Die ganze vordere Wand war eingerissen. Die verstreuten Glassplitter glitzerten wie Diamanten. Ein schwerer Balken war quer vor den Eingang gestürzt. Die Raupe fuhr rückwärts und zog ihn dabei aus den Trümmern. Beim nächsten Mal würde sie wohl alle Bänke und Tische und den Tresen wegräumen.

Wir knieten nieder und stellten die Flaschen bereit. »Anzünden«, sagte ich zu dem Fahrer.

Er holte Streichhölzer aus der Tasche, aber seine Hände zitterten so heftig, daß er sie fallen ließ. Der Schwarze hob sie auf und zündete eines an. Die Stofflappen brannten.

»Schnell«, sagte ich.

Wir rannten los, der Junge vor mir. Die Glassplitter knirschten unter unseren Füßen. Die Luft war heiß, und es roch nach Öl. Es war sehr laut. Und sehr heiß.

Die Raupe fuhr an.

Der Junge duckte sich und sprang los. Ich sah seine Silhouette vor der schweren Schaufel der Raupe und rannte nach rechts. Beim ersten Mal warf der Junge zu kurz. Seine zweite Flasche traf nur die Schaufel, und das Öl verbrannte nutzlos.

Er wollte weglaufen, und dann war sie über ihm, ein rollender Moloch, vier Tonnen Stahl. Er warf die Arme hoch, und dann war er verschwunden. Zermalmt.

Ich fuhr herum und warf eine Flasche in das Fahrerhaus, die andere direkt in den Motorraum. Sie explodierten gleichzeitig, und Flammen schossen hoch.

Der Motor der Raupe heulte auf. Es war ein fast menschlicher Schrei, ein Schrei der Wut und der Qual. Sie fuhr einen Halbkreis und riß dabei die rechte Ecke des Gebäudes weg. Dann rollte sie schlingernd auf den Graben zu.

Die Raupenketten waren blutbeschmiert, und wo der Junge gestanden hatte, lag etwas, das aussah wie ein zusammengeknülltes Handtuch.

Der Caterpillar hatte fast den Graben erreicht. Aus dem Fahrerhaus und der Motorhaube schlugen Flammen. Dann explodierte er in einer gewaltigen Fontäne.

Ich taumelte zurück und wäre fast gestürzt. Der heiße Geruch kam nicht vom Öl. Es war brennendes Haar. Ich stand selbst in Flammen.

Ich riß eine Decke vom Tisch und rieb mir den Kopf. Dann stieß ich den Kopf so hart in das Spülbecken, daß es einen Sprung bekam. Immer wieder schrie das Mädchen Jerrys Namen. Eine kreischende Litanei des Wahnsinns.

Ich drehte mich um und sah, daß der riesige Tieflader langsam auf die offene Fassade des Gebäudes zurollte.

Der Fahrer schrie auf und rannte zum Seitenausgang.

»Nein!« rief der Mann am Tresen. »Lassen Sie das—«

Aber er war schon draußen und rannte in Richtung auf den Abwassergraben, um freies Feld zu erreichen.

Der Wagen mußte hinter dem Seitenausgang gelauert haben – ein kleiner Lieferwagen mit der Aufschrift »Wongs Schnellwäscherei«. Er fuhr ihn um, bevor man wußte, was geschah. Dann war er verschwunden, und nur der Fahrer lag zuckend im Kies. Beim Aufprall waren ihm die Schuhe weggeflogen.

Der Tieflader rollte langsam über die Betoneinfassung auf den Rasen und blieb stehen. Seine riesige Schnauze ragte in das zerstörte Gebäude hinein.

Plötzlich gellte seine Hupe. Noch einmal. Immer wieder.

»Aufhören!« winselte das Mädchen. »Oh mein Gott, aufhören!«

Aber das Hupen nahm kein Ende. Ich erkannte das Muster sehr schnell. Es war das gleiche wie vorher. Jemand sollte ihn und die anderen füttern.

»Ich gehe«, sagte ich. »Sind die Zapfsäulen offen?«

Der Mann am Tresen nickte. Er war um fünfzig Jahre gealtert.

»Nein!« kreischte das Mädchen. Sie warf sich mir in die Arme. »Sie müssen sie stoppen! Sie müssen sie verprügeln, verbrennen, kaputtmachen –« Ihre Stimme versagte. Sie konnte nur noch ihren Kummer hinausschreien.

Der Schwarze hielt sie fest. Ich ging um den Tresen herum, stieg über die Trümmer hinweg und verließ das Restaurant durch den Hinterausgang.

Die Lastwagen standen einer hinter dem anderen. Jenseits der Kiesauffahrt war der Wäschereiwagen stehengeblieben. Er knurrte wie ein bösartiger Hund. Eine falsche Bewegung, und er hätte mich umgemäht. Die Sonne ließ seine leere Windschutzscheibe aufblitzen, und ich hatte nackte Angst. Ich blickte in das Gesicht eines Idioten.

Ich stellte die Pumpe an und nahm die Zapfpistole vom Haken. Dann öffnete ich den ersten Tankverschluß und ließ den Treibstoff einlaufen.

Nach einer halben Stunde hatte ich den ersten Tank leergepumpt und ging zur nächsten Zapfstelle. Ich pumpte abwechselnd Benzin und Dieselöl. Die Reihe der Lastwagen nahm kein Ende. Und langsam dämmerte es mir. Überall im ganzen Land taten Leute dasselbe wie ich, wenn sie nicht tot im Dreck lagen, Reifenspuren auf den zerquetschten Leibern.

Der zweite Tank war leer, und ich ging zur dritten Zapfstelle. Die Sonne brannte vom Himmel, und ich hatte Kopfschmerzen vom Benzindunst. Im weichen Gewebe zwischen Daumen und Zeigefinger sprangen Blasen auf. Aber das konnten sie nicht wissen. Sie kannten nur undichte Ölfilter, schadhafte Dichtungen und defekte Kardangelenke. Sie kannten keine Blasen und keinen Sonnenstich und nicht das menschliche Bedürfnis, laut zu schreien. Sie brauchten nur eins über ihre früheren Herren zu wissen, und sie wußten es. Wir bluten.

Der letzte Tank war leer, und ich ließ den Schlauch fallen. Immer mehr Wagen fuhren vor. Ich drehte den Kopf, um die Starre im Genick zu lösen. Sie fuhren über den Parkplatz auf die Straße hinaus, zwei oder drei nebeneinander. Es war die alptraumhafte Vision des Los Angeles Freeway zur Hauptverkehrszeit. Ihre heißen Auspuffgase ließen den Horizont flimmern. Die Luft stank nach verbranntem Treibstoff.

»Tur mir leid«, sagte ich. »Alles leer, Jungs.«

In diesem Augenblick hörte ich ein dumpferes Dröhnen, das den Boden erzittern ließ. Ein riesiges silberglänzendes Fahrzeug fuhr heran. Ein Tankwagen. An der Seite las ich: »Tanken Sie Phillips 66 – den Jetport-Treibstoff«!

Hinten wurde ein schwerer Schlauch ausgefahren.

Ich rannte hin, nahm den Schlauch und öffnete den Tankdeckel. Ich führte den Schlauch ein, und der Wagen fing an zu pumpen. Der Gestank brachte mich fast um – genau diesen Gestank müssen die Dinosaurier gerochen haben, als sie sterbend in den Teergruben versanken. Ich füllte die beiden anderen Tanks und machte mich wieder an die Arbeit.

Ich vergaß Zeit und Raum. Ich vergaß die Lastwagen. Ich drehte Tankverschlüsse auf und ließ den Treibstoff einlaufen. Dann schraubte ich die Tanks wieder zu, einen nach dem anderen. Die Blasen an meinen Händen platzten auf, und Eiter lief mir über die Handgelenke. Mein Kopf schmerzte wie ein fauler Zahn, und von dem Benzingestank drehte sich mir der Magen um.

Ich fürchtete, die Besinnung zu verlieren, und das wäre das Ende. Ich würde bis zum Umfallen pumpen.

Dann legten sich Hände auf meine Schultern, die dunklen Hände des Mannes vom Tresen. »Gehen Sie rein«, sagte er. »Ruhen Sie sich aus. Ich mache weiter, bis es dunkel wird. Versuchen Sie, ein wenig zu schlafen.«

Ich reichte ihm den Schlauch.

Aber ich kann nicht schlafen.

Das Mädchen schläft. Sie hockt in der Ecke, und ihr Kopf liegt auf dem Tischtuch. Selbst im Schlaf hat sich ihr Gesicht nicht entkrampft. Ein zeitloses Gesicht, dessen Alter man nicht bestimmen kann. Ich werde sie bald wecken. Der Schwarze ist schon seit fünf Stunden draußen.

Sie kommen immer noch. Ich schaue durch das zertrümmerte Fenster und sehe ihre Scheinwerfer über eine Meile weit. Wie gelbe Saphire leuchten sie in der zunehmenden Dunkelheit. Die Wagen stauen sich bis zur Interstate, vielleicht sogar noch weiter.

Bald ist das Mädchen an der Reihe. Ich werde es ihr zeigen. Sie wird sagen, daß sie es nicht kann, aber sie wird es tun. Sie will leben.

Wollen Sie sich zu ihrem Sklaven machen? hatte der Schwarze gesagt. *Wollen Sie den Rest Ihres Lebens damit verbringen, Ölfilter zu wechseln, wenn eins dieser Dinger hupt?*

Wir könnten vielleicht weglaufen. Wir könnten leicht den Abwassergraben erreichen, zumal sie jetzt alle eingekeilt stehen. Wir könnten aufs freie Feld gelangen und in die Sümpfe laufen, wo Lastwagen im Schlamm versinken wie die Mastodons, und sie würden dann –

– in ihre Höhlen zurückkehren.

Mit Holzkohle Bilder zeichnen. Dies ist der Mondgott. Dies ist ein Baum. Dies ist ein Mac-Lastwagen, der einen Jäger erlegt.

Aber das geht nicht. Die ganze Welt ist zubetoniert. Selbst die Spielplätze sind betoniert. Und für die Felder und Sümpfe gibt es Tankwagen, Raupenfahrzeuge und Tieflader, alle mit Laser und Maser ausgerüstet und mit Radargeräten, die auf Hitze ansprechen. Und ganz allmählich machen sie aus unserer Welt die Welt, die sie wollen.

Ich sehe unzählige Lastwagen, die den Sumpf von Okefenokee mit Sand zuschütten. Ich sehe Planierraupen unsere Naturschutzgebiete einebnen und in eine weite flache Wüste verwandeln.

Aber es sind Maschinen. Ganz gleich, was mit ihnen los ist,

ganz gleich, welches kollektive Bewußtsein wir ihnen verliehen haben, *sie können sich nicht fortpflanzen*. In fünfzig oder sechzig Jahren sind sie Wracks, die vor sich hin rosten und von denen keinerlei Bedrohung mehr ausgeht, starre Leichen, die von freien Menschen angespuckt und mit Steinen beworfen werden.

Und wenn ich die Augen schließe, sehe ich die Fließbänder in Detroit und Dearborn und Youngstown und Mackinac, wo Männer in blauen Overalls neue Lastwagen zusammenbauen. Sie stechen keine Uhren mehr. Sie fallen um und werden ersetzt.

Der Mann vom Tresen kann kaum noch stehen. Er ist ja schon ein alter Kerl. Ich muß das Mädchen wecken.

Ich sehe die Kondensstreifen von zwei Flugzeugen am Himmel, der immer dunkler wird.

Könnte ich doch nur glauben, daß Menschen in ihnen sitzen.

Manchmal kommen sie wieder

Jim Normans Frau hatte seit zwei Uhr auf ihn gewartet, und als sie den Wagen vor dem Apartmenthaus, in dem sie wohnten, vorfahren sah, ging sie ihm entgegen. Sie war im Geschäft gewesen und hatte ein Festessen eingekauft: zwei Steaks, eine gute Flasche Wein, einen Kopfsalat und eine Dressingsauce aus Mayonnaise und Chili. Als er jetzt aus dem Auto stieg, hoffte sie inständig (und nicht zum erstenmal an diesem Tag), daß es etwas zu feiern gab.

Mit seiner neuen Aktentasche in der einen und vier Lehrbüchern in der anderen Hand kam er den Weg entlang. Sie konnte den Titel des obersten lesen: *Einführung in die Grammatik.* Sie legte die Hände auf seine Schultern und fragte: »Wie ist es gelaufen?«

Und er lächelte.

Aber in jener Nacht hatte er zum erstenmal seit langer Zeit wieder den alten Traum, und er erwachte schweißgebadet und mit einem Schrei hinter den Lippen.

Das Vorstellungsgespräch war vom Direktor der Harold Davis High School und dem Leiter der englischen Abteilung geführt worden. Irgendwann war auch das Thema seines Zusammenbruchs angeschnitten worden. Er hatte damit gerechnet.

Der Direktor, ein bleicher, kahlköpfiger Mann namens Fenton, hatte sich zurückgelehnt und zur Decke geschaut, während sich Simmons, der Englischleiter, seine Pfeife angezündet hatte.

»Ich stand damals unter einer ziemlich starken nervlichen Belastung«, erklärte Jim Norman. Seine Finger in seinem Schoß wollten zucken, doch er riß sich zusammen.

»Ich glaube, das können wir verstehen«, erwiderte Fenton lächelnd. »Ich will auch nicht weiter in Sie dringen, aber wir sind wohl alle einer Meinung, wenn ich behaupte, daß das Unterrichten, insbesondere an High Schools, ein Streßberuf ist. Fünf von sieben Unterrichtsstunden steht man auf der Bühne, und man spielt vor dem schwierigsten Publikum der Welt. Deshalb«, schloß er nicht ohne Stolz, »haben Lehrer auch häufiger Magengeschwüre als andere Berufsgruppen, mit Ausnahme der Leute bei der Flugsicherung.«

»Die nervlichen Belastungen, die zu meinem Zusammenbruch geführt haben«, begann Jim, »waren... außergewöhnlich.«

Fenton und Simmons nickten ihm unverbindlich ermutigend zu, und Simmons ließ sein Feuerzeug aufschnappen, um seine Pfeife neu anzuzünden. Das Büro schien plötzlich sehr eng, sehr bedrückend. Jim hatte das komische Gefühl, als ob jemand gerade eine Heizlampe in seinem Nacken eingeschaltet hätte. Seine Finger zuckten nervös in seinem Schoß, und er zwang sich, sie stillzuhalten.

»Ich war im letzten Jahr und machte gerade meine Referendarzeit. Meine Mutter war im Sommer davor gestorben – Krebs –, und in meinem letzten Gespräch mit ihr bat sie mich, weiterzumachen und meine Ausbildung zu beenden. Mein Bruder, er war älter als ich, starb, als wir beide noch ziemlich jung waren. Er hatte Lehrer werden wollen, und sie dachte...«

Er konnte ihrem Blick ansehen, daß er abschweifte und dachte: *Mein Gott, ich baue Mist.*

»Ich habe ihr ihren Wunsch erfüllt«, fuhr er fort, ohne weiter auf die komplizierte Beziehung zwischen seiner Mutter, seinem Bruder Wayne – der arme Wayne, den sie ermordet hatten – und ihm selbst einzugehen. »In der zweiten Woche meines Unterrichtspraktikums wurde meine Verlobte bei einem Verkehrsunfall mit Fahrerflucht angefahren. Irgendein jugendlicher Raser mit einem frisierten Wagen... sie haben ihn nie geschnappt.«

Simmons brummte ermutigend.

»Ich machte weiter. Es schien keinen anderen Weg für mich zu geben. Sie hatte ziemliche Schmerzen – ein komplizierter Beinbruch und vier gebrochene Rippen –, aber es war nichts Lebensgefährliches. Ich glaube, mir war überhaupt nicht bewußt, unter welcher nervlichen Belastung ich stand.«

Vorsichtig jetzt. Ab hier balancierst du auf Glatteis.

»Ich machte mein Praktikum an der Center Street Vocational Trades High«, fuhr Jim fort.

»Ich kenne die Trades High School«, bemerkte Fenton. »Ein wirklich idyllisches Fleckchen unserer Stadt. Springmesser, Motorradstiefel, selbstgebastelte Pistolen im Spind, Erpresserbanden, die die anderen gegen Entrichtung einer Gebühr beschützen, und jeder dritte Schüler verkauft Rauschgift an die beiden anderen.«

»Es gab da einen Jungen namens Mack Zimmerman. Ein sensibles Kind. Spielte Gitarre. Er war bei mir in einem Aufsatzkurs, und er hatte Talent. Eines Morgens kam ich herein, gerade als ihn zwei Jungen festhielten, während ein dritter seine Yamaha-Gitarre gegen den Heizkörper schlug. Zimmerman schrie. Ich brüllte sie an, sie sollten sofort damit aufhören und mir die Gitarre geben. Als ich auf sie zuging, traf mich ein Faustschlag.« Jim zuckte die Achseln.

»Das war alles. Ich hatte einen Nervenzusammenbruch. Keine Schreikrämpfe oder hysterischen Angstzustände. Ich konnte einfach nicht zurückgehen. Sobald ich auch nur in die Nähe der Schule kam, krampfte sich alles in mir zusammen. Ich konnte kaum atmen, mir brach der kalte Schweiß aus–«

»Das kenne ich«, unterbrach ihn Fenton freundlich.

»Ich entschloß mich zu einer Psychoanalyse. Es war eine Gruppentherapie. Einen Psychiater konnte ich mir nicht leisten. Sie half mir. Sally und ich haben inzwischen geheiratet. Sie hat von dem Unfall nur ein leichtes Hinken und eine Narbe zurückbehalten, sonst ist sie so gut wie neu.« Er sah die beiden Männer offen an. »Und ich glaube, das gleiche kann man auch von mir sagen.«

»Sie haben dann Ihre Referendarzeit an der Cortez High School beendet, wenn ich richtig informiert bin«, stellte Fenton fest.

»Da waren Sie aber auch nicht gerade auf Rosen gebettet«, fügte Simmons hinzu.

»Ich wollte eine schwere Schule«, erklärte Jim. »Ich tauschte mit einem Kollegen, um auf die Cortez High zu kommen.«

»Ein ›sehr gut‹ vom Fachbeauftragten der Schulbehörde und von Ihrem beurteilenden Lehrer«, bemerkte Fenton.

»Ja.«

»Und einen Durchschnitt von knapp unter 1 in den vier Jahren Ihres Praktikums.«

»Die Collegearbeit hat mir Spaß gemacht.«

Fenton und Simmons sahen einander an und erhoben sich. Jim stand ebenfalls auf.

»Wir werden uns wieder bei Ihnen melden«, sagte Fenton. »Es kommen noch einige andere Bewerber...«

»Ja, natürlich.«

»... aber wenn Sie meine Meinung hören wollen, kann ich Ihnen sagen, daß ich von Ihren Zeugnissen und Fähigkeiten sehr beeindruckt bin.«

»Das freut mich zu hören.«

»Sim, vielleicht hätte Mr. Norman gern einen Kaffee, bevor er geht.«

Sie reichten sich die Hand.

»Ich glaube, Sie haben die Stelle, wenn Sie sie wollen«, meinte Simmons draußen auf dem Korridor. »Das ist natürlich inoffiziell. Sprechen Sie also noch nicht darüber.«

Jim nickte. Es gab noch eine ganze Menge anderer Dinge, über die er nicht sprechen wollte.

Die Davis High School war ein abstoßender Steinklotz mit bemerkenswert modernen Einrichtungen – allein der naturwissenschaftliche Flügel war im Haushaltsbudget des vergangenen Jahres mit 1,5 Millionen Dollar veranschlagt worden. Die Klassenräume, in denen noch die Geister der WPA-Arbeiter unter Roosevelt, die sie gebaut hatten, und die der Nachkriegsschüler, die sie als erste benutzt hatten, spukten, waren mit modernen Schreibtischen und Wandtafeln ausgestattet. Die Schüler waren sauber, ordentlich angezogen, lebhaft und wohlhabend. Sechs von zehn aus den oberen Klassen fuhren ihren eigenen Wagen. Alles in allem eine gute Schule. Eine Schule, an der das Unterrichten in den Siebzigern Spaß machte. Sie ließ Center Street Vocational dagegen wie das dunkelste Afrika aussehen.

Doch wenn die Schüler gegangen waren, schien sich etwas Altes, Bedrückendes über die Korridore zu legen und in den leeren Räumen zu flüstern. Ein schwarzes, böses Etwas, das sich nie richtig zeigte. Manchmal, wenn er mit seiner neuen Aktentasche durch den Korridor des Flügels 4 zum Parkplatz hinausging, glaubte Jim Norman fast, sein Atmen hören zu können.

Ende Oktober kam der Traum wieder, und diesmal schrie er. Als er mühsam den Weg in die Realität zurückgefunden hatte, sah er Sally aufrecht im Bett neben ihm sitzen und seine Schulter festhalten. Sein Herz hämmerte heftig.

»Mein Gott«, stöhnte er und rieb sich mit der Hand durch das Gesicht.

»Bist du in Ordnung?«

»Natürlich. Ich habe geschrien, was?«

»Und wie. Hast du schlecht geträumt?«

»Ja.«

»Von damals, als diese Jungen die Gitarre von dem anderen zerschlagen haben?«

»Nein. Noch davor. Manchmal kommt es wieder, das ist alles. Kein Grund zur Aufregung.«

»Wirklich nicht?«

»Nein.«

»Möchtest du ein Glas Milch?« Ihre Augen waren dunkel vor Sorge.

Es gab ihr einen Kuß auf die Schulter. »Nein. Und jetzt schlaf weiter.« Sie knipste das Licht aus, und er lag da und starrte in die Dunkelheit.

Er hatte einen guten Stundenplan als Neuer im Kollegium. Die erste Stunde war frei. In der zweiten und dritten hatte er Anfänger, eine Gruppe, die eher langweilig war, und eine, die ihm Spaß machte. Die vierte Stunde war seine Lieblingsstunde: amerikanische Literatur in einer Gruppe von Schülern im letzten Jahr, die danach das College besuchen würden und die einen Heidenspaß daran hatten, die alten Meister eine Stunde am Tag so richtig auseinanderzunehmen. Die fünfte Stunde war eine »Sprechstunde«, in der Schüler mit persönlichen oder schulischen Problemen zu ihm kommen konnten. Es gab anscheinend nur wenige, die solche Probleme hatten (oder sie mit ihm besprechen wollten), und so verbrachte er den größten Teil dieser Stunden mit einem guten Roman. Die sechste Stunde war ein Grammatikkurs und entsetzlich trocken.

Sein einziges Kreuz war die siebte Stunde. Der Kurs nannte sich *Leben mit Literatur* und fand in einem zellenähnlichen Klassenraum im zweiten Stock statt, wo es Anfang Herbst heiß war und kalt, wenn der Winter heranrückte. Der Kurs selbst war ein Wahlfach für die »Lernschwachen«, wie es in den Unterrichtsverzeichnissen euphemistisch heißt.

Jims Kurs bestand aus siebenundzwanzig »Lernschwachen«, von denen die meisten Sport als Leistungsfach hatten. Das Harmloseste, was man ihnen hätte vorwerfen können, wäre Desinteresse gewesen, und manche von ihnen waren regelrecht boshaft. Als Jim einmal in den Klassenraum kam, entdeckte er an der Tafel eine obszöne und grausam wahrheitsgetreue Karikatur von sich, unter der überflüssigerweise »Mr. Norman« stand. Jim wischte sie kommentarlos weg und begann mit dem Unterricht, ohne sich um das Gekicher in der Klasse zu kümmern.

Er bemühte sich, den Unterricht interessant zu gestalten, arbeitete mit Filmmaterial und bestellte mehrere hochinteressante, schwierige Texte – doch alles umsonst. Die Stimmung im Klassenraum wechselte zwischen wilder Ausgelassenheit und dumpfem Schweigen. Anfang November brach während einer Diskussion über *Von Mäusen und Menschen* eine Prügelei zwischen zwei Jungen aus. Jim griff ein und brachte die beiden zum Direktor. Als er nach seiner Rückkehr das Buch an der Stelle wieder öffnete, wo er aufgehört hatte, sprangen ihm dort die Worte »Scheiß Pauker« entgegen.

Er ging mit seinem Problem zu Simmons, der die Achseln zuckte und seine Pfeife anzündete. »Ich kann Ihnen da auch nicht weiterhelfen, Jim. Die letzte Stunde ist immer ziemlich übel. Und für einige von ihnen bedeutet eine schlechte Abschlußnote in Ihrem Kurs kein Football oder Basketball mehr. Und da sie die anderen Grundkurse in Englisch hinter sich haben, müssen sie sich wohl oder übel mit Ihnen abfinden.«

»Und ich mich mit ihnen«, brummte Jim verdrießlich.

Simmons nickte. »Zeigen Sie ihnen, daß es Ihnen ernst ist, und sie werden mitarbeiten, und sei es auch nur, um sich weiter für Sport zu qualifizieren.«

Doch die siebte Stunde war und blieb ein Pfahl in seinem Fleische.

Eins der größten Probleme in *Leben mit Literatur* hieß Chip Osway, ein schwerfälliger, plumper Brocken von einem Jungen. Anfang Dezember, während der kurzen Pause zwischen Football und Basketball (Osway spielte beides), erwischte Jim ihn mit einem Spickzettel und schickte ihn aus dem Klassenzimmer.

»Wenn du mich durchrasseln läßt, kannst du was erleben, verdammter Pauker!« schrie Osway durch den dämmrigen Korridor des dritten Stocks. »Hast du kapiert?«

»Weiter«, erwiderte Jim. »Spar dir deinen Atem.«

»Wir kriegen dich schon, Dreckskerl!«

Jim kehrte in den Klassenraum zurück, wo ihn die Schüler mit ausdruckslosen Gesichtern anstarrten, die nichts verrieten. Er hatte plötzlich das Gefühl zu träumen, ein Gefühl, das ihn schon früher befallen hatte ... früher ...

Wir kriegen dich schon, Dreckskerl.

Er holte sein Notenbuch aus dem Pult, schlug es auf der Seite mit der Überschrift »Leben mit Literatur« auf und malte langsam eine sechs in die Prüfungsspalte neben Chip Osways Namen.

In jener Nacht hatte er wieder den Traum.

Der Traum spulte sich immer mit grausamer Langsamkeit ab, so daß er Zeit hatte, alles zu sehen und zu fühlen. Und es war doppelt schlimm, weil er Ereignisse noch einmal durchmachte, die auf einen bekannten Schluß hinliefen, ähnlich, als wenn man angeschnallt in einem Wagen sitzt, der gerade über den Rand eines Abgrunds rollt.

In dem Traum war er neun und sein Bruder Wayne zwölf. Sie gingen die Broad Street in Stratford, Connecticut, hinunter. Ihr Ziel war die Bücherei von Stratford. Jims Bücher waren zwei Tage überfällig, und er hatte sich heimlich vier Cent aus der Tasse im Küchenschrank genommen, mit denen er die Strafgebühr bezahlen wollte. Es waren Sommerferien. Man konnte den Duft des frisch gemähten Grases riechen. Aus einem Fenster einer Wohnung im ersten Stock drang die Geräuschkulisse eines Footballspiels auf die Straße, und die Schatten der Gebäude wurden langsam länger, als die Abenddämmerung hereinbrach.

Hinter Teddy's Market und dem Sitz der Burrets Building Company war ein Bahnübergang, und auf der anderen Seite lungerten immer ein paar Halbstarke aus der Gegend um eine geschlossene Tankstelle herum – fünf oder sechs Jungen in Lederjacken und Nietenjeans. Jim haßte den Gedanken, an ihnen vorbeizugehen. Sie brüllten Sprüche wie »hey, ihr beiden Hosenscheißer« und »hey, wollt ihr Prügel beziehen« und »hey, wo soll's denn hingehen«, und einmal verfolgten sie sie sogar einen halben Block. Aber Wayne weigerte sich, wegen ihnen einen Umweg zu gehen, denn das wäre ja feige gewesen.

Im Traum rückte der Übergang gefährlich näher, und das Herz begann einem in der Brust zu flattern wie ein großer schwarzer Vogel. Man konnte alles ganz deutlich sehen: die Neonreklame der Burrets Company, die zu flackern anfing, die Rostflecken auf dem grünen Übergang, das Glitzern von Glasscherben zwischen dem Schotter im Schienenbett, eine alte Fahrradfelge im Rinnstein.

Du versuchst, Wayne zu sagen, daß du das alles schon mal erlebt hast, nicht einmal, sondern hundertmal. Die Halbstarken lungern diesmal nicht bei der Tankstelle herum; sie haben sich im Schatten unter der Eisenbahnüberführung versteckt. Aber du bringst kein Wort heraus. Du bist hilflos.

Dann seid ihr in der Unterführung, und einige der Schatten lösen sich von den Wänden. Ein großer Junge mit einem blonden Bürstenschnitt und einem gebrochenen Nasenbein drückt Wayne gegen die rußigen Steine des Viadukts und sagt: *Wir wollen Geld.*

Laß mich in Ruhe.

Du versuchst wegzulaufen, aber ein dicker Junge mit fettigem schwarzen Haar hält dich fest und schmeißt dich neben deinem Bruder gegen die Wand. Sein linkes Augenlid zuckt nervös, als er zischt: *Komm schon, Kleiner, wieviel hast du dabei?*

V-vier Cent.

Du verdammter Lügner.

Wayne versucht freizukommen, und ein dritter Junge mit merkwürdig orangeroten Haaren hilft dem Blonden, ihn festzuhalten. Der Junge mit dem zuckenden Lid schlägt dir plötzlich eine auf den Mund. Du hast auf einmal ein schweres Gefühl in den Leisten, und dann bildet sich ein dunkler Fleck auf deinen Jeans.

Hey, guck mal, Vinnie, er hat sich in die Hose gemacht!

Wayne versucht immer verzweifelter, sich zu befreien, und fast schafft er es auch – aber nur fast. Ein anderer Junge, in einer schwarzen Baumwollhose und einem weißen T-Shirt, wirft ihn zurück. Er hat ein kleines rotes Muttermal am Kinn. Die Mauern des Durchgangs beginnen zu zittern. Die Eisenträger fangen eine dröhnende Vibration auf. Ein Zug naht.

Jemand schlägt dir die Bücher aus der Hand, und der Junge mit dem Muttermal am Kinn tritt sie in den Rinnstein. Waynes rechter Fuß schießt plötzlich vor und trifft den Jungen mit dem zuckenden Lid zwischen den Beinen. Der schreit auf.

Vinnie, er haut ab!

Der Junge mit dem zuckenden Gesicht schreit wie verrückt, aber sein Geheul geht im ansteigenden, ohrenbetäubenden Donnern des herannahenden Zugs unter. Dann ist er über ihnen, und die Welt ist erfüllt von seinem Lärm.

Springmesser blitzen im Licht auf. Der Junge mit dem blonden Bürstenhaar hat eins, Muttermal das andere. Du kannst nicht hören, was Jim schreit, aber du liest die Worte von seinen Lippen ab:

Lauf, Jimmy, lauf.

Du läßt dich auf die Knie fallen, und die Hände, die dich festhalten, sind auf einmal weg. Wie ein Frosch schlüpfst du zwischen einem Paar Beinen hindurch. Eine Hand rutscht über deinen Rücken, versucht, dich festzuhalten, aber es gelingt ihr nicht. Und dann rennst du den Weg zurück, den ihr gekommen seid, mit der ganzen furchtbaren, zähen Langsamkeit der Träume. Du schaust zurück und siehst –

Er erwachte in der Dunkelheit. Sally schlief friedlich neben ihm. Er biß die Zähne zusammen, um den aufkommenden Schrei zu unterdrücken, und als er ihn erstickt hatte, ließ er sich zurückfallen.

Als er zurückgeschaut hatte, zurück in die gähnende Dunkelheit des Viadukts, hatte er gesehen, wie der blonde Junge und Muttermal ihre Messer in den Körper seines Bruders stießen – Blondie direkt unterhalb des Brustbeins und Muttermal genau in die Leisten seines Bruders.

Heftig atmend lag Jim wach im Dunkeln und wartete darauf, daß dieses neun Jahre alte Gespenst wich, wartete auf einen ruhigen Schlaf, der alles andere auslöschte.

Und irgendwann später kam der Schlaf.

In den Schulen der Stadt wurden die Weihnachtsferien und die Semesterpause zusammengefaßt, und die Ferien dauerten so fast einen Monat. Der Traum kam zweimal wieder, ganz am

Anfang, und danach nicht mehr. Er und Sally besuchten ihre Schwester in Vermont, wo sie sehr viel Ski liefen. Sie waren glücklich.

Jims Leben-mit-Lit-Problem schien draußen, in der kristallklaren Luft, belanglos und ein bißchen albern. Mit einer Winterbräune und ruhig und gesammelt kehrte Jim in den Schulalltag zurück.

Simmons hielt ihn auf dem Weg zu seiner zweiten Stunde an und reichte ihm einen Schnellhefter.

»Ein neuer Schüler, siebte Stunde. Heißt Robert Lawson. Neu zugezogen.«

»Hey, ich habe doch schon siebenundzwanzig, Sim. Der Kurs ist so schon überfüllt.«

»Es bleibt trotzdem bei siebenundzwanzig. Bill Stearns ist am Dienstag nach Weihnachten gestorben. Autounfall mit Fahrerflucht.«

»*Billy?*«

Das Bild formte sich vor seinen Augen wie eine Schwarzweißaufnahme. William Stearns, einer der wenigen guten Schüler in *Leben mit Lit*. Ruhig, gleichmäßig gute Noten in seinen Prüfungen. Meldete sich nicht oft, wußte aber gewöhnlich die richtigen Antworten (durchsetzt mit einem angenehmen, trockenen Humor), wenn er aufgerufen wurde. Tot? Mit fünfzehn Jahren. Seine eigene Sterblichkeit wisperte plötzlich durch seinen Körper wie ein kalter Luftzug unter einer Tür.

»Mein Gott, wie schrecklich. Weiß man schon, wie es genau passiert ist?«

»Die Polizei kümmert sich um den Fall. Er war in der Stadt, um ein Weihnachtsgeschenk umzutauschen. Als er die Rampart Street überqueren wollte, wurde er von einer alten Fordlimousine überfahren. Das Kennzeichen hat sich niemand gemerkt; man weiß nur, daß auf einer Tür ›Klapperschlange‹ stand ... wie es ein Jugendlicher auf seinen Wagen schreiben würde.«

»Mein Gott«, sagte Jim noch einmal.

»Es klingelt«, unterbrach ihn Simmons.

Er eilte davon und blieb noch einmal kurz stehen, um eine Gruppe von Schülern, die um einen Trinkbrunnen standen, in ihre Klassen zu schicken. Mit einem Gefühl der Leere begab sich Jim in seine eigene Klasse.

In seiner Freistunde beschäftigte er sich mit Robert Lawsons Akte. Die erste Seite war ein grünes Blatt von der Milford High School, von der Jim noch nie etwas gehört hatte. Das zweite war ein Persönlichkeitsdiagramm. IQ von 78. Ein paar manuelle Fähigkeiten, aber nicht viele. Aggressive, abweisende Antworten auf den Barnett-Hudson-Persönlichkeitstest. Schlechte Ergebnisse bei der Eignungsprüfung. Ein durch und durch typischer Schüler für *Leben mit Lit*, dachte Jim mißmutig.

Die nächste Seite war ein Führungszeugnis, das gelbe Blatt. Das Milfordblatt war weiß mit einem schwarzen Rand und erschreckend voll. Lawson hatte schon in unzähligen Schwierigkeiten gesteckt.

Jim blätterte um, warf einen flüchtigen Blick auf das Schulphoto von Robert Lawson und sah noch einmal hin. Entsetzen kroch plötzlich in seine Magengrube und rollte sich dort zusammen, warm und zischend.

Lawson starrte so feindselig in die Kamera, als säße er Modell für ein Polizeiphoto für die Verbrecherkartei und nicht für ein Schulphoto. Auf seinem Kinn war ein kleines rotes Muttermal.

Bis zur siebten Stunde hatte Jim alles herangezogen, was es an vernünftigen und logischen Überlegungen gab. Er sagte sich, daß es Tausende von Jungen mit einem roten Muttermal am Kinn geben mußte. Er sagte sich, daß jener Halbstarke, der seinen Bruder damals, vor sechzehn Jahren, erstochen hatte, heute mindestens zweiunddreißig sein mußte.

Doch seine dunklen Vorahnungen wollten sich nicht zerstreuen lassen, als er die Stufen zum zweiten Stock hinaufstieg. Und noch ein anderer angstvoller Gedanke bemächtigte sich seiner: *Genauso hast du dich damals gefühlt, als du den Nervenzusammenbruch bekommen hast.* Der beißende Geschmack der Panik lag in seinem Mund. Vor der Tür zu Raum 23 trieben sich wie üblich eine Reihe von Schülern herum, von denen einige hineingingen, als sie Jim herankommen sahen. Ein paar aber ließen sich nicht stören und flüsterten grinsend miteinander. Er entdeckte den Neuen neben Chip Osway. Robert Lawson trug Blue Jeans und schwere gelbe Traktorstiefel – der letzte Schrei in diesem Jahr.

»Geh rein, Chip.«

»Ist das ein Befehl?« Er grinste ausdruckslos über Jims Kopf hinweg.

»Ja.«

»Haben Sie mich bei diesem Test durchfallen lassen?«

»Ja.«

»Schön, dann können Sie…« Der Rest ging in einem unverständlichen Gemurmel unter.

Jim wandte sich an Robert Lawson. »Du bist also der Neue«, stellte er fest. »Dann will ich dir gleich sagen, wie es bei uns hier so läuft.«

»Natürlich, Mr. Norman.« Seine rechte Augenbraue wurde von einer kleinen Narbe geteilt, eine Narbe, die Jim kannte. Ein Irrtum war ausgeschlossen. Es war verrückt, völlig verrückt, aber wahr. Dieser Junge hatte vor sechzehn Jahren ein Messer in seinen Bruder gestoßen.

Betäubt und wie aus weiter Ferne hörte er sich die Klassenordnung zitieren, während Robert Lawson die Daumen in seinen Armeegürtel hakte, lächelnd zuhörte und dann zu nikken begann, als seien sie alte Freunde.

»Jim?«

»Hmm?«

»Hast du irgend etwas?«

»Nein.«

»Hast du immer noch Probleme mit den Jungen von *Leben mit Lit*?«

Keine Antwort.

»Jim?«

»Nein.«

»Geh doch heute abend mal früh schlafen.«

Aber er tat es nicht.

In jener Nacht war der Traum besonders schlimm. Als der Junge mit dem roten Muttermal seinen Bruder erstach, rief er Jim nach: »Der nächste bist du, Kleiner. Mitten durch die Hose.«
Er erwachte schreiend.

Das Thema in jener Woche war *Herr der Fliegen,* und Jim sprach gerade über die Symbolik, als Lawson die Hand hob.
»Robert?« sagte er ruhig.
»Warum starren Sie mich die ganze Zeit so an?«
Jim blinzelte und merkte, wie sein Mund trocken wurde.
»Sehen Sie weiße Mäuse? Oder steht meine Hose auf?«
Die Klasse kicherte nervös.
»Ich habe dich nicht angestarrt«, erwiderte Jim ruhig. »Kannst du uns sagen, warum sich Ralph und Jack über...«
»Sie haben mich *angestarrt.*«
»Möchtest du vielleicht mit Mr. Fenton darüber sprechen?«
Lawson schien nachzudenken. »Nö.«
»Gut. Kannst du uns jetzt sagen, warum sich Ralph und Jack...«
»Ich habe das Buch nicht gelesen. Ich finde es blöd und langweilig.«
Jim lächelte gepreßt. »Tatsächlich? Du solltest dir vor Augen halten, daß du nicht nur dein Urteil über das Buch fällst, sondern das Buch auch ein Urteil über dich fällt. Kann mir vielleicht jemand anders sagen, warum sich Jack und Ralph über die Existenz des Untiers gestritten haben?«
Kathy Slavin hob zaghaft die Hand, worauf Lawson sie mit einem zynischen Blick musterte und etwas zu Chip Osway sagte. Den Bewegungen seiner Lippen nach sah es wie »hübsche Titten« aus. Chip nickte.
»Ja, Kathy.«
»Ist es nicht, weil Jack das Untier jagen wollte?«

»Richtig.« Er drehte sich um und fing an, etwas an die Tafel zu schreiben. Im selben Augenblick, als er der Klasse den Rücken zukehrte, klatschte eine Grapefruit neben seinem Kopf gegen die Tafel.

Er zuckte zurück und fuhr herum. Ein paar Mitschüler lachten, während Osway und Lawson Jim sich nur unschuldig ansahen.

Jim bückte sich und hob die Grapefruit auf. »Man sollte sie jemandem unter euch in seinen gottverdammten Hals stopfen«, erklärte er mit einem Blick auf die hintere Hälfte der Klasse.

Kathy Slavin riß den Mund auf.

Er warf die Grapefruit in den Papierkorb und wandte sich wieder der Tafel zu.

Er schlug die Morgenzeitung auf und hatte gerade die Kaffeetasse am Mund, als sein Blick auf die Überschrift ungefähr in der Mitte der Seite fiel. »Mein Gott!« unterbrach er seine Frau in ihrem morgendlichen Geplapper. Er hatte plötzlich das Gefühl, als sei sein Magen voller Splitter –

»Mädchen stürzt zu Tode: Katherine Slavin, eine siebzehnjährige Schülerin an der Harold Davis High School, fiel gestern am späten Nachmittag vom Dach des Apartmenthauses, in dem sie wohnte. Es ist noch ungeklärt, ob es sich dabei um einen Unfall handelt oder ob sie vorsätzlich hinuntergestürzt wurde. Das Mädchen, das auf dem Dach einen Taubenschlag hatte, war nach Aussage seiner Mutter mit einem Sack Futter hinaufgestiegen.

Nach Angaben der Polizei hat eine nicht namentlich genannte Frau aus einem Nachbargebäude drei Jungen beobachtet, die um 18.45 Uhr über das Dach liefen, wenige Minuten nachdem der Körper des Mädchens (Fortsetzung Seite 3) –«

»War das Mädchen eine Schülerin von dir, Jim?«

Doch er konnte sie nur stumm ansehen.

Zwei Wochen später kam ihm Simmons nach der Glocke zur Mittagspause mit einem Schnellhefter in der Hand im Korridor entgegen, und Jim bekam ein schrecklich flaues Gefühl im Magen.

»Ein neuer Schüler«, meinte er ausdruckslos zu Simmons. »In *Leben mit Lit.*«

Sims runzelte die Stirn. »Woher wissen Sie das?«

Jim zuckte die Achseln und streckte die Hand nach dem Hefter aus.

»Ich muß mich beeilen. Wir haben gleich eine Konferenz der Fachleiter. Sie sehen ein bißchen mitgenommen aus. Ist Ihnen nicht gut?«

»Doch. Natürlich.«

»Hier.« Simmons reichte ihm den Hefter und klopfte ihm auf die Schulter.

Als er weg war, schlug Jim die Akte auf der Seite mit dem Photo auf, wobei er schon im voraus zusammenzuckte, wie jemand, der eine Faust auf sich zukommen sieht.

Doch das Gesicht war ihm nicht sofort vertraut. Es war ein ganz gewöhnliches Jungengesicht. Vielleicht hatte er es vorher schon einmal gesehen, vielleicht auch nicht. Der Neue, David Garcia, war ein ungeschlachter Junge mit negroiden Lippen und dunklen, unordentlichen Haaren. Aus dem gelben Blatt ging hervor, daß er ebenfalls von der Milford High School kam und zwei Jahre in der Besserungsanstalt von Granville gewesen war. Wegen Autodiebstahls.

Als Jim den Hefter zuklappte, zitterten seine Hände leicht.

»Sally?«

Sally, die gerade beim Bügeln war, hob den Kopf. Er hatte auf das Fernsehen gestarrt, in dem gerade ein Basketballspiel lief, ohne richtig wahrzunehmen, was er sah.

»Schon gut«, fuhr er fort. »Ich habe vergessen, was ich gerade sagen wollte.«

»Dann muß es eine Lüge gewesen sein.«

Er lächelte mechanisch und wandte sich wieder dem Bildschirm zu. Fast hätte er ihr eben alles erzählt. Aber wie konnte er? Das Ganze war mehr als verrückt. Womit hätte er anfangen sollen? Mit dem Traum? Seinem Nervenzusammenbruch? Oder dem Auftauchen von Robert Lawson?

Nein. Mit Wayne – deinem Bruder.

Aber er hatte nie darüber gesprochen, noch nicht einmal während seiner Therapie. Seine Gedanken wanderten zu David Garcia und dem betäubenden Entsetzen zurück, das ihn überkommen hatte, als sie sich im Korridor gegenübergestanden hatten. Auf dem Photo hatte er nur vage bekannt ausgesehen. Aber Photos bewegen sich auch nicht... oder zucken nicht.

Garcia hatte bei Lawson und Chip Osway gestanden, und als er den Kopf hob und Jim Norman sah, lächelte er. Sein rechtes Augenlid begann zu zucken, und Jim konnte mit unheimlicher Deutlichkeit Stimmen sprechen hören:

Komm schon, Kleiner, wieviel hast du dabei?

V-vier Cent.

Du verdammter Lügner... hey, guck mal, Vinnie, er hat sich in die Hose gemacht!

»Jim? Hast du etwas gesagt?«

»Nein.«

Aber er war sich nicht sicher. Langsam bekam er sehr große Angst.

Eines Tages Anfang Februar klopfte es nach Schulschluß an der Tür zum Lehrerzimmer, und als Jim aufmachte, sah er sich Chip Osway gegenüber. Der Junge sah aus, als hätte er Angst. Jim war allein; es war zehn nach vier, und der letzte seiner Kollegen war vor einer Stunde gegangen. Er war gerade dabei, einen Stapel Aufsätze aus dem Kurs »Amerikanische Literatur« zu korrigieren.

»Ja, Chip?« fragte er ruhig.

Chip trat von einem Fuß auf den anderen. »Kann ich Sie einen Augenblick sprechen, Mr. Norman?«

»Natürlich. Aber wenn du wegen dieses Tests kommst, kann ich dir gleich sagen, daß du umsonst–«

»Nein, deshalb bin ich nicht hier. Eh, kann ich hier rauchen?«

»Sicher.«

Als er seine Zigarette anzündete, zitterte seine Hand leicht. Er sagte sicher eine Minute lang nichts, und es schien, als könnte er nicht. Seine Lippen zuckten, die Hände verschränkten sich ineinander, und die Augen verengten sich zu Schlitzen, als suchte ein inneres Ich nach einem Weg, sich auszudrücken.

»Wenn sie's tun, will ich, daß Sie wissen, daß ich nichts damit zu tun habe!« platzte er schließlich heraus. »Ich mag diese Typen nicht! Sie sind widerlich!«

»Welche Typen, Chip?«

»Lawson und dieser widerliche Garcia.«

»Haben sie etwas mit mir vor?« Das alte Entsetzen, das er aus den Träumen kannte, ergriff wieder von ihm Besitz, und er wußte die Antwort schon im voraus.

»Zuerst habe ich sie gemocht«, erklärte Chip. »Wir sind zusammen losgezogen und haben ein paar Bier getrunken. Dann habe ich angefangen, über Sie und diesen Test zu mekkern. Und daß ich es Ihnen heimzahlen wollte. Aber das habe ich nur so gesagt! Ich schwöre es!«

»Und was war dann?«

»Sie sind sofort darauf angesprungen. Wollten wissen, wann Sie aus der Schule kommen, was für ein Auto Sie fahren und so was. Ich wollte wissen, was die beiden gegen Sie haben, und Garcia hat gesagt, daß sie Sie schon ziemlich lange kennen... hey, ist Ihnen nicht gut?«

»Die Zigarette«, entgegnete Jim heiser. »Ich kann mich einfach nicht an den Rauch gewöhnen.«

Chip drückte sie aus. »Ich habe sie gefragt, seit wann sie Sie kennen, und Bob Lawson hat gemeint, daß ich mir damals noch in die Hosen gemacht hätte. Aber sie sind siebzehn, genauso alt wie ich.«

»Und dann?«

»Also, dann hat sich Garcia über den Tisch zu mir herübergebeugt und gemeint, daß ich mich bestimmt nicht richtig schlimm an Ihnen rächen könnte, wenn ich nicht wüßte, wann Sie aus der verdammten Schule kommen. Das hat er gesagt. Und was ich denn vorhätte. Ich habe gesagt, daß ich Ihnen die

Reifen kaputt stechen wollte, damit Sie dann mit vier platten Reifen dastehen.« Er sah Jim bittend an. »Ich hätte es nie im Leben getan. Ich habe es nur gesagt, weil ich...«

»Weil du Angst hattest?« unterbrach ihn Jim ruhig.

»Ja, und ich habe noch immer Angst.«

»Was sagten sie zu deinem Plan?«

Chip zog die Schultern zusammen. »Bob Lawson hat gesagt: ›Das ist alles? Mehr Phantasie hast du nicht, du Jammerlappen?‹ Ich habe versucht, mich nicht einschüchtern zu lassen, und sie gefragt, was sie denn mit Ihnen anstellen würden. Dann hat Garcias Auge angefangen zu zucken, und er hat etwas aus seiner Tasche geholt. Dann hat er es aufschnappen lassen, und ich habe gesehen, daß es ein Springmesser war. Da bin ich abgehauen.«

»Wann ist das gewesen, Chip?«

»Gestern. Ich habe Angst, neben diesen Kerlen zu sitzen, Mr. Norman.«

»Okay. Schon gut.« Jim starrte auf die Seiten, die er gerade korrigiert hatte, ohne sie wirklich zu sehen.

»Was wollen Sie jetzt tun?«

»Ich weiß es nicht. Ich weiß es wirklich nicht.«

Am Montagmorgen wußte er es immer noch nicht. Sein erster Gedanke war gewesen, Sally alles zu erzählen, angefangen mit der Ermordung seines Bruders vor sechzehn Jahren. Aber es war unmöglich. Sie hätte sich zwar bemüht, ihn zu verstehen, aber sie wäre wahrscheinlich nur erschrocken gewesen und hätte ihm nicht geglaubt.

Simmons? Auch das war unmöglich. Simmons würde ihn für verrückt halten. Und vielleicht war er das sogar. Bei der Gruppentherapie, an der er damals teilgenommen hatte, hatte einmal ein Mann gesagt, daß ein Nervenzusammenbruch so ähnlich sei, als wenn man eine Vase zerbricht und sie dann wieder zusammenklebt. Sie sei dann nicht mehr so wie früher, denn man müsse jetzt viel vorsichtiger mit ihr umgehen. Man könnte keine Blume mehr hineinstellen, denn Blumen brauchen Wasser, und Wasser könnte den Leim auflösen.

Bin ich tatsächlich verrückt?

Wenn er es war, dann war Chip Osway es auch. Dieser Gedanke kam ihm, als er in seinen Wagen stieg, und eine Welle der Erregung durchlief ihn.

Natürlich! Lawson und Garcia hatten ihn in Chip Osways Gegenwart bedroht. Vor Gericht würde es vielleicht nicht ausreichen, aber es müßte genügen, daß die beiden aus der Schule ausgeschlossen wurden, wenn er Chip dazu bringen konnte, seine Geschichte in Fentons Büro zu wiederholen. Und er war fast sicher, daß ihm das gelingen würde, denn auch Chip hatte seine Gründe, die beiden möglichst weit weg zu wünschen.

Er fuhr gerade auf den Parkplatz, als er daran denken mußte, was mit Billy Stearns und Kathy Slavin passiert war.

In seiner Freistunde ging er hinauf ins Sekretariat. Die für die Schülerregistrierung zuständige Sekretärin stellte gerade die Abwesenheitsliste zusammen.

»Ist Chip Osway heute anwesend?« erkundigte er sich beiläufig.

»Chip...?« Sie sah ihn unschlüssig an.

»Charles Osway«, verbesserte sich Jim. »Chip ist sein Spitzname.«

Sie blätterte einen Stapel von Zetteln durch, warf einen flüchtigen Blick auf einen und zog ihn dann heraus. »Er fehlt, Mr. Norman.«

»Können Sie mir seine Telefonnummer geben?«

Sie steckte sich den Bleistift ins Haar. »Natürlich.« Aus der O-Kartei suchte sie die Nummer heraus und reichte sie Jim, der von einem der Büroapparate aus telefonierte.

Er ließ es sicher ein Dutzendmal klingeln und wollte gerade wieder auflegen, als sich am anderen Ende eine rauhe, verschlafene Stimme meldete: »Ja?«

»Mr. Osway?«

»Barry Osway ist seit sechs Jahren tot. Ich bin Gary Denkinger.«

»Sind Sie Chip Osways Stiefvater?«

»Was hat er ausgefressen?«

»Wie bitte?«

»Er ist abgehauen. Ich will wissen, was er angestellt hat.«

»Soweit ich weiß, nichts. Ich wollte nur mit ihm sprechen. Haben Sie eine Ahnung, wo er sein könnte?«

»Nö, ich muß nachts arbeiten. Ich kenne seine Freunde nicht.«

»Sie wissen also nicht –«

»Nee. Er hat den alten Koffer und fünfzig Bucks mitgenommen, die er vom Verkaufen gestohlener Autoteile oder Hasch oder was weiß ich, womit sich diese Burschen sonst Geld verdienen, gespart hat. Ich glaube, er ist ab nach San Francisco, um da als Hippie herumzugammeln.«

»Würden Sie mich anrufen, wenn Sie etwas von ihm hören? Jim Norman, englische Abteilung.«

»Klar doch.«

Als Jim den Hörer auflegte, sah die Sekretärin auf und verzog den Mund zu einem flüchtigen, nichtssagenden Lächeln. Jim erwiderte das Lächeln nicht.

Zwei Tage später tauchten auf der morgendlichen Anwesenheitsliste die Worte »hat die Schule verlassen« hinter Chip Osways Namen auf. Jim machte sich darauf gefaßt, daß Simmons mit einem neuen Hefter bei ihm erschien. Eine Woche später war es dann soweit.

Betäubt starrte er auf das Photo. Es gab keinen Zweifel. Statt des Bürstenschnitts waren die Haare jetzt lang, aber immer noch blond. Und das Gesicht war dasselbe, das von Vincent Corey. Für seine Freunde und Vertrauten Vinnie. Mit einem unverschämten Grinsen auf den Lippen sah er Jim vom Photo an.

Jims Herz klopfte schwer, als er sich dem Klassenraum näherte, in dem die siebte Stunde stattfand. Lawson, Garcia und Vinnie Corey standen vor der Tür neben dem Schwarzen Brett – alle drei streckten sich, als sie Jim herankommen sahen.

Vinnie zeigte sein unverschämtes Grinsen, doch seine Augen waren so kalt und tot wie winzige Eisschollen. »Sie müssen Mr. Norman sein. Hi, Norm.«

Lawson und Garcia kicherten.

»Ich bin Mr. Norman.« Jim ignorierte die Hand, die ihm Vinnie entgegenstreckte. »Merk dir das, ja?«

»Aber klar doch. Wie geht's Ihrem Bruder?«

Jim erstarrte. Er fühlte, wie sich seine Blase löste, und wie aus weiter Ferne, am Ende eines Korridors irgendwo in seinem Gehirn, vernahm er eine geisterhafte Stimme: *Hey, guck mal, Vinnie, er hat sich in die Hose gemacht!*

»Was weißt du über meinen Bruder?« fragte er heiser.

»Nichts«, entgegnete Vinnie. »Nicht viel.« Auf ihren Gesichtern lag wieder jenes ausdruckslose, gefährliche Grinsen.

Es klingelte, und sie schlenderten ins Klassenzimmer.

In der Telefonzelle vor dem Drugstore, um zehn Uhr an jenem Abend.

»Vermittlung? Können Sie mich mit dem Polizeirevier in Stratford, Connecticut, verbinden? Ich weiß die Nummer nicht.«

Klicken in der Leitung. Rücksprache.

Der Polizist war Mr. Nell gewesen. Ein weißhaariger Mann und damals etwa Mitte Fünfzig. Als Kind war es schwierig, das Alter zu schätzen. Ihr Vater war tot, und Mr. Nell hatte das irgendwoher gewußt.

Nennt mich Mr. Nell, Jungs.

Jim und sein Bruder trafen sich jeden Mittag und gingen zusammen ins Stratford Diner, wo sie ihre Lunchbrote aßen. Mom gab ihnen immer einen Nickel für Milch mit – damals wurde die Milch in der Schule noch nicht kostenlos ausgegeben. Und manchmal kam dann Mr. Nell herein, der Ledergürtel knirschte unter dem Gewicht seines Bauchs und seines 38ers, und kaufte ihnen beiden ein Stück Apfelkuchen.

Wo waren Sie, als sie meinen Bruder erstochen haben, Mr. Nell?

Die Verbindung wurde hergestellt, und es läutete einmal.

»Polizei Stratford.«

»Guten Abend. Mein Name ist James Norman. Ich rufe von auswärts an.« Jim nannte die Stadt. »Ich hätte gern gewußt, ob

Sie mir eine Auskunft über jemanden geben können, der so um 1957 bei der Polizei in Stratford gewesen sein muß.«

»Einen Augenblick, Mr. Norman.«

Nach einer kurzen Pause meldete sich eine andere Stimme.

»Sergeant Morton Livingstone, Mr. Norman. Um wen geht es?«

»Tja, also wir Kinder nannten ihn einfach Mr. Nell. Können Sie damit...?«

»Sicher, natürlich! Don Nell ist inzwischen pensioniert. Er ist jetzt drei- oder vierundsiebzig.«

»Lebt er immer noch in Stratford?«

»Ja, in der Barnue Avenue. Möchten Sie die genaue Adresse?«

»Und die Telefonnummer, wenn Sie sie haben.«

»Sicher. Haben Sie Don gekannt?«

»Er hat meinem Bruder und mir immer Apfelkuchen im Stratford Diner gekauft.«

»Mein Gott, das existiert schon seit zehn Jahren nicht mehr. Einen Moment bitte.«

Nach einem Augenblick war er wieder da und gab Jim eine Adresse und eine Telefonnummer durch. Jim notierte sie sich, bedankte sich bei Livingstone und hängte ein.

Er wählte noch einmal die Vermittlung an, nannte die Nummer und wartete. Als das Telefon zu läuten begann, wurde Jim von einer starken Spannung ergriffen. Er beugte sich vor und drehte der Trinkhalle des Drugstores instinktiv den Rücken zu, obwohl niemand da war außer einem untersetzten jungen Mädchen, das in einer Zeitschrift las.

Am anderen Ende der Leitung wurde abgenommen, und es meldete sich eine volle, maskuline Stimme, die keineswegs alt klang. »Ja?« Dieses eine Wort löste eine staubige Kettenreaktion von Erinnerungen und Emotionen aus, genauso überraschend wie die Pawlowsche Reaktion, die ausgelöst werden kann, wenn man eine alte Platte im Radio hört.

»Mr. Nell? Donald Nell?«

»Am Apparat.«

»Mein Name ist James Norman, Mr. Nell. Erinnern Sie sich zufällig noch an mich?«

»Sicher«, antwortete die Stimme sofort. »Und an den Apfelkuchen. Ihr Bruder wurde ermordet... erstochen. Schrecklich. Er war so ein netter Junge.«

Jim mußte sich gegen die Wand der Telefonzelle lehnen. Jetzt, nachdem sich die Spannung so plötzlich gelöst hatte, wurden seine Knie auf einmal weich. Er merkte, daß er nahe daran war, sich alles von der Seele zu reden, und kämpfte verzweifelt dagegen an.

»Diese Jugendlichen sind doch nie geschnappt worden, Mr. Nell, nicht?«

»Nein. Es gab nur einige Verdächtige. Ich erinnere mich, daß wir Sie zu einer Gegenüberstellung in einem Polizeirevier von Bridgeport geholt haben.«

»Haben Sie mir damals die Namen der Verdächtigen genannt?«

»Nein. Sie sollten uns bei der Gegenüberstellung nur die Nummern der von Ihnen identifizierten Jungen nennen. Wieso interessieren Sie sich auf einmal wieder für diese Sache, Mr. Norman?«

»Lassen Sie mich in Verbindung mit diesem Fall ein paar Namen aufzählen«, erwiderte Jim. »Ich möchte wissen, ob sie Ihnen irgend etwas sagen.«

»Mein Sohn, ich kann mich unmöglich –«

»Vielleicht doch.« Jim fühlte eine Spur von Verzweiflung in sich aufsteigen. »Robert Lawson, David Garcia, Vincent Corey. Sagt Ihnen einer der Namen –«

»Corey«, unterbrach ihn Mr. Nell ausdruckslos. »Ich erinnere mich an ihn. Vinnie die Viper. Ja, er gehörte auch zu den Verdächtigen. Seine Mutter hatte ein Alibi für ihn. Robert Lawson sagt mir nichts. Ein ganz normaler Name. Aber Garcia... irgendwie kommt mir der Name bekannt vor. Aber ich weiß nicht genau, woher. Himmel, ich werde wirklich alt.« Er klang, als ärgerte er sich über sich selbst.

»Wäre es vielleicht möglich, Mr. Nell, daß Sie diese Jungen überprüfen?«

»Sie werden heute kaum mehr Jungen sein.«

Ach, tatsächlich?

»Hören Sie zu, Jimmy. Ist vielleicht einer von diesen Burschen aufgetaucht und macht Ihnen jetzt Ärger?«

»Ich weiß nicht so recht. Es sind ein paar merkwürdige Dinge passiert. Dinge, die mit der Ermordung meines Bruders zu tun haben.«

»Was für Dinge?«

»Das kann ich Ihnen nicht sagen, Mr. Nell. Sie würden mich für verrückt halten.«

»Und? Sind Sie es?« erwiderte er schnell und interessiert.

Jim zögerte. »Nein.«

»Schön. Ich kann die Namen über das Revier von Stratford überprüfen lassen. Wie kann ich Sie erreichen?«

Jim gab ihm seine Telefonnummer. »Am besten können Sie mich dienstagsabends erreichen.« Er war fast jeden Abend zu Hause, aber dienstags abends ging Sally zu ihrem Töpferkursus.

»Was machen Sie beruflich, Jimmy?«

»Ich bin Lehrer.«

»Ah ja. Wissen Sie, es könnte ein paar Tage dauern. Ich bin inzwischen nämlich pensioniert.«

»Sie klingen immer noch genau wie früher.«

»Sie dürften mich nicht sehen!« Er gluckste. »Mögen Sie immer noch so gern Apfelkuchen, Jimmy?«

»Natürlich«, log Jim. Er haßte Apfelkuchen.

»Das freut mich. Tja, wenn Sie sonst nichts mehr haben, dann werde ich jetzt–«

»Doch, da ist noch etwas. Gibt es eine Milford High School in Stratford?«

»Nicht, daß ich wüßte.«

»Das habe ich mir fast–«

»Das einzige, was hier in der Gegend Milford heißt, ist der Milford-Friedhof draußen an der Ash Heights Road. Aber da hat bisher noch nie jemand sein Examen gemacht.« Er stieß ein trockenes Lachen aus, das in Jims Ohren wie das Klappern von Knochen in einer Grube klang.

»Vielen Dank«, hörte er sich sagen. »Auf Wiedersehen.«

Mr. Nell hatte aufgelegt, und mechanisch folgte Jim der Aufforderung der Vermittlung, sechzig Cent einzuwerfen. Er drehte sich um – und starrte geradewegs in ein grausiges, plattgedrücktes Gesicht, das gegen die Scheibe gepreßt war, eingerahmt von zwei Händen mit gespreizten Fingern, die sich, wie die Nasenspitze, weiß auf dem Glas abzeichneten.

Es war das grinsende Gesicht von Vinnie der Viper.

Jim schrie.

Die siebte Stunde.

In *Leben mit Lit* wurde ein Aufsatz geschrieben. Die meisten Köpfe waren schwitzend über die Blätter gebeugt, und die Schüler brachten ihre Gedanken so verbissen zu Papier, als würden sie Holz hacken. Nur drei nicht. Robert Lawson, der auf Billy Stearns Platz saß, David Garcia auf Kathy Slavins und Vinnie Corey auf Chip Osways. Sie saßen vor leeren Seiten und beobachteten ihn.

Kurz bevor es klingelte, sagte Jim leise: »Ich möchte dich nach der Stunde einen Augenblick sprechen, Vinnie.«

»Aber klar, Norm.«

Lawson und Garcia kicherten laut, während der Rest der Klasse schwieg. Als es klingelte, gaben sie ihre Blätter ab und schossen förmlich zur Tür hinaus. Lawson und Garcia blieben zurück, und Jim merkte, wie sich sein Magen verkrampfte.

Ist es jetzt soweit?

Dann nickte Lawson Vinnie zu. »Bis nachher also.«

»Ja.«

Die beiden gingen hinaus. Lawson schloß die Tür hinter sich, und auf der anderen Seite der Milchglasscheibe schrie David Garcia plötzlich heiser: »*Norm ist erledigt!*« Vincent blickte auf die Tür und dann zurück auf Jim. Er lächelte.

»Ich war gespannt, ob Sie sich trauen würden«, begann Vinnie.

»So?«

»Ich habe Ihnen ganz schön Angst eingejagt draußen vor der Telefonzelle, was, Papi?«

»Papi sagt heute niemand mehr, Vinnie. Ist nicht mehr in. Es ist so tot wie Buddy Holly.«

»Ich rede, wie ich will«, gab Vinnie zurück.

»Wo ist der andere? Der mit den komischen roten Haaren.«

»Weg, Mann.« Doch unter der äußeren Gleichgültigkeit entdeckte Jim Wachsamkeit.

»Er lebt, nicht? Deshalb ist er jetzt auch nicht hier. Er lebt und ist jetzt so um die zwei-, dreiunddreißig, wie ihr, wenn ihr nicht–«

»Bleicher war immer eine Niete. Den können Sie vergessen.«

Vinnie richtete sich auf seinem Stuhl auf und legte die Hände flach auf den Tisch vor ihm. Seine Augen glitzerten. »Mann, ich kann mich noch genau an die Gegenüberstellung erinnern. Sie haben ausgesehen, als wollten Sie sich gleich in Ihre dreckige alte Cordhose machen. Wie Sie mich und Davie angestarrt haben! Ich habe Sie behext.«

»Ja. Ihr habt mich sechzehn Jahre mit Alpträumen verfolgt. War das nicht genug? Warum jetzt das? Warum ich?«

Vinnie verzog verwirrt das Gesicht, dann lächelte er wieder. »Weil wir noch nicht mit Ihnen abgerechnet haben, Mann. Zwischen uns steht noch eine Rechnung offen.«

»Wo bist du gewesen?« wollte Jim wissen. »Ich meine, bis jetzt?«

Vinnies Mund wurde zu einem Strich. »Das steht jetzt nicht zur Debatte. Kapiert?«

»Du warst unter der Erde, nicht, Vinnie? Sie haben dir ein Loch gegraben. Sechs Fuß tief, auf dem Milford-Friedhof. Sechs Fuß in–«

»*Halten Sie den Mund!*«

Er war aufgesprungen. Der Tisch fiel zur Seite.

»Es wird nicht leicht werden«, sagte Jim. »Ich werde es euch nicht einfach machen.«

»Wir werden dich umbringen – Papi. Dann kannst du dir das Loch mit eigenen Augen ansehen.«

»Raus hier.«

»Vielleicht auch deine entzückende kleine Frau.«

»Wage es, sie anzufassen, du gottverdammter Mistkerl –« Bei der Erwähnung von Sally wollte er blind vor Wut und Angst auf Vinnie los.

Vinnie grinste und ging hinüber zur Tür. »Ganz ruhig. Nur nicht die Nerven verlieren.« Er kicherte.

»Wenn meiner Frau etwas passiert, bringe ich dich um.«

Vinnies Grinsen wurde breiter. »Mich umbringen? Mann, ich dachte, Sie wüßten, daß ich schon lange tot bin.«

Er ging hinaus. Seine Schritte hallten noch lange von den Wänden des Korridors wider.

»Was liest du da, Schatz?«

Jim hielt das Buch, *Wie man Geister beschwört,* so hoch, daß sie den Titel lesen konnte.

»Wie interessant.« Sie wandte sich wieder dem Spiegel zu, um ihre Frisur zu überprüfen.

»Nimmst du zurück ein Taxi?«

»Es sind doch nur vier Blocks. Außerdem ist es gut für meine Figur, wenn ich mal zu Fuß gehe.«

»Letztens hat jemand eine meiner Schülerinnen in der Summer Street überfallen«, log er. »Sie glaubt, daß er sie vergewaltigen wollte.«

»Ja? Wer?«

»Dianne Snow«, erfand er aufs Geratewohl einen Namen. »Sie ist ein sehr vernünftiges Mädchen. Nimm dir ein Taxi, ja?«

»Also gut.« Sie blieb vor seinem Sessel stehen, ging in die Knie, nahm sein Gesicht in die Hände und sah ihm in die Augen. »Was ist los, Jim?«

»Nichts.«

»Doch. Ich fühle es.«

»Nichts, womit ich nicht fertig würde.«

»Hat es ... hat es mit deinem Bruder zu tun?«

Ein Hauch von Entsetzen durchfuhr ihn, als ob in seinem Innern eine Tür geöffnet worden wäre. »Wie kommst du denn darauf?«

»Du hast letzte Nacht im Schlaf seinen Namen gestöhnt. *Wayne, Wayne,* hast du gesagt. *Lauf weg, Wayne.*«

»Es ist nichts.«

Doch sie wußten beide, daß es nicht stimmte. Jim blickte ihr nach, als sie hinausging.

Um Viertel nach acht rief Mr. Nell an. »Wegen dieser Jungen brauchen Sie sich keine Sorgen mehr zu machen«, erklärte er. »Sie sind alle tot.«

»So?« Jim hielt den Zeigefinger auf die Stelle in *Wie man Geister beschwört,* an der er gerade war, und hörte gespannt zu.

»Ein Autounfall. Sechs Monate nachdem Ihr Bruder ermordet wurde. Sie wurden von einem Polizisten verfolgt. Der Polizist hieß übrigens Frank Simon. Er arbeitet heute bei einer Geldtransportfirma. Verdient da wahrscheinlich einen hübschen Batzen mehr.«

»Sie hatten also einen Unfall.«

»Der Wagen kam mit über hundert Meilen Tempo von der Fahrbahn ab und stieß mit einem Starkstrommast zusammen. Als man den Strom endlich abgestellt und sie aus dem Auto gekratzt hatte, waren sie halb gar gegrillt.«

Jim schloß die Augen. »Haben Sie den Bericht über den Unfall gelesen?«

»Sicher.«

»Stand da irgend etwas über den Wagen drin?«

»Er war frisiert.«

»Gibt es eine Beschreibung?«

»Eine schwarze Fordlimousine, Baujahr 1954. Auf einer Seite stand ›Klapperschlange‹. Paßt alles. Die Burschen können keinen Ärger mehr machen.«

»Sie hatten noch einen Komplizen, Mr. Nell. Ich weiß nicht, wie er heißt, aber sein Spitzname war Bleicher.«

»Das muß Charlie Spender sein«, antwortete Mr. Nell ohne zu überlegen.

»Er hat sich mal die Haare gebleicht. Ich erinnere mich noch genau daran. Der Erfolg waren weiße Strähnen, und er hat dann versucht, es wieder dunkel zu färben. Die weißen Strähnen wurden orange.«

»Wissen Sie, was er jetzt macht?«

»Er ist Berufssoldat geworden. Meldete sich acht- oder neunundfünfzig zur Armee, nachdem ein Mädchen aus der Gegend ein Kind von ihm erwartete.«

»Wie könnte ich ihn erreichen?«

»Seine Mutter lebt in Stratford. Sie kann Ihnen sagen, wo Sie ihn finden können.«

»Können Sie mir ihre Adresse geben?«

»Nicht, bevor Sie mir nicht verraten haben, worum es geht.«

»Das kann ich nicht, Mr. Nell. Sie würden mich für verrückt halten.«

»Lassen wir es auf einen Versuch ankommen.«

»Ich kann wirklich nicht.«

»Also schön, mein Sohn.«

»Würden Sie –« Doch die Leitung war schon tot.

»Verdammt!« fluchte Jim und legte den Hörer auf die Gabel. Im selben Augenblick klingelte der Apparat unter seiner Hand, und er zuckte zurück, als hätte er sich verbrannt. Schwer atmend starrte er auf das Telefon. Es klingelte dreimal, viermal. Er nahm den Hörer auf. Hörte zu. Schloß die Augen.

Ein Streifenwagen überholte ihn auf dem Weg zum Krankenhaus und fuhr dann mit heulender Sirene voraus. Im Unfallraum war ein junger Arzt mit einem kurz gestutzten Schnurrbart. Er sah Jim aus dunklen, emotionslosen Augen an.

»Entschuldigen Sie, ich bin James Norman und –«

»Es tut mir leid, Mr. Norman. Ihre Frau ist um 21.04 Uhr gestorben.«

Er merkte, wie er ohnmächtig wurde. Die Welt um ihn herum rückte in weite Ferne. Alles verschwamm vor seinen Augen, und in seinen Ohren summte es schrill. Sein Blick wanderte ziellos umher, sah grün gekachelte Wände, eine fahrbare Bahre, die im Licht der Deckenlampe glitzerte, eine Schwester mit schief sitzender Haube. *Zeit, daß du dich im Spiegel überprüfst, Schätzchen.* Ein Pfleger lehnte an der Wand vor dem Unfallraum Nr. 1. Er trug einen schmutzigen weißen

Kittel, auf dem ein paar vereinzelte Blutflecken schimmerten, und war gerade dabei, mit einem Messer seine Fingernägel sauberzumachen. Der Pfleger hob den Kopf und grinste Jim an. Es war David Garcia.

Da verlor Jim das Bewußtsein.

Die Beerdigung. Wie ein Tanz in drei Akten. Das Haus. Die Leichenhalle. Der Friedhof. Gesichter, die aus dem Nichts auftauchten, vorbeiwirbelten und irgendwo in der Dunkelheit wieder verschwanden. Sallys Mutter, die tränennassen Augen hinter einem schwarzen Schleier verborgen. Ihr Vater, der fassungslos und alt aussah. Simmons. Andere. Sie stellten sich vor und schüttelten ihm die Hand. Er nickte, ohne sich ihre Namen zu merken.

Ein paar Frauen brachten etwas zu essen mit, eine von ihnen eine Apfeltorte, von der irgend jemand ein Stück aß, und als er in die Küche kam, sah er sie auf dem Küchenschrank stehen, und dort, wo sie angeschnitten war, quoll der Saft wie gelbbraunes Blut auf den Tortenteller, und er dachte: *Fehlt nur noch ein ordentlicher Löffel Vanilleeiscreme oben drauf.*

Er merkte, wie seine Hände und Beine zitterten und verspürte den Wunsch, hinüber zum Küchenschrank zu gehen und den Kuchen gegen die Wand zu schleudern.

Und dann verabschiedeten sie sich, und es kam ihm so vor, als sähe er sich in einem selbstgedrehten Videofilm, wie er Hände schüttelte, nickte und sagte: Danke... Ja, das werde ich... Vielen Dank... Das ist sie bestimmt... Danke...

Als alle fort waren, gehörte das Haus wieder ihm allein. Er ging hinüber zum Kaminsims, das mit Andenken aus ihren Ehejahren vollgestellt war. Ein Stoffhund mit Perlen als Augen, den sie während ihrer Flitterwochen auf Coney Island gewonnen hatte. Zwei Ledereinbände mit seinem und ihrem Universitätsdiplom. Ein Paar Riesenwürfel aus Styropor, die sie ihm geschenkt hatte, nachdem er vor ungefähr einem Jahr beim Pokern einmal sechzehn Dollar verloren hatte. Eine Tasse aus feinem Chinaporzellan, die sie im letzten Jahr in einem Trödelladen in Cleveland gekauft hatte. Und in der Mitte ihr Hochzeitsphoto. Er legte es hin, setzte sich in seinen Sessel und starrte auf den leeren Bildschirm des Fernsehgeräts. Und langsam nahm ein Plan in seinem Kopf Gestalt an.

Eine Stunde später klingelte das Telefon und riß ihn aus einem leichten Halbschlaf. Er griff nach dem Hörer.

»Der nächste bist du, Norm.«

»Vinnie?«

»Mann, sie war wie 'ne Tontaube in 'ner Schießbude. Peng und kaputt.«

»Ich werde heute abend in der Schule sein, Vinnie. Raum 23. Ich lasse das Licht aus. Es wird genauso sein wie unter dem Bahnübergang damals. Ich denke, ich kann sogar einen Zug beschaffen.«

»Du willst die Sache endlich zu Ende bringen, was?«

»Richtig. Ihr werdet also da sein.«

»Vielleicht.«

»Bestimmt«, antwortete Jim und hängte ein.

Es war fast dunkel, als er die Schule erreichte. Er parkte den Wagen auf dem üblichen Platz, öffnete den Hintereingang mit seinem Hauptschlüssel und ging zuerst hinauf zur englischen Abteilung im ersten Stock. Er schloß auf, öffnete den Plattenschrank und ging die Schallplatten durch. Ungefähr in der Mitte des Stapels hielt er ein und zog eine Platte mit dem Titel *Hi-Fi Sound Effects* heraus. Er drehte sie herum. Das dritte Stück auf der A-Seite war »Güterzug: 3:04.« Er legte das Album auf den tragbaren Plattenspieler der Abteilung und zog *Wie man Geister beschwört* aus seiner Manteltasche. Er schlug das Buch an einer markierten Stelle auf, las und nickte. Dann schaltete er das Licht aus.

Raum 23.

Er baute den Plattenspieler auf, stellte die Lautsprecherboxen so weit wie möglich auseinander und legte dann das Stück mit dem Güterzug auf. Das Geräusch schwoll aus dem Nichts an, bis es den ganzen Raum mit dem rauhen Dröhnen von Dieselmotoren und dem metallischen Kreischen von Stahl auf Stahl erfüllte.

Wenn er die Augen schloß, konnte er sich fast vorstellen, er wäre unter der Broad Street-Bahnüberführung, auf die Knie heruntergedrückt, und sähe zu, wie das schreckliche Drama auf seinen unvermeidlichen Schluß hin ablief...

Er öffnete die Augen, nahm den Tonarm von der Platte und legte ihn neu auf. Dann setzte er sich hinter sein Pult und schlug »Wie man Geister beschwört« bei einem Kapitel auf, das die Überschrift »Böse Geister und wie man sie ruft« trug. Seine Lippen bewegten sich beim Lesen, und ab und zu hielt er inne, um etwas aus seiner Tasche zu holen, das er vor sich auf den Tisch legte.

Das erste war ein altes und zerknittertes Photo von ihm und seinem Bruder auf dem Rasen vor dem Apartmenthaus in der Broad Street, wo sie gewohnt hatten. Sie hatten beide den gleichen kurzen Haarschnitt, und beide lächelten sie verlegen in die Kamera. Das zweite war ein kleines Glas mit Blut. Er hatte eine streunende Katze eingefangen und ihr mit seinem Taschenmesser die Kehle durchgeschnitten. Das dritte war das besagte Taschenmesser. Und das vierte und letzte war ein Schweißband, das er aus einer alten Baseballmütze herausgerissen hatte. Aus Waynes Baseballmütze. Jim hatte sie in der Hoffnung aufbewahrt, daß er und Sally eines Tages einen Sohn haben würden, der sie tragen würde.

Er stand auf, ging hinüber zum Fenster und sah hinaus. Der Parkplatz war leer.

Er machte sich daran, die Schultische an die Wände zu schieben, so daß in der Mitte ein kreisförmiger Freiraum blieb. Als er damit fertig war, holte er ein Stück Kreide aus seiner Schreibtischschublade und zeichnete mit Hilfe eines Maßstabs ein Pentagramm auf den Fußboden, wobei er sich ganz genau an die Vorlage im Buch hielt.

Sein Atem ging jetzt schwerer. Er schaltete das Licht aus, nahm die Dinge, die er mitgebracht hatte, in eine Hand und begann zu rezitieren.

»Dunkler Vater, höre mich an um meiner Seele willen. Ich

bin einer, der Opfer verspricht. Ich bin einer, der eine finstere Gefälligkeit für ein Opfer erbittet. Ich bin einer, der Vergeltung der linken Hand sucht. Ich bringe Blut als Versprechen für ein Opfer mit.«

Er schraubte den Deckel vom Glas, in dem ursprünglich Erdnußbutter gewesen war, und schüttete das Blut in das Pentagramm.

In dem dunklen Klassenraum ging eine Veränderung vor sich. Es ließ sich nicht genau beschreiben, aber die Luft wurde schwerer. Sie schien dicker zu werden und Kehle und Magen mit Blei auszufüllen. Die tiefe Stille wurde noch intensiver, schwoll an mit etwas Unsichtbarem.

Er folgte genau den alten Riten.

Jetzt lag etwas in der Luft, das Jim an eine Gelegenheit erinnerte, als er einmal mit einer Klasse ein riesiges Kraftwerk besichtigt hatte – ein Gefühl, als sei die Luft mit Elektrizität geladen und als vibriere sie. Und plötzlich begann eine seltsam leise und unangenehme Stimme zu ihm zu sprechen.

»Was wünschst du?«

Jim konnte nicht sagen, ob er sie tatsächlich hörte oder sich nur einbildete, sie zu hören. Er sagte zwei Sätze.

»Das ist eine kleine Gefälligkeit. Was gibst du mir dafür?«

Jim sagte drei Worte.

»Beide«, flüsterte die Stimme. »Den linken und den rechten. Einverstanden?«

»Ja.«

»Dann gib mir, was mir gehört.«

Er klappte sein Taschenmesser auf, drehte sich zum Schreibtisch herum, legte die rechte Hand flach auf die Platte und hackte mit vier harten Hieben seinen rechten Zeigefinger ab. Blut floß auf das Löschpapier darunter, wo es ein dunkles Muster bildete. Es tat überhaupt nicht weh. Er schob den Finger beiseite und nahm das Messer in die andere Hand. Den linken Finger abzuschneiden, war schwieriger. Seine rechte Hand fühlte sich ohne Zeigefinger sonderbar fremd an, und das Messer rutschte ihm immer wieder weg. Schließlich warf er es mit einem unwilligen Knurren beiseite, griff sich den Finger und riß ihn ab. Dann warf er alle zwei in das Pentagramm. Ein kurzer Lichtblitz zuckte auf, der an das Blitzlichtpulver erinnerte, wie es ganz früher bei Photoaufnahmen verwendet wurde. Kein Rauch, bemerkte er. Kein Schwefelgeruch.

»Welche Gegenstände hast du mitgebracht?«

»Ein Photo. Und ein Stück Tuch, das seinen Schweiß aufgenommen hat.«

»Schweiß ist wertvoll«, entgegnete die Stimme, und in ihrem Ton lag eine kalte Gier, die Jim frösteln ließ. »Gib sie mir.«

Jim warf sie in das Pentagramm. Wieder blitzte es auf.

»Es ist gut.«

»Wenn sie kommen«, gab Jim zurück.

Er bekam keine Antwort. Die Stimme war verschwunden – falls es sie überhaupt gegeben hatte. Er beugte sich näher zum Pentagramm vor. Das Photo lag immer noch da, aber es war schwarz und rissig. Das Schweißband war weg.

Draußen auf der Straße war ein Geräusch zu hören, zuerst nur schwach, dann zunehmend lauter. Ein frisierter Wagen mit speziellen Schalldämpfern, der zunächst in die Davis Street einbog und dann näherkam. Jim setzte sich und horchte, ob er vorbeifahren oder einbiegen würde. Er bog ein.

Das Echo von Schritten auf der Treppe.

Robert Lawsons hohes Kichern, dann eine Stimme: »Schschsch!« und wieder Lawsons Kichern. Die Schritte kamen näher, verloren ihr Echo, und dann wurde die Glastür am Ende der Treppe aufgeschlagen.

»Juuu-huuu, Normie!« rief David Garcia schrill.

»Bist du da, Normie?« flüsterte Lawson und kicherte. »Hey, bisse da oder nich?«

Vinnie sagte nichts, aber Jim konnte ihre drei Schatten sehen, als sie den Korridor entlangkamen. Vinnie war der größte, und in einer Hand hielt er einen langen Gegenstand. Es klickte leise, und der lange Gegenstand wurde noch länger.

Sie standen jetzt vor der Tür, Vinnie in der Mitte. Alle drei hatten sie Messer in den Händen.

»Wir kommen, Mann«, sagte Vinnie leise. »Wir kommen, um dich ein für alle Male fertigzumachen.«

Jim schaltete den Plattenspieler ein.

»Hey« rief Garcia und zuckte zurück. »Was ist das?«

Der Güterzug kam näher. Man konnte fast spüren, wie die Wände zu zittern begannen.

Das Geräusch schien plötzlich nicht mehr aus den Lautsprechern zu kommen, sondern von irgendwo den Korridor hinunter, von Gleisen irgendwo weit entfernt in Zeit und Raum.

»Die Sache gefällt mir nicht«, stellte Lawson fest.

»Zu spät«, entgegnete Vinnie. Er trat vor und fuchtelte mit dem Messer herum. »Gib uns dein Geld, Papi.«

... laß mich in Ruhe...

Garcia wich zurück. »Was zum Teufel –«

Aber Vinnie zögerte keine Sekunde. Er bedeutete den anderen, sich zu verteilen, und was Jim in seinem Blick las, hätte Erleichterung sein können.

»Komm schon, Kleiner, wieviel hast du dabei?« fragte Garcia plötzlich.

»Vier Cent«, antwortete Jim wahrheitsgemäß. Er hatte sie aus dem Pennyglas im Schlafzimmer herausgesucht. Der jüngste stammte von 1956.

»Du verdammter Lügner.«

... laßt ihn in Ruhe...

Lawson sah über seine Schulter, und seine Augen weiteten sich. Die Wände waren verschwommen, wie nicht vorhanden. Der Güterzug heulte. Das Licht der Straßenlampe auf dem Parkplatz hatte einen rötlichen Ton angenommen, wie das Neonschild der Burrets Building Company, das gegen den abendlichen Himmel flackerte.

Etwas kam aus dem Pentagramm heraus, etwas mit dem Gesicht eines kleinen Jungen von vielleicht zwölf Jahren. Ein Junge mit kurzgeschnittenen Haaren.

Garcia schoß vor und schlug Jim auf den Mund. Er konnte Knoblauch und Pepperoni in Garcias Atem riechen. Alles lief ganz langsam und schmerzlos ab.

Jim fühlte plötzlich eine bleierne Schwere in seinen Leisten, und seine Blase löste sich. Als er an sich herunterblickte, sah er, wie ein dunkler Fleck auf seiner Hose erschien, der sich rasch ausbreitete.

»Hey, guck mal, Vinnie, er hat sich in die Hose gemacht!« rief Lawson. Der Ton stimmte, doch auf seinem Gesicht lag ein Ausdruck von Entsetzen – der entsetzte Ausdruck einer Puppe, die zum Leben erwacht ist, nur um feststellen zu müssen, daß sie an Fäden hängt.

»Laßt ihn in Ruhe«, sagte das Etwas mit Waynes Gesicht, aber es war nicht Waynes Stimme – es war die kalte, gierige Stimme jenes Wesens aus dem Pentagramm. »Lauf, Jimmy! Lauf! Lauf weg! Lauf weg!«

Jim ließ sich auf die Knie fallen, und eine Hand rutschte über seinen Rücken und versuchte, ihn festzuhalten, aber es gelang ihr nicht.

Als er aufblickte, sah er, wie Vinnie, das Gesicht zu einem Zerrbild des Hasses verzogen, sein Messer direkt unterhalb des Brustbeins in das Wayne-Etwas stieß ... und dann ein Schrei, sein Gesicht fiel zusammen, wurde rissig, schwarz und schrecklich.

Dann war er verschwunden.

Garcia und Lawson erwischte es einen Augenblick später, und verzerrt und entstellt verschwanden auch sie.

Jim lag keuchend auf dem Boden, während das Dröhnen des Güterzugs verebbte.

Sein Bruder sah auf ihn hinunter.

»Wayne?« flüsterte er.

Und das Gesicht veränderte sich. Es schien zu schmelzen und ineinanderzulaufen. Die Augen wurden gelb, und eine gräßliche Bösartigkeit grinste ihm aus ihnen entgegen.

»Ich komme wieder, Jim«, flüsterte die kalte Stimme.

Und dann war das Etwas verschwunden.

Jim stand langsam auf und schaltete den Plattenspieler mit einer verstümmelten Hand aus. Er betastete seine Lippen. Sie bluteten von Garcias Schlag. Er ging zur Tür und schaltete das Licht ein. Der Raum war leer. Er blickte hinaus auf den Park-platz – er war ebenfalls leer, abgesehen von einer einzelnen Radkappe, die den Mond in einer schwachsinnigen Pantomime reflektierte. Die Luft im Klassenzimmer roch alt und muffig – die Atmosphäre von Mausoleen. Er wischte das Pentagramm auf dem Fußboden aus und begann, die Tische für den Vertreter am nächsten Tag zurechtzurücken. Seine Finger schmerzten schlimm – *welche Finger?* Er würde einen Arzt aufsuchen müssen. Er schloß die Tür und stieg langsam die Treppe hinunter, wobei er seine Hände gegen die Brust hielt. Auf halbem Weg nach unten ließ ihn etwas – ein Schatten, oder vielleicht auch nur eine Intuition – herumfahren.

Etwas Unsichtbares schien zurückzuspringen.

Jim dachte an die Warnung in *Wie man Geister beschwört* – an die Gefahr, die darin lag. Man konnte sie vielleicht rufen, sie vielleicht dazu bringen, etwas für einen zu tun. Man konnte sie sogar wieder loswerden.

Aber manchmal kommen sie wieder.

Er ging weiter und fragte sich, ob der Alptraum wirklich vorbei war.

———

Erdbeerfrühling

Der unheimliche Jack ...

Ich las diese drei Worte heute morgen in der Zeitung, und mein Gott, was für Erinnerungen sie in mir wachrufen! Es war vor acht Jahren, fast auf den Tag genau. Einmal war ich dabei sogar im überregionalen Fernsehen – im Walter-Cronkite-Report. Zwar nur als flüchtiges Gesicht in der Menge hinter dem Reporter, aber meine Familie hat mich sofort erkannt und mich angerufen. Dad wollte meine Meinung zu der Situation; er war richtig aufgeschlossen und redete mit mir wie mit einem Erwachsenen. Meine Mutter wollte nur, daß ich nach Hause kam. Aber ich wollte nicht nach Hause, denn ich war fasziniert und gefesselt.

Ich war gefesselt von jenem dunklen und nebligen Erdbeerfrühling und von dem Schatten des gewaltsamen Todes, der in seinen Nächten vor acht Jahren umging. Der Schatten des unheimlichen Jack.

In Neuengland nennen sie es einen Erdbeerfrühling. Niemand weiß, warum; es ist einfach eine Bezeichnung, die von den Alteingesessenen gebraucht wird. Sie sagen, daß es alle acht bis zehn Jahre einmal passiert. Was damals, in jenem Erdbeerfrühling, am New Sharon Teacher's College passiert ist ... auch hier läßt sich vielleicht ein Zyklus finden, aber falls jemand auf diesen Gedanken gekommen ist, wurde er doch nie erwähnt.

In New Sharon begann der Erdbeerfrühling am 16. März 1968. An jenem Tag war der kälteste Winter seit zwanzig Jahren zu Ende. Es regnete, und man konnte das Meer noch zwanzig Meilen von der Küste entfernt riechen. Der Schnee, der stellenweise fünfunddreißig Zoll hoch gelegen hatte, begann zu schmelzen, und die Campuswege waren völlig aufgeweicht. Die Schneeskulpturen vom Winterkarneval, die bei den Minustemperaturen der letzten zwei Monate unverändert dagestanden hatten, sackten in sich zusammen und zerflossen. Die Karikatur von Präsident Johnson vor dem Studentenheim weinte geschmolzene Tränen, und die Taube vor der Prashner Hall verlor ihre Eisfedern, und stellenweise schimmerte schon traurig ihr Sperrholzskelett durch.

Mit dem Abend kam der Nebel, der sich lautlos und weiß auf die Straßen und Wege des College-Geländes legte. Wie hochgereckte Finger schimmerten die Kiefern auf der Promenade durch die Wattewand, und wie Zigarettenrauch trieb der Nebel unter der kleinen Brücke bei den Kanonen aus dem Bürgerkrieg hindurch. Alles schien plötzlich merkwürdig fremd und verzaubert. Arglos kam man aus der vom Lärm der Musikbox erfüllten und hell erleuchteten Mensa ins Freie und erwartete, daß einen die frostige Starre des harten Winters empfing... und statt dessen fand man sich plötzlich in einer schweigenden Welt von weißem, dahintreibendem Nebel wieder, die einzigen Geräusche um einen herum die eigenen Schritte und das leise Tropfen von Wasser aus den löchrigen Dachrinnen. Man erwartete fast, irgendwelche Märchengestalten vorbeihuschen zu sehen, oder sich umzudrehen und plötzlich entdecken zu müssen, daß die Mensa auf einmal verschwunden und an ihre Stelle ein nebelumhülltes Panorama von Mooren, Eiben und vielleicht einem Druidenkreis oder einem funkelnden Feenring getreten war.

Die Musikbox spielte in jenem Jahr »Love Is Blue«... Sie spielte immer und immer wieder »Hey, Jude«, und sie spielte »Scarborough Fair«.

Und um zehn Minuten nach elf an jenem Abend begann John Dancey, ein Student aus dem ersten Semester, der auf dem Weg zu seinem Schlafsaal war, in den Nebel zu schreien und ließ seine Bücher auf und zwischen die gespreizten Beine des toten Mädchens fallen, das in einer dunklen Ecke des Parkplatzes vor der veterinärmedizinischen Fakultät lag. Ihre Kehle war von einem Ohr bis zum anderen aufgeschlitzt, aber ihre Augen waren offen und schienen fast zu blitzen, als ob sie gerade jemandem den besten Streich ihres jungen Lebens gespielt hätte – Dancey, mit Hauptfach Pädagogik und Nebenfach Sprachwissenschaft, schrie und schrie und schrie.

Der folgende Tag war düster und bedeckt, und wir gingen mit einer Reihe neugieriger Fragen auf der Zunge in unsere Klassen – Wer? Warum? Wann sie ihn wohl kriegen werden? Und zuletzt immer die spannende Frage: Hast du sie gekannt? Hast du sie gekannt?

Ja, sie war mit mir zusammen in einem Kurs.

Ja, ein Freund meines Zimmergenossen ist letztes Semester mal mit ihr ausgegangen.

Ja, sie hat mich mal in der Mensa um Feuer gebeten. Sie saß am Nebentisch.

Ja,

Ja, ich

Ja ... ja ... o ja, ich

Wir kannten sie alle. Sie hieß Gale Cerman (ausgesprochen Kerr-men) und studierte Sprachwissenschaft. Sie trug eine runde Nickelbrille und hatte eine gute Figur. Sie war beliebt, aber ihre Zimmergenossinnen hatten sie gehaßt. Sie war selten ausgegangen, obwohl sie eins der leichtesten Mädchen auf dem Campus gewesen war. Sie war häßlich, aber süß. Sie war ein lebhaftes Mädchen gewesen, das wenig sprach und selten lächelte. Sie war schwanger gewesen und hatte Leukämie gehabt. Sie war eine Lesbierin, die von ihrem Freund ermordet worden war. Es war Erdbeerfrühling, und am Morgen des 17. März kannten wir alle Gale Cerman.

Ein halbes Dutzend Polizeifahrzeuge trafen auf dem Campus ein, die meisten von ihnen parkten vor der Judith Franklin Hall, wo die Cerman gewohnt hatte. Auf dem Weg zu meinem Zehn-Uhr-Kurs kam ich daran vorbei und wurde prompt nach meinem Studentenausweis gefragt.

»Haben Sie ein Messer bei sich?« fragte der Polizist listig.

»Geht es um Gale Cerman?« wollte ich wissen, nachdem ich ihm erklärt hatte, daß das einzige an mir aus Metall meine Gürtelschnalle war.

»Wie kommen Sie darauf?« Er schien eine Spur zu wittern. Ich kam fünf Minuten zu spät zum Unterricht.

Es war Erdbeerfrühling, und niemand ging an jenem Abend allein über den halb akademischen, halb phantastischen Campus. Der Nebel war zurückgekommen, dicht und schweigend und begleitet von dem Geruch des Meeres.

Gegen neun kam mein Zimmergenosse in unseren Raum gestürmt, wo ich mich seit sieben mit einem Aufsatz über Milton herumschlug. »Sie haben ihn«, erklärte er. »Ich habe es drüben in der Mensa gehört.«

»Von wem?«

»Keine Ahnung. Kenne ihn nicht. Ihr Freund war's. Er heißt Carl Amalara.«

Ich lehnte mich zurück, erleichtert und enttäuscht. Bei einem solchen Namen mußte es stimmen. Ein schmutziges kleines Eifersuchtsdrama mit tödlichem Ausgang.

»Gut«, sagte ich. »Sehr gut.«

Er verließ das Zimmer, um die Neuigkeiten zu verbreiten, während ich meinen Milton-Aufsatz noch einmal durchlas, nicht mehr wußte, was ich gerade hatte sagen wollen, und ihn zerriß, um noch einmal von vorn anzufangen.

Am nächsten Tag stand es in den Zeitungen. Sie zeigten ein unpassend nettes Photo von Amalara – vermutlich ein Photo von seinem High-School-Abschluß, auf dem ein Junge mit einem ziemlich traurigen Gesicht, olivfarbenem Teint, dunklen Augen und Pockennarben auf der Nase zu sehen war. Er hatte noch nicht gestanden, aber das Beweismaterial gegen ihn war schwerwiegend. Er und Gale Cerman hatten in den letzten Wochen ziemlich oft Streit gehabt und sich vor einer Woche getrennt. Amalaras Zimmergenosse hatte ausgesagt, er sei ziemlich niedergeschlagen gewesen. In einer Feldkiste unter seinem Bett hatte die Polizei ein sieben Zoll langes Jagdmesser und ein Bild des Mädchens gefunden, das offensichtlich mit einer Schere zerschnitten worden war.

Neben dem Photo von Amalara brachten die Zeitungen eins von Gale Cerman. Es war ziemlich undeutlich und zeigte einen Hund, einen Gipsflamingo mit abblätternder Farbe und ein eher unscheinbares blondes Mädchen mit Brille. Ihre Lippen waren zu einem verlegenen Lächeln hochgezogen, und sie blinzelte in die Kamera. Eine Hand lag auf dem Kopf des Hundes. Es stimmte also. Es mußte stimmen.

Auch an jenem Abend kam der Nebel, nicht auf Katzenpfötchen, sondern in einem schweigenden breiten Teppich. Ich ging an jenem Abend spazieren. Ich hatte Kopfschmerzen und wollte ein bißchen frische Luft schnappen, den feuchten, nebligen Geruch des Frühlings riechen, der langsam den hartnäckigen Schnee verschwinden ließ und hier und da kahle Flecken des Rasens vom vergangenen Jahr aufdeckte, wie das Haupt einer seufzenden alten Großmutter.

Für mich war es einer der schönsten Abende, an die ich mich erinnern kann. Die Leute, an denen ich unter dem Schein der Straßenlaternen vorbeikam, waren murmelnde Schatten, und es schienen alles Liebende zu sein, die Hand in Hand gingen und die Blicke ineinander versenkt hatten. Der schmelzende Schnee tropfte und rann, tropfte und rann, und aus den dunklen Kanalisationsrohren trieb das Geräusch der See hinauf, eine dunkle Wintersee, die jetzt stark zurückging.

Ich ging fast bis Mitternacht spazieren, bis ich feucht bis auf die Haut war, und ich kam an vielen Schatten vorbei und hörte viele Schritte wie im Traum über die gewundenen Wege davoneilen. Wer weiß, ob nicht einer jener Schatten der Mann oder jenes Wesen war, das als der unheimliche Jack bekannt wurde? Ich jedenfalls weiß es nicht, denn ich kam an vielen Schatten vorbei, aber ich sah in dem Nebel keine Gesichter.

Am nächsten Morgen weckten mich aufgeregte Stimmen draußen auf dem Korridor. Ich benutzte meine zehn Finger als Kamm, fuhr mir mit der haarigen Raupe, die ich jetzt an Stelle meiner Zunge im Mund zu haben schien, über den trockenen Gaumen und torkelte nach draußen, um den Grund für den Aufruhr zu erkunden.

»Er hat wieder zugeschlagen«, erklärte mir jemand, dessen Gesicht vor Aufregung ganz blaß war. »Sie mußten ihn wieder freilassen?«

»Freilassen? Wie? Wen?«

»Amalara!« sagte jemand anders schadenfroh. »Er saß nämlich hinter Gittern, als es passierte.«

»Als was passierte?« fragte ich geduldig. Früher oder später würde ich es schon erfahren, dessen war ich mir sicher.

»Der Kerl hat letzte Nacht wieder jemanden umgebracht. Und jetzt suchen sie überall danach.«

»Wonach suchen sie?«

Das blasse Gesicht zappelte wieder vor mir. »Nach ihrem Kopf. Wer immer sie getötet hat, hat ihren Kopf mitgenommen.«

New Sharon ist auch heute noch keine große Schule, und damals war sie noch kleiner – die Public-Relations-Leute bezeichnen diese Art von Lehranstalt vertraulich als »Gemeinschafts-College«. Und es war wirklich wie eine kleine Gemeinschaft, zumindest damals; jeder kannte jeden, und sei es auch nur flüchtig. Gale Cerman war eins von den Mädchen gewesen, die man nur flüchtig kannte, und wenn sie einem über den Weg lief, dann erinnerte man sich dunkel, sie schon mal gesehen zu haben.

Ann Bary kannten wir dagegen alle.

Sie war zweite im Miss-New-England-Wettbewerb im Vorjahr geworden, und ihre Talentprobe hatte darin bestanden, daß sie einen Leuchtstab zur Melodie von »Hey, Look Me Over« herumwirbelte. Aber sie war auch intelligent; bis zu ihrem Tod war sie Herausgeberin der Studentenzeitung gewesen (ein Blatt mit einer Menge politischer Cartoons und hochtrabenden Briefen, das einmal in der Woche erschien), Mitglied der studentischen Theatergemeinschaft und Präsidentin der Nationalen Studentinnenverbindung, Zweig New Sharon. Mit dem überschäumenden, fanatischen Eifer des Erstsemestlers hatte ich einen Artikel für die Zeitung eingereicht und sie um ein Rendezvous gebeten – und hatte sowohl bei dem einen wie bei dem anderen einen Korb bekommen.

Und jetzt war sie tot ... noch schlimmer als tot.

Ich ging wie jeder andere zum Nachmittagsunterricht, nickte

den Leuten zu, die ich kannte und sagte »hi« mit ein bißchen mehr Nachdruck als sonst, als ob ich damit die eindringliche Musterung entschuldigen konnte, der ich ihre Gesichter unterzog. Dabei sahen sie mich genauso prüfend an wie ich sie. Es war jemand unter uns, der dunkel war, so dunkel wie die Wege, die sich durch das Campusgelände und durch die hundertjährigen Eichen hinter der Turnhalle schlängelten. So dunkel wie die mächtigen Kanonen aus dem Bürgerkrieg durch einen treibenden Nebelfetzen schimmerten. Einer blickte dem anderen ins Gesicht und versuchte, hinter irgendeinem das Böse zu entdecken.

Diesmal verhaftete die Polizei niemanden. Die blauen Streifenwagen fuhren in den nebligen Nächten des achtzehnten, neunzehnten und zwanzigsten unaufhörlich auf dem Campusgelände Patrouille, und Scheinwerfer bohrten sich mit regellosem Eifer in dunkle Ecken und Winkel. Die Schulleitung verhängte eine Ausgangssperre ab einundzwanzig Uhr. Ein mutiges Pärchen, das engumschlungen in den Büschen in der Nähe des Tate Alumni Building entdeckt wurde, wurde zum Polizeirevier von New Sharon gebracht und dort drei Stunden lang erbarmungslos ausgequetscht.

Es gab einen hysterischen Falschalarm, als man auf demselben Parkplatz, auf dem die Leiche von Gale Cerman entdeckt worden war, einen bewußtlosen Jungen fand. Ein kopfloser Campuspolizist lud ihn auf den Rücksitz seines Streifenwagens, deckte sein Gesicht mit einer Landkarte zu, ohne sich erst die Mühe zu machen, seinen Puls zu fühlen, und raste dann mit heulender Sirene quer über den verlassenen Campus in Richtung Krankenhaus.

Auf halbem Weg dorthin hatte sich der Tote im Wagenfond aufgerichtet und tonlos gefragt: »Wo zum Teufel bin ich?« Der Polizist stieß einen Schrei aus und kam von der Straße ab. Wie sich nachher herausstellte, handelte es sich bei der vermeintlichen Leiche um einen Studenten namens Donald Morris, der die letzten zwei Tage mit einer anständigen Grippe im Bett gelegen hatte – war es in jenem Jahr die asiatische? Ich kann es nicht mehr genau sagen. Wie auch immer, er war jedenfalls auf dem Weg zur Mensa, um sich dort mit einer heißen Suppe und belegten Broten zu stärken, als er auf dem Parkplatz ohnmächtig wurde.

Die folgenden Tage waren warm und bedeckt. Man bildete kleine Grüppchen, die sehr leicht wieder auseinanderbrachen, um sich überraschend schnell wieder neu zu formieren. Man kam nämlich sehr schnell auf merkwürdige Gedanken, wenn man zu lange in dieselben Gesichter sah. Und die Geschwindigkeit, mit der sich Gerüchte von einem Ende des Campus bis zum anderen ausbreiteten, näherte sich langsam aber sicher der des Lichts; jemand hatte einen allgemein beliebten Geschichtsprofessor unten bei der kleinen Brücke lachen und weinen gehört; Gale Cerman hatte auf dem Asphalt des Parkplatzes der veterinärmedizinischen Fakultät eine mysteriöse Botschaft hinterlassen, die aus zwei Worten bestand und mit ihrem eigenen Blut geschrieben war; beide Morde waren in Wirklichkeit politische Verbrechen, rituelle Morde, die von einer Splittergruppe der Studentenbewegung für eine Demokratische Gesellschaft begangen worden waren. Letzteres Gerücht war wirklich lachhaft. Die New Sharon Studentenvereinigung für eine Demokratische Gesellschaft bestand nämlich nur aus sieben Mitgliedern. Wo hätte man da noch eine Splittergruppe hernehmen sollen? Diese Tatsache brachte eine noch finsterere Variante von den Rechten des Campus: Agitation von außen. Also hielten wir in diesen etwas verrückten, warmen Tagen alle Ausschau nach fremden Agitatoren.

Die Presse, die ja immer unberechenbar ist, ignorierte die starke Ähnlichkeit unseres Mörders mit Jack the Ripper und grub weiter zurück – bis 1819. Ann Bray war auf durchweichtem Boden ein paar Meter vom nächsten Weg entfernt gefunden worden, trotzdem gab es keine Fußabdrücke, nicht einmal ihre eigenen. Ein Journalist aus New Hampshire mit einer Passion für alles Geheimnisvolle taufte den Mörder den unheimlichen Jack, nach dem berüchtigten Dr. John Hawkins aus Bristol, der fünf seiner Ehefrauen mit unbekömmlichen Pharmazieprodukten ums Leben brachte. Und der Name blieb hängen, vermutlich wegen jenes durchweichten und doch spurenlosen Bodens.

Am einundzwanzigsten regnete es wieder, und der ganze Campus war eine einzige Morastlandschaft. Die Polizei gab bekannt, daß sie männliche und weibliche Detektive in Zivil eingesetzt habe und zog die Hälfte der Streifenwagen wieder ab.

Die Studentenzeitung veröffentlichte ein ziemlich empörtes, wenn auch etwas unlogisches Editorial, in dem sie gegen diese Maßnahme der Polizei protestierte.

Das Fazit schien darauf hinauszulaufen, daß es bei all den verkleideten Polizisten unter den Studenten unmöglich würde, einen echten Agitator von außen von einem falschen zu unterscheiden.

Mit der Dämmerung kam der Nebel, der langsam, fast nachdenklich über die baumbestandenen Wege trieb und die Gebäude eins nach dem anderen verhüllte. Er war weich und nicht zu fassen, aber irgendwie doch erbarmungslos und beängstigend. Der unheimliche Jack war ein Mann, daran schien es keinen Zweifel zu geben, doch der Nebel war sein Komplize, und er war weiblich... diesen Eindruck hatte ich jedenfalls. Es war, als befände sich unsere kleine Schule zwischen ihnen, in die Umarmung zweier verrückter Liebender gepreßt, Teil einer Ehe, die in Blut vollzogen worden war. Ich saß in unserem Zimmer, rauchte und beobachtete die Lichter, die in der hereinbrechenden Dunkelheit angingen. Mein Zimmergenosse kam herein und schloß leise die Tür hinter sich.

»Es wird bald schneien«, stellte er fest.

Ich drehte mich um und sah ihn an. »Haben sie das im Radio gesagt?«

»Nein. Um das zu wissen, brauche ich die Wetterfrösche nicht. Hast du schon mal was vom Erdbeerfrühling gehört?«

»Möglich«, antwortete ich. »Muß aber schon lange her sein. Das ist so etwas, wovon die Großmütter erzählen, nicht?«

Er stand neben mir und starrte hinaus in die herankriechende Dunkelheit.

»Der Erdbeerfrühling ist wie der Indianersommer«, erklärte er, »nur viel seltener. In diesem Teil des Landes haben wir alle zwei oder drei Jahre einen Indianersommer, aber so eine Wetterperiode, wie wir sie jetzt haben, soll nur alle acht bis zehn Jahre einmal vorkommen. Es ist ein falscher Frühling, ein trügerischer Frühling, genauso wie der Indianersommer ein falscher Sommer ist. Meine Großmutter sagte immer, ein Erdbeerfrühling bedeutet, daß der schlimmste Sturm des Winters noch nicht vorbei ist – und je länger dieser Frühling dauert, desto härter der Sturm.«

»Ammenmärchen«, erwiderte ich. »An so was glaube ich nicht.« Ich sah ihn an. »Aber ich bin nervös. Du auch?«

Er lächelte wohlwollend und klaute mir eine Zigarette aus dem offenen Päckchen auf der Fensterbank. »Ich habe jeden außer dir und mir im Verdacht«, meinte er, und dann wurde sein Lächeln schwächer. »Und manchmal bin ich mir bei dir auch nicht sicher. Hast du Lust, mit Billard zu spielen?«

»Ich habe nächste Woche Trigonometrieprüfung und muß noch eine Menge tun.«

Noch lange, nachdem er fort war, saß ich da und starrte aus dem Fenster. Und selbst nachdem ich mein Buch aufgeschlagen und mit Lernen angefangen hatte, war ein Teil von mir noch immer dort draußen und ging durch den Abend, der jetzt von etwas Dunklem beherrscht wurde.

In jener Nacht wurde Adelle Parkins ermordet. Sechs Polizeifahrzeuge und siebzehn als Studenten ausstaffierte Detectives (acht von ihnen waren Frauen, die man extra aus Boston hatte herkommen lassen) waren auf dem Campus unterwegs, aber der unheimliche Jack schlug trotzdem wieder zu, wobei er sich mit untrüglicher Sicherheit eine der unseren heraussuchte. Der falsche Frühling, der trügerische Frühling, half ihm dabei – er brachte sie um und setzte sie hinter das Steuer ihres 1964er Dodge, wo sie am nächsten Morgen gefunden wurde. Andere Teile von ihr entdeckte man auf dem Rücksitz und im Kofferraum. Und auf die Windschutzscheibe – diesmal war es eine Tatsache und nicht nur Gerücht – waren mit Blut zwei Worte geschrieben: HA! HA!

Der ganze Campus schien daraufhin leicht durchzudrehen. Jeder und keiner hatte Adelle Parkins gekannt. Sie war eine jener namenlosen, ausgebeuteten Frauen, die von sechs bis elf abends in der Mensa arbeiteten und Horden hungriger Studenten auf dem Weg von der Bibliothek in ihre Unterkünfte mit Hamburgern abfütterte. Sie mußte es an den letzten drei nebligen Abenden ihres Lebens verhältnismäßig ruhig gehabt haben; die Ausgangssperre wurde streng eingehalten, und die einzigen Besucher der Mensa nach neun waren hungrige Polizisten und glückliche Hausmeister – die leeren Gebäude hatten ihre gewöhnlich schlechte Laune beträchtlich gehoben.

Viel mehr gibt es über die Sache eigentlich nicht zu erzählen. Die Polizei, genauso hysterieanfällig wie jeder von uns, mußte irgend etwas tun und verhaftete einen harmlosen, homosexuellen Soziologiestudenten namens Hanson Gray, der vorgab, sich »nicht erinnern zu können«, wo er einige der fraglichen Abende verbracht hatte. Er wurde angeklagt und vor Gericht gestellt, doch dann ließ man ihn eilig wieder frei und in seine Heimatstadt in New Hampshire zurückkehren, nachdem in der letzten entsetzlichen Nacht des Erdbeerfrühlings Marsha Curran auf der Campuspromenade umgebracht worden war.

Man hat nie herausgefunden, was sie allein auf dem Campus gesucht hatte – sie war ein dickes, ziemlich unansehnliches Mädchen, das sich mit drei anderen eine Wohnung in der Stadt teilte. Sie war genauso lautlos und unbemerkt auf den Campus geschlüpft wie der unheimliche Jack selbst. Was hatte sie hergeführt? Vielleicht ein Drang, der genauso stark und unbändig war wie der ihres Mörders und ebenso unbegreiflich. Vielleicht der Drang nach einer verzweifelten, leidenschaftlichen Romanze mit der warmen Nacht, dem warmen Nebel, dem Geruch des Meeres und dem kalten Messer.

Das war am dreiundzwanzigsten. Am vierundzwanzigsten gab der Rektor des Colleges bekannt, daß die Semesterferien um eine Woche vorverlegt würden, und wir zerstreuten uns, nicht freudig, sondern wie ängstliche Schafe vor einem Sturm, um den Campus der Polizei und einem düsteren Gespenst zu überlassen.

Ich hatte meinen eigenen Wagen dabei und nahm sechs

Kommilitonen mit, das Gepäck kreuz und quer verstaut. Es war nicht gerade eine angenehme Fahrt, denn wir alle wußten, daß einer von uns der unheimliche Jack sein konnte.

In jener Nacht fiel das Thermometer auf fünfzehn Grad minus, und der ganze Norden Neuenglands wurde von einem beißenden Wetterumschwung gebeutelt, der mit Schneeregen begann und mit einer tiefen Schneedecke endete. Wie üblich bekamen ein paar Verrückte Herzanfälle beim Schneeschaufeln – und dann war es wie ein Wunder plötzlich April. Reiner Regen und sternenklare Nächte.

Die Leute nennen es Erdbeerfrühling, und der Himmel weiß, warum. Es ist eine schlimme, eine trügerische Zeit, die nur alle acht bis zehn Jahre einmal vorkommt. Der unheimliche Jack verschwand mit dem Nebel, und Anfang Juni wandte sich das allgemeine Interesse auf dem Campus einer Reihe von Protesten gegen Wehrdienst und einem Sitzstreik zu, der vor dem Gebäude stattfand, in dem ein bekannter Napalmhersteller Einstellungsgespräche abhielt. Das Thema »der unheimliche Jack« wurde einmütig vermieden – zumindest nach außen hin, obwohl ich annehme, daß sich eine ganze Reihe Leute immer und immer wieder insgeheim den Kopf darüber zerbrochen und nach irgendeiner logischen Erklärung für die Morde gesucht haben.

In jenem Jahr machte ich mein Examen, und im Jahr darauf heiratete ich. Ich bekam eine gute Stellung in einem Zeitungsverlag der Stadt. 1971 bekamen wir einen Sohn, der mittlerweile schon fast im Schulalter ist. Er ist ein intelligenter und wißbegieriger Junge mit meinen Augen und ihrem Mund.

Und dann das heute morgen in der Zeitung.

Natürlich wußte ich es. Ich wußte es schon gestern morgen, als ich aufstand und das geheimnisvolle Rauschen des Schmelzwassers hörte, das in die Straßenkanalisation lief, und von unserer Veranda aus den salzigen Geruch des Meeres roch, das neun Meilen entfernt ist. Ich wußte, daß wir wieder einmal einen Erdbeerfrühling haben, als ich gestern abend von der Arbeit kam und meine Scheinwerfer einschalten mußte, weil der Nebel schon überall herausgekrochen kam, die Konturen der Gebäude verwischte und die Straßenlaternen mit einem verzauberten Schein umgab.

Die Zeitung von heute morgen berichtet, daß letzte Nacht auf dem Campus des New Sharon College in der Nähe der Kanonen aus dem Bürgerkrieg ein Mädchen ermordet worden ist. Man fand sie in einer schmelzenden Schneewehe. Aber sie war nicht... sie war nicht ganz da.

Meine Frau ist völlig verstört. Sie will wissen, wo ich letzte Nacht gewesen bin, aber ich kann es ihr nicht sagen, weil ich mich nicht erinnere. Ich weiß nur, daß ich von der Arbeit nach Hause losgefahren bin, und daß ich die Scheinwerfer eingeschaltet habe, um den Weg durch den schönen, kriechenden Nebel zu finden, mehr nicht.

Ich habe an jenen nebligen Abend denken müssen, als ich an die frische Luft gegangen bin, weil ich Kopfschmerzen hatte und an all den schönen Schatten ohne Form oder Substanz vorbeigekommen bin. Und ich habe an den Kofferraum meines Wagens denken müssen und mich gefragt, warum ich bloß Angst davor habe, ihn aufzumachen.

Während ich hier sitze und schreibe, kann ich meine Frau im Nebenzimmer weinen hören. Sie denkt, ich sei gestern abend mit einer anderen Frau zusammen gewesen.

Und, mein Gott, ich glaube, sie hat recht.

Der Mauervorsprung

»Los doch«, sagte Cressner zum zweiten Mal. »Machen Sie die Tasche auf.«

Wir saßen in seiner Penthouse-Wohnung im dreiundvierzigsten Stock. Der Raum war mit einem dicken orangefarbenen Veloursteppich ausgelegt. Zwischen dem Stuhl, auf dem Cressner saß, und der Ledercouch, auf der niemand saß, stand eine braune Einkaufstasche.

»Falls Sie mich bestechen wollen, können Sie es vergessen«, sagte ich. »Ich liebe sie.«

»Es ist Geld, aber natürlich will ich Sie nicht bestechen. Machen Sie doch die Tasche auf.« Er rauchte eine türkische Zigarette, die in einer Onyxspitze steckte. Die Klimaanlage wehte den Rauch zu mir herüber, bevor sie ihn ansaugte. Er trug einen Morgenrock aus Seide mit einem eingestickten Drachen. Ruhig und intelligent blickten seine Augen durch die Brillengläser. Er sah genauso aus wie er war: ein widerwärtiger 500-karätiger Scheißkerl. Ich stieß die Einkaufstasche um. Gebündelte Banknoten glitten auf den Teppich. Alles Zwanziger. Ich hob eines der Bündel auf und zählte. In jedem Bündel steckten zehn Scheine. Es waren ziemlich viele Bündel.

»Zwanzigtausend Dollar«, sagte er und zog an seiner Zigarette.

Ich stand auf. »Okay.«

»Es ist für Sie.«

»Ich will es nicht.«

»Sie kriegen doch meine Frau obendrein.«

Ich sagte nichts. Marcia hatte mich vor ihm gewarnt. Er ist wie eine Katze, hatte sie gesagt. Ein gemeiner alter Kater. Er wird versuchen, dich zur Maus zu machen.

»Ich höre, Sie sind Tennisprofi«, sagte er. »Der erste, den ich je gesehen habe.«

»Wollen Sie damit sagen, daß Ihre Schnüffler keine Aufnahmen gemacht haben?«

»Natürlich haben sie das.« Er machte mit seiner Zigarettenspitze eine wegwerfende Bewegung. »Im Bayside Motel haben wir Sie beide sogar gefilmt. Hinter dem Spiegel steckte eine Kamera. Aber Bilder genügen eigentlich nicht, oder?«

»Wenn Sie meinen.«

Er ist aalglatt, hatte Marcia gesagt. Er wird versuchen, dich in die Verteidigung zu drängen. Dann schlägst du blindlings zu, und er läßt dich ins Leere laufen. Sag so wenig wie möglich, Stan, und vergiß nicht, daß ich dich liebe.

»Ich habe Sie hergebeten, Mr. Norris, weil ich dachte, daß wir uns einmal von Mann zu Mann unterhalten sollten. Ganz einfach eine höfliche Unterhaltung zwischen gebildeten Menschen, von denen einer mit der Frau des anderen abgehauen ist.«

Ich hätte fast geantwortet, aber ich schwieg.

»Hat es Ihnen in San Quentin gefallen?« fragte Cressner und zog wieder an seiner Zigarette.

»Nicht besonders.«

»Sie waren ungefähr drei Jahre dort. Einbruchsdiebstahl, wenn ich mich nicht irre.«

»Marcia weiß es«, sagte ich und wünschte mir sofort, daß ich das Maul gehalten hätte. Ich hatte mich auf sein Spiel eingelassen. Gerade davor hatte Marcia mich gewarnt. Ich hatte einen weichen Ball geschlagen, und er schmetterte ihn zurück.

»Ich habe mir erlaubt, Ihren Wagen wegzuschaffen«, sagte er und schaute aus dem Fenster. Es war eigentlich kein Fenster. Die ganze Wand bestand aus Glas. In der Mitte war eine Schiebetür. Dahinter lag ein Balkon von der Größe einer Briefmarke. Und dahinter fiel es steil ab, dreiundvierzig Stockwerke. Irgend etwas an der Tür kam mir seltsam vor, aber ich hätte nicht sagen können, was es war.

»Ein sehr angenehmes Gebäude«, sagte Cressner. »Gute Sicherheitseinrichtungen, Kabelfernsehen und so weiter. Als ich wußte, daß Sie die Eingangshalle betreten hatten, führte ich ein Telefongespräch. Einer meiner Angestellten hat dann die Zündung Ihres Wagens kurzgeschlossen und ihn vom Parkplatz zu einem öffentlichen Grundstück einige Blocks weiter gefahren.« Er sah auf die moderne edelsteinbesetzte Uhr über der Couch. Es war jetzt acht Uhr fünf. »Um acht Uhr zwanzig wird derselbe Angestellte von einer öffentlichen Telefonzelle aus die Polizei anrufen. Um acht Uhr dreißig werden die Beamten im Ersatzreifen in Ihrem Kofferraum versteckt sechs Unzen Heroin gefunden haben. Man wird Sie eifrig suchen, Mr. Norris.«

Er hatte mich völlig in der Hand. Ich hatte versucht, mich so gut wie möglich abzusichern, aber am Ende war es für ihn ein Kinderspiel gewesen.

»Und das wird passieren, wenn ich meinen Angestellten nicht anweise, den Anruf bei der Polizei zu unterlassen.«

»Und ich brauche Ihnen lediglich zu verraten, wo Marcia ist«, sagte ich. »Daraus wird nichts, Cressner. Ich weiß es nicht. Im übrigen hatten wir es eigens für Sie so arrangiert.«

»Meine Leute ließen sie beschatten.«

»Das ist ihnen nicht ganz gelungen. Wir haben sie am Flughafen abgeschüttelt.«

Cressner seufzte. Er nahm die Zigarettenspitze und ließ den qualmenden Rest im Schlitz eines Chromaschenbechers verschwinden. Die aufgerauchte Zigarette und Stan Norris wurden mit der gleichen Leichtigkeit abserviert.

»Sie haben tatsächlich recht«, sagte er. »Das Verschwinden einer Jungfrau. Meine Leute waren höchst verärgert, auf einen so alten Trick hereingefallen zu sein. Er war schon so alt, daß sie ihn wirklich nicht erwartet hatten.«

Ich sagte nichts. Nachdem Marcia Cressners Leute abgeschüttelt hatte, war sie mit dem Pendlerbus in die Stadt zurück und dann zum Busbahnhof gefahren. Das war der Plan gewesen. Sie hatte zweihundert Dollar, mehr hatte ich nicht auf meinem Sparkonto. Aber mit zweihundert Dollar und einem Greyhound-Bus kann man in diesem Land überall hinfahren.

»Sind Sie immer so wortkarg?« fragte Cressner, und es klang ehrlich interessiert.

»Das hat Marcia mir geraten.«

Ein wenig schärfer sagte er: »Dann werden Sie ja wohl auf Ihren Rechten bestehen, wenn Sie verhaftet werden. Und das nächste Mal sehen Sie meine Frau vielleicht erst wieder, wenn sie als kleine alte Großmutter im Schaukelstuhl sitzt. Haben Sie sich das schon einmal durch den Kopf gehen lassen? Der Besitz von sechs Unzen Heroin könnte Ihnen vierzig Jahre einbringen.«

»Dadurch bekommen Sie Marcia nicht wieder zurück.«

Er lächelte dünn. »Und das ist der springende Punkt, nicht wahr? Darf ich noch einmal zusammenfassen? Sie und meine Frau haben sich ineinander verliebt. Sie haben ein Verhältnis gehabt... wenn Sie ein paar gemeinsame Übernachtungen in einem billigen Motel ein Verhältnis nennen wollen. Meine Frau hat mich verlassen. Aber ich habe Sie. Sie stecken sozusagen in der Klemme. Habe ich die Situation korrekt beschrieben?«

»Ich verstehe, daß sie von Ihnen die Nase voll hat«, sagte ich.

Zu meiner Überraschung warf er den Kopf zurück und fing an zu lachen. »Wissen Sie, ich mag Sie, Mr. Norris. Sie sind zwar ein ordinärer Penner, aber Sie scheinen Herz zu haben. Marcia sagte das schon, aber ich hatte meine Zweifel, denn ihre Menschenkenntnis ist gering entwickelt. Ganz sicher haben Sie einen gewissen... Elan. Und deshalb habe ich diese kleinen Arrangements getroffen. Marcia hat Ihnen zweifellos erzählt, daß ich gern wette.«

»Ja.« Jetzt wußte ich, was mit der Tür in der Glaswand los war. Es war Winter, und niemand würde auf einem Balkon im dreiundvierzigsten Stockwerk Tee trinken wollen. Die Möbel waren vom Balkon geräumt, und an der Tür fehlte der Windschutz. Warum hatte Cressner das wohl getan?

»Ich mag meine Frau nicht besonders«, sagte Cressner und steckte vorsichtig eine weitere Zigarette in seine Spitze. »Das ist kein Geheimnis. Auch das wird sie Ihnen erzählt haben. Ich bin sicher, daß ein Mann von Ihrer... Erfahrung weiß, daß eine zufriedene Ehefrau nicht einfach mit dem As vom örtlichen

Tennisklub ins Heu springt, sobald der seinen Schläger fallen läßt. Marcia ist eine käsegesichtige pedantische und prüde Person, die ständig jammert, eine Heulsuse, ein Klatschweib, eine –«

»Das dürfte reichen«, sagte ich.

Er lächelte kalt. »Ich bitte um Verzeihung. Ich vergesse dauernd, daß wir uns über Ihre Geliebte unterhalten. Es ist acht Uhr sechzehn. Sind Sie nervös?«

Ich zuckte die Achseln.

»Bis zuletzt ein harter Bursche«, sagte er und zündete seine Zigarette an. »Sie mögen sich fragen, warum ich Marcia nicht freigebe, wenn ich sie so wenig leiden kann.«

»Nein, darüber bin ich überhaupt nicht erstaunt.«

Er sah mich wütend an.

»Sie sind ein selbstsüchtiger, egozentrischer Hurensohn, der alles für sich haben will«, sagte ich. »Darum. Niemand nimmt, was Ihnen gehört. Auch dann nicht, wenn Sie es nicht mehr haben wollen.«

Er wurde rot, aber dann lachte er. »Eins zu Null für Sie, Mr. Norris. Sehr gut.«

Wieder zuckte ich die Achseln.

»Ich biete Ihnen eine Wette an«, sagte Cressner. »Wenn Sie gewinnen, können Sie das Geld mitnehmen und meine Frau. Außerdem haben Sie Ihre Freiheit. Wenn Sie allerdings verlieren, sind Sie tot.«

Ich sah auf die Uhr. Ich konnte nicht anders. Es war acht Uhr neunzehn.

»Okay«, sagte ich. »Was sonst?« Ich brauchte Zeit. Zeit, um zu überlegen, wie ich hier rauskommen konnte, mit oder ohne Geld.

Cressner nahm den Hörer auf und wählte eine Nummer.

»Tony? Plan zwei. Ja.« Er legte auf.

»Was ist Plan zwei?« fragte ich.

»Ich werde Tony in fünfzehn Minuten anrufen, und er wird den … Stoff aus Ihrem Kofferraum entfernen. Wenn ich nicht anrufe, wird er sich mit der Polizei in Verbindung setzen.«

»Sie sind ziemlich mißtrauisch, was?«

»Seien Sie vernünftig, Mr. Norris. Auf dem Teppich zwischen Ihnen und mir liegen zwanzigtausend Dollar. In dieser Stadt wurden Leute schon wegen zwanzig Cents ermordet.«

»Worum zocken wir denn?«

Er lächelte gequält. »Wetten, Mr. Norris, wetten. Gentlemen wetten. Plebejer zocken.«

»Wie Sie meinen.«

»Ausgezeichnet. Sie haben sich eben meinen Balkon betrachtet.«

»Sie haben den Windschutz abgenommen.«

»Ja, heute nachmittag. Ich schlage folgendes vor: Sie gehen auf dem Mauervorsprung unter meiner Wohnung um das Gebäude herum. Wenn Sie das Gebäude ohne Zwischenfall umrunden, gehört der Jackpot Ihnen.«

»Sie sind verrückt.«

»Im Gegenteil. Während der zwölf Jahre, die ich in dieser Wohnung schon verbracht habe, wurde diese Wette sechs verschiedenen Leuten angeboten. Drei von ihnen waren Berufssportler, wie Sie – einer davon ein berüchtigter Footballspieler, der durch seine Werbespots im Fernsehen berühmter war als durch sein letztes Spiel. Ein anderer war Baseballspieler, der nächste ein bekannter Jockey, der ein außergewöhnliches Jahressalär bezog und außergewöhnliche Alimentenprobleme hatte. Die anderen drei waren mehr oder weniger normale Bürger, die eins gemeinsam hatten: Sie brauchten Geld und waren körperlich fit.« Nachdenklich zog er an seiner Zigarette und fuhr dann fort. »Sie hatten allerdings verschiedene Berufe. Fünfmal wurde die Wette abgelehnt. Einer akzeptierte. Die Bedingungen: Entweder bekam er zwanzigtausend Dollar, oder er mußte ein halbes Jahr umsonst für mich arbeiten. Der Junge guckte vom Balkon runter und fiel fast in Ohnmacht.« Cressner lächelte amüsiert und verächtlich zugleich. »Er sagte, auf der Straße sieht alles so klein aus, und das hat ihm den Nerv geraubt.«

»Und wieso glauben Sie –«

Er winkte ungeduldig ab. »Langweilen Sie mich nicht, Mr. Norris. Sie werden es tun, weil Sie keine Wahl haben. Meine

Wette steht gleichzeitig gegen vierzig Jahre in San Quentin. Das Geld und meine Frau sind nur ein zusätzlicher Ansporn, ein Beweis für meine Gutmütigkeit.«

»Und wer garantiert mir, daß Sie mich nicht betrügen? Ich tu's vielleicht und stelle dann fest, daß Tony trotzdem die Polizei angerufen hat.«

Er seufzte. »Sie sind ein wandelnder Fall von Paranoia, Mr. Norris. Ich liebe meine Frau nicht. Mein übersteigertes Ego duldet sie nicht mehr in meiner Nähe. Zwanzigtausend Dollar sind für mich eine Bagatelle. Ich zahle jede Woche das Vierfache allein an Schmiergeldern. Was aber die Wette anbetrifft...« Seine Augen glänzten. »Die ist unbezahlbar.«

Ich dachte über alles nach, und er ließ mich in Ruhe. Er wußte wohl, daß ich mir über gewisse Dinge klarwerden mußte. Ich war ein sechsunddreißigjähriger Tennis-Profi, und mein Klub war bereit, mich gehen zu lassen, nachdem Marcia sanften Druck ausgeübt hatte. Ich kannte nur Tennis, und ohne Tennis hätte ich nicht einmal einen Job als Hausmeister gekriegt. Schon gar nicht mit meiner Vorstrafe. Natürlich Kinderkram, aber Arbeitgeber kennen keine Gnade.

Und das Komische war, daß ich Marcia Cressner wirklich liebte. Nach zwei Tennisstunden morgens um neun Uhr hatte ich mich in sie verliebt, und ihr ging es ähnlich. Stan Norris hatte mal wieder Glück gehabt. Nach sechsunddreißig munteren Junggesellenjahren hatte ich mich wie ein Schüler in die Frau eines der Bosse der Organisation verliebt.

Der alte Kater saß da. Er paffte seine importierte türkische Zigarette, und er wußte das alles natürlich. Und er wußte noch etwas. Wenn ich seine Wette akzeptierte und gewann, hatte ich nicht die geringste Garantie, daß er mich nicht dennoch der Polizei ausliefern würde. Andererseits, wenn ich nicht akzeptierte, würde ich spätestens um zehn Uhr im Knast hocken. Das wußte ich nur zu genau. Und dann würde ich etwa um die Jahrhundertwende wieder frei sein.

»Ich will eins wissen«, sagte ich.

»Und was könnte das sein, Mr. Norris?«

»Sehen Sie mir ins Gesicht und sagen Sie mir, ob Sie ein Betrüger sind oder nicht.«

Er sah mir in die Augen. »Mr. Norris«, sagte er ruhig. »Ich betrüge nie.«

»Okay«, sagte ich. Mir blieb keine Wahl.

Er stand strahlend auf. »Ausgezeichnet! Wirklich ausgezeichnet. Kommen Sie mit mir zur Balkontür, Mr. Norris.«

Wir gingen zusammen hinüber. Sein Gesicht sprach Bände. Hundertmal hatte er sich auf diese Szene gefreut, und jetzt genoß er sie von ganzem Herzen.

»Der Mauervorsprung ist fünfundzwanzig Zentimeter breit«, sagte er verträumt. »Ich habe ihn selbst gemessen. Ich habe sogar darauf gestanden und mich dabei natürlich am Balkon festgehalten. Sie brauchen nur über das schmiedeeiserne Gitter zu steigen und sich hinunterzulassen. Es wird etwa brusthoch sein. Jenseits des Gitters sind allerdings keine Handgriffe. Sie werden sich Zentimeter um Zentimeter weiterschieben müssen. Wie leicht könnten Sie das Gleichgewicht verlieren.«

Mein Blick war an etwas außerhalb des Fensters hängengeblieben... etwas, das meine Körpertemperatur um einige Grade sinken ließ. Es war ein Windmesser. Cressners Wohnung lag nahe am See und so hoch oben, daß es keine höheren Gebäude gab, die den Wind abgehalten hätten. Der Wind würde kalt sein und mir wie mit Messern ins Fleisch schneiden. Die Nadel schwankte um zwei, aber eine plötzliche Bö konnte sie leicht auf fünf oder sechs hochtreiben, und wenn es nur Sekunden dauerte.

»Ah, ich sehe, Sie haben meinen Windmesser bemerkt«, sagte Cressner aufgeräumt. »Der Wind kommt meist von der anderen Seite. Dort werden Sie ihn also stärker spüren. Aber der Abend ist ziemlich ruhig. Ich habe hier schon Windstärke zehn erlebt... dann spürt man direkt, wie das Gebäude schwankt. Fast, als säße man auf einem Schiff im Mastkorb. Für diese Jahreszeit ist es außerdem ziemlich mild.«

Er zeigte nach draußen, und ich sah das große Thermometer

hoch oben an dem Gebäude einer Bank. Es zeigte sechs Grad, aber der Wind würde den Kältefaktor auf unter Null bringen.

»Haben Sie einen Mantel?« fragte ich. Ich trug nur eine leichte Jacke.

»Leider nein.« Die Zahlen auf dem Thermometer schalteten um und zeigten jetzt die Uhrzeit. Es war acht Uhr zweiunddreißig. »Ich meine, Sie sollten anfangen, Mr. Norris. Ich werde Tony anrufen, damit Plan drei anlaufen kann. Er ist ein brauchbarer Mann, aber leider ein wenig impulsiv, verstehen Sie?«

Ich verstand. Ich verstand nur allzu gut.

Aber der Gedanke, bei Marcia zu sein, frei von Cressners Fängen und mit genügend Geld, irgend etwas anzufangen, ließ mich die Schiebetür öffnen und auf den Balkon hinaustreten. Es war kalt und naß, und der Wind blies mir die Haare ins Gesicht.

»Bon soir«, sagte Cressner hinter mir, aber ich drehte mich nicht um. Ich trat an das Geländer und vermied es, nach unten zu schauen. Vorläufig. Ich atmete tief durch.

Es ist nicht eigentlich eine Übung, eher eine Art Selbsthypnose. Mit jedem Atemzug entledigt man sich einer Ablenkung, bis man sich allein auf seine Aufgabe konzentriert. Mit dem ersten Atemzug verschwand der Gedanke an das Geld, beim zweiten dachte ich nicht mehr an Cressner. Mit Marcia dauerte es ein wenig länger – immer wieder stieg ihr Bild vor mir auf und sagte mir, wie dumm es sei, dieses Spiel mitzuspielen. Vielleicht betrog Cressner nicht. Vielleicht gewann er nur immer seine Wetten. Ich ließ mich nicht beirren. Das konnte ich mir nicht leisten. Wenn ich dieses Spiel verlor, war ich aller Sorgen ledig. Dann würde ich als scharlachroter Matsch vor einem Wohnblock in der Deakman Street gleichmäßig in beide Richtungen spritzen.

Bei dem Gedanken sah ich nach unten.

Wie ein glatter Kreidefelsen fiel das Gebäude tief unten zur Straße hin ab. Die Wagen, die dort parkten, sahen wie die Matchboxmodelle aus, die man in jedem Supermarkt kaufen kann. Die vorbeifahrenden Wagen waren stecknadelkopfgroße Lichtpunkte. Wenn man so tief stürzte, hatte man genug Zeit, genau zu registrieren, was mit einem geschah. Man würde merken, wie der Wind an der Kleidung zerrt, während die Erde einen immer schneller anzieht. Man würde Zeit zu einem langgezogenen Schrei haben, und man würde mit einem Geräusch aufschlagen, als platzte eine überreife Wassermelone.

Ich konnte gut verstehen, warum der andere Kerl einen Rückzieher gemacht hatte. Aber er hatte sich nur über sechs Monate Sorgen zu machen brauchen. Vor mir lagen vierzig endlose graue Jahre ohne Marcia.

Ich sah mir den Mauervorsprung an. Er sah schmal aus. Ich hatte nicht gewußt, wie schmal fünfundzwanzig Zentimeter sein können. Wenigstens war das Gebäude ziemlich neu; es würde unter mir nicht wegbröckeln.

Hoffte ich.

Ich schwang mich über das Gitter und ließ mich vorsichtig auf den Mauervorsprung herab. Meine Fersen standen über. Der Fußboden des Balkons lag etwa in Brusthöhe, und durch die schmiedeeisernen geschwungenen Stäbe sah ich in Cressners Penthouse-Wohnung hinein.

Er stand in der Tür und rauchte und beobachtete mich, wie ein Wissenschaftler ein Meerschweinchen beobachtet, um festzustellen, wie die letzte Injektion wirken wird.

»Rufen Sie an«, sagte ich und hielt mich am Gitter fest.

»Was?«

»Rufen Sie Tony an. Vorher bewege ich mich keinen Zentimeter.«

Er ging ins Wohnzimmer zurück – es wirkte erstaunlich warm und geschützt – und nahm den Hörer auf. Es war eigentlich eine sinnlose Geste. Bei dem Wind hörte ich ohnehin nicht, was er sagte. Er legte den Hörer auf die Gabel und kam wieder an die Tür. »Erledigt, Mr. Norris.«

»Das will ich auch hoffen.«

»Good bye, Mr. Norris. Ich sehe Sie später ... vielleicht.«

Ich mußte es tun. Geredet war genug. Ich dachte ein letztes Mal an Marcia, an ihr hellbraunes Haar, ihre großen grauen Augen, ihren herrlichen Körper. Dann verdrängte ich endgültig jeden Gedanken an sie. Ich schaute auch nicht mehr nach unten. Der Anblick der grauenhaften Tiefe hätte mich lähmen können. Wie leicht könnte man erstarren, die Balance verlieren oder ganz einfach vor Angst bewußtlos werden. Hier gab es nur noch den Tunnelblick. Es galt sich nur auf eins zu konzentrieren: linker Fuß, rechter Fuß.

Ich bewegte mich nach rechts und hielt mich solange wie möglich am Balkongitter fest. Ich erkannte schnell, daß ich alle Tennismuskeln brauchte, die ich hatte. Da die Fersen überstanden, mußten die Sehnen das ganze Gewicht auffangen.

Ich erreichte das Ende des Balkons, und einen Augenblick lang schien es mir unmöglich, den sicheren Halt aufzugeben. Ich mußte mich zwingen, es zu tun. Verdammt, fünfundzwanzig Zentimeter waren genügend Platz. Wäre der Mauervorsprung dreißig Zentimeter statt hundertzwanzig Meter hoch gewesen, wärst du in knapp fünf Minuten um das Gebäude herumgekommen, sagte ich mir.

Ja, und wenn man in dreißig Zentimeter Höhe von der Mauer abkommt, sagt man Scheiße und versucht es noch einmal. Hier oben hat man nur eine Chance. Ich schob den rechten Fuß weiter und stellte den linken daneben. Ich ließ das Gitter los. Ich legte die Hände an den rauhen Stein des Gebäudes. Ich streichelte den Stein. Ich hätte ihn küssen mögen.

Ein Windstoß traf mich und peitschte mir den Jackenkragen ins Gesicht. Ich schwankte. Das Herz schlug mir bis in den Hals und blieb in meiner Kehle stecken, als der Wind abflaute. Ein stärkerer Windstoß hätte mich von der Wand gewischt und in die Nacht hinausgeschleudert. Und auf der anderen Seite mußte der Wind noch stärker sein.

Ich drehte den Kopf nach links und drückte die Wange gegen den Stein. Cressner stand auf dem Balkon und beobachtete mich.

»Macht's Spaß?« fragte er leutselig.

Er trug einen braunen Kamelhaarmantel.

»Ich dachte, Sie hätten keinen Mantel«, sagte ich.

»Ich habe gelogen«, sagte er gleichmütig. »Ich lüge oft.«

»Was meinen Sie damit?«

»Nichts... gar nichts. Aber vielleicht hat es doch etwas zu

bedeuten. Ein wenig psychologische Kriegführung, Mr. Norris. Sie sollten sich nicht zu lange aufhalten. Die Fußgelenke ermüden, und wenn sie nachgeben...« Er nahm einen Apfel aus der Tasche, biß hinein und warf ihn über das Geländer. Man hörte lange Zeit nichts. Dann ein schwaches widerliches Klatschen. Cressner kicherte.

Er hatte mich in meiner Konzentration gestört, und mit stählernen Zähnen fraß Panik an meinem Verstand. Eine Welle des Entsetzens wollte mich davonspülen. Ich schaute in die andere Richtung und atmete tief. Ich verscheuchte das Gefühl der Panik. Ich sah wieder die erleuchteten Ziffern an der Bank. Es war jetzt acht Uhr sechsundvierzig. Zeit, bei der Mutual Bank etwas auf das Konto einzuzahlen.

Als die Ziffern auf acht Uhr neunundvierzig standen, hatte ich mich wieder einigermaßen unter Kontrolle. Cressner mußte glauben, ich sei vor Schreck erstarrt, und ich hörte seinen höhnischen Applaus, als ich mich weiter zur Ecke des Gebäudes vorarbeitete.

Ich fing an, die Kälte zu spüren. Der vom See aufsteigende Dunst ließ mich den Wind schärfer empfinden. Die Feuchtigkeit drang mir wie mit Nadeln in die Haut. Meine dünne Jacke bauschte sich hinter mir, als ich mich weiterschob. Ich bewegte mich langsam. Kalt oder nicht kalt. Ich konnte mich nur langsam bewegen. Hätte ich mich beeilt, wäre ich abgestürzt.

Die Uhr an der Bank zeigte acht Uhr zweiundfünfzig, als ich die Ecke erreichte. Die Ecke selbst schien kein Problem zu sein – der Vorsprung führte im rechten Winkel um sie herum – aber an meiner rechte Hand spürte ich den Seitenwind. Wenn er mich in einer ungünstigen Stellung erwischte, würde ich ganz schnell eine sehr lange Reise machen.

Ich wartete, daß der Wind nachließ, aber er wehte unvermindert. Es war, als sei er Cressners zuverlässiger Verbündeter. Mit bösartigen unsichtbaren Fingern traf er mich, zerrte an mir und kitzelte. Ein besonders heftiger Windstoß ließ mich auf den Zehen schwanken. Da wußte ich, daß ich bis in alle Ewigkeit warten konnte. Der Wind würde nicht nachlassen.

Als er bald darauf ein wenig schwächer wehte, glitt ich mit

dem rechten Fuß um die Ecke und packte mit jeder Hand eine Wandseite. Der Seitenwind schob mich gleichzeitig in zwei Richtungen, und ich wäre fast getaumelt. Eine Sekunde lang war es mir grauenhaft klar, daß Cressner seine Wette gewonnen hatte. Dann schob ich mich einen Schritt weiter und drückte mich fest an die Wand. Ich stieß den angehaltenen Atem aus. Meine Kehle war trocken.

In diesem Augenblick kam der Knall. Fast direkt neben meinem Ohr.

Erschrocken fuhr ich zurück und hätte um ein Haar das Gleichgewicht verloren. Meine Hände lösten sich von der Wand, und ich schlug wild durch die Luft. Wenn ich die Wand getroffen hätte, wäre ich weg gewesen. Es waren nur Bruchteile von Sekunden, aber es schien eine Ewigkeit, bis die Schwerkraft beschloß, mich auf dem Mauervorsprung zu lassen, statt mich dreiundvierzig Stockwerke tief auf die Straße zu schleudern.

Mein Atem hörte sich an wie ein Schluchzen, und meine Lungen pfiffen schmerzhaft. Meine Beine waren wie Gummi. Die Sehnen meiner Fußgelenke summten wie Hochspannungsdrähte. Nie hatte ich so intensiv meine Sterblichkeit empfunden. Der Sensenmann war so nahe, daß er mir über die Schulter schauen konnte. Ich verrenkte den Hals und sah nach oben. Einen Meter über mir sah ich Cressner, der sich aus seinem Schlafzimmerfenster lehnte. Er lächelte, und seine rechte Hand hielt einen Sylvesterknaller.

»Ich wollte Sie nur wachhalten«, sagte er.

Ich verschwendete keinen Atem auf eine Antwort. Ich hätte ohnehin nur krächzen können. Mein Herz hämmerte wie wild. Ich schob mich etwas über einen Meter weiter, für den Fall, daß er daran dachte, mir einen kräftigen Stoß zu versetzen. Dann blieb ich stehen und schloß die Augen. Wieder atmete ich tief durch, bis ich mich ein wenig beruhigt hatte.

Ich war an der kurzen Seite des Gebäudes. Zu meiner Rechten lagen nur die höchsten Türme der Stadt noch über mir. Links sah ich das dunkle Rund des Sees, auf dem winzige Lichter schwammen. Der Wind heulte und stöhnte.

An der zweiten Ecke war der Seitenwind weniger stark, und ich kam gut herum. Und dann biß mich etwas.

Ich keuchte und schmiegte mich an die Wand. Ich hatte Angst vor jeder Gewichtsverlagerung. Wieder wurde ich gebissen. Nein, nicht gebissen, sondern gepickt. Ich sah nach unten.

Auf dem Mauervorsprung hockte eine Taube und blickte mich aus hellen, haßerfüllten Augen an.

In der Stadt gewöhnt man sich an Tauben. Sie sind so häufig wie Taxifahrer, die keinen Zehner wechseln können. Sie fliegen nicht gern und gehen nur widerwillig aus dem Weg, als hätten sie ein Anrecht auf die Bürgersteige. O ja, und ihre Visitenkarten findet man gelegentlich auf der Motorhaube seines Wagens. Aber man beachtet sie wenig. Manchmal irritieren sie uns, denn in unserer Welt sind sie Eindringlinge.

Aber ich war jetzt in ihrer Welt und nahezu hilflos. Wieder pickte sie in mein müdes rechtes Fußgelenk, und ein stechender Schmerz schoß in mein Bein.

»Weg«, knurrte ich. »Hau ab.«

Die Taube reagierte, indem sie mich wieder pickte. Offenbar befand ich mich in ihrer Wohnung. Dieser Teil des Vorsprungs war mit altem und neuem Taubenmist bedeckt.

Von oben hörte ich leises Piepsen.

Ich hob den Kopf und schaute nach oben. Ein Schnabel fuhr auf mein Gesicht zu, und fast hätte ich den Kopf nach hinten geworfen. Hätte ich es getan, wäre ich der erste von Tauben verursachte Todesfall der Stadt gewesen. Es war Mama Taube, die ihre Babys hütete. Sie saßen unter dem leicht vorspringenden Dach. Zu weit oben, als daß sie mich in den Kopf picken könnten.

Ihr Mann pickte mich wieder, und jetzt floß Blut. Ich spürte es. Ich setzte meinen Weg fort und hoffte, die Taube von dem Vorsprung zu verscheuchen. Fehlanzeige. Tauben sind nicht sehr schreckhaft, jedenfalls Stadttauben nicht. Wenn sie vor einem fahrenden Wagen nur ein paar Schritte zur Seite gehen, kann ein Mann dreiundvierzig Stockwerke hoch auf einem schmalen Sims sie schon gar nicht beunruhigen. Als ich mich weiterschob, wich sie nur ein wenig zurück, und ihre hellen

Augen sahen mich dabei unverwandt an. Nur dann nicht, wenn ihr scharfer Schnabel wieder in mein Fußgelenk fuhr. Und der Schmerz wurde immer intensiver. Der Schnabel hackte in rohes Fleisch. Vielleicht fraß der Vogel es sogar.

Ich stieß mit dem rechten Fuß nach ihr. Es war ein schwacher Tritt. Ich konnte mir keinen kräftigeren erlauben. Die Taube flatterte nur kurz hoch und griff wieder an. Und ich wäre fast aus der Wand gesegelt. Immer wieder hackte die Taube auf mich ein. Ein kalter Windstoß traf mich, und ich hatte alle Mühe, nicht aus dem Gleichgewicht zu kommen. Meine Fingerkuppen strichen über den Stein. Schwer atmend und die Wange gegen die Wand gepreßt, fand ich wieder Halt.

Cressner hätte sich keine schlimmere Tortur ausdenken können, und wenn er es zehn Jahre lang geplant hätte. Ein Schnabelhieb war nicht so schlimm. Zwei oder drei waren zu ertragen. Aber dieser verdammte Vogel mußte mindestens sechzigmal auf mich eingehackt haben, bevor ich das Gitter des Balkons erreichte, der Cressners Wohnung gegenüberlag.

Dieses Gitter zu erreichen, bedeutete, die Himmelspforte zu erreichen. Meine Hände klammerten sich um die kalten Stäbe, als wollten sie sie nie mehr loslassen.

Wieder ein Picken.

Die Taube starrte mich fast selbstgefällig mit ihren hellen Augen an, von meiner Ohnmacht und ihrer eigenen Unverletzlichkeit überzeugt. Es erinnerte mich an Cressners Gesichtsausdruck, als er mich auf der anderen Seite auf den Balkon hinausführte.

Ich packte die Stäbe fester. Dann traf ich die Taube mit einem harten Tritt. Sie stieß zu meiner Befriedigung einen lauten Schrei aus. Ein paar taubengraue Federn sanken auf den Vorsprung oder verschwanden langsam in der Dunkelheit.

Ächzend kroch ich auf den Balkon und brach zusammen. Trotz der Kälte floß mir der Schweiß in Strömen. Ich weiß nicht, wie lange ich dort lag. Die Uhr der Bank lag hinter dem Gebäude, und ich trage keine Uhr.

Ich setzte mich auf, bevor mir die Muskeln steif wurden, und schob vorsichtig die Socke runter. Der rechte Knöchel war

zerhackt und blutete, aber die Verletzung schien nur oberfläch-
lich. Wenn ich dies überleben sollte, würde ich sie aber dennoch behandeln lassen müssen. Zuerst dachte ich daran, die
Wunde zu verbinden, aber ich ließ es. Ich könnte über einen
gelockerten Verband stolpern. Zum Verbinden war später Zeit.
Ich würde für zwanzigtausend Dollar Verbandszeug kaufen
können.

Ich stand auf und sah sehnsüchtig in die dunkle Penthouse-
Wohnung, die Cressners gegenüberlag. Kahl, leer und unbe-
wohnt. Der schwere Windschutz war vor der Tür angebracht.
Ich hätte mir gewaltsam Zugang verschaffen können, aber
damit hätte ich die Wette verloren. Und ich hatte mehr zu
verlieren als Geld.

Als ich es nicht länger aufschieben konnte, glitt ich über das
Geländer auf den Mauervorsprung zurück. Die Taube, um ein
paar Federn erleichtert, stand unter dem Nest, wo der Dreck
am dichtesten lag, und sah mich böse an. Aber wenn sie sah,
daß ich mich vom Nest fortbewegte, würde sie mich wohl nicht
mehr belästigen.

Ich entfernte mich ungern vom Balkon – es fiel mir viel
schwerer, als von Cressners Balkon zu steigen. Mein Verstand
wußte, daß ich es tun mußte, aber mein Körper, besonders
meine Fußgelenke, schrien mir zu, daß es närrisch sei, den
sicheren Hafen zu verlassen. Aber ich schob mich weiter. In der
Dunkelheit sah ich Marcias Gesicht, und das trieb mich an.

Ich erreichte die zweite kurze Seite und schaffte auch die
nächste Ecke. Langsam tastete ich mich auf dem Vorsprung
vorwärts. Dem Ziel so nahe, verspürte ich einen fast unbe-
zähmbaren Drang, mich zu beeilen, es hinter mich zu bringen.
Aber wenn ich mich beeilte, wäre das mein sicherer Tod. Ich
zwang mich mit aller Gewalt zur Ruhe.

An der vierten Ecke erwischte mich wieder der Seitenwind,
und es war eher Glück als Geschicklichkeit, daß ich es schaffte.
Ich lehnte mich gegen die Wand und schöpfte Atem. Zum
ersten Mal war mir jetzt klar, daß ich die Wette gewinnen
würde. Meine Hände fühlten sich wie halbgefrorene Steaks an,
und meine Fußgelenke brannten wie Feuer, besonders das

rechte, von der Taube malträtierte. Schweiß lief mir in die Augen, aber ich wußte, daß ich es schaffen würde. Auf halber Länge der Gebäudefront drang warmes gelbes Licht auf den Balkon hinaus. Weit hinten sah ich die Leuchtreklame der Bank. Sie war wie ein Willkommensgruß. Es war zehn Uhr achtundvierzig, aber mir war, als hätte ich mein ganzes Leben auf diesem fünfundzwanzig Zentimeter breiten Mauervorsprung zugebracht.

Gnade Gott, wenn Cressner versuchen sollte, mich zu betrügen. Der Drang zur Eile war verschwunden. Ich schlich fast. Es war elf Uhr neun, als ich zuerst die rechte, dann die linke Hand auf das schmiedeeiserne Balkongitter legte. Ich zog mich hoch, rollte mich über das Geländer und blieb erschöpft liegen... dann spürte ich den kalten Lauf eines Revolvers Kaliber 45 an der Schläfe.

Ich schaute hoch und sah einen Kerl, der so häßlich war, daß bei seinem Anblick der Big Ben stehengeblieben wäre. Er grinste.

»Ausgezeichnet!« hörte ich Cressners Stimme aus dem Zimmer. »Ich gratuliere Ihnen, Mr. Norris.« Er applaudierte. »Bringen Sie ihn rein, Tony.«

Tony riß mich so heftig auf die Füße, daß mein verletzter Knöchel umknickte. Ich taumelte gegen die Balkontür.

Cressner stand im Wohnzimmer vor dem Kamin und trank Brandy aus einem Schwenker so groß wie ein Goldfischglas. Das Geld lag wieder in der Einkaufstasche. Sie stand immer noch mitten auf dem orangefarbenen Veloursteppich.

Ich sah mich im Spiegel an der gegenüberliegenden Wand. Die Haare wirr und das Gesicht bleich. Nur zwei helle rote Flecken auf den Wangen. Meine Augen waren die eines Irren.

Ich sah mich nur kurz, denn im nächsten Augenblick flog ich durch das Zimmer. Ich knallte gegen einen Stuhl, und mir blieb die Luft weg.

Als ich wieder halbwegs atmen konnte, sagte ich: »Sie schäbiger Betrüger, das war von vornherein Ihre Absicht.«

»In der Tat«, sagte Cressner und stellte vorsichtig sein Glas auf das Kaminsims. »Aber ich bin kein Betrüger, Mr. Norris.

Ganz gewiß nicht. Ich bin nur ein äußerst schlechter Verlierer. Tony wird darauf achten, daß Sie nichts... Unkluges tun.« Er hob die Hand unter das Kinn und lachte leise.

»Sie haben mich hochgehen lassen«, sagte ich langsam. »Irgendwie ist es Ihnen gelungen.«

»Durchaus nicht. Das Heroin wurde aus Ihrem Wagen entfernt. Der Wagen selbst steht wieder auf dem Parkplatz. Das Geld steht dort drüben. Nehmen Sie es und verschwinden Sie.«

»Sehr schön«, sagte ich.

Tony stand an der Glastür zum Balkon und sah immer noch aus wie von Allerheiligen übriggeblieben. Er hielt den Revolver in der Hand. Ich ging zu der Einkaufstasche und nahm sie auf. Mit zitternden Fußgelenken näherte ich mich der Tür und erwartete, hinterrücks erschossen zu werden. Aber als ich die Tür öffnete, hatte ich das gleiche Gefühl wie auf dem Vorsprung, als ich die vierte Ecke geschafft hatte: Ich schaffe es.

Cressners träge und ein wenig amüsierte Stimme ließ mich stehenbleiben.

»Sie glauben doch nicht ernsthaft, daß jemand auf den Trick mit der verschwundenen Jungfrau reingefallen ist?«

Ich drehte mich langsam um, die Einkaufstasche im Arm. »Wie meinen Sie das?«

»Ich habe Ihnen gesagt, daß ich nie betrüge, und das tue ich auch nicht. Sie haben drei Dinge gewonnen, Mr. Norris. Das Geld, Ihre Freiheit und meine Frau. Die letztere können Sie im städtischen Leichenschauhaus abholen.«

Ich starrte ihn nur an, unfähig, mich zu bewegen. Wie angewurzelt stand ich da, vom lautlosen Donner des Schocks getroffen.

»Sie haben doch nicht wirklich geglaubt, daß ich sie Ihnen überlasse?« fragte er mich mitleidig. »O nein. Das Geld, ja. Ihre Freiheit, ja. Aber nicht Marcia. Dennoch habe ich nicht betrogen. Und wenn Sie sie begraben haben –«

Ich ging nicht in seine Nähe. Noch nicht gleich. Ihn hob ich mir für später auf. Ich ging auf Tony zu, der ein wenig überrascht aussah, bis Cressner gelangweilt sagte: »Erschießen Sie ihn bitte.«

Ich warf die Tasche mit dem Geld. Ich traf die Hand mit der Waffe, und ich traf sie hart. Ich hatte meine Arme und Handgelenke dort draußen nicht anstrengen müssen, und sie sind bei einem Tennisspieler das Beste. Die Kugel fuhr in den orangefarbenen Veloursteppich, und dann hatte ich den Kerl.

Sein Gesicht war das Schlimmste an ihm. Ich riß ihm die Waffe aus der Hand und zog ihm den Lauf mit aller Kraft über das Nasenbein. Mit einem müden Grunzen sank er zu Boden. Er sah gar nicht gut aus.

Cressner war schon fast aus der Tür. Ich feuerte einen Schuß über seine Schulter und sagte: »Stehenbleiben, oder Sie sind ein toter Mann.«

Er überlegte es sich sehr schnell und blieb stehen. Als er sich umdrehte, war seine blasierte Visage leicht geronnen. Sie gerann noch ein bißchen mehr, als er Tony auf dem Fußboden liegen und an seinem eigenen Blut ersticken sah.

»Sie ist nicht tot«, sagte er schnell. »Ich mußte doch etwas für mich retten, nicht wahr?« Er grinste widerlich.

»Ich bin zwar ein Trottel, aber ganz so vertrottelt nun auch wieder nicht«, sagte ich. Meine Stimme klang wie tot. Marcia war mein Leben gewesen, und dieser Mann hatte veranlaßt, daß sie jetzt im Leichenschauhaus in einem Fach lag.

Cressners Finger zitterte leicht, als er auf die Tasche zeigte. »Das da«, sagte er, »ist Kleingeld. Ich kann Ihnen hunderttausend besorgen. Oder fünfhunderttausend. Oder was halten Sie von einer Million? Alles auf einem Schweizer Konto. Wie wäre es damit? Oder wie wäre es mit –«

»Ich biete Ihnen eine Wette an«, sagte ich langsam.

Er löste den Blick vom Lauf meiner Waffe und sah mir ins Gesicht. »Eine –«

»Eine Wette«, wiederholte ich. »Eine ganz gewöhnliche Wette. Ich wette, daß Sie es nicht schaffen, auf dem Mauervorsprung da draußen um das Gebäude herumzulaufen.«

Sein Gesicht wurde totenblaß. Er schien einer Ohnmacht nahe. »Sie . . .« flüsterte er.

»Dies ist der Einsatz«, sagte ich mit meiner toten Stimme. »Wenn Sie es schaffen, lasse ich Sie laufen. Wie finden Sie das?«

»Nein«, flüsterte er und starrte mich aus riesigen Augen an.

»Okay«, sagte ich und richtete die Waffe auf ihn. Ich krümmte langsam den Finger.

»Nein!« sagte er und streckte die Hände aus.»Nein! Nicht! Ich ... tue es.« Er leckte sich die Lippen.

Ich zeigte mit dem Lauf, und er ging voran auf den Balkon. »Sie zittern ja«, sagte ich. »Das wird die Sache erschweren.«

»Zwei Millionen«, sagte er und konnte nur noch heiser winseln. »Zwei Millionen in nicht registrierten Scheinen.«

»Nein«, sagte ich. »Nicht für zehn Millionen. Aber wenn Sie es schaffen, sind Sie frei. Ich meine es ernst.«

Eine Minute später stand er auf dem Mauervorsprung. Er war kleiner als ich. Weit aufgerissen und flehend schauten seine Augen über den Rand. Mit weiß hervortretenden Knöcheln umklammerte er die Stäbe, als seien es Gefängnisgitter.

»Bitte«, flüsterte er. »Ich gebe Ihnen, was Sie wollen.«

»Sie verschwenden Ihre Zeit«, sagte ich. »Und Ihre Fußgelenke werden müde.« Aber er bewegte sich erst, als ich ihm den Lauf meiner Waffe an die Stirn setzte. Dann schob er sich langsam nach rechts. Er stöhnte. Ich schaute auf die Uhr an der Bank. Es war elf Uhr neunundzwanzig.

Ich glaubte nicht, daß er es bis zur ersten Ecke schaffen würde. Er bewegte sich ruckartig und riskierte ständig, die Balance zu verlieren. Sein Morgenmantel bauschte sich hinter ihm in die Nacht hinaus.

Um zwölf Uhr eins verschwand er hinter der Ecke und war nicht mehr zu sehen. Das ist jetzt schon vierzig Minuten her. Ich achtete auf einen ersterbenden Schrei, als der Seitenwind ihn packte, aber ich hörte keinen. Vielleicht hatte der Wind nachgelassen. Als ich draußen war, hatte er den Wind jedenfalls auf seiner Seite. Oder vielleicht hat er ganz einfach Glück gehabt. Vielleicht liegt er jetzt als zitterndes Bündel auf dem anderen Balkon und wagt nicht weiterzugehen.

Aber er weiß wahrscheinlich: Wenn ich gewaltsam in die

andere Penthouse-Wohnung eindringe und ihn da finde, erschieße ich ihn wie einen Hund. Und da wir schon von der anderen Seite des Gebäudes sprechen – ich bin gespannt, wie ihm die Taube gefällt.

War das ein Schrei? Ich weiß es nicht. Es kann der Wind gewesen sein. Es ist unwichtig. Die Uhr auf der Bank zeigt zwölf Uhr vierundvierzig. Ich werde bald in die andere Wohnung eindringen und auf dem Balkon nachsehen, aber im Augenblick sitze ich mit Tonys Fünfundvierziger in der Hand noch auf Cressners Balkon. Nur für den Fall, daß er mit flatterndem Morgenmantel doch noch hinter der Ecke auftaucht.

Cressner sagt, daß er noch nie beim Wetten betrogen hat.

Ich will das von mir nicht behaupten.

Der Rasenmähermann

In den letzten Jahren war Harold Parkette immer stolz auf seinen Rasen gewesen. Er besaß einen großen Silver-Rasenmäher und bezahlte dem Jungen aus dem nächsten Häuserblock fünf Dollar für einmal Rasenmähen. In jenen Tagen verfolgte Harold Parkette mit einem Bier in der Hand das Spiel der Bostoner Red Sox im Radio, er ließ den Herrgott einen guten Mann sein und wußte, daß mit der Welt, einschließlich seines Rasens, alles in Ordnung war. Aber im letzten Jahr, Mitte Oktober, hatte das Schicksal Harold Parkette einen bösen Streich gespielt. Während der Junge das Gras zum letzten Mal in diesem Jahr mähte, jagte Castonmeyers Hund Smiths Katze unter den Mäher.

Harolds Tochter schüttete sich einen Viertelliter Cherry Kool Aid über ihre neue Jacke, und seine Frau hatte eine Woche lang Alpträume. Obwohl sie erst dazukam, als alles passiert war, kam sie rechtzeitig genug, um zu sehen, wie Harold und der grüngesichtige Junge die Messer des Rasenmähers reinigten. Ihre Tochter und Mrs. Smith standen weinend dabei, obwohl Alicia sich genügend Zeit genommen hatte, ihre Hosen gegen ein Paar Bluejeans und einen dieser widerwärtigen knappen Sweater zu wechseln. Sie war in den Jungen, der den Rasen mähte, verknallt.

Nachdem Harold eine Woche zugehört hatte, wie seine Frau im Bett neben ihm stöhnte und ächzte, beschloß er, den Mäher loszuwerden. Er meinte, daß er nicht unbedingt einen Rasenmäher brauchte. Dieses Jahr hatte er einen Jungen ausgeliehen, nächstes Jahr würde er einfach einen Jungen und einen Rasenmäher ausleihen, und vielleicht würde Carla dann aufhören, im Schlaf zu stöhnen. Vielleicht würde sie ja sogar wieder mit ihm schlafen.

Also brachte er den Silver-Rasenmäher zu Phil Sunoco, und er und Phil feilschten um den Preis. Harold nahm einen nagelneuen Schwarzwandreifen und einen vollen Tank mit nach Hause, und Phil stellte den Silver-Rasenmäher, versehen mit einem handgeschriebenen Zettel »*Zu verkaufen*«, nach draußen auf eine der Zapfinseln.

Und in diesem Jahr schob Harold das notwendige Rasenmähen immer weiter vor sich her. Als er sich endlich dazu aufraffte, den Jungen vom letzten Jahr anzurufen, sagte ihm dessen Mutter, Frank sei zur Universität gegangen. Harold schüttelte erstaunt den Kopf und ging zum Kühlschrank, um sich ein Bier zu holen. Mein Gott, wie die Zeit verfloß, nicht wahr?

Er verschob das Einstellen eines neuen Jungen, zuerst verging der Mai und dann verging der Juni, und die Red Sox drückten sich immer noch auf dem vierten Platz herum. An den Wochenenden saß er auf der hinteren Veranda und beobachtete mürrisch eine nicht enden wollende Reihe junger Bengel, die er nie zuvor gesehen hatte, die hereinplatzten, ihm ein schnelles »Hallo« zumurmelten, bevor sie seine dralle Tochter ins örtliche Autokino ausführten. Und das Gras wuchs und gedieh hervorragend. Es war ein guter Sommer für Gras; auf drei Tage Sonnenschein folgte ein Tag sanfter Regen, so pünktlich wie ein Uhrwerk.

Mitte Juli sah der Rasen mehr nach einer Wiese als nach einem Vorstadthinterhof aus, und Jack Castonmeyer hatte angefangen, alle möglichen, nicht sehr komischen Späße über den Preis von Heu und Luzerne zu machen. Und Dan Smiths vier Jahre alte Tochter Jenny war dazu übergegangen, sich darin zu verstecken, wenn es Haferbrei zum Frühstück oder Spinat zum Abendessen gab.

An einem Tag im späten Juli ging Harold während der siebten Spielpause hinaus in den Innenhof und sah, daß ein Waldmurmeltier keck auf dem zugewachsenen hinteren Weg saß. Die Zeit war gekommen, beschloß er. Er schaltete das Radio aus, nahm sich die Zeitung und wandte sich den Kleinanzeigen zu. Und in der Mitte der Rubrik für Gelegenheitsjobs fand er dies:

›Rasenmähen zu angemessenen Preisen. 7 76-23 90‹.

Harold rief unter der Nummer an, er erwartete eine staubsaugende Hausfrau, die nach ihrem Sohn brüllen würde. Statt dessen sagte eine berufsmäßig kurzangebundene Stimme: »Pastoral Greenery and Outdoor Services... was können wir für Sie tun?«

Bedachtsam erzählte Harold der Stimme, was Pastoral Greenery für ihn tun könne. War es schon so weit gekommen? Eröffneten Leute, die Rasen mähten, schon ihre eigenen Geschäfte und stellten Bürohilfen ein? Er fragte die Stimme nach den Preisen, und die Stimme nannte ihm eine angemessene Summe.

Harold legte mit einem Gefühl von schleichendem Unbehagen auf und ging zurück auf die Veranda. Er setzte sich, schaltete das Radio ein und starrte über seinen ungepflegten Rasen hinweg auf die Samstagswolken, die langsam über den Samstagshimmel zogen. Carla und Alicia waren bei seiner Schwiegermutter, und er war allein zu Hause. Es würde eine freudige Überraschung für sie sein, wenn der Junge, der kommen sollte, um den Rasen zu mähen, fertig wäre, bevor sie zurück waren.

Er öffnete sich ein Bier und seufzte, weil Dick Drago gegen einen Ersatzmann ausgetauscht wurde und dann einen Schläger foulte. Eine sanfte Brise wehte über die abgeschirmte Terrasse. Grillen zirpten leise in dem hohen Gras. Harold grunzte irgend etwas Unfreundliches über Dick Drago, und dann döste er ein.

Eine halbe Stunde später wurde er von der Türklingel hochgeschreckt. Beim Aufstehen stieß er sein Bier um.

Ein Mann im grasbefleckten Arbeitsoverall stand auf der vorderen Veranda und kaute auf einem Zahnstocher. Er war fett. Sein dicker Bauch wölbte sich derart unter seinem verschossenen blauen Overall, daß Harold fast annahm, er habe einen Basketball verschluckt.

»Ja?« fragte Harold Parkette, noch halb schlafend.

Der Mann grinste, schob den Zahnstocher von einem Mundwinkel zum anderen, zerrte am Hosenboden seines Overalls und schob dann seine Baseballmütze eine Stirnfurche höher.

Auf seiner Mütze war ein frischer Maschinenölfleck. Und da stand er nun, roch nach Gras, Erde und Öl und grinste Harold Parkette an.

»Pastoral schickt mich, Kumpel«, sagte er jovial und kratzte sich im Schritt. »Sie haben angerufen, stimmt's? Stimmt's, Kumpel?« Er hörte nicht auf zu grinsen.

»Oh, der Rasen. Sie?« Harold starrte den Mann verdutzt an.

»Klar, ich.« Der Rasenmähermann blies ein frisches Lachen in Harolds schlafverschwollenes Gesicht.

Harold trat hilflos beiseite, und der Rasenmähermann marschierte an ihm vorbei in die Halle, durch das Wohnzimmer und die Küche bis zur hinteren Terrasse. Nun hatte Harold den Mann eingeordnet, und alles war in Ordnung. Er hatte solche Typen schon gesehen, sie arbeiteten an der Kanalisation und bei den Reparaturkolonnen draußen an der Autobahn. In jeder freien Minute lehnen sie sich auf ihre Schaufeln, rauchen Lucky Strikes oder Camel, sehen dich an, als ob sie das Salz der Erde wären, imstande, dir für fünf Dollar einen zu verpassen oder mit deiner Frau ins Bett zu gehen, wann immer sie wollen. Harold hatte immer ein bißchen Angst vor solchen Typen gehabt, sie waren immer braungebrannt, hatten immer ein Netz von Falten um die Augen, und sie wußten immer, was zu tun war.

»Der hintere Rasen ist die unangenehmste Arbeit«, sagte er zu dem Mann, während er unbewußt die Stimme senkte. »Er ist quadratisch und hat keine Unebenheiten, aber er ist ganz schön hochgewachsen.« Seine Stimme ging zurück in ihre normale Tonlage, und er hörte, wie er sich selbst entschuldigte: »Ich habe ihn wohl vernachlässigt.«

»Keine Mühe, Kumpel, keine Arbeit. Klasse, klasse, klasse.« Der Rasenmähermann grinste ihn an, tausend Vertreterwitze in den Augen. »Je höher, desto besser. Einen gesunden Boden hast du, bei Circe. Sag' ich doch immer.«

›Bei *Circe*?‹

Der Rasenmähermann drehte seinen Kopf ruckartig zum Radio hin. »Red Sox Fan? Ich steh' auf die Yankees.« Er stapfte zurück ins Haus zur Vorderhalle hin. Harold beobachtete ihn mit gemischten Gefühlen.

Er setzte sich wieder hin und schaute die Bierlache mit der umgedrehten Dose mittendrin unter dem Tisch für einen Augenblick anklagend an. Er dachte daran, den Aufnehmer aus der Küche zu holen und entschied sich dann, es sein zu lassen.

›Keine *Mühe*, keine *Arbeit*.‹

Er schlug den Finanzteil der Zeitung auf und prüfte die Schlußnotierungen der Aktien. Als guter Republikaner hielt er die Wall-Street-Experten, die sich hinter den Artikeln verbargen, zumindest für kleine Halbgötter –

›(Bei *Circe*?)‹

– und er hatte sich schon oft gewünscht, das ›Wort‹ besser verstehen zu können, das nicht auf Steintafeln vom Berg heruntergereicht wurde, sondern in so rätselhaften Abkürzungen wie pct. und KdK und 3.28 bis 2/3. Er hatte einmal von einer Firma, die sich Midwest Bisonburgers, Inc. nannte und 1968 bankrott ging, wohlüberlegt drei Aktien gekauft. Er verlor seine gesamte Investition von 75 Dollar. Nun las er, daß es die Bisonburger Aktien waren, die anstiegen. Der Wink der Zukunft. Mit Sonny, dem Barkeeper aus dem Goldfish Bowl, hatte er oft darüber gesprochen. Sonny sagte, Harolds Pech sei gewesen, daß er seiner Zeit um fünf Jahre voraus gewesen wäre und er hätte...

Ein plötzliches, raketenähnliches Röhren riß ihn aus dem Schlummer, in den er gerade wieder versunken war.

Harold sprang auf die Füße, stieß dabei seinen Stuhl um und starrte wild um sich.

»Das soll ein Rasenmäher sein?« fragte Harold Parkette die Küche. »Mein Gott, ist *das* ein Rasenmäher?«

Er raste durch das Haus und starrte durch die Vordertür nach draußen. Da war nur ein zerbeulter grüner Lieferwagen, auf dessen Seite PASTORAL GREENERY, INC. gepinselt war. Das Röhren kam nun von hinten. Harold raste wieder durch das Haus, stürzte auf die hintere Veranda und blieb wie angewurzelt stehen.

Es war obszön.

Es war eine Travestie.

Der alte rote Motorrasenmäher, den der fette Mann mit seinem Lieferwagen hergebracht hatte, lief von allein, keiner schob ihn, tatsächlich, niemand hielt sich im Umkreis von anderthalb Metern davon auf. Er lief wie im Fieberrausch, raste durch das bedauerliche Gras von Harold Parkettes hinterem Rasen wie ein rächender roter Teufel direkt aus der Hölle. Er kreischte in einer wahnsinnigen Art von mechanischer Verrücktheit, so daß Harold sich vor Schrecken krank fühlte. Der überreife Geruch von gemähtem Gras hing wie saurer Wein in der Luft.

Aber der Rasenmähermann war die größte Obszönität.

Der Rasenmähermann hatte seine Kleider ausgezogen – jedes Stück. Sie lagen sorgsam zusammengefaltet in dem leeren Vogelbad, das sich in der Mitte des hinteren Rasens befand. Nackt und mit Grasflecken bedeckt, kroch er ungefähr anderthalb Meter hinter dem Rasenmäher her und aß das geschnittene Gras. Grüner Saft lief an seinem Kinn herab und tropfte auf seinen herabhängenden Bauch. Und jedesmal, wenn der Rasenmähermann um eine Ecke wirbelte, erhob er sich, sprang eigenartig hüpfend in die Höhe und warf sich dann wieder auf den Boden.

»*Halt!*« kreischte Harold Parkette. »*Aufhören!*«

Aber der Rasenmähermann reagierte nicht, und sein rasender scharlachroter Arbeitskollege wurde nicht langsamer. Wenn er nicht sogar noch schneller wurde. Sein schnappendes Stahlmaul schien Harold schweißbedeckt zuzugrinsen, als er vorbeirüttelte.

Dann sah Harold den Maulwurf. Er mußte sich wohl gerade, vor Angst gelähmt, vor dem Rasenmäher in dem Grasstreifen versteckt haben, nahe daran, geschlachtet zu werden. Er rannte über einen Streifen gemähten Rasens unter die Veranda in Sicherheit, ein panischer brauner Streifen.

Der Rasenmäher schwenkte um.

Lärmend und heulend ratterte er über den Maulwurf hinweg und spuckte einen Streifen Fell und Eingeweide aus, der Harold an Castonmeyers Katze erinnerte. Der Maulwurf war zerstört, und so stürzte sich der Rasenmäher wieder auf seine Hauptarbeit.

Der Rasenmähermann kroch schnell herbei, den Mund voll Gras. Harold stand wie gelähmt vor Ekel; Aktien, Pfandbriefe und Bisonburger waren total vergessen. Er konnte genau sehen, wie der riesige, herabhängende Bauch immer größer wurde. *Der Rasenmähermann schwenkte um und fraß den Maulwurf.*

Das war der Moment, in dem Harold Parkette sich aus der Vordertür lehnte und sich in die Zinnien übergab. Er merkte, wie er ohnmächtig wurde, ohnmächtig war.

Er brach zusammen und fiel hintenüber auf die Veranda und schloß die Augen...

Irgend jemand schüttelte ihn. Carla schüttelte ihn. Er hatte weder das Geschirr gespült noch den Mülleimer geleert, und Carla würde sehr ärgerlich sein, aber das war in Ordnung, solange sie ihn aufweckte und ihn aus dem Horrortraum, den er hatte, in die normale Welt zurückholte, die nette normale Carla mit ihrem Playtex-Hüfthalter und ihren Raffzähnen...

Raffzähne, ja wirklich. Aber nicht Carlas Raffzähne. Carla hatte wackelige Erdhörnchenraffzähne. Aber an diesen Zähnen waren –

Haare.

Grüne Haare wuchsen auf diesen Raffzähnen. Es sah fast aus wie –

Gras?

»Oh mein Gott«, sagte Harold.

»Du warst ohnmächtig, Kumpel, stimmt's, hey?« Der Rasenmähermann stand über ihn gebeugt und grinste mit seinen haarigen Zähnen. Lippen und Kinn waren ebenfalls behaart. Alles war behaart. Und grün. Alles stank nach Gras und Auspuffgas und viel zu plötzlicher Stille.

Harold setzte sich ruckartig auf und starrte auf den toten Rasenmäher. Alles Gras war säuberlich gemäht. Und Harold bemerkte mit einem schlechten Gefühl, daß es kein Gras zusammenzuharken gab. Ob der Rasenmäher ein Schneidemesser verloren hatte, konnte er nicht sehen. Er schielte schräg zu dem Rasenmähermann hinüber und zuckte zusammen. Er war noch immer nackt, immer noch fett, immer noch furchtbar. Grüne Rinnsale liefen aus seinen Mundwinkeln.

»Was ist das?« flehte Harold.

Der Rasenmähermann zeigte zuvorkommend auf den Rasen. »Das hier? Nun, das ist eine neue Sache, die der Chef ausprobiert hat. Es macht sich wirklich gut. Wirklich gut, Kumpel. Wir schlagen zwei Fliegen mit einer Klappe. Wir nähern uns immer mehr dem Endstadium, und wir machen Geld damit, so daß wir unsere anderen Unternehmungen unterstützen können. Verstehst du, was ich meine? Natürlich treffen wir ab und zu auf einen Kunden, der das nicht versteht – einige Leute haben kein Gefühl für Leistung, nicht wahr? –, aber der Chef erklärt sich immer einverstanden mit einem Opfer. Einem, das dazu beiträgt, daß alles reibungslos abläuft, wenn du verstehst, was ich meine.«

Harold sagte nichts. Ein Wort klang in seinen Ohren nach und dieses Wort war »Opfer«. In Gedanken sah er den Maulwurf, wie er von dem abgenutzten roten Rasenmäher ausgespuckt wurde.

Er stand langsam auf, wie ein zittriger alter Mann. »Natürlich«, sagte er, und ihm fiel nur eine Zeile von Alicias Folkrock-Platten ein: »Gott schütze das Gras.«

Der Rasenmähermann klatschte sich auf seine Oberschenkel, die die Farbe von Sommeräpfeln hatten. »Das ist gut, Kumpel, ehrlich, das ist verdammt gut. Ich merke schon, du bist auf dem richtigen Dampfer. Kann ich das aufschreiben, wenn ich im Büro bin? Könnten wir für die Werbung gut gebrauchen.«

»Natürlich«, sagte Harold, zog sich zur Hintertür zurück und gab sich große Mühe, sein sich auflösendes Lächeln beizubehalten. »Machen Sie nur ruhig weiter. Ich glaube, ich lege mich ein bißchen hin –«

»Na klar, Kumpel«, sagte der Rasenmähermann und stand schwerfällig auf. Harold bemerkte den ungewöhnlich tiefen Spalt zwischen dem ersten und dem zweiten Zeh, genauso, als ob seine Füße ... wirklich gespalten wären.

»Es trifft jeden irgendwie hart beim ersten Mal«, sagte der Rasenmähermann, »man gewöhnt sich daran.«

288

Er musterte anerkennend Harolds stämmige Figur. »Vielleicht möchtest du selber gern einmal. Der Boss hat immer ein Auge auf neue Talente.«

»Der Boss«, wiederholte Harold kraftlos.

Der Rasenmähermann blieb am Treppenabsatz stehen und starrte Harold Parkette geduldig an. »Ehrlich, sag mal, Kumpel. Ich kann mir vorstellen, daß du es dir schon gedacht hast ... Gott schütze das Gras und alles.«

Harold schüttelte zaghaft den Kopf, und der Rasenmähermann lachte: »Pan, Pan ist der Boss.« Er machte einen kleinen Hüpfer und einen kleinen Schlenker auf dem frischgemähten Gras, und der Rasenmäher erwachte zum Leben und begann, um das Haus zu rollen.

»Die Nachbarn –«, begann Harold, aber der Rasenmähermann winkte nur gutgelaunt und verschwand.

Vorn blökte und heulte der Rasenmäher. Harold Parkette weigerte sich, nachzuschauen, als wenn er mit seiner Weigerung das groteske Spektakel verleugnen könne, das die Castonmeyers und Smiths – beide erbärmliche Demokraten – wahrscheinlich begierig aufnehmen würden, mit entsetzten, aber zweifellos selbstgerechten »Ich-hab's-dir-ja-gesagt«-Augen.

Anstatt nachzuschauen, ging Harold zum Telefon, nahm den Hörer ab und rief die Polizeidienststelle an, deren Nummer auf der Notrufplakette stand, die auf den Apparat geklebt war.

»Sergeant Hall«, sagte die Stimme am anderen Ende.

Harold steckte einen Finger in sein freies Ohr und sagte: »Mein Name ist Harold Parkette. Meine Adresse ist 1421 East Endicott Street. Ich möchte zu Protokoll geben ...« Was? Was wollte er melden? Ein Mann ist gerade dabei, meinen Rasen zu vergewaltigen und umzubringen, und er arbeitet für einen Burschen namens Pan und hat gespaltene Füße?

»Ja, Mr. Parkette?« Die Inspiration zerbarst.

»Ich möchte einen Fall von Erregung öffentlichen Ärgernisses melden.«

»Öffentliches Ärgernis?« wiederholte Sergeant Hall.

»Ja. Da ist ein Mann, der meinen Rasen mäht. Er ist im, eh, Adamskostüm.«

»Sie meinen, er ist nackt?« fragte Sergeant Hall höflich ungläubig. »Nackt!« stimmte Harold zu und hielt sich krampfhaft an den zerschlissenen Enden seines gesunden Menschenverstandes fest. »Nackt, unbekleidet, splitterfasernackt. Auf meinem Vorderrasen. Werden Sie jetzt, verdammt noch mal, jemanden herschicken?«

»Die Adresse war 1421 West Endicott?« fragte Sergeant Hall verwirrt.

»East!« schrie Harold. »Um Himmels willen –«

»Und Sie sagen, er ist zweifellos nackt? Sie können seine, äh, Geschlechtsteile und so sehen?«

Harold versuchte zu sprechen und konnte nur gurgeln. Das Geräusch des wahnsinnigen Rasenmähers schien lauter und lauter zu werden und alles im Universum zu übertönen. Er fühlte, wie es ihm hochkam.

»Würden Sie bitte lauter sprechen«, brummte Sergeant Hall. »Es ist ein schrecklicher Krach bei Ihnen –«

Die Vordertür krachte auf.

Harold schaute sich um und sah, wie der motorisierte Freund des Rasenmähermannes durch die Tür vorrückte. Nach ihm kam der Rasenmähermann selbst, immer noch nackt. Mit einem Gefühl, das dem Wahnsinn ziemlich nahe kam, sah Harold, daß das Schamhaar des Mannes eine satte grüne Farbe hatte. Er wirbelte seine Baseballkappe auf dem Finger herum.

»Das war ein Fehler, Kumpel«, sagte der Rasenmähermann vorwurfsvoll. »Du hättest bei ›Gott segne das Gras‹ bleiben sollen.«

»Hallo? Hallo, Mr. Parkette –«

Das Telefon fiel aus Harolds kraftlosen Fingern, als der Rasenmäher auf ihn zukam und den Flor von Carlas Mohawk-Läufer zerschnitt und dicke braune Faserstücke ausspuckte.

Harold starrte mit einer Art von Schlange-und-Kaninchen-Faszination auf den Mäher, bis er den Kaffeetisch erreichte. Als der Mäher ihn zur Seite schob und dabei ein Bein zu Sägemehl und Splittern verarbeitete, kletterte Harold über die Rückenlehne seines Sessels und begann, sich in Richtung Küche zurückzuziehen, während er den Sessel vor sich herschob.

»Das bringt's nicht, Kumpel«, sagte der Rasenmähermann freundlich. »Könnte außerdem unsauber sein. Wenn du mir jetzt zeigen würdest, wo du dein schärfstes Fleischermesser hast, könnten wir das Opfer hinter uns bringen, wirklich schmerzlos... ich glaube, das Vogelbad könnten wir nehmen... und dann...–«

Harold schob den Stuhl zum Rasenmäher hin, der sich die ganze Zeit geschickt an seiner Seite gehalten hatte, während der Rasenmähermann seine Aufmerksamkeit auf sich lenkte, und flüchtete durch den Torweg. Der Rasenmäher ratterte um den Stuhl herum, Auspuffgase ausstoßend, und als Harold die vordere Verandatür aufstieß und die Stufen hinuntersprang, hörte er ihn – er roch ihn, er fühlte ihn – genau an seinen Fersen.

Der Rasenmäher ratterte auf die oberste Treppenstufe zu, wie auf Skiern zum Sprung ansetzend. Harold sprintete über den frischgeschnittenen hinteren Rasen, aber da waren doch zu viele Biere und zu viele Nachmittagsschläfchen gewesen. Er konnte fühlen, wie er sich ihm näherte, wie er dann an seinen Hacken war, und dann drehte er sich um und stolperte über seine eigenen Füße.

Das letzte, was Harold Parkette sah, war das grinsende Maul des angreifenden Rasenmähers, der zurückruckte und seine blitzenden, grünbefleckten Schneidemesser zur Schau stellte, und über ihm das fette Gesicht des Rasenmähermannes, der gutmütig tadelnd seinen Kopf schüttelte.

»So was Höllisches habe ich noch nie gesehen«, sagte Lieutenant Goodwin, als die letzten Fotos gemacht waren. Er nickte den beiden weißgekleideten Männern zu, die dann ihren Korb über den Rasen schleppten. »Er erzählte irgend etwas von einem nackten Typ, der vor nicht mal zwei Stunden auf dem Rasen war.«

»Ehrlich?« fragte der Polizist Cooley.

»Ja, sicher. Irgendein Nachbar hat auch angerufen. Caston-meyer heißt der Typ. Er meint, es war Parkette selber. Vielleicht war er es, Cooley, vielleicht.«

»Sir?«

»Wohl von der Hitze verrückt geworden«, sagte Goodwin ernsthaft und tippte sich mit dem Finger an die Stirn. »Gottverdammte Schizophrenie.«

»Ja, Sir«, sagte Cooley respektvoll.

»Wo ist der Rest von ihm?« fragte einer der Weißgekleideten.

»Das Vogelbad«, sagte Goodwin. Er schaute tiefgründig zum Himmel.

»Haben Sie Vogelbad gesagt?« fragte der Weißgekleidete.

»Ja, habe ich«, erwiderte Lieutenant Goodwin. Polizist Cooley schaute zum Vogelbad hin und wurde plötzlich bleich.

»Irgendein Sexmaniak«, sagte Lieutenant Goodwin, »muß es gewesen sein.«

»Fingerabdrücke?« fragte Cooley heiser.

»Sie könnten genausogut nach Fußabdrücken fragen«, sagte Goodwin. Er zeigte auf das frischgeschnittene Gras.

Polizist Cooley machte ein seltsames Geräusch in der Kehle.

Lieutenant Goodwin steckte seine Hände in die Taschen und wiegte sich auf den Absätzen. »Die Welt«, sagte er ernst, »ist voll von Verrückten. Vergessen Sie das niemals, Cooley. Schizos. Die Jungs aus dem Labor haben gesagt, daß irgend jemand Parkette mit einem Rasenmäher durch sein eigenes Wohnzimmer gejagt hat. Können Sie sich das vorstellen?«

»Nein, Sir«, sagte Cooley.

Goodwin schaute über Harold Parkettes sorgfältig geschnittenen Rasen. »Genau, wie der Mann gesagt hat, als er den schwarzhaarigen Schweden gesehen hat, es ist sicher ein Norweger mit einer anderen Farbe.«

Goodwin schlenderte um das Haus herum und Cooley folgte ihm. Hinter ihnen hing der Duft frischgemähten Grases angenehm in der Luft.

Quitters, Inc.

Morrison wartete auf jemanden, der in einer Maschine über dem Kennedy-Flugplatz kreiste, als er am Ende der Bar ein bekanntes Gesicht entdeckte. Er ging hin.

»Jimmy? Jimmy McCann?«

Er war es. Ein bißchen dicker als letztes Jahr, als Morrison ihn auf der Ausstellung in Atlanta getroffen hatte, aber sonst sah er unverschämt gesund aus. Auf dem College war er ein magerer, blasser Kettenraucher gewesen, dessen Gesicht hinter einer großen Hornbrille verschwand. Er schien sich auf Kontaktlinsen umgestellt zu haben.

»Dick Morrison?«

»Ja. Mensch, siehst du gut aus.« Sie schüttelten sich die Hand.

»Du auch«, entgegnete McCann, doch Morrison wußte, daß er log. In der letzten Zeit hatte er zuviel gearbeitet, zuviel gegessen und zuviel geraucht. »Was trinkst du?«

»Einen Bourbon und einen Magenbitter«, antwortete Morrison. Er schwang sich auf einen Barhocker und zündete sich eine Zigarette an. »Holst du jemanden ab, Jimmy?«

»Nein. Ich fliege zu einer Konferenz nach Miami. Ein wichtiger Kunde. Bringt uns sechs Millionen ein. Ich soll ihm die Hand halten, weil uns die Konkurrenz bei einem großen Projekt, das nächstes Frühjahr anlaufen sollte, zuvorgekommen ist.«

»Bist du immer noch bei Crager und Barton?«

»Ich bin jetzt Vizepräsident.«

»Toll! Herzlichen Glückwunsch! Seit wann?« Er versuchte sich einzureden, daß der brennende Schmerz in seinem Magen nicht vom Neid herrührte, sondern lediglich ein Überschuß an

Magensäure sei. Er zog ein Röhrchen Kautabletten aus der Tasche und steckte sich eine in den Mund.

»Seit letzten August. Etwas war geschehen, das mein Leben veränderte.« Er sah Morrison nachdenklich an und nippte an seinem Drink. »Vielleicht interessiert es dich.«

Mein Gott, dachte Morrison und prallte innerlich zurück. Jimmy McCann ist fromm geworden.

»Na klar«, antwortete er und nahm einen großen Schluck von seinem Bourbon.

»Es ging mir nicht besonders«, erzählte McCann. »Ich hatte private Probleme mit Sharon, mein Vater war gestorben – Herzinfarkt –, und mich quälte ein hartnäckiger Husten. Eines Tages kam Bobby Crager in mein Büro und gab mir väterliche Ermahnungen. Kannst du dich an seine Predigten erinnern?«

»Und ob.« Bevor er in die Agentur Morton eintrat, hatte er anderthalb Jahre lang bei Crager und Barton gearbeitet. »Entweder du gibst Gas, oder du fliegst.«

McCann lachte. »Du weißt Bescheid. Tja, und um das Maß vollzumachen, sagte mir der Arzt, ich hätte ein Magengeschwür im Frühstadium. Er riet mir, das Rauchen aufzugeben.« McCann verzog das Gesicht. »Ebensogut hätte er mir das Atmen verbieten können.«

Morrison nickte verstehend. Nichtraucher hatten gut reden. Mit Abscheu betrachtete er seine Zigarette und drückte sie aus, obwohl er genau wußte, daß er fünf Minuten später die nächste anzünden würde.

»Und hast du das Rauchen aufgegeben?« fragte er.

»Ja. Anfangs glaubte ich, ich schaffe es nie – ich betrog mich am laufenden Band. Dann unterhielt ich mich mit jemandem, der mir von einer Gesellschaft in der 46. Straße erzählte. Spezialisten. Ich dachte mir, was hast du schon zu verlieren, und ging hin. Seitdem habe ich nicht mehr geraucht.«

Morrison riß die Augen auf. »Und was taten die mit dir? Pumpten sie dich mit Tabletten voll?«

»Nein.« Er hatte seine Brieftasche gezückt und stöberte darin herum. »Da ist sie ja. Ich wußte doch, daß ich noch eine hatte.« Er legte eine einfache weiße Geschäftskarte auf den Tresen.

NONFUMO GES.
Gewöhnen Sie sich das Rauchen ab!

237 East 46. Straße

Sprechstunde nach Vereinbarung

»Du kannst sie behalten«, sagte McCann. »Die werden dir das Rauchen abgewöhnen. Garantiert.«

»Wie denn?«

»Das kann ich dir nicht sagen.«

»Wieso nicht?«

»In dem Vertrag, den man unterschreiben muß, verpflichtet man sich zu schweigen. Aber in einem Gespräch wirst du über die Behandlungsmethode natürlich aufgeklärt.«

»Du hast einen *Vertrag* unterschrieben?«

McCann nickte.

»Und auf diese Weise...«

»Jawohl.« Er lächelte Morrison an, der dachte, jetzt gehört er auch zu denen, die gut reden haben.

»Warum diese Heimlichtuerei, wenn die Gesellschaft so gute Leistungen vollbringt? Wie kommt es, daß ich noch nie irgendwelche Werbung gesehen habe, weder im Fernsehen, noch auf Reklameflächen, noch in Zeitschriften...«

»Sie bekommen alle ihre Kunden durch Mundpropaganda.«

»Du bist doch selbst in der Werbebranche tätig, Jimmy. Das kannst du doch nicht glauben.«

»Ich glaub's aber. Ihre Erfolgsquote liegt bei achtundneunzig Prozent.«

»Moment mal«, sagte Morrison. Er bestellte sich noch einen Drink und zündete sich eine Zigarette an. »Binden diese Leute dich fest und du mußt so lange rauchen, bis es dir hochkommt?«

»Nein.«

»Geben sie dir irgendein Zeug zu schlucken, so daß dir jedesmal übel wird, wenn du dir eine –«

»Nein, nichts dergleichen. Geh mal hin und überzeug dich selbst.«

Er deutete auf Morrisons Zigarette.

»Du willst doch auch damit aufhören, oder?«

»Jaaa, aber—«

»Als ich das Rauchen aufgab, hat sich in meinem Leben wirklich vieles geändert. Es geht bestimmt nicht jedem so, aber bei mir bewirkte es eine regelrechte Kettenreaktion. Gesundheitlich ging es mir besser, und ich verstand mich wieder mit Sharon. Ich bekam neue Energie, und auch meine beruflichen Leistungen stiegen.«

»Du hast mich neugierig gemacht. Könntest du mir nicht wenigstens—«

»Tut mir leid, Dick. Aber ich kann wirklich nicht darüber sprechen.«

Es klang endgültig.

»Hast du danach zugenommen?«

Einen Augenblick lang schien es ihm, als verhärteten sich Jimmy McCanns Züge.

»Ja. Ich wurde sogar zu dick. Aber ich nahm wieder ab. Jetzt habe ich ungefähr mein Idealgewicht. Früher war ich ja mager.«

»Die Passagiere für Flug 206, bitte zum Ausgang 9«, ertönte es aus dem Lautsprecher.

»Das ist meine Maschine«, sagte McCann und stand auf. Er warf eine Fünf-Dollar-Note auf den Bartresen. »Trink noch einen, wenn du magst. Und denk mal darüber nach, was ich dir gesagt habe, Dick. Das solltest du wirklich tun.« Er entfernte sich und steuerte auf die Rolltreppen zu. Morrison nahm die Karte in die Hand, betrachtete sie versonnen, steckte sie in seine Brieftasche und vergaß sie.

Einen Monat später fiel die Karte aus der Brieftasche und landete auf einem anderen Bartresen. Morrison hatte das Büro früh verlassen und wollte den Nachmittag mit einigen Drinks herumbringen. In der Agentur Morton war nicht alles bestens gelaufen. Offengestanden sah die Situation ziemlich mies aus.

Er gab Henry einen Zehner, dann griff er nach der Karte und las sie noch einmal – 237 East 46. Straße lag nur zwei Blocks weiter. Draußen herrschte kühles, sonniges Oktoberwetter, und vielleicht sollte er, nur zum Spaß –

Als Henry ihm das Wechselgeld brachte, leerte er sein Glas und trat einen Spaziergang an.

Die Nonfumo-Gesellschaft befand sich in einem neuen Gebäude, wo die monatliche Miete für Büroraum vermutlich so hoch war wie Morrisons Jahreseinkommen. Dem Plan, der im Foyer aushing, entnahm er, daß die Gesellschaft eine ganze Etage gemietet hatte, und das roch nach Geld. Nach sehr viel Geld sogar.

Mit dem Aufzug fuhr er nach oben und betrat einen mit dickem Teppichboden ausgelegten Vorraum. Er folgte der Beschilderung und gelangte in das Empfangszimmer, dessen riesiges Fenster zur Straße wies. Unten krochen die Autos wie Käfer hin und her.

Drei Männer und eine Frau saßen auf Stühlen längs der Wand und lasen in Zeitschriften. Dem Aussehen nach stufte Morrison sie als Geschäftsleute ein. Er ging zur Anmeldung.

»Ein Freund gab mir das hier«, sagte er und reichte der Sekretärin die Karte. »Ein ehemaliger Patient von Ihnen, könnte man vielleicht sagen.«

Die Frau lächelte und spannte ein Formular in ihre Schreibmaschine. »Wie ist Ihr Name, Sir?«

»Richard Morrison.«

Klack-klackklack-klack. Das Klappern klang gedämpft; es war eine IBM Schreibmaschine.

»Ihre Adresse?«

»Neunundzwanzig Maple Lane, Clinton, New York.«

»Verheiratet?«

»Ja.«

»Kinder?«

»Eins.« Er dachte an Alvin und runzelte leicht die Stirn. »Ein Kind« war nicht der richtige Ausdruck. »Ein halbes« hätte besser gepaßt. Sein Sohn war geistig zurückgeblieben und in einer Sonderschule in New Jersey untergebracht.

»Auf wessen Empfehlung kommen Sie zu uns, Mr. Morrison?«

»Ein alter Schulfreund erzählte mir von Ihnen. James McCann.«

»Wunderbar. Möchten Sie bitte Platz nehmen? Es dauert noch einen Moment.«

»In Ordnung.«

Er setzte sich auf den freien Stuhl zwischen der Frau, die ein streng geschnittenes blaues Kostüm trug, und einem jungen Mann, Managertyp, in Fischgrätsakko und mit modischem Haarschnitt. Morrison holte eine Packung Zigaretten aus der Tasche, sah sich nach einem Aschenbecher um und stellte fest, daß es im ganzen Zimmer keinen gab.

Er steckte die Zigaretten wieder fort. Es störte ihn nicht. Er wollte sich das Spiel einmal ansehen und sich eine Zigarette anzünden, wenn er ging. Und wenn sie ihn lange warten ließen, streute er ihnen vielleicht noch mutwillig etwas Asche auf ihren braunen Teppichboden. Er nahm eine Ausgabe des *Time*-Magazins in die Hand und begann, darin zu blättern.

Eine Viertelstunde später, nach der Frau in dem blauen Kostüm, kam er an die Reihe. Sein Nikotinzentrum meldete sich mittlerweile recht deutlich. Ein Mann, der nach ihm gekommen war, hatte ein Zigarettenetui gezückt, es aufgeklappt und wieder eingesteckt, als er keinen Aschenbecher sah. Morrison fand, daß der Neue dabei ein bißchen schuldbewußt ausgesehen hatte. Dadurch ging es ihm selbst gleich besser.

Endlich wandte sich die Empfangsdame mit strahlendem Lächeln an ihn und sagte: »Sie können jetzt hineingehen, Mr. Morrison.«

Morrison schritt durch die Tür, die sich hinter ihrem Schreibtisch befand, und trat in einen indirekt beleuchteten Gang. Ein stabil gebauter Mann mit weißem, unecht aussehendem Haar schüttelte ihm die Hand, lächelte liebenswürdig und forderte ihn auf, ihm zu folgen.

Er führte Morrison an einer Reihe von Türen vorbei und schloß dann eine auf. Dahinter lag ein kleines, steril aussehendes Zimmer. Die Wände waren mit weißen Korkplatten verkleidet. Die gesamte Einrichtung bestand aus einem Schreibtisch mit einem Stuhl davor und einem dahinter. In der Wand hinter dem Schreibtisch schien sich ein kleines rechteckiges Fenster zu befinden, es wurde jedoch durch einen grünen Vorhang verdeckt. An einer Wand hing ein Bild. Es stellte einen großgewachsenen Mann mit grauem Haar dar. In einer Hand hielt er ein Blatt Papier. Das Gesicht kam Morrison bekannt vor.

»Ich bin Vic Donatti«, stellte sich der athletisch gebaute Mann vor. »Wenn Sie sich dazu entschließen, unser Programm mitzumachen, bin ich für Ihre Betreuung zuständig.«

»Erfreut, Sie kennenzulernen«, gab Morrison zurück. Er sehnte sich nach einer Zigarette.

»Nehmen Sie bitte Platz.«

Donatti legte das Formular, das die Empfangsdame ausgefüllt hatte, auf den Schreibtisch und zog ein weiteres aus der Schublade. Er sah Morrison fest in die Augen. »Wollen Sie sich das Rauchen abgewöhnen?«

Morrison räusperte sich, schlug die Beine übereinander und suchte krampfhaft nach einer Ausflucht. Er fand keine. »Ja«, behauptete er.

»Wollen Sie dann bitte hier unterschreiben?« Er reichte Morrison das Formular. Der überflog es. Der Unterzeichnete erklärte sich mit den Methoden und Techniken der Gesellschaft einverstanden usw., usw.

»Selbstverständlich«, erwiderte er. Donatti legte ihm einen Kugelschreiber in die Hand. Morrison kritzelte seinen Namenszug, und darunter setzte Donatti seine Unterschrift. Dann verschwand das Formular wieder in der Schreibtischschublade. Na schön, dachte Morrison ergeben, jetzt habe ich mich also verpflichtet, das Rauchen aufzugeben. Es war nicht sein erster Anlauf, es sich abzugewöhnen. Einmal hatte er ganze zwei Tage lang durchgehalten.

»Schön«, stellte Donatti fest. »Wir verschwenden keine Zeit mit Propaganda, Mr. Morrison. Wir diskutieren nicht über gesundheitliche Probleme oder Rücksichtnahme gegenüber der Umwelt. Wir sind Männer der Praxis.«

»Das ist gut«, erwiderte Morrison automatisch.

»Wir setzen keine Medikamente ein. Wir heuern keine Dale Carnegie-Leute an, die Sie moralisch aufrüsten sollen. Wir empfehlen keine spezielle Diät. Und wir fordern keine Bezahlung, ehe Sie nicht ein Jahr lang das Rauchen eingestellt haben.«

»Mein Gott«, entfuhr es Morrison.

»Hat Mr. McCann Ihnen das nicht erzählt?«

»Nein.«

»Wie geht es ihm eigentlich? Fühlt er sich wohl?«

»Es geht ihm blendend.«

»Das freut mich. Ausgezeichnet. Und nun... ein paar Fragen, Mr. Morrison. Sie sind etwas persönlich, aber ich versichere Ihnen, daß wir Ihre Antworten streng vertraulich behandeln.«

»Ja?« fragte Morrison unbeteiligt.

»Wie heißt Ihre Frau?«

»Lucinda Morrison. Ihr Mädchenname ist Ramsey.«

»Lieben Sie Ihre Frau?«

Morrison hob ruckartig den Kopf, doch Donatti sah ihn mit unergründlichem Blick an. »Ja, natürlich«, gab er zurück.

»Traten in Ihrer Ehe schon mal Probleme auf? Lebten Sie vielleicht eine Zeitlang voneinander getrennt?«

»Was hat das damit zu tun, daß ich das Rauchen aufgeben will?« fragte Morrison. Es klang etwas schärfer als gewollt, aber er sehnte sich nach einer – Teufel noch mal, sein Körper verlangte nach einer Zigarette.

»Eine ganze Menge«, entgegnete Donatti. »Glauben Sie mir.«

»Nein. Wir hatten nie Probleme dieser Art.« Dabei kriselte es in letzter Zeit tatsächlich in ihrer Ehe.

»Und Sie haben nur dieses eine Kind?«

»Ja. Alvin. Er besucht eine Privatschule.«

»Welche Schule ist das?«

»Das«, versetzte Morrison ergrimmt, »werde ich Ihnen nicht sagen.«

»Wie Sie wollen«, erwiderte Donatti freundlich. Er strahlte Morrison an. »Alle Fragen, die Sie haben, werden morgen bei der ersten Behandlung beantwortet.«

»Wie schön«, meinte Morrison trocken und stand auf.

»Gestatten Sie mir zum Abschluß noch eine Frage. Seit einer Stunde haben Sie nicht geraucht. Wie fühlen Sie sich?«

»Gut«, log Morrison. »Ich fühle mich wohl.«

»Das freut mich für Sie!« frohlockte Donatti. Er trat hinter dem Schreibtisch hervor und öffnete die Tür. »Rauchen Sie heute abend, so viel Sie wollen. Ab morgen werden Sie keine Zigarette mehr anrühren.«

»Wirklich nicht?«

»Mr. Morrison«, gab Donatti feierlich zurück, »dafür garantieren wir.«

Pünktlich um drei saß er am nächsten Tag im Vorzimmer der Nonfumo-Gesellschaft. Den ganzen Tag lang hatte er geschwankt, ob er den Termin, den die Sekretärin ihm beim Hinausgehen gegeben hatte, einfach abblasen sollte oder nicht.

Den Ausschlag gab schließlich Jimmy McCanns Behauptung, sein ganzes Leben habe sich zum Vorteil verändert. Und in seinem Leben waren, weiß Gott, ein paar Änderungen nötig. Außerdem war er neugierig. Ehe er in den Aufzug stieg, rauchte er eine Zigarette bis zum Filter. Verdammt schade, wenn das seine letzte sein sollte, dachte er. Sie schmeckte scheußlich.

Dieses Mal brauchte er nicht so lange zu warten. Als die Sekretärin ihm sagte, er könne eintreten, nahm Donatti ihn in Empfang. Lächelnd drückte er ihm die Hand, doch Morrison kam das Lächeln beinahe boshaft vor. Er merkte, wie er nervös wurde, und sehnte sich nach einer Zigarette.

»Kommen Sie mit«, forderte Donatti ihn auf und führte ihn wieder in das kleine Zimmer. Er nahm hinter dem Schreibtisch Platz, und Morrison setzte sich auf den anderen Stuhl.

»Ich bin sehr froh, daß Sie gekommen sind«, äußerte Donatti. »Viele Leute lassen sich nach dem Einführungsgespräch nie wieder blicken. Sie merken, daß es ihnen doch nicht so ernst mit dem Wunsch ist, das Rauchen aufzugeben. Die Zusammenarbeit mit Ihnen wird mir ein Vergnügen sein.«

»Wann beginnt die Behandlung?« Hypnose, sagte er sich. Es kann sich nur um Hypnose handeln.

»Oh, die hat bereits begonnen. Die Behandlung fing an, als wir uns auf dem Korridor die Hand schüttelten. Haben Sie Zigaretten bei sich, Mr. Morrison?«

»Ja.«

»Kann ich sie bitte haben?«

Schulterzuckend gab Morrison ihm das Päckchen. Es waren ohnehin nur noch zwei oder drei darin.

Donatti legte das Päckchen auf den Schreibtisch. Lächelnd blickte er Morrison in die Augen, ballte die Faust und hämmerte auf die Packung ein, die sich verbog und plattgedrückt wurde. Das abgebrochene Ende einer Zigarette flog heraus. Tabakkrümel streuten über die Tischplatte. Das Donnern von Donattis Faust hallte laut in dem geschlossenen Raum. Obwohl er mit aller Kraft zuschlug, blieb das Lächeln auf seinen Lippen. Morrison lief eine Gänsehaut über den Rücken. Wahrscheinlich soll das der Einschüchterung dienen, dachte er.

Endlich hielt Donatti inne.

Er nahm das deformierte Päckchen in die Hand. »Sie glauben gar nicht, welche Befriedigung mir das verschafft«, sagte er und warf es in den Papierkorb. »Selbst nach drei Jahren in diesem Geschäft macht es mir immer noch Freude.«

»Als Therapie läßt es manches zu wünschen übrig«, meinte Morrison nicht unfreundlich. »Im Foyer dieses Gebäudes befindet sich ein Zeitschriftenstand. Dort kann man ebenfalls sämtliche Zigarettenmarken kaufen.«

»So ist es«, pflichtete Donatti ihm bei. Er faltete die Hände. »Ihr Sohn, Alvin Dawes Morrison, lebt in der Paterson Schule für behinderte Kinder. Er wurde mit einem Gehirnschaden geboren. Laut Test hat er einen IQ von 46. Damit fällt er nicht ganz in die Kategorie der lernfähigen Behinderten. Ihre Frau –«

»Woher wissen Sie das?« herrschte Morrison ihn an. Er war erschrocken und wütend. »Sie haben, verdammt noch mal, kein Recht, in meinen Privatangelegenheiten herumzuschnüffeln!«

»Wir wissen noch viel mehr über Sie«, entgegnete Donatti

gelassen. »Aber wie ich Ihnen bereits sagte, werden sämtliche Informationen streng vertraulich behandelt.«

»Ich gehe«, verkündete Morrison mit flacher Stimme. Er stand auf.

»Bleiben Sie doch noch ein bißchen.«

Morrison warf ihm einen prüfenden Blick zu. Donatti war nicht aufgeregt. Er machte eher einen vergnügten Eindruck. Er hatte die Miene eines Mannes, der diese Reaktion schon Dutzende von Malen erlebt hat – vielleicht noch viel öfter.

»Na schön. Aber mit der Behandlung strengen Sie sich bitte an.«

»Oh, das tun wir.« Donatti lehnte sich zurück. »Ich sagte Ihnen ja, wir sind Pragmatiker. Als solche müssen wir zuerst zur Kenntnis nehmen, wie schwierig es ist, jemanden von einer Nikotinsucht zu heilen. Die Rückfallquote beträgt beinahe fünfundachtzig Prozent. Selbst bei Heroinabhängigen liegt sie niedriger. Wir stehen vor einem außergewöhnlichen Problem. Einem sehr außergewöhnlichen Problem.«

Morrison spähte in den Papierkorb. Eine Zigarette, geknickt zwar, sah immer noch aus, als könnte man sie rauchen. Donatti lachte gutmütig, faßte in den Korb hinein und zerkrümelte sie zwischen den Fingern.

»Gelegentlich werden der Regierung Gesetzesvorschläge unterbreitet, die darauf abzielen, die wöchentliche Zigarettenration in den Gefängnissen zu streichen. Solche Eingaben werden gar nicht erst zur Diskussion gestellt. Jedesmal, wenn man versuchte, diese Änderung einzuführen, gab es in den Gefängnissen Aufstände. *Aufstände*, Mr. Morrison. Stellen Sie sich das vor.«

»Das«, versetzte Morrison, »wundert mich nicht.«

»Aber bedenken Sie doch, welche Schlüsse das zuläßt. Wenn ein Mann inhaftiert wird, muß er auf ein normales Sexualleben verzichten, auf Alkohol, auf politische Betätigung, auf Freizügigkeit. Von wenigen Ausnahmen abgesehen, hat das noch keine Gefangenenmeuterei ausgelöst. Doch wenn man ihm seine Zigaretten wegnimmt, dann – *Peng! Bumm!*«

Zur Untermalung ließ er die Faust mehrmals auf den Tisch krachen.

»Während des Ersten Weltkriegs, als es in Deutschland keine Zigaretten zu kaufen gab, war es kein ungewöhnlicher Anblick, Angehörige des deutschen Adels zu sehen, die Zigarettenstummel von der Straße aufsammelten. Im Zweiten Weltkrieg stellten sich viele Amerikanerinnen auf das Pfeifenrauchen um, wenn sie keine Zigaretten bekamen. Für den echten Pragmatiker ist das ein faszinierendes Problem, Mr. Morrison.«

»Können wir jetzt zur Behandlung übergehen?«

»Sofort. Treten Sie bitte hier heran.« Donatti erhob sich und stellte sich neben den grünen Vorhang, der Morrison bereits am Tag zuvor aufgefallen war. Donatti zog den Vorhang zurück und enthüllte ein rechteckiges Fenster, durch das man in ein leeres Zimmer blickte. Nein, es war nicht völlig leer. Auf dem Boden hockte ein Kaninchen vor einer Futterschüssel und fraß.

»Niedliches Tier«, kommentierte Morrison.

»Das finde ich auch. Passen Sie mal auf.« Donatti drückte auf einen Knopf am Fenstersims. Das Kaninchen hörte auf zu fressen und begann, wie verrückt herumzuspringen. Jedesmal, wenn die Pfoten mit dem Boden in Berührung kamen, schienen die Sprünge höher zu werden. Das Fell stand ihm zu allen Seiten ab. Die Augen rollten wild.

»Hören Sie auf damit! Sie bringen das Tier ja um!«

Donatti nahm den Finger vom Knopf. »Keineswegs. Durch den Boden fließt eine sehr niedrige Stromspannung. Beobachten Sie das Kaninchen, Mr. Morrison.«

Das Kaninchen kauerte ungefähr drei Meter von seiner Futterschüssel entfernt. Die Nase zuckte. Plötzlich hoppelte es weg und duckte sich in eine Zimmerecke.

»Wenn das Kaninchen beim Fressen häufig genug Stromstöße bekommt«, erklärte Donatti, »stellt es sehr rasch einen Zusammenhang her. Fressen bedeutet Schmerzen. Also frißt es lieber nicht. Noch ein paar Elektroschocks, und das Kaninchen verhungert vor einem vollen Futternapf. Das nennt man Aversionstraining.«

Morrison ging ein Licht auf.

»Nein, danke.« Er schickte sich an zu gehen.

»Bitte, bleiben Sie, Mr. Morrison.«

Morrison ließ sich nicht umstimmen. Er legte die Hand auf den Türknauf... und merkte, daß er sich nicht drehen ließ. »Schließen Sie sofort auf.«

»Mr. Morrison, wenn Sie bitte wieder Platz nehmen wollen –«

»Wenn Sie nicht gleich aufschließen, hetze ich Ihnen die Polizei auf den Hals.«

»*Setzen Sie sich.*« Die Stimme klang scharf wie ein Rasiermesser.

Morrison beobachtete Donatti. In den braunen Augen lag ein Blick, der ihm Angst einflößte. Mein Gott, durchzuckte es ihn, ich bin hier mit einem Verrückten eingesperrt. Er befeuchtete seine spröden Lippen. Noch nie hatte er eine Zigarette so nötig gehabt wie jetzt.

»Ich möchte Ihnen die Behandlung ausführlicher erklären«, sagte Donatti.

»Sie verstehen mich nicht«, entgegnete Morrison mit geheuchelter Ruhe. »Ich will mich nicht mehr behandeln lassen. Ich hab's mir anders überlegt.«

»Nein, Mr. Morrison, Sie sind derjenige, der nicht versteht. Sie haben gar keine Wahl. Als ich sagte, die Behandlung habe bereits begonnen, meinte ich das wortwörtlich. Ich dachte, mittlerweile hätten Sie das begriffen.«

»Sie sind ja verrückt«, erwiderte Morrison entgeistert.

»Nein. Nur ein Pragmatiker. Und jetzt lassen Sie sich von mir über die Behandlung aufklären.«

»Na gut«, stimmte Morrison zu. »Aber verlassen Sie sich darauf, daß ich mir als erstes, wenn ich hier herauskomme, fünf Schachteln Zigaretten kaufe und unterwegs zur Polizeiwache eine nach der anderen rauche.« Plötzlich fiel ihm auf, daß er an seinem Daumennagel kaute. Er riß sich zusammen.

»Das ist Ihre Sache. Aber ich glaube doch, daß Sie Ihre Ansicht ändern werden, wenn Sie erst mal vollständig im Bilde sind.«

Morrison erwiderte nichts darauf. Er setzte sich wieder auf den Stuhl und faltete die Hände.

»Während des ersten Behandlungsmonats werden unsere Mitarbeiter Sie ständig überwachen«, begann Donatti. »Einige von ihnen können Sie erkennen. Aber nicht alle. Sie werden jedoch stets in Ihrer Nähe sein. *Tag und Nacht*. Und wenn sie Sie dabei erwischen, wie Sie eine Zigarette rauchen, bekomme ich einen Anruf.«

»Und dann schleppen sie mich wohl hierher und machen den Kaninchentrick mit mir«, spottete Morrison. Er versuchte, sich kühl und zynisch zu geben, doch er hatte schreckliche Angst. Das war ja ein Alptraum.

»Oh nein«, widersprach Donatti. »Den Kaninchentrick machen wir mit Ihrer Frau, nicht mit Ihnen.«

Entsetzt starrte Morrison ihn an.

Donatti lächelte. »Und Sie müssen zuschauen.«

Nachdem Donatti die Tür aufgeschlossen hatte, lief Morrison zwei Stunden lang wie betäubt durch die Gegend. Wieder herrschte herrliches Wetter, doch er merkte es nicht. Die Erinnerung an Donattis lächelndes Gesicht machte ihn für alles blind.

»Sehen Sie«, hatte er gesagt, »ein praktisches Problem muß auf praktische Weise gelöst werden. Denken Sie immer daran, daß wir ja nur Ihr Bestes wollen.«

Donatti hatte ihm erzählt, die Nonfumo-Gesellschaft sei eine Art Stiftung – eine gemeinnützige Organisation, gegründet von dem Mann, dessen Portrait an der Wand hing. Er hatte mit großem Erfolg mehrere Familienunternehmen betrieben – unter anderem ein Geschäft mit Spielautomaten, Massagesalons, Lotterien und einen regen (wenn auch heimlichen) Handel zwischen New York und der Türkei. Mort Minelli, alias »Dreifinger«, war starker Raucher gewesen, er verbrauchte pro Tag bis zu drei Schachteln Zigaretten. Das Papier, das er auf dem Bild in der Hand hielt, stellte einen ärztlichen Befund dar: die Diagnose lautete Lungenkrebs. 1970 war Mort gestorben, doch vorher hatte er die Nonfumo-Gesellschaft gegründet und vom Familienvermögen finanziert.

»Wir bemühen uns, die Kosten möglichst gering zu halten«, hatte Donatti gesagt. »Aber in erster Linie sind wir natürlich bestrebt, unseren Mitmenschen zu helfen. Natürlich muß man auch steuerliche Gesichtspunkte berücksichtigen.«

Die Therapie war erschreckend simpel. Ein erster Rückfall, und Cindy sollte in das Kaninchenzimmer gebracht werden, wie Donatti es nannte. Beim zweiten Verstoß bekäme Morrison die Stromstöße verpaßt. Nach der dritten Übertretung kämen beide zusammen in das Zimmer. Eine vierte Sünde bedeutete eine ernsthafte Störung der Zusammenarbeit und erforderte härtere Maßnahmen. In diesem Fall sollte ein Vertreter der Gesellschaft zu Alvins Schule geschickt werden und sich den Jungen vornehmen.

»Stellen Sie sich vor«, meinte Donatti lächelnd, »wie schrecklich das für Ihren Sohn wäre. Er könnte es ja nicht mal verstehen, wenn man es ihm erklärte. Er weiß lediglich, daß ihm jemand weh tut, weil sein Daddy böse war. Vor Angst wird er außer sich sein.«

»Sie Schuft!« erwiderte Morrison verzweifelt. Er war den Tränen nahe. »Sie dreckiger, gemeiner Schuft!«

»Sie dürfen mich nicht mißverstehen«, hielt Donatti ihm entgegen. Sein Lächeln drückte Mitgefühl aus. »Ich bin sicher, daß das nie passieren wird. Bei vierzig Prozent unserer Klienten brauchen wir niemals Disziplinarmaßnahmen anzuwenden, und nur zehn Prozent erleiden mehr als drei Rückfälle. Diese Zahlen stimmen doch zuversichtlich, meinen Sie nicht auch?«

Morrison empfand alles andere als Zuversicht. Er hatte Angst.

»Sollten Sie allerdings ein *fünftes* Mal rückfällig werden –«

»Was dann?«

Donatti strahlte. »Dann schicken wir Sie und Ihre Frau in das Zimmer, Ihr Sohn bekommt die zweite Tracht Prügel, und Ihre Frau wird auch noch geschlagen.«

Morrison, der an einem Punkt angelangt war, wo der nüchterne Verstand aussetzte, wollte sich auf Donatti stürzen. Für jemand, der offenbar vollkommen entspannt dagesessen hatte, reagierte Donatti mit verblüffender Geschwindigkeit. Er stieß den Stuhl nach hinten, und trat Morrison über den Schreibtisch hinweg mit beiden Füßen in den Bauch. Hustend und nach Luft ringend, taumelte Morrison zurück.

»Setzen Sie sich, Mr. Morrison«, forderte Donatti ihn gutmütig auf. »Wir wollen uns doch wie vernünftige Menschen unterhalten.« Als Morrison wieder zu Atem kam, folgte er Donattis Aufforderung. Einmal mußte dieser Alptraum ja aufhören.

Die Nonfumo-Gesellschaft, hatte Donatti ihm weiterhin erklärt, erteilte Strafen nach einer Zehn-Punkte-Skala. Die Stufen sechs, sieben und acht bestanden wiederum aus Besuchen des Kaninchenzimmers (mit erhöhter Stromspannung) und härteren Prügeln. Der neunte Schritt sah vor, daß man seinem Sohn beide Arme bräche.

»Und was passiert beim zehnten Rückfall?« fragte Morrison mit trockenem Mund.

Donatti wiegte traurig den Kopf. »Dann geben wir auf, Mr. Morrison. Sie gehören dann zu den unheilbaren zwei Prozent.«

»Sie geben tatsächlich auf?«

»Ja, sozusagen.« Er öffnete eine Schublade und legte eine Pistole mit Schalldämpfer auf die Schreibtischplatte. Lächelnd sah er Morrison in die Augen. »Aber selbst die unbehandelbaren zwei Prozent rauchen nie wieder. Dafür sorgen wir.«

Am Freitag lief im Nachtprogramm des Fernsehens der Streifen *Bullit*, einer von Cindys Lieblingsfilmen, doch nachdem Morrison eine Stunde lang nervös auf seinem Sessel hin und hergerutscht war, konnte sie sich nicht mehr darauf konzentrieren.

»Was fehlt dir eigentlich?« fragte sie in einer Sendepause.

»Nichts... alles«, brummte er. »Ich gewöhne mir das Rauchen ab.«

Sie lachte. »Seit wann? Seit fünf Minuten?«

»Seit heute nachmittag um drei.«

»Und seitdem hast du wirklich keine einzige Zigarette geraucht?«

»Nein«, erwiderte er und begann, an seinem Daumennagel zu kauen.

Er war bereits bis auf die Fingerkuppe abgenagt.

»Das finde ich großartig! Warum hörst du damit auf?«

»Wegen dir. Und ... Alvin.«

Sie riß die Augen auf und bemerkte nicht mal, daß der Film weiterlief.

Dick erwähnte äußerst selten ihren behinderten Sohn. Sie ging zu ihm, warf einen Blick auf den leeren Aschenbecher, der rechts von ihm stand, und sah ihm dann in die Augen.

»Versuchst du ernsthaft, das Rauchen aufzugeben, Dick?«

»Ja.« Und wenn ich mich an die Polizei wende, setzte er im Geist hinzu, kommt der zuständige Schlägertrupp angerollt und poliert dir die Fresse, Cindy.

»Das freut mich. Auch wenn du nicht durchhalten solltest, Dick, wir danken dir beide, daß du es mit Rücksicht auf uns versuchst.«

»Oh, ich bin sicher, daß ich durchhalten werde«, meinte er und sah im Geist wieder den eiskalten, mörderischen Blick, der in Donattis Augen getreten war, als er ihm die Füße in den Bauch rammte.

Er schlief schlecht in dieser Nacht. Jedesmal, wenn er eingedöst war, schreckte er wieder hoch. Gegen drei Uhr morgens war er hellwach. Der Wunsch nach einer Zigarette brannte in ihm wie ein Fieber. Er ging hinunter in sein Arbeitszimmer. Der Raum lag in der Mitte des Hauses. Keine Fenster. Er öffnete die oberste Schreibtischschublade und spähte hinein. Wie magisch zog die Zigarettenschachtel seinen Blick an. Er schaute in die Runde und leckte sich die Lippen.

Während des ersten Monats ständige Überwachung, hatte Donatti gesagt. In den nächsten zwei Monaten achtzehn Stunden pro Tag – aber er erfuhr nie, welche. Für die Dauer des vierten Monats, in dem die Gefahr für einen Rückfall besonders hoch war, erhöhte sich der ›Service‹ wieder auf vierundzwanzig Stunden täglich. Die folgenden acht Monate sollte er in einem unregelmäßigen Rhythmus zwölf Stunden lang am Tag beobachtet werden. Und danach? Stichprobenartige Überwachung, solange er lebte.

Solange er lebte.

»Es kann sein, daß wir Sie in Abständen von zwei Monaten überprüfen, vielleicht aber auch in Abständen von zwei Tagen«, hatte Donatti erläutert. »Intervalle und Dauer der Stichproben sind beliebig. Das Effektive an diesem System ist, *daß Sie es nicht wissen.* Wenn Sie mal rauchen, riskieren Sie viel. Sie wissen ja nicht, werde ich jetzt beobachtet, oder sieht es keiner? Holen sie meine Frau ab, oder ist schon jemand zu meinem Sohn unterwegs? Das ist doch herrlich, nicht? Und sollten Sie sich mal heimlich eine Zigarette anzünden, wird sie Ihnen nicht schmecken. Sie werden sich einbilden, Sie kosteten das Blut Ihres Sohnes.«

Aber wie sollten sie ihn jetzt, mitten in der Nacht, in seinem Arbeitszimmer beobachten? Im Haus herrschte eine Stille wie in einer Gruft.

Beinahe zwei Minuten lang schaute er die Schachtel Zigaretten an, unfähig, den Blick abzuwenden. Dann ging er zur Tür, spähte hinaus in den leeren Flur, um danach die Betrachtung der Zigarettenpackung wiederaufzunehmen. In ihm entstand eine schreckliche Vision: Er sah sein Leben vor sich, und für ihn gab es keine Zigaretten mehr. Wie in Gottes Namen sollte er eine zähe Verhandlung mit einem schwierigen Kunden durchstehen, ohne daß er lässig eine Zigarette in der Hand hielt? Er wußte nicht, wie er Cindys endlose Gartenschauen ohne Zigaretten überleben sollte. Wie schaffte er es, einen neuen Tag zu beginnen, ohne seine morgendliche Zigarette zu rauchen, die ihm so selbstverständlich geworden war wie die Tasse Kaffee und das Zeitunglesen?

Er verwünschte sich, weil er sich in diese Situation hineingeritten hatte. Er verwünschte Donatti. Und in erster Linie verwünschte er Jimmy McCann. Wie hatte er ihm das antun können? Der verdammte Hund wußte doch Bescheid. Seine

Hände zitterten vor Begehren, diesem Judas Jimmy McCann an die Gurgel zu kommen.

Verstohlen sah er sich noch einmal im Arbeitszimmer um. Er griff in die Schublade und holte eine Zigarette heraus. Andächtig streichelte er sie. Wie hieß doch gleich dieser alte Werbeslogan: *so rund, so fest, so kompakt.* Etwas Wahreres gab es gar nicht. Er steckte sich die Zigarette in den Mund, dann verharrte er lauschend, den Kopf gesenkt.

Kam vom Schrank her nicht ein leises Geräusch? Ein kaum wahrnehmbares Scharren? Er täuschte sich bestimmt. Trotzdem –

Wieder hatte er eine Vision – er sah das Kaninchen, wie es wie wahnsinnig auf dem unter Strom stehenden Boden herumsprang. Die Vorstellung, daß Cindy in diesem Raum –

Er horchte angestrengt, vernahm jedoch nichts. Er sagte sich, er brauche lediglich zum Schrank zu gehen und die Tür aufzureißen. Doch er fürchtete das, was er dort vielleicht entdecken würde. Er legte sich wieder ins Bett, fand jedoch lange keinen Schlaf.

Obwohl er sich am nächsten Morgen elend fühlte, schmeckte ihm das Frühstück. Nach kurzem Zögern aß er nach seiner üblichen Schale Cornflakes noch Rührei. Verdrossen spülte er gerade die Pfanne ab, als Cindy im Morgenrock herunterkam.

»Richard Morrison! Seit Anno Tobak hast du zum Frühstück kein Ei mehr gegessen.«

Morrison gab einen grunzenden Laut von sich. Er fand, *seit Anno Tobak* sei eine von Cindys albernsten Redewendungen, genauso schlimm wie ihr Ausspruch *ich bin so glücklich, ich könnte die ganze Welt küssen.*

»Hast du in der Zwischenzeit schon wieder geraucht?« fragte sie, während sie sich ein Glas Orangensaft einschenkte.

»Nein.«

»Spätestens bis heute mittag um zwölf bist du wieder rückfällig geworden«, prophezeite sie leichthin.

»Du bist mir ja eine verdammt gute Hilfe«, schnauzte er sie

an. »Du und alle anderen Leute, die nicht rauchen, ihr glaubt ja... ach, schon gut.«

Er dachte, sie würde sich ärgern, doch sie sah ihn nur verwundert an. »Dir ist es ja wirklich ernst mit deinem Vorsatz.«

»Das kann man wohl sagen.« Hoffentlich erfährst du nie, *wie* ernst es mir ist, dachte er.

»Mein armer Schatz.« Sie kam zu ihm. »Du siehst aus wie eine aufgewärmte Leiche. Aber ich bin sehr stolz auf dich.«

Morrison riß sie in seine Arme.

Szenen aus dem Leben Richard Morrisons im Zeitraum Oktober – November:

Morrison und ein alter Freund vom Studio Larkin in Jack Dempseys Bar. Freund bietet ihm eine Zigarette an. Morrison verkrampft die Hand, die das Glas hält, und sagt: *Ich will mir das Rauchen abgewöhnen.* Freund lacht und behauptet: *Ich gebe dir eine Woche.*

Morrison wartet morgens auf den Zug. Über den Rand seiner *Times* hinweg beobachtet er einen jungen Mann in einem blauen Anzug. Den jungen Mann sieht er beinahe jeden Morgen, und manchmal auch zu anderen Tageszeiten. Zum Beispiel entdeckte er ihn einmal bei Onde, wo er sich mit einem Kunden traf. Oder wie er in einem Laden in alten Schallplatten stöberte, während Morrison nach einer LP von Sam Cooke suchte. Einmal befand er sich in einer Gruppe von vier Leuten, die nach Morrison und seinen Begleitern die Runde über den örtlichen Golfplatz machten.

Morrison betrinkt sich auf einer Party und will eine Zigarette – aber so betrunken ist er nicht, daß er tatsächlich geraucht hätte.

Morrison besucht seinen Sohn und schenkt ihm einen großen Ball, der quietscht, wenn man darauf drückt. Sein Sohn gibt ihm einen feuchten, begeisterten Kuß. Morrison fühlt sich nicht so abgestoßen wie früher. Als er seinen Sohn umarmt, erkennt er, was Donatti und seine Leute in ihrem Zynismus viel früher begriffen haben: Die Liebe ist die machtvollste Droge von allen. Mögen Romantiker über die Existenz der Liebe debattieren, Pragmatiker wissen, daß es sie gibt und nutzen sie für ihre Zwecke.

Allmählich verlieren sich bei Morrison die körperlichen Entzugserscheinungen, doch psychologisch macht sich oft der Wunsch nach einer Zigarette bemerkbar oder das Verlangen, etwas im Mund zu haben – Hustenpastillen, Lutschtabletten, einen Zahnstocher. Alles ist lediglich ein unzureichender Ersatz.

Schließlich passierte es Morrison, daß er bei einem großen Verkehrsstau im Stadttunnel steckenblieb. Dunkelheit. Das Lärmen von Autohupen. Schlechte Luft. Er saß hoffnungslos fest. Einer jähen Eingebung folgend, öffnete er das Handschuhfach und entdeckte die angebrochene Packung Zigaretten. Einen Moment lang sah er sie an, dann zog er eine heraus und zündete sie mit dem Autofeuerzeug an.

Wenn das Folgen hat, ist Cindy daran schuld, sagte er sich trotzig. Ich sagte ihr doch, sie sollte sämtliche Zigaretten wegwerfen.

Nach dem ersten Zug mußte er fürchterlich husten. Nach dem zweiten tränten ihm die Augen. Nach dem dritten fühlte er eine Leere im Kopf, und ihm wurde schwindlig. Er fand, die Zigarette schmeckte scheußlich.

Sein nächster Gedanke war: Mein Gott, was habe ich getan?

Hinter ihm ertönte ein ungeduldiges Hupkonzert. Die Autos vor ihm hatten sich bereits in Bewegung gesetzt. Er drückte die Zigarette im Aschenbecher aus, kurbelte beide Vorderfenster herunter, schaltete die Lüftung ein und fächelte dann hilflos die Luft, wie ein Kind, das soeben die erste Zigarettenkippe in der Toilette weggespült hat.

Unsicher fädelte er sich in den wieder fließenden Verkehr ein und fuhr nach Hause.

»Cindy?« rief er. »Ich bin da.«

Keine Antwort.

»Cindy? Wo steckst du, Schatz?«

Das Telefon klingelte, und er stürzte sich darauf. »Hallo? Cindy?«

»Hallo, Mr. Morrison«, grüßte Donatti. Er sprach in forschem, geschäftsmäßigem Ton. »Ich glaube, wir sollten uns mal in einer kleinen geschäftlichen Angelegenheit treffen. Könnten Sie um fünf Uhr bei uns sein?«

»Ist meine Frau bei Ihnen?«

»Ja, sie ist hier.« Donatti stieß ein vergnügtes Lachen aus.

»Bitte, lassen Sie sie gehen«, sprudelte es aus Morrison heraus. »Es wird nie wieder vorkommen. Es war ein Ausrutscher, bloß ein Ausrutscher, mehr nicht. Ich habe nur dreimal an der Zigarette gezogen, und, Teufel noch mal, *sie hat mir nicht mal geschmeckt!*«

»Wie schade. Um fünf kann ich also mit Ihnen rechnen, ja?«

»Bitte«, flehte Morrison, dem Weinen nahe. »Bitte–«

Er sprach in eine tote Leitung.

Um fünf Uhr nachmittags saß außer der Sekretärin niemand im Vorzimmer. Sie schenkte Morrison ein strahlendes Lächeln, als hätte sie seine Blässe und seine aufgelöste Erscheinung nicht bemerkt. »Mr. Donatti?« sagte sie in die Gegensprechanlage. »Mr. Morrison ist da.« Sie nickte Morrison zu. »Sie können hineingehen.«

Vor dem Zimmer standen Donatti und ein Mann, der ein Sweatshirt mit dem Aufdruck BITTE LÄCHELN trug. Er hatte die Figur eines Gorillas, und in der Hand hielt er eine Pistole.

»Hören Sie«, wandte sich Morrison an Donatti, »wir können uns doch sicher einigen, nicht wahr? Ich gebe Ihnen Geld, ich–«

»Schnauze«, sagte der Mann im Sweatshirt.

»Ich freue mich, daß Sie gekommen sind«, begann Donatti. »Schade, daß unser Wiedersehen unter so unerfreulichen Umständen stattfindet. Ich darf Sie jetzt bitten, einzutreten. Wir werden es so kurz wie möglich machen. Ich verspreche Ihnen, Ihrer Frau wird nichts Ernstliches geschehen... diesmal noch nicht.«

Morrison duckte sich, um sich auf Donatti zu stürzen.

»Aber nicht doch«, sagte Donatti mit ärgerlicher Miene. »Wenn Sie Schwierigkeiten machen, schlägt Junk Ihnen eins mit der Pistole über den Schädel, und Ihrer Frau nützt das gar nichts. Reißen Sie sich also lieber zusammen.«

»Ich wünsche Ihnen, daß Sie in der Hölle braten«, schrie er Donatti an.

Donatti stieß einen Seufzer aus.

»Wenn ich für jeden Ausspruch dieser Art ein Fünfcentstück bekäme, könnte ich mich zur Ruhe setzen. Das soll Ihnen eine Lehre sein, Mr. Morrison. Wenn ein Idealist versucht, Gutes zu tun und dann scheitert, bekommt er einen Orden. Wenn ein Pragmatiker Erfolg hat, wünscht man ihn zum Teufel. Können wir gehen?«

Junk gab ihm mit der Pistole einen Wink.

Morrison betrat als erster das Zimmer. Innerlich war er wie erstarrt. Der grüne Vorhang war zur Seite gezogen. Junk stieß ihm die Pistole in den Rücken. Genauso muß es den Zeugen ergangen sein, dachte Morrison, die einer Hinrichtung in der Gaskammer beiwohnen mußten.

Er schaute durch das Fenster. Cindy war da. Mit verstörter Miene blickte sie um sich.

»Cindy!« schrie Morrison verzweifelt. »Cindy, sie–«

»Sie kann Sie weder hören noch sehen«, erklärte Donatti. »Das Glas ist nur von dieser Seite durchsichtig. So, und nun wollen wir die Sache hinter uns bringen. Es war ja wirklich nur eine leichte Übertretung. Ich denke, dreißig Sekunden dürften genügen. Junk?«

Junk drückte auf den Knopf, während er mit der anderen Hand Morrison die Pistole in den Rücken drückte.

Es wurden die längsten dreißig Sekunden seines Lebens.

Als es vorbei war, legte Donatti ihm die Hand auf die Schulter und fragte: »Müssen Sie sich übergeben?«

»Nein«, antwortete Morrison schwach. Mit der Stirn stützte er sich gegen die Glasscheibe. Seine Beine waren wie aus Gummi. »Ich glaube nicht.« Er drehte sich um und bemerkte, daß Junk das Zimmer verlassen hatte.

»Kommen Sie mit mir«, forderte Donatti ihn auf.

»Wohin?« fragte Morrison apathisch.

»Ich glaube, Sie haben ein paar Erklärungen abzugeben, meinen Sie nicht?«

»Wie kann ich ihr noch unter die Augen treten? Wie soll ich ihr sagen, daß ich... daß ich...«

»Sie werden sich wundern«, behauptete Donatti.

Das einzige Möbelstück in dem Zimmer war ein Sofa. Cindy lag darauf und schluchzte hemmungslos.

»Cindy?« begann er zaghaft.

Sie blickte hoch, die Augen wirkten durch die Tränen noch größer. »Dick?« flüsterte sie. »Dick? Ach... Ach Gott...« Er nahm sie in die Arme und drückte sie an sich. »Zwei Männer«, schluchzte sie gegen seine Brust. »Sie drangen ins Haus ein, und zuerst hielt ich sie für Einbrecher. Dann dachte ich, sie wollten mich vergewaltigen. Sie verbanden mir die Augen und brachten mich irgendwohin. Und dann... und dann... ach, es war *schrecklich*—«

»Ist ja wieder gut«, flüsterte er, »ist ja wieder gut.«

»Aber warum?« fragte sie und sah ihn an. »Warum haben sie das—«

»Es war meine Schuld. Ich muß dir etwas erzählen, Cindy—«

Nachdem er geendet hatte, schwieg er eine Weile. Dann sagte er: »Wahrscheinlich haßt du mich jetzt. Mit gutem Grund.«

Er hielt den Blick auf den Boden geheftet. Sie umschloß sein Gesicht mit beiden Händen und zwang ihn, sie anzuschauen. »Nein«, sagte sie. »Ich hasse dich nicht.«

Vor Verblüffung verschlug es ihm die Sprache.

»Die Schmerzen haben sich gelohnt«, fuhr sie fort. »Gott segne diese Leute. Sie haben dich aus einem Gefängnis befreit.«

»Ist das dein Ernst?«

»Ja«, bekräftigte sie und gab ihm einen Kuß. »Können wir

jetzt heimfahren? Ich fühle mich schon viel besser. Viel, viel besser.«

Eine Woche später läutete abends das Telefon. Als Morrison Donattis Stimme hörte, sagte er: »Ihre Jungs haben Sie falsch unterrichtet. Ich bin nicht mal in die Nähe einer Zigarette gekommen.«

»Das wissen wir. Wir müssen noch einen letzten Punkt besprechen. Können Sie morgen nachmittag auf einen Sprung zu uns kommen?«

»Geht es–«

»Nein, es ist nichts Ernstes. Es handelt sich nur um ein paar Eintragungen in unsere Bücher. Übrigens, herzlichen Glückwunsch zu Ihrer Beförderung.«

»Woher wissen Sie, daß ich befördert wurde?«

»Wir halten uns auf dem laufenden«, gab Donatti lässig zurück und hängte ein.

Als sie das kleine Zimmer betraten, sagte Donatti: »Warum sind Sie so nervös? Es wird Sie schon keiner beißen. Treten Sie bitte hier heran.«

Morrison erblickte eine ganz normale Badezimmerwaage. »Hören Sie, ich habe ein bißchen zugenommen, aber–«

»Ja, das geht dreiundsiebzig Prozent unserer Klienten so. Stellen Sie sich bitte auf die Waage.«

Morrison gehorchte. Die Waage zeigte einhundertvierundsiebzig Pfund an.

»Das war's. Schön. Sie können wieder herunterkommen. Wie groß sind Sie, Mr. Morrison?«

»Ein Meter achtzig.«

»Moment, lassen Sie mich mal nachschauen.« Aus seiner Brusttasche zog er eine kleine, in Plastik eingeschweißte Karte. »Nun, das ist gar nicht so schlecht. Ich schreibe Ihnen ein Rezept für ein paar vom Gesetz her streng verbotene Abmagerungspillen aus. Gehen Sie sparsam damit um und beachten Sie die Gebrauchsvorschrift. Ihr erlaubtes Höchstgewicht werde ich festsetzen bei ... mal sehen ...« Er studierte noch einmal die Karte. »Einhundertzweiundachtzig Pfund. Wie klingt das? Heute haben wir den ersten Dezember, und am ersten jedes Monats erwarte ich Sie hier zur Gewichtskontrolle. Sollten Sie mal verhindert sein, macht das nichts, Sie müssen uns nur rechtzeitig vorher anrufen und Bescheid sagen.«

»Und was passiert, wenn ich mehr wiege als einhundert-zweiundachtzig Pfund?«

Donatti lächelte. »Dann schicken wir jemand zu Ihnen nach Hause, der Ihrer Frau einen kleinen Finger abschneidet. Sie können durch diese Tür hinausgehen, Mr. Morrison. Ich wünsche Ihnen noch einen schönen Tag.«

Acht Monate später:

In Dempseys Bar trifft Morrison wieder den alten Freund vom Studio Larkin. Morrison hat jetzt sein Wettkampfgewicht erreicht, wie Cindy stolz behauptet: einhundertsiebenundsechzig Pfund. Er treibt dreimal die Woche Sport und sieht topfit aus. Verglichen mit ihm sieht sein Freund aus wie ein ausgewrungener Lappen.

Freund: Gott, wie hast du es bloß geschafft, das Rauchen aufzugeben? Ich komme von dieser verdammten Gewohnheit einfach nicht los. Mit ungeheucheltem Abscheu drückt der Freund seine Zigarette aus und leert sein Whiskyglas mit einem Zug.

Morrison sieht ihn nachdenklich an und holt dann eine kleine weiße Geschäftskarte aus seiner Brieftasche. Er legt sie auf den Tresen. Weißt du was, sagt er, diese Leute haben mein Leben von Grund auf geändert.

Zwölf Monate später:

Morrison bekommt mit der Post eine Rechnung zugestellt. Er liest:

NONFUMO GES.
237 East 46. Straße
New York, N.Y. 10017

1 Behandlung	$ 2.500,00
Beratung (Victor Donatti)	$ 2.500,00
Stromverbrauch	$ 0,50
GESAMTSUMME *(Bitte überweisen Sie diesen Betrag)*	$ 5.000,50

Diese Schweine! schimpft er. Sie berechnen mir sogar den Strom, mit dem sie dich...

Bezahl doch, rät Cindy und gibt ihm einen Kuß.

Zwanzig Monate später:

Durch Zufall treffen Morrison und seine Frau die McCanns im Helen-Hayes-Theater. Man stellt sich der Reihe nach vor. Jimmy sieht immer noch so gut aus, eher noch besser als damals vor fast zwei Jahren in der Flughafenbar. Seine Frau sieht Morrison zum ersten Mal. Ihre Schönheit kommt von innen heraus, wie es bei unscheinbaren Mädchen manchmal der Fall ist, wenn sie sehr glücklich sind.

Morrison gibt ihr die Hand. Etwas an ihrem Griff kommt ihm merkwürdig vor, und es dauert ein paar Sekunden, bis ihm klar wird, woran es liegt. An der rechten Hand fehlt der kleine Finger.

Ich weiß, was du brauchst

»Ich weiß, was du brauchst.«

Erschrocken blickte Elizabeth von ihrem Soziologiebuch hoch und sah einen schwer zu beschreibenden jungen Mann in einer grünen Drillichjacke. Einen Moment lang kam er ihr bekannt vor, so, als hätte sie ihn schon einmal irgendwo gesehen; das Gefühl ähnelte einem Déjà-vu. Doch gleich darauf war es wieder vorbei. Er war ungefähr so groß wie sie, mager und... zappelig. Ja, das war der richtige Ausdruck. Er rührte sich nicht, doch innerlich schien er zu zappeln. Man sah es nicht, man spürte es nur. Er hatte schwarzes, ungepflegtes Haar, trug eine dicke Hornbrille, die seine Augen vergrößerte, und die Gläser sahen schmutzig aus. Nein, sie war sich ganz sicher, daß sie ihn noch nie zuvor gesehen hatte.

»So«, gab sie zurück, »das möchte ich bezweifeln.«

»Du brauchst jetzt ein Erdbeereis mit Sahne, stimmt's?«

Verblüfft blinzelte sie ihn an. Irgendwo in einem Hinterstübchen ihres Gehirns hatte sie tatsächlich mit dem Gedanken gespielt, eine Pause zu machen und ein Eis essen zu gehen. Sie saß in einem der Leseräume auf der dritten Etage des Studentenhauses und lernte für eine Klausur. Sie hatte noch jede Menge Lehrstoff zu bewältigen.

»Stimmt's?« wiederholte er hartnäckig und lächelte dabei. Sein gespanntes, beinahe häßliches Gesicht nahm einen seltsam rührenden Zug an. Ihr fiel das Wort »niedlich« ein, kein angemessener Ausdruck, um einen jungen Mann zu beschreiben, aber zu diesem paßte er, wenn er lächelte. Ungewollt erwiderte sie das Lächeln. Etwas konnte sie bestimmt nicht gebrauchen, nämlich irgendeinen komischen

Typ, der sich den ungeeignetsten Zeitpunkt im ganzen Jahr aussuchte, um sich an sie heranzumachen.

Ihn abzuwimmeln, kostete Zeit, und sie mußte sich noch durch sechzehn Kapitel der *Einführung in die Soziologie* hindurchkämpfen.

»Nein, danke«, entgegnete sie.

»Na, komm schon, wenn du noch mehr büffelst, kriegst du bloß Kopfschmerzen. Du hockst schon seit zwei Stunden ohne Unterbrechung über diesem Buch.«

»Woher willst du das wissen?«

»Ich habe dich beobachtet«, gab er unumwunden zu. Dieses Mal war sein lausbubenhaftes Grinsen an sie verschwendet. Sie hatte bereits Kopfschmerzen.

»Das läßt du jetzt bitte sein«, versetzte sie schärfer als gewollt. »Ich mag's nämlich nicht, wenn Leute mich anstarren.«

»Entschuldigung.« Er tat ihr ein bißchen leid, wie ihr manchmal herumstreunende Hunde leid taten. In seiner grünen Drillichjacke schien er zu ertrinken und ... jawohl, er hatte zwei verschiedene Socken an. Eine schwarze und eine braune. Am liebsten hätte sie wieder gelächelt, doch sie verbiß es sich.

»Ich muß für eine Klausur lernen«, erklärte sie freundlich.

»Ach so«, erwiderte er. »Na schön.«

Versonnen sah sie ihm einen Augenblick lang hinterher. Dann widmete sie sich wieder ihrem Buch, doch etwas von dieser Begegnung blieb in ihrem Gedächtnis haften: *Erdbeereis mit Sahne.*

Als sie ins Studentenwohnheim zurückkehrte, war es Viertel nach elf. Alice lag auf ihrem Bett, hörte Neil Diamond und las *Die Geschichte der O.*

»Ich wußte gar nicht, daß dieser Roman auf der Leseliste steht«, witzelte Elizabeth.

Alice richtete sich auf. »Ich erweitere meinen Horizont, Herzchen. Ich breite meine intellektuellen Schwingen aus. Ich verbessere meine ... Liz?«

»*Hmm?*«

»Hörst du mir überhaupt zu?«

»Nein, entschuldige, ich–«

»Du siehst aus, als hättest du einen Schlag auf den Kopf gekriegt, Kind.«

»Ich habe heute abend jemanden kennengelernt. Einen ziemlich merkwürdigen Typ.«

»Ach? Das muß ja ein toller Bursche sein, wenn er dich von deinen geliebten Lehrbüchern losreißen kann.«

»Er heißt Edward Jackson Hamner Junior, man stelle sich vor! Klein. Schmächtig. Sieht aus, als hätte er sich das Haar zum letzten Mal an Washingtons Geburtstag gewaschen. Ach, und zwei verschiedene Socken trägt er. Eine schwarze und eine braune.«

»Ich dachte, du stündest mehr auf den Typ, den man in studentischen Verbindungen trifft.«

»Nein, in dieser Richtung läuft nichts, Alice. Er sprach mich im Studentenhaus an, als ich auf der Dritten saß und lernte, und lud mich zu einem Eis ein. Ich lehnte ab, und er verkrümelte sich.

Doch nachdem er mich erst mal auf die Idee mit dem Eis gebracht hatte, konnte ich mich nicht mehr beherrschen. Ich beschloß, eine Pause zu machen, und siehe da, er stand vor mir, in jeder Hand ein tropfendes Hörnchen Erdbeereis mit Sahne.«

»Ich brenne darauf, den Ausgang der Geschichte zu erfahren.«

Elizabeth stieß einen schnaubenden Laut aus. »Na ja, jetzt konnte ich ja nicht mehr gut nein sagen. Er setzte sich zu mir, und im Gespräch stellte sich heraus, daß er letztes Jahr bei Professor Branner Soziologie gehört hat.«

»Es geschehen noch Zeichen und Wunder. O Herr, gib denen, die gläubig zu dir aufblicken–«

»Hör mal, das ist wirklich erstaunlich. Weißt du, wie ich in diesem Seminar geschwitzt habe?«

»Ja. Du sprichst ja noch im Schlaf davon.«

»Ich habe einen Durchschnitt von achtundsiebzig Punkten. Ich brauche achtzig, wenn ich mein Stipendium weiter behalten will, das bedeutet, daß ich in der Klausur mindestens vierundachtzig Punkte haben muß. Tja, dieser Ed Hamner behauptet, Branner ließe jedes Jahr fast die gleiche Klausur schreiben. Und Ed ist Eidetiker.«

»Du meinst, er hätte ein ... waswardasnochmal... fotografisches Gedächtnis?«

»Ja. Sieh mal.« Sie schlug ihr Soziologiebuch auf und nahm drei beschriebene Heftseiten heraus.

Alice ließ sie sich geben. »Das sieht mir nach Multiple-Choice-Verfahren aus.«

»Das ist es auch. Ed sagt, das sei *Wort für Wort* Branners Klausur vom vorigen Jahr.«

»Das glaube ich nicht«, stritt Alice rundweg ab.

»Aber sämtliche Themen kommen drin vor!«

»Trotzdem glaube ich's nicht.« Sie gab Elizabeth die Blätter zurück. »Nur weil dieses Gespenst–«

»Er ist kein Gespenst. So darfst du ihn nicht nennen.«

»Schon gut, schon gut. Dieses schmächtige Jüngelchen hat dir doch wohl nicht eingeredet, nur dieses Zeug auswendig zu lernen und dich darauf zu verlassen, daß das genügt?«

»Nein, natürlich nicht«, antwortete sie verlegen.

»Und selbst wenn das die Klausur sein sollte, findest du dieses Vorgehen nicht unehrenhaft?«

Plötzlich stieg ein Groll in Elizabeth auf, und ehe sie sich besinnen konnte, ging das Mundwerk mit ihr durch. »Du hast gut reden. Jedes Semester wirst du für besondere Leistung gelobt, und das Studium finanzieren dir deine Eltern. Kannst du dir überhaupt vorstellen, wie das ist, wenn... Tut mir leid, Alice, das hätte ich nicht sagen dürfen.«

Alice zuckte mit den Schultern und schlug den Roman wieder auf. Sie setzte eine betont neutrale Miene auf. »Du hast recht, das geht mich nichts an. Aber ich an deiner Stelle würde mir zusätzlich das Lehrbuch zu Gemüte führen... um auf Nummer Sicher zu gehen.«

»Das hatte ich ohnehin vor.«

Doch in erster Linie befaßte sie sich mit den Aufzeichnungen, die ihr Edward Jackson Hamner jr. gegeben hatte.

Als sie nach der Klausur aus dem Hörsaal kam, saß er in der Vorhalle. Wieder fand sie, er sähe aus, als würde er in der grünen Militärjacke aus Drillich ertrinken. Er lächelte ihr schüchtern zu und stand auf. »Wie war's?«

Impulsiv drückte sie ihm einen Kuß auf die Wange. Sie konnte sich nicht erinnern, jemals so erleichtert gewesen zu sein. »Es müßte geklappt haben.«

»Wirklich? Das ist prima. Hast du Appetit auf einen Hamburger?«

»Und ob«, erwiderte sie zerstreut. Im Geist beschäftigte sie sich immer noch mit der Klausur. Beinahe wortwörtlich hatte sie der entsprochen, die Ed ihr gegeben hatte, für sie war die Prüfung ein Kinderspiel gewesen.

Während sie die Hamburger verspeisten, fragte sie ihn, wie seine eigenen Klausuren liefen.

»In diesem Semester schreibe ich keine. Ich falle unter die Sonderregelung für Hochbegabte, nach der man sich Prüfungen nur freiwillig zu unterziehen braucht.«

»Warum bist du dann noch hier?«

»Ich mußte doch sehen, wie es bei dir geklappt hat, nicht wahr?«

»Ach, Ed, das war aber nicht nötig. Ich find's lieb von dir, aber –« Der hungrige Blick in seinen Augen bekümmerte sie. Sie war ein hübsches Mädchen, und diesen Blick hatte sie schon öfter gesehen.

»Ja, ich bin deinetwegen hiergeblieben«, sagte er leise.

»Ed, ich bin dir sehr dankbar. Wirklich, ich glaube, du hast mir mein Stipendium gerettet. Aber ich habe einen Freund, weißt du ...«

»Ist es was Festes?« Es gelang ihm nicht ganz, in lockerem Ton zu sprechen.

»Ja«, antwortete sie im gleichen Tonfall. »Wir sind so gut wie verlobt.«

»Weiß er, daß er Glück hat? Weiß er, wieviel Glück er hat?«

»Ich habe auch Glück«, entgegnete sie und dachte dabei an Tony Lombard.

»Beth«, sagte er unvermittelt.

»Wie bitte?« fragte sie erschrocken.

»So nennt dich keiner, oder?«

»Wieso ... nein. Nein, das sagt keiner zu mir.«

»Nicht mal dein Freund?«

»Nein –« Tony rief sie Liz. Manchmal sagte er Lizzie zu ihr, was noch viel schlimmer war.

Er beugte sich vor. »Aber am liebsten möchtest du Beth genannt werden, stimmt's?«

Sie lachte, um ihre Verwirrung zu überspielen. »Wieso, um Himmels willen –«

»Schon gut.« Er setzte wieder sein lausbubenhaftes Grinsen auf. »Ich nenne dich Beth. Das gefällt mir viel besser. Und jetzt iß deinen Hamburger auf.«

Das erste Studienjahr ging zu Ende, und sie verabschiedete sich von Alice. Beide waren ein bißchen befangen, was Elizabeth leid tat. Die Schuld dafür suchte sie bei sich; sie hatte wirklich ein wenig zu laut gejubelt, als die Ergebnisse der Soziologie-klausur bekanntgegeben wurden. Sie hatte siebenundneunzig Punkte erreicht – das beste Ergebnis der gesamten Fakultät.

Was soll's, sagte sie sich, während sie im Flughafen darauf wartete, daß ihre Maschine aufgerufen wurde, was sie getan hatte, war nicht unehrenhafter als die sture Einpaukerei, zu der man sie gezwungen hatte. Pauken hatte mit Studieren nicht das geringste zu tun; man lernte etwas auswendig, um es gleich nach einem Examen wieder zu vergessen.

Sie betastete den Umschlag, der aus ihrer Handtasche her-vorlugte. Er enthielt die Benachrichtigung, daß man ihr für das kommende Studienjahr ein Stipendium gewährt hatte – zwei-tausend Dollar. Im Sommer wollte sie mit Tony in Boothbay, Maine, arbeiten, und mit dem Geld, das sie dort verdiente, war sie aus dem Gröbsten heraus. Dank Ed Hamner konnte sie sich auf den Sommer freuen. Sie brauchte sich keine Sorgen mehr zu machen.

Doch es wurde der traurigste Sommer ihres Lebens.

Der Juni war verregnet, die Benzinknappheit wirkte sich ungünstig auf den Tourismus aus, und die Gäste im Boothbay Inn geizten mit dem Trinkgeld. Am meisten machte ihr zu schaffen, daß Tony sie zum Heiraten drängte. Er sagte, er könne eine Stelle an einer Nachbaruniversität bekommen, und durch das Stipendium sei ihr Studium gesichert. Doch zu ihrem eigenen Erstaunen kam ihr diese Vorstellung eher abstoßend als verlockend vor.

Irgend etwas stimmte nicht.

Sie wußte nicht, was, doch etwas fehlte ihr, etwas war nicht in Ordnung, etwas behagte ihr nicht. Eines Nachts, Ende Juli, wurde sie grundlos von einem hysterischen Weinkrampf geschüttelt. Zum Glück war ihre Zimmergenossin, ein unscheinbares junges Mädchen namens Sandra Ackermann, an jenem Abend ausgegangen und noch nicht zurück.

Den Alptraum hatte sie Anfang August. Sie lag auf dem Grund eines offenen Grabes und konnte sich nicht bewegen. Von einem weißen Himmel herab regnete es ihr ins Gesicht. Dann stand Tony über ihr, und auf dem Kopf trug er seinen gelben splitterfesten Schutzhelm.

»Heirate mich, Liz«, sagte er und sah mit ausdrucksloser Miene auf sie hinunter. »Heirate mich, oder sonst passiert etwas.«

Sie wollte sprechen, einwilligen; sie hätte alles getan, nur damit er sie aus diesem gräßlich feuchten Loch herausholte. Doch sie war wie gelähmt.

»Na schön«, sagte er. »Du hast es nicht anders gewollt.«

Er entfernte sich. Sie versuchte, die Starre zu überwinden, doch sie schaffte es nicht. Dann hörte sie den Bulldozer.

Einen Moment später sah sie ihn, ein riesiges gelbes Ungeheuer, das einen Wall nasser Erde vor sich herschob. Aus der offenen Führerkabine blickte Tony mitleidlos hinab.

Er wollte sie lebendig begraben.

Gefangen in ihrem erstarrten, stummen Körper, konnte sie nur mit dumpfem Entsetzen zuschauen. Erdbrocken begannen die Wände des Lochs hinunterzurieseln –

Eine bekannte Stimme schrie: »Geh weg! Laß sie endlich in Ruhe! *Geh weg!*«

Tony taumelte vom Bulldozer und rannte fort.

Sie verspürte eine ungeheure Erleichterung. Wenn sie dazu imstande gewesen wäre, hätte sie geweint. Ihr Retter tauchte auf, wie ein Totengräber stand er am Fußende des offenen Grabes. Es war Ed Hamner in der viel zu weiten grünen Drillichjacke, sein Haar war zerzaust, die Hornbrille bis auf den kleinen Höcker an seiner Nasenspitze heruntergerutscht. Er streckte ihr die Hand entgegen.

»Steh auf«, sagte er sanft. »Ich weiß, was du brauchst. Steh auf, Beth.«

Sie konnte aufstehen. Vor Erleichterung schluchzte sie. Sie versuchte, ihm zu danken; in ihrem Eifer verhaspelte sie sich. Ed lächelte nur freundlich und nickte dazu. Dann ergriff sie seine Hand und schaute nach unten, um nicht auszugleiten. Als sie wieder hochblickte, hielt sie sich an der Pfote eines riesigen, geifernden Wolfs fest. Seine Augen glühten wie rote Sturmlaternen, und der Rachen mit den kräftigen spitzen Zähnen war zum Zubeißen geöffnet.

Mit einem Ruck saß sie kerzengerade im Bett; sie war hellwach, ihr Nachthemd war schweißdurchtränkt. Sie zitterte am ganzen Leib. Selbst nachdem sie eine warme Dusche genommen und ein Glas Milch getrunken hatte, fürchtete sie sich noch vor der Dunkelheit.

Als sie wieder einschlief, ließ sie das Licht brennen.

Tony starb eine Woche später.

Sie ging im Morgenrock an die Tür, da sie dachte, es sei Tony, doch vor ihr stand Danny Kilmer, einer der Männer, mit denen er zusammenarbeitete.

Danny war immer gut aufgelegt, mit ihm und seiner Freundin waren sie ein paarmal ausgegangen. Doch wie er nun im Flur ihres Apartments im zweiten Stock vor ihr stand, sah er nicht nur ernst, sondern regelrecht krank aus.

»Danny?« fragte sie. »Was –«

»Liz«, sagte er. »Liz, du mußt jetzt sehr stark sein. Du mußt... *ach Gott!*«

Er schlug mit der derben, schmutzigen Faust gegen den Türpfosten, und sie sah, daß er weinte.

»Danny, ist was mit Tony? Ist was—«

»Tony ist tot. Er wurde—« Er sprach in die leere Luft hinein. Sie war in Ohnmacht gesunken.

Die nächste Woche erlebte sie in einer Art Dämmerzustand. Aus einem jämmerlich kurzen Zeitungsartikel und Dannys Erzählung bei einem Glas Bier im Harbor Inn fügte sich die Geschichte zusammen.

Sie hatten auf der Straße 16 Entwässerungskanäle repariert. Ein Teil der Fahrbahn war aufgerissen worden, und Tony regelte mit Flaggenzeichen den Verkehr. Ein junger Bursche kam in einem roten Fiat den Hügel hinabgebraust. Tony hatte ihm mit der Flagge Zeichen gegeben, doch der Bengel drosselte nicht mal das Tempo.

Tony stand neben einem Lastwagen, und für ihn gab es keinen Platz zum Ausweichen. Der Junge in dem Fiat war mit Platzwunden und einem gebrochenen Arm davongekommen. Er stand unter Schock, und die Untersuchung ergab, daß er stocknüchtern war. Die Polizei fand mehrere Löcher in den Bremsleitungen, so, als ob sie sich überhitzt hätten und durchgeschmolzen wären. Der Junge hatte einfach nicht bremsen können. Ihr Tony war das Opfer eines äußerst seltenen Autounfalls geworden, dessen Ursache nämlich nicht Leichtsinn oder menschliches Versagen, sondern ein echtes Unglück war.

Ihr schlechtes Gewissen verstärkte den Schock und die Niedergeschlagenheit. Das Schicksal hatte ihr die Entscheidung, was aus ihr und Tony werden sollte, aus der Hand genommen. Und eigentlich war sie auf eine klammheimliche Weise froh, daß es so gekommen war. Denn sie hatte Tony nicht heiraten wollen... nicht, seit sie diesen Alptraum gehabt hatte.

Am Tag vor ihrer Heimreise brach sie zusammen.

Sie saß allein auf einem Felsvorsprung, und nach etwa einer Stunde kamen die Tränen. Sie war selbst überrascht, mit welcher Heftigkeit sie weinte. Sie weinte, bis ihr der Magen wehtat und der Kopf schmerzte, und als die Tränen versiegten, fühlte sie sich zwar nicht besser, aber wenigstens ausgepumpt und leer.

In diesem Augenblick hörte sie Ed Hamners Stimme. »Beth?«

Mit einem Ruck fuhr sie herum. In ihrem Mund spürte sie den metallischen Geschmack der Angst, halb hatte sie erwartet, den zähnefletschenden Wolf aus ihrem Traum zu sehen. Doch es war bloß Ed Hamner. Er war von der Sonne gebräunt, und ohne seine Drillichjacke und seine Bluejeans sah er irgendwie hilflos aus. Er trug rote Shorts, die ihm bis an die knochigen Knie reichten, ein weißes T-Shirt, das sich um seine schmale Brust blähte wie ein Segel im Wind, und Gummisandalen. Er lächelte nicht, und durch die in der Sonne blitzenden Brillengläser konnte sie seine Augen nicht sehen.

»Ed?« fragte sie zaghaft, halb in der Annahme, er sei eine durch ihren Kummer erzeugte Halluzination. »Bist du es wirklich –«

»Ja, ich bin's wirklich.«

»Wie –«

»Ich habe im Lakewood Theater in Skowhegan gearbeitet. Ich traf deine Zimmergenossin... sie heißt doch Alice, nicht wahr?«

»Ja.«

»Sie erzählte mir, was passiert war. Ich kam sofort hierher. Meine arme Beth.«

Er legte den Kopf schräg, vielleicht nur um eine Winzigkeit, doch die Sonne schien nicht mehr auf seine Brille. In seinen Augen entdeckte sie nichts Wolfsartiges, nichts Raubtierhaftes, nur ein ruhiges, von Herzen kommendes Mitleid.

Sie begann wieder zu weinen, und die unerwartete Heftigkeit des Tränenausbruchs schüttelte ihren Körper. Doch dann nahm er sie in die Arme, und sie beruhigte sich.

Sie aßen in Waterville zu Abend, der Ort lag fünfundzwanzig Meilen weiter, vielleicht genau die richtige Entfernung, die sie brauchte, um Abstand zu gewinnen. Sie fuhren in Eds Wagen, einem neuen Corvette. Er war ein guter Autofahrer – weder leichtsinnig noch übertrieben vorsichtig, wie sie es sich schon gedacht hatte. Sie wollte keine Unterhaltung, und sie wollte nicht aufgeheitert werden. Er schien das zu wissen und suchte im Radio einen Sender, der ernste Musik spielte.

Und ohne sie zu fragen, bestellte er – Meeresfrüchte. Sie hatte geglaubt, sie sei nicht hungrig, doch als das Essen kam, fiel sie mit Heißhunger darüber her.

Als sie wieder aufschaute, war ihr Teller leer, und sie stieß ein nervöses Lachen aus. Ed rauchte eine Zigarette und beobachtete sie.

»Die trauernde Maid verschlang ein herzhaftes Mahl«, sagte sie. »Du mußt mich ja für eine Heuchlerin halten.«

»Nein«, entgegnete er. »Du hast eine Menge mitgemacht und mußt jetzt wieder zu Kräften kommen. Das ist so ähnlich wie nach einer überstandenen Krankheit, nicht wahr?«

»Ja, genauso.«

Er ergriff ihre Hand, drückte sie kurz und ließ sie dann wieder los. »Aber jetzt beginnt die Zeit der Genesung, Beth.«

»Meinst du wirklich?«

»Ja«, bekräftigte er. »Erzähl mal. Welche Pläne hast du?«

»Morgen reise ich ab, nach Hause. Was dann kommt, weiß ich noch nicht.«

»Aber dein Studium brichst du doch nicht ab, oder?«

»Ich weiß es wirklich noch nicht. Nach dem, was passiert ist, erscheint mir alles so ... so banal. Ich sehe nicht mehr viel Sinn in dem Studium. Und es würde mir keinen Spaß mehr machen.«

»Die Freude daran kommt zurück. Das kannst du dir jetzt nicht vorstellen, aber glaube mir, so wird es sein. Warte mal ab, wie dir in sechs Wochen zumute ist. Du hast doch nichts Besseres vor.« Der letzte Satz klang wie eine Frage.

»Nein, ich wüßte jedenfalls nicht, was ich sonst tun sollte. Aber ... kann ich eine Zigarette haben?«

»Klar. Sind aber Mentholzigaretten. Tut mir leid.«

Sie nahm sich eine. »Woher weißt du, daß ich keine Mentholzigaretten mag?«

Er zuckte mit den Schultern. »Vielleicht weil du so aussiehst, als ob sie dir nicht schmeckten.«

Sie lächelte. »Manchmal bist du richtig seltsam, weißt du das?«

Er deutete ein Lächeln an.

»Ja, wirklich. Daß ausgerechnet du hier auftauchen mußtest... Ich hatte geglaubt, ich wollte keinen Menschen sehen. Aber ich bin froh, daß *du* gekommen bist, Ed.«

»Manchmal ist es für einen besser, mit einem Menschen zusammenzusein, der einem relativ fremd ist.«

»Ja, das mag stimmen.« Sie legte eine Pause ein. »Wer bist du, Ed, außer, daß du mein rettender Engel zu sein scheinst? Wer bist du eigentlich?« Plötzlich wollte sie unbedingt mehr über ihn wissen.

Er zuckte die Achseln. »Nichts Besonderes. Nur einer dieser komisch aussehenden Studenten, die mit einem Haufen Bücher unter dem Arm über das Universitätsgelände schleichen –«

»Ed, du siehst nicht komisch aus.«

»Doch«, widersprach er und lächelte dabei. »Ich habe nie ganz meine Pubertätsakne verloren, keine große studentische Verbindung hat sich je um meine Mitgliedschaft gerissen, ich stand nie im Mittelpunkt einer Gesellschaft. Ich bin bloß ein Bücherwurm, der sein Studium zu einem Abschluß bringen will. Wenn die großen Firmen nächstes Frühjahr ihre Anwerber in die Universität schicken, unterschreibe ich wahrscheinlich bei einer irgendeinen Vertrag, und Ed Hamner ward nie mehr gesehen.«

»Das täte mir leid«, meinte sie leise.

Er lächelte. Es war ein eigenartiges Lächeln, beinahe bitter.

»Erzähl mir von deinen Eltern«, bat sie. »Ich möchte wissen, woher du kommst, welche Hobbies du hast –«

»Ein anderes Mal«, wich er aus. »Ich fahre dich jetzt zurück. Morgen hast du einen langen Flug vor dir und eine Menge Hektik.«

Nach diesem Abend fühlte sie sich zum ersten Mal seit Tonys Tod entspannt. Ihr war nicht mehr zumute, als würde irgendwo in ihrem Innern eine Feder so lange aufgezogen, bis sie zersprang. Sie rechnete damit, schnell einzuschlummern, doch der Schlaf wollte sich nicht einstellen.

Kleine Fragen ließen sie nicht zur Ruhe kommen.

Alice erzählte mir, was passiert war ... meine arme Beth.

Aber Alice verbrachte den Sommer in Kittery, achtzig Meilen von Skowhegan entfernt. Sie mußte nach Lakewood gefahren sein, um sich ein Theaterstück anzusehen.

Der Corvette, den er fuhr, war ein diesjähriges Modell. Teuer. Von dem Geld, das er für seinen Job hinter den Kulissen bekam, hatte er ihn nicht gekauft. Waren seine Eltern reich?

Er hatte genau das Gericht bestellt, das sie sich selbst ausgesucht hätte. Es war vielleicht das einzige auf der Speisekarte, das ihren Appetit hätte reizen können.

Die Mentholzigaretten, die Art, wie er sie geküßt hatte, als sie sich Gute Nacht sagten, genauso, wie sie geküßt werden wollte. Und –

Morgen hast du einen langen Flug vor dir.

Er wußte, daß sie nach Hause abreiste, denn das hatte sie ihm erzählt. Aber woher wußte er, daß sie ein Flugzeug nahm? Oder daß der Flug lange dauerte?

Das störte sie. Es störte sie, weil sie auf dem besten Weg war, sich in Ed Hamner zu verlieben.

Ich weiß, was du brauchst.

Wie die Stimme eines U-Boot-Kapitäns, der ständig die Tiefe ausruft, begleiteten seine Begrüßungsworte sie in den Schlaf.

Er kam nicht zu dem winzigen Flugplatz von Augusta, um sich von ihr zu verabschieden und mit ihr auf die Maschine zu warten, und sie wunderte sich, wie enttäuscht sie war. Sie dachte daran, wie unmerklich man von einem Menschen abhängig werden konnte, wie ein Süchtiger von einer Droge.

Der Kiffer lügt sich vor, er könne genausogut auf den Stoff verzichten, aber in Wirklichkeit –

»Elizabeth Rogan«, plärrte es aus dem Lautsprecher, »gehen Sie bitte an das weiße Telefon.«

Sie rannte hin. Dann hörte sie Eds Stimme. »Beth?«

»Ed. Wie schön, daß du anrufst. Ich hatte schon gedacht...«

»Daß ich zum Flugplatz kommen würde?« Er lachte. »Ich fand, das sei nicht nötig. Du bist ein erwachsenes, selbständiges Mädchen. Und hübsch obendrein. Du kommst auch ohne mich zurecht. Sehen wir uns in der Uni?«

»Ich... ich glaube schon.«

»Das ist schön.« Er schwieg eine Weile. »Weil ich dich liebe. Ich liebe dich, seit ich dich zum ersten Mal sah.«

Ihre Zunge war wie gelähmt. Sie konnte nicht sprechen. Tausend Gedanken jagten ihr durch den Kopf.

Er lachte noch einmal, leise. »Du brauchst nichts zu sagen. Jetzt nicht. Wir sehen uns später. Dann unterhalten wir uns. In aller Ruhe. Ich wünsche dir einen guten Flug, Beth. Auf Wiedersehen.«

Dann war er weg. Sie stand da, den weißen Telefonhörer in der Hand, alleingelassen mit ihren chaotischen Gedanken und Fragen.

September.

Wie eine Frau, die man nur beim Stricken gestört hat, nahm Elizabeth die alte Routine des Universitätsbetriebs wieder auf. Natürlich teilte sie sich auch jetzt wieder mit Alice ein Zimmer; sie wohnten zusammen, seit der Computer der Zimmervermittlung sie zu Beginn ihres Studiums zusammenbrachte. Trotz unterschiedlicher Interessen und Eigenschaften waren sie immer gut miteinander ausgekommen. Alice war fleißig, studierte Chemie und hatte einen Durchschnitt von 3,6. Elizabeth war die geselligere von beiden, weniger intellektuell, und sie hatte die Fächer Pädagogik und Mathematik belegt.

Sie vertrugen sich immer noch gut, doch seit dem letzten Sommer war die Freundschaft zwischen ihnen etwas abgekühlt. Elizabeth führte es auf die Meinungsverschiedenheit wegen der Soziologieklausur zurück, sagte jedoch nichts.

Die Ereignisse des Sommers begannen traumhafte, unwirkliche Züge anzunehmen. Seltsamerweise kam es ihr manchmal so vor, als sei Tony ein Junge gewesen, den sie noch von der Schule her kannte. Die Erinnerung an ihn schmerzte sie immer noch, und sie vermied es, mit Alice über ihn zu sprechen. Doch es war so, als ob eine alte Narbe weh täte und nicht der stechende Schmerz einer frischen Wunde.

Noch schmerzlicher traf es sie, daß Ed Hamner sich nicht meldete.

Eine Woche verging, noch eine, und dann war es Oktober. Sie besorgte sich ein Verzeichnis aller Studenten und schlug seinen Namen nach. Es half ihr auch nicht weiter; hinter seinem Namen stand lediglich »Mill St.« Die Mill Street war sehr lang. Also wartete sie, und wenn sich jemand mit ihr verabreden wollte, was häufig geschah, lehnte sie ab. Alice betrachtete sie mit hochgezogenen Augenbrauen, äußerte sich jedoch nicht; sie steckte mitten in einem sechswöchigen Biochemie-Praktikum und brachte die meisten Abende in der Bibliothek zu. Elizabeth sah zwar die langen weißen Briefumschläge, die ihre Zimmergenossin ein- oder zweimal die Woche durch die Post zugestellt bekam – da sie von den Vorlesungen meistens früher heimkehrte – machte sich jedoch keine Gedanken darüber. Die Privatdetektei verhielt sich diskret; auf den Umschlägen stand kein Absender.

Alice war in einem Lehrbuch vertieft, als die Sprechanlage summte. »Geh du dran, Liz. Das ist wahrscheinlich sowieso für dich.«

Elizabeth trat an das Gerät. »Ja, bitte?«

»Besuch für dich, Liz. Ein junger Mann.«

Oh Gott.

»Wie heißt er?« fragte sie ungehalten und ging im Geist

schon ihren Vorrat an abgenutzten Ausreden durch. Migräne. Das hatte sie in dieser Woche noch nicht vorgeschützt.

Das Mädchen an der Anmeldung antwortete amüsiert: »Edward Jackson Hamner *junior*, man stelle sich vor.« Mit gesenkter Stimme setzte sie hinzu: »Er trägt zwei verschiedene Socken.«

Elizabeth faßte sich an den Kragen des Morgenrocks. »Ach Gott! Sag ihm, ich käme sofort runter. Nein, sag ihm, ich käme in einer Minute. Nein, sag ihm, es wird ein paar Minuten dauern.«

»Klar«, erwiderte die Stimme skeptisch. »Paß auf, daß du keinen Schlaganfall kriegst.«

Elizabeth zog eine lange Hose aus ihrem Kleiderschrank. Einen kurzen Jeansrock. Aufstöhnend befingerte sie ihre Lockenwickler, begann, sie sich aus den Haaren zu reißen.

Stumm beobachtete Alice sie, und nachdem Elizabeth gegangen war, blickte Alice noch lange nachdenklich auf die Tür.

Ed sah aus wie immer; er hatte sich überhaupt nicht verändert. Er trug wieder seine grüne Drillichjacke, die ihm mindestens zwei Nummern zu groß zu sein schien. Einen Bügel der Hornbrille hatte er mit Isolierband zusammengeflickt. Seine Jeans sahen neu und steif aus, nicht verwaschen und getragen, wie es jetzt modern war. An Tony hatten auch neue Jeans nie so steif ausgesehen. Dazu trug Ed eine grüne und eine braune Socke.

Aber sie wußte, daß sie ihn liebte.

»Warum hast du dich nicht schon früher gemeldet?« fragte sie, als sie auf ihn zuging.

Er schob die Hände in die Jackentaschen und grinste schüchtern. »Ich wollte dir ein bißchen Zeit geben, um dich umzusehen. Du solltest ein paar andere Männer kennenlernen. Um herauszufinden, was du wirklich willst.«

»Ich glaube, ich weiß, was ich will.«

»Das ist schön. Hast du Lust, ins Kino zu gehen?«

»Mir ist alles recht. Von mir aus können wir unternehmen, was du willst.«

Mit der Zeit fiel ihr auf, daß sie noch nie einen Menschen, egal ob Mann oder Frau, gekannt hatte, der ihre Stimmungen und Wünsche so vollkommen und ohne Worte zu verstehen schien. Sie hatten in allem den gleichen Geschmack. Tony hatte brutale Filme im Stile des *Paten* gemocht, Ed bevorzugte lustige Filme oder gewaltlose Problemstücke.

Eines Abends, als sie sich deprimiert fühlte, ging er mit ihr in den Zirkus, und sie amüsierten sich köstlich. Wenn sie sich zum gemeinsamen Lernen verabredeten, wurde auch tatsächlich studiert, es war kein Vorwand, um in der dritten Etage des Studentenhauses mit ihr herumzuschmusen. Er ging mit ihr tanzen und schien die altmodischen Tänze, die sie so liebte, besonders gut zu beherrschen. Auf der Jahresfeier der Universität gewannen sie auf einem Nostalgieball unter dem Motto ›Die fünfziger Jahre‹ sogar einen Preis im Stroll-Tanzen.

Doch am meisten gefiel ihr, daß er zu spüren schien, wann sie zu Zärtlichkeiten aufgelegt war. Er bedrängte sie nicht, und er forderte nichts von ihr. Bei ihm hatte sie niemals das Gefühl, wie es ihr schon bei anderen jungen Männern ergangen war, daß sie den Sex nach einem ganz bestimmten Schema planten. Beim ersten Treffen begann es mit einem Gutenachtkuß, und das zehnte Treffen endete damit, daß man in einer von einem Freund geborgten Wohnung miteinander schlief. Ed wohnte allein in einem Apartment im dritten Stock in der Mill Street. Sie gingen oft zu ihm, doch Elizabeth hatte nie das Gefühl, die Lasterhöhle eines Nachwuchscasanovas zu betreten. Er versuchte nie, sich ihr zu nähern. Er schien tatsächlich immer nur das zu wollen, was sie wollte und wann sie es wollte. Und ihre Freundschaft entwickelte sich.

Als der Vorlesungsbetrieb nach den Semesterferien wieder begann, wirkte Alice irgendwie bedrückt. An dem Nachmittag, als Elizabeth darauf wartete, daß Ed sie abholte – sie waren zum Essen verabredet –, bemerkte sie mehrmals, daß Alice stirnrunzelnd einen großen braunen Umschlag anstarrte, der auf ihrem Schreibtisch lag.

Einmal lag es Elizabeth auf der Zunge, sie zu fragen, was das für ein Umschlag sei, aber dann tat sie es doch nicht. Vermutlich ging es wieder um ein Praktikum.

Es schneite heftig, als Ed sie zum Studentenwohnheim zurückbrachte.

»Sehen wir uns morgen?« fragte er. »Bei mir?«

»Klar. Ich mache uns Popcorn.«

»Prima«, freute er sich und küßte sie. »Ich liebe dich, Beth.«

»Ich liebe dich auch.«

»Möchtest du morgen bei mir schlafen?« fragte er vollkommen natürlich.

»Ja, Ed, gern.« Sie sah ihm in die Augen. »Wenn es dein Wunsch ist.«

»Schön«, entgegnete er ruhig. »Schlaf gut, mein Schatz.«

»Du auch.«

Sie hatte erwartet, daß Alice schon schlief, und trat leise ins Zimmer, doch Alice war noch auf und saß an ihrem Schreibtisch.

»Alice, fehlt dir was?«

»Ich muß mit dir sprechen, Liz. Über Ed.«

»Und was hast du mir zu sagen?«

Widerstrebend äußerte Alice: »Wenn wir miteinander gesprochen haben, sind wir wahrscheinlich keine Freundinnen mehr. Ich setze eine Menge aufs Spiel, deshalb möchte ich, daß du mir jetzt gut zuhörst.«

»Dann sag doch lieber nichts.«

»Ich kann nicht schweigen.«

Elizabeths anfängliche Neugier schlug in Wut um. »Hast du Ed nachspioniert?«

Alice warf ihr lediglich einen Blick zu.

»Warst du neidisch auf uns?«

»Nein. Wenn ich auf dich und deine vielen Verehrer neidisch wäre, wäre ich schon vor zwei Jahren hier ausgezogen.«

Verstört sah Elizabeth sie an. Sie wußte, daß Alice nicht log. Und plötzlich bekam sie Angst.

»Zwei Dinge an Ed Hamner machten mich stutzig«, erzählte Alice. »Das erste Mal stutzte ich, als du mir von Tonys Unfall schriebst und welch glücklicher Zufall es gewesen sei, daß ich Ed im Lakewood Theater getroffen hatte... wie er gleich nach Boothbay kam und dir über den schlimmsten Schmerz hinweghalf. Aber ich hatte ihn gar nicht getroffen, Liz. Letzten Sommer kam ich nicht mal in die Nähe des Lakewood Theaters.«

»Aber...«

»Aber woher wußte er, daß Tony tot war? Ich habe keine Ahnung. Ich weiß lediglich, daß er es von mir nicht erfuhr. Zweitens nehme ich ihm diese Geschichte mit dem eidetischen Gedächtnis nicht mehr ab. Mein Gott, Liz, er kann sich nicht mal erinnern, welche Socken er sich angezogen hat.«

»Das ist etwas ganz anderes«, hielt Liz ihr kühl entgegen. »Das –«

»Letzten Sommer hielt sich Ed Hamner in Las Vegas auf«, sagte Alice leise. »Mitte Juli reiste er wieder ab und nahm sich in einem Motel in Pemaquid ein Zimmer. Der Ort liegt auf der anderen Seite der Bucht, genau gegenüber dem Hafen von Boothbay. Es sieht fast so aus, als hätte er darauf gewartet, daß du ihn brauchst.«

»Du spinnst ja! Woher willst du wissen, daß Ed in Las Vegas war?«

»Kurz bevor das Semester anfing, traf ich zufällig Shirley D'Antonio. Sie arbeitete im Pines Restaurant, das dem Schauspielhaus gleich gegenüber liegt. Sie behauptet, sie hätte nie jemand gesehen, der aussieht wie Ed Hamner. Daher weiß ich, daß er dich mehrere Male belogen hat. Also ging ich zu meinem Vater, erzählte ihm alles und ließ mir von ihm grünes Licht geben.«

»Grünes Licht – wozu?« fragte Elizabeth bestürzt.

»Um mich an ein Detektivbüro zu wenden.«

Elizabeth sprang auf. »Halt den Mund, Alice. Jetzt reicht's mir aber.« Ihr Entschluß stand fest. Sie wollte mit dem Bus in die Stadt fahren und bei Ed übernachten. Sie hatte ohnehin nur darauf gewartet, daß er sie einlud, die Nacht bei ihm zu verbringen.

»Hör mir wenigstens zu Ende zu, damit du Bescheid weißt«, drängte Alice. »Dann kannst du dir überlegen, was du tun willst.«

»Ich weiß, daß er ein anständiger, guter Mensch ist, das genügt mir –«

»Die Liebe macht doch blind, wie?« versetzte Alice mit einem bitteren Lächeln. »Na ja, vielleicht habe ich dich auch ein bißchen gern, Liz. Hast du daran schon mal gedacht?«

Elizabeth drehte sich um und sah Alice lange an. »Wenn das stimmt, dann hast du aber eine merkwürdige Art, es mir zu zeigen. Also gut, sprich dich aus. Vielleicht hast du recht. Vielleicht bin ich dir das wirklich schuldig. Los, red schon.«

»Du kennst ihn schon sehr lange«, sagte Alice mit ruhiger Stimme.

»Was?«

»Grundschule 119, Bridgeport, Connecticut.«

Elizabeth verschlug es die Sprache. Sie hatte mit ihren Eltern sechs Jahre lang in Bridgeport gewohnt. Nach Beendigung ihres zweiten Schuljahres waren sie an ihren jetzigen Wohnort gezogen. Sie hatte tatsächlich die Grundschule 119 in Bridgeport besucht, aber –

»Alice, bist du sicher?«

»Erinnerst du dich nicht an ihn?«

»Nein, natürlich nicht!« Doch sie erinnerte sich an das Gefühl, das über sie gekommen war, als sie Ed Hamner zum ersten Mal sah – als erlebe sie ein Déjà-vu.

»Ich glaube, die Hübschen neigen dazu, die Häßlichen zu übersehen. Vielleicht war er damals in dich verknallt. Du gingst zusammen mit ihm in die erste Klasse, Liz. Vielleicht saß er in der hintersten Reihe und... hat dich bloß beobachtet. Oder hat dir auf dem Spielplatz zugesehen. Ein kleiner, unscheinbarer Junge, der damals schon eine Brille und wahrscheinlich auch eine Zahnspange trug. Dir fiel er nicht mal auf, aber ich wette, daß er sich an dich erinnern kann.«

»Was hast du sonst noch zu sagen?«

»Mit Hilfe von Fingerabdrücken spürte die Detektei ihm nach. Dann brauchten sie nur noch Leute aufzusuchen, die ihn kannten, und mit ihnen zu reden. Der Detektiv, der sich mit dem Fall befaßte, sagt, manches von dem, was er herausfand, verstünde er nicht. Mir geht es genauso. Einiges ist richtig unheimlich.«

»Das Ganze sollte dir auch nicht geheuer sein«, versetzte Elizabeth trocken.

»Ed Hamner senior war von der Spielleidenschaft besessen. Er arbeitete in einer erstklassigen Werbeagentur in New York, dann zog er, ziemlich übereilt, nach Bridgeport. Der Detektiv sagt, fast jedes Pokerspiel, in dem es um einen riesigen Einsatz ging, und beinahe jede hoch abgeschlossene Wette, sei von ihm angeregt worden. Offenbar wurde ihm in New York der Boden zu heiß.«

Elizabeth schloß die Augen.

»Für dein Geld haben dir die Leute aber reichlich viel Dreck geliefert, nicht?«

»Mag sein. Jedenfalls geriet Eds Vater in Bridgeport wieder in die Klemme. Es hatte auch mit Spielen zu tun, nur daß er dieses Mal an einen Kredithai ersten Ranges geriet. Irgendwie holte er sich ein gebrochenes Bein und einen gebrochenen Arm. Der Detektiv bezweifelt, daß Mr. Hamner einen Unfall hatte.«

»Was kommt jetzt noch?« fragte Elizabeth. »Kindesmißhandlung? Unterschlagung?«

»1961 bekam er eine Stelle in einer unbedeutenden Werbeagentur in Los Angeles. Das war ein bißchen zu nahe an Las Vegas. Er fuhr an den Wochenenden dorthin, spielte... und verlor. Bis er anfing, Ed junior mitzunehmen. Dann begann nämlich seine Glückssträhne.«

»Das erfindest du alles. Anders kann es gar nicht sein.«

Alice tippte mit dem Finger auf den Umschlag. »Hier drin steht alles, Liz. Einiges könnte vor Gericht nicht bestehen, doch der Detektiv meint, keiner der Leute, mit denen er sprach, hätte einen Grund zu lügen. Eds Vater nannte Ed ›seinen Talisman‹. Anfangs durfte er den Jungen in die Casinos mitbringen, obwohl das Gesetz es nicht erlaubt. Aber Eds Vater galt als dicker Fisch, den man ausnehmen konnte. Dann begann er, nur noch ausschließlich Roulette zu spielen. Ein Jahr später hatte Ed Hamners Sohn in sämtlichen Casinos Hausverbot. Und der alte Hamner suchte sich ein neues Betätigungsfeld, wo er seine Spielleidenschaft austoben konnte.«

»Was denn?«

»Die Börse. Als die Hamners Mitte 1961 nach Los Angeles kamen, wohnten sie für neunzig Dollar Miete im Monat in einer Käseschachtel, und Mr. Hamner fuhr einen Chevrolet Baujahr '52. Ende 1962, genau sechzehn Monate später, hatte er seine Stelle gekündigt, und sie wohnten in ihrem eigenen Haus in San José. Mr. Hamner fuhr einen fabrikneuen Thunderbird und Mrs. Hamner einen Volkswagen. Weißt du, einem kleinen Jungen kann man verbieten, ein Spielcasino zu betreten, aber das Börsenblatt kann ihm keiner wegnehmen.«

»Willst du damit andeuten, daß Ed... daß er die Fähigkeit besitzt... Alice, du bist ja verrückt!«

»Ich will gar nichts andeuten. Außer vielleicht, daß er wußte, was sein Daddy brauchte.«

Ich weiß, was du brauchst.

Es war beinahe so, als hätte ihr jemand die Worte ins Ohr gesprochen, und sie schauderte.

»Die nächsten sechs Jahre verbrachte Mrs. Hamner meistens in verschiedenen psychiatrischen Anstalten. Angeblich wegen nervöser Störungen, aber der Detektiv unterhielt sich mit einem Pfleger, der sagte, sie sei schon an der Grenze zum Wahnsinn gewesen. Sie behauptete, ihr Sohn sei der Handlanger des Teufels. 1964 stach sie mit einer Schere auf ihn ein. Sie versuchte, ihn umzubringen. Sie... Liz? Liz, was hast du?«

»Die Narbe«, flüsterte sie. »Vor ungefähr einem Monat gingen wir schwimmen. An der Schulter hat er eine tiefe, eingesunkene Narbe... hier.« Mit der Hand deutete sie auf eine Stelle über ihrer linken Brust. »Er sagte mir...« Ein Brechreiz stieg in ihr auf, und sie mußte warten, bis er abgeklungen war, ehe sie weitersprechen konnte. »Er sagte mir, als kleiner Junge sei er auf einen Jägerzaun gefallen.«

»Soll ich weitererzählen?«

»Warum nicht? Jetzt kann mich nichts mehr schocken.«

»1968 wurde seine Mutter aus einer sehr luxuriösen psychiatrischen Anstalt im San Joaquin Valley entlassen. Zu dritt fuhren sie in Urlaub. Sie machten auf einem Rastplatz an der Straße 101 Halt. Der Junge sammelte gerade Feuerholz, als Mrs. Hamner den Wagen mit sich und ihrem Mann über die Steilklippe ins Meer fuhr. Vielleicht hatte es ein Versuch sein sollen, Ed zu überrollen. Damals war er fast achtzehn. Sein Vater hinterließ ihm ein Millionenvermögen in Wertpapieren. Anderthalb Jahre später kam Ed hierher und immatrikulierte sich bei uns. Das wäre dann alles.«

»Hast du keine Leiche mehr im Keller?«

»Liz, sag bloß, das wäre nicht schon genug.«

Sie stand auf. »Kein Wunder, daß er sich über seine Eltern ausschweigt. Aber du mußtest unbedingt den Schmutz aufrühren, nicht wahr?«

»Du bist blind«, warf Alice ihr vor. Elizabeth zog sich den Mantel an. »Ich nehme an, du gehst jetzt zu ihm.«

»Stimmt.«

»Weil du ihn liebst.«

»Stimmt.«

Alice kam zu ihr und ergriff ihren Arm. »Wirst du wohl aufhören, die Gekränkte zu spielen, und einen Augenblick lang *nachdenken*? Ed Hamner ist imstande, Dinge zu tun, von denen andere Leute nur träumen können. Er ließ seinen Vater beim Roulette gewinnen und verschaffte ihm durch Börsenspekulationen ein Vermögen. Offenbar kann er das Glück herbeizwingen. Vielleicht ist er mit übernatürlichen Kräften ausgestattet, eine Art Medium. Vielleicht kann er hellsehen. Ich weiß es nicht. Offenbar gibt es Menschen mit dieser Begabung. Liz, ist dir noch nie in den Sinn gekommen, daß er dich gezwungen hat, ihn zu lieben?«

Langsam drehte sich Liz zu ihr um. »Etwas so Albernes habe ich in meinem ganzen Leben noch nicht gehört.«

»Findest du das albern? Er verschaffte dir die Soziologieklausur mit den gleichen Mitteln, mit denen er seinem Vater am Roulettetisch zu einem Gewinn verhalf! Er hatte nie eine Veranstaltung in Soziologie belegt! Das habe ich nachgeprüft. Er gab dir den Test, weil es für ihn die einzige Möglichkeit war, sich dir zu nähern.«

»Hör endlich auf!« schrie Liz. Sie hielt sich die Ohren zu.

»Er wußte, wie die Klausur ausfallen würde, er wußte, daß Tony verunglückt war, und er wußte, daß du nach Hause fliegen wolltest. Er wußte sogar, wann der psychologisch richtige Moment gekommen war, als er sich letzten Oktober wieder bei dir meldete.«

Elizabeth riß sich von ihr los und öffnete die Tür.

»Bitte«, flehte Alice. »Bitte, Liz, hör auf mich. Ich weiß nicht, wie er so etwas macht. Ich bin mir nicht mal sicher, ob er sich selbst hundertprozentig darüber im klaren ist. Vielleicht will er dir gar nichts Böses antun, aber das Unheil hat er schon angerichtet. Er hat dich dazu gebracht, ihn zu lieben, weil er deine geheimsten Wünsche und Sehnsüchte kennt, aber das hat mit Liebe nichts zu tun. Das ist eine Vergewaltigung.«

Elizabeth warf die Tür hinter sich ins Schloß und rannte die Treppen hinunter.

Sie bekam den letzten Bus, der an diesem Abend stadteinwärts fuhr. Der Schnee fiel noch dichter, und der Bus holperte über die zugewehte Straße wie ein verletzter Käfer. Elizabeth saß ganz hinten in dem fast leeren Bus, und in ihrem Kopf kreisten tausend Gedanken.

Mentholzigaretten. Die Börse. Woher wußte er, daß der Spitzname ihrer Mutter Deedee war? Ein kleiner Junge, der in einem Klassenzimmer sitzt und mit großen Augen ein lebhaftes kleines Mädchen beobachtet, das zu jung ist, um ihn zu verstehen –

Ich weiß, was du brauchst.

Nein. Nein. Nein. Und ich liebe ihn trotzdem.

Stimmte das? Oder gefiel es ihr nur, mit jemand zusammenzusein, der immer das richtige Essen bestellte, mit ihr in den richtigen Film ging, und nichts wollte oder tat, wozu sie keine Lust hatte? War er vielleicht bloß eine Art Spiegel für ihre Seele, der ihr immer nur das zeigte, was sie sehen wollte? Die

Geschenke, die er ihr machte, entsprachen immer haargenau ihrem Geschmack. Als es plötzlich kalt wurde und sie sich einen Heizlüfter wünschte, wer hatte ihr einen geschenkt? Ed Hamner natürlich. Er hätte ihn zufällig im Sonderangebot gesehen, hatte er ihr erzählt. Selbstverständlich hatte sie sich darüber gefreut.

Das hat mit Liebe nichts zu tun. Das ist eine Vergewaltigung.

Der Wind biß ihr ins Gesicht, als sie an der Ecke Main und Mill Street ausstieg, und mit hochgezogenen Schultern stemmte sie sich dagegen, während der Bus mit einem satten Dieselgebrumm davonfuhr. Für kurze Zeit blinkten die Rücklichter noch durch das Schneetreiben, dann waren sie verschwunden.

Noch nie in ihrem Leben hatte sie sich so einsam gefühlt.

Er war nicht zu Hause.

Nachdem sie fünf Minuten lang geklopft hatte, stand sie ratlos vor der Tür. Ihr fiel ein, daß sie keine Ahnung hatte, was Ed tat oder mit wem er sich traf, wenn er nicht mit ihr zusammen war. Über dieses Thema hatten sie nie gesprochen.

Vielleicht gewinnt er gerade beim Poker das Geld für einen zweiten Heizlüfter.

Sie stellte sich auf die Zehenspitzen und fuhr mit den Fingern den Türrahmen entlang, denn sie wußte, daß Ed dort einen Ersatzschlüssel aufbewahrte. Sie fand ihn, und klirrend fiel er zu Boden.

Sie hob ihn auf und steckte ihn ins Schloß.

Ohne Ed sah die Wohnung ganz anders aus – unecht, wie eine Bühnenkulisse. Sie hatte sich oft darüber amüsiert, daß jemand, der auf seine äußere Erscheinung so wenig Wert legte, in einer so ordentlichen, vorbildlich aufgeräumten Umgebung wohnte. Beinahe, als hätte er die Zimmer für sie eingerichtet und nicht für sich selbst. Aber der Gedanke war natürlich absurd.

Wieder einmal kam ihr in den Sinn, wie gemütlich sie den Sessel fand, in dem sie saß, wenn sie fernsahen oder lernten. Er war genau richtig für sie, nicht zu hart und nicht zu weich. Optimal. Wie alles, was mit Ed zusammenhing.

Das Wohnzimmer hatte zwei Türen. Durch die eine ging man in die Kochnische, die andere führte in sein Schlafzimmer.

Draußen pfiff der Wind, in den Mauern des alten Wohnhauses knarrte und knackte es.

Sie betrat das Schlafzimmer und betrachtete die Bettstelle aus Messing. Das Bett sah nicht zu hart und nicht zu weich aus, es schien genau richtig zu sein. Eine hämische Stimme in ihr spottete: *Es ist schon beinahe zu vollkommen, nicht wahr?*

Sie stellte sich vor das Bücherregal und ließ den Blick planlos über die Buchtitel wandern. Einer zog ihre Aufmerksamkeit auf sich, und sie holte das Buch heraus: *Modetänze der fünfziger Jahre.* An einer bestimmten Stelle klappte das Buch von selbst auf. Ein Abschnitt, der die Überschrift »Der Stroll« trug, war dick mit Rotstift umrandet, und daneben stand der Name BETH in großen, beinahe anklagenden Lettern.

Jetzt müßte ich gehen, sagte sie sich. Etwas kann ich immer noch retten. Wenn er in diesem Moment zurückkäme, könnte ich ihm nie wieder ins Gesicht sehen, und Alice hätte gesiegt. Dann hätte sie ihr Geld wirklich gut angelegt.

Doch sie wußte, daß sie nicht mehr zurückkonnte. Dazu war sie schon zu weit gegangen.

Sie trat an den Kleiderschrank und drehte den Knauf, doch die Tür blieb zu. Abgeschlossen.

Auf gut Glück stellte sie sich wieder auf die Zehenspitzen und tastete den oberen Türrand ab. Ihre Finger stießen gegen den Schlüssel. Sie holte ihn herunter, obwohl eine innere Stimme sie deutlich warnte: *Das darfst du nicht tun.* Sie dachte daran, was Blaubarts Frau fand, als sie die verkehrte Tür öffnete. Doch zum Rückzug war es zu spät; wenn sie sich jetzt keine Gewißheit verschaffte, würde sie ständig weitergrübeln. Sie schloß den Schrank auf.

Und dann verspürte sie das ungute Gefühl, als ob sich da drinnen der richtige Ed Hamner jr. die ganze Zeit über versteckt hatte.

Im Schrank herrschte das Chaos – sie sah achtlos hineingestopfte Kleidungsstücke, Bücher, einen Tennisschläger ohne Bespannung, ein Paar zerfledderte Tennisschuhe, ein wildes Durcheinander von alten Lehrbüchern und Heften, einen offenen, krümelstreuenden Tabaksbeutel. In der hintersten Ecke lag die grüne Drillichjacke.

Sie nahm eines der Bücher in die Hand und las verdutzt den Titel. *Der goldene Zweig.* Sie bückte sich nach dem nächsten. *Alte Riten, moderne Mysterien.* Ein anderes hieß *Voodoo – Zauberkult auf Haiti.* Dann fand sie eins, das in altes brüchiges Leder gebunden war. Durch häufigen Gebrauch war der Titel auf dem Einband abgescheuert und kaum noch leserlich. Es roch schwach nach verfaultem Fisch. Sie entzifferte den Titel: *Nekromantie.* An einer beliebigen Stelle schlug sie es auf, schnappte nach Luft und schleuderte es fort: die obszöne Darstellung brannte sich in ihr Gedächtnis ein.

In erster Linie, um ihre Fassung wiederzugewinnen, griff sie nach der grünen Drillichjacke, wobei sie sich selbst nicht eingestand, daß sie die Taschen durchsuchen wollte. Als sie sie in die Hand nahm, entdeckte sie noch etwas. Eine kleine Blechdose ...

Neugierig bückte sie sich danach und drehte sie hin und her. Drinnen klapperte etwas. Es war eine Dose, wie kleine Jungen sie zum Aufbewahren ihrer Schätze benutzen. In den Blechboden war der Name einer Firma eingestanzt: Bridgeport Sweets. Sie öffnete die Dose.

Ganz oben lag die Puppe. Die Puppe Elizabeth.

Ihr schauderte, als sie sie betrachtete.

Als Kleid trug die Puppe einen roten Nylonfetzen, er stammte von einem Tuch, das sie vor zwei oder drei Monaten verloren hatte. Als sie mit Ed im Kino war. Die Arme bestanden aus Pfeifenreinigern, um die etwas gewickelt war, das aussah wie blaues Moos. Friedhofsmoos vielleicht. Die Puppe hatte Haare auf dem Kopf, aber die entsprachen nicht ihren. Es war sehr feines, flachsblondes Haar, und es war an den rosa Radiergummikopf angeklebt. Ihr eigenes Haar war dunkelblond und kräftiger. Das der Puppe ähnelte eher dem, das sie hatte –

Als sie ein kleines Mädchen war.

Sie schluckte, und in ihrer Kehle gab es ein knackendes Geräusch. Hatten sie nicht alle im ersten Schuljahr Scheren bekommen, kleine, abgerundete Scheren, für Kinderhände geeignet? War damals ein kleiner Junge an sie herangepirscht, vielleicht, als sie ihren Mittagsschlaf hielten und –

Elizabeth legte die Puppe aus der Hand und schaute wieder in die Blechdose. Sie fand einen blauen Pokerchip, auf den mit roter Tinte ein seltsames sechseckiges Zeichen gemalt war. Einen vergilbten Zeitungsausschnitt – die Todesanzeige von Mr. und Mrs. Edward Hamner. Auf dem daneben abgedruckten Foto lächelten die beiden nichtssagend, und über ihre Gesichter war dasselbe sechseckige Zeichen gemalt, dieses Mal mit schwarzer Tinte, wie ein Bahrtuch. In der Dose lagen zwei weitere Puppen, eine weibliche und eine männliche. Die Ähnlichkeit mit den Personen auf dem Foto war unverkennbar, erschreckend.

Und sie fand noch etwas.

Sie klaubte es aus der Dose, wobei ihre Finger so heftig zitterten, daß sie es beinahe fallengelassen hätte. Sie stieß einen unterdrückten Laut aus.

Es war ein Modellauto von der Art, wie Jungen es sich in Spielzeuggeschäften und Bastelläden kaufen und dann mit Plastikkleber zusammensetzen. Dieses Modell war ein Fiat, mit roter Farbe angemalt. Und an der Motorhaube klebte ein Stückchen Stoff, das von einem von Tonys Hemden stammen konnte.

Sie drehte das Modellauto um. Jemand hatte die Unterseite zertrümmert.

»Du hast es also gefunden, du undankbares Biest.«

Sie stieß einen Schrei aus und ließ Auto und Blechdose fallen. Seine gräßlichen Schätze wurden über den Boden verstreut.

Er stand in der Tür und schaute sie an. Einen so haßerfüllten Ausdruck hatte sie noch nie auf dem Gesicht eines Menschen gesehen.

»Du hast Tony umgebracht«, schleuderte sie ihm entgegen.

Er grinste boshaft. »Glaubst du, du könntest das beweisen?«

»Das spielt keine Rolle«, antwortete sie, selbst überrascht, wie ruhig ihre Stimme klang. »Ich weiß es jedenfalls. Und ich will dich nie wiedersehen. Niemals. Und wenn du... irgendwem... irgend etwas antust... werde ich Bescheid wissen. Dann sorge ich dafür, daß es dir an den Kragen geht.«

In seinem Gesicht zuckte es. »Das ist also der Dank, den ich von dir bekomme. Ich habe dir alles gegeben, was du wolltest, ich bin auf dich eingegangen, wie kein anderer Mann es gekonnt hätte. Gib's zu. Ich habe dich vollkommen glücklich gemacht.«

»*Du hast Tony umgebracht!*« schrie sie.

Er trat einen Schritt in den Raum hinein. »Ja, aber ich tat es für dich. Was für ein Mädchen bist du, Beth? Du weißt gar nicht, was Liebe ist. Ich liebe dich, seit ich dich zum ersten Mal sah, das war vor über siebzehn Jahren. Konnte Tony das von sich behaupten? Du hast es im Leben nie schwer gehabt. Du bist *hübsch*. Du hast nie etwas entbehrt und warst nie einsam. Du mußtest nie... andere Wege suchen, um dir das zu verschaffen, was du gern wolltest. Es gab immer einen Tony, der etwas für dich tat. Du brauchtest bloß zu lächeln und ›bitte, bitte‹ zu sagen.« Seine Stimme hob sich: »*Ich* habe auf diese Weise nie etwas bekommen. Glaubst du, ich hätte es nie versucht? Bei meinem Vater half es nicht. Er wollte selbst immer nur mehr und mehr. Er gab mir nicht mal einen Gutenachtkuß oder nahm mich in den Arm. Bis ich ihn reich machte. Und meine Mutter war genauso. Ich rettete ihre Ehe, aber meinst du, sie wäre zufrieden gewesen? Sie haßte mich! Sie wollte nicht in meine Nähe kommen! Sie sagte, ich sei nicht normal. Ich sorgte dafür, daß sie viele schöne Dinge bekam, aber... Beth, das darfst du nicht tun! Nein... neiiin–«

Sie setzte den Fuß auf die Puppe Elizabeth, zertrat sie mit dem Absatz. Etwas in ihr krümmte sich in einer Todesqual, dann war es vorbei. Jetzt fürchtete sie sich nicht mehr vor ihm.

Er war nur ein kleiner, schmächtiger Junge mit dem Körper eines Erwachsenen. Und er trug zwei verschiedene Socken.

»Ich glaube, jetzt kannst du mir nichts mehr antun, Ed«, sagte sie. »Jetzt nicht mehr. Habe ich recht?«

Er wandte sich ab. »Geh«, sagte er mit dünner Stimme. »Geh

schon. Aber laß die Blechdose hier. Tu mir wenigstens diesen Gefallen.«

»Die Dose lasse ich hier. Aber den Inhalt nehme ich mit.« Sie ging an ihm vorbei. Seine Schultern zuckten, als ob er sich nach ihr umdrehen und sie festhalten wollte, doch dann sackte er in sich zusammen.

Als sie den zweiten Treppenabsatz erreichte, kam er auf den Flur hinausgerannt und kreischte ihr hinterher: »Dann geh doch! Aber nach mir wirst du mit keinem anderen Mann mehr zufrieden sein! Und wenn du alt und häßlich bist und sich kein Mann mehr um dich kümmert, wirst du dich noch nach mir zurücksehnen! Dann wirst du begreifen, was du verschmäht hast!«

Sie lief die Treppe hinunter und trat hinaus in das Schneetreiben. Es tat ihr gut, die kalte Luft auf ihrem Gesicht zu spüren. Bis zum Universitätsgelände war es ein Fußmarsch von zwei Meilen, doch das machte ihr nichts aus. Sie brauchte die Bewegung, und sie brauchte die Kälte. Sie brauchte beides, um sich wieder sauber zu fühlen.

Auf eine seltsame, unerklärliche Art und Weise tat er ihr leid – er war ein kleiner Junge, in dessen kümmerlichem Geist eine große Macht wohnte. Ein kleiner Junge, der mit Menschen zu spielen versuchte, als seien sie Zinnsoldaten, und sie dann in einem Anfall von Wut zertrat, wenn sie sich seinen Wünschen nicht fügten oder ihn durchschauten.

Und wer war sie? Mit all den Eigenschaften ausgestattet, die er an sich vermißte, ohne daß es ihr Verdienst oder sein Verschulden gewesen wäre? Sie dachte daran, wie sie sich Alice gegenüber benommen hatte, blind und eifersüchtig hatte sie versucht, sich an etwas zu klammern, nicht aus Überzeugung, sondern aus Bequemlichkeit.

Wenn du alt und häßlich bist und sich kein Mann mehr um dich kümmert, wirst du dich noch nach mir zurücksehen! ... Ich weiß, was du brauchst.

War sie denn wirklich so kleingeistig, daß sie so geringe Ansprüche stellte?

Lieber Gott, laß mich bitte nicht so sein.

Auf der Brücke zwischen der Stadt und dem Universitätsgelände blieb sie stehen und warf Ed Hamners Zauberrequisiten
Stück für Stück über das Geländer. Zum Schluß kam der rot
angemalte Spielzeug-Fiat, er trudelte durch den Flockenwirbel,
und sie wartete, bis sie ihn nicht mehr sehen konnte. Dann
ging sie weiter.

Kinder des Mais

Burt schaltete das Radio ein, zu laut, aber er ließ es so, weil es ohnehin nichts mehr gab, was er hätte sagen können. Er wollte es nicht wahrhaben, aber es war hoffnungslos.

Vicky sagte irgend etwas.

»Was?« schrie er.

»Mach leiser! Willst du mir die Trommelfelle zerreißen?«

Er unterdrückte mühsam die Bemerkung, die ihm auf der Zunge lag, und stellte das Radio leiser.

Vicky fächerte sich mit ihrem Halstuch frische Luft zu, obwohl der T-Bird über eine Klimaanlage verfügte. »Wo sind wir überhaupt?«

»Nebraska.«

Sie sah ihn kalt und ausdruckslos an. »Sicher, Burt. Ich weiß, daß wir in Nebraska sind, Burt. Aber wo zur Hölle *sind* wir?«

»Du hast die Straßenkarte. Sieh nach. Oder kannst du nicht lesen?«

»Blödsinn. Aber seit wir die Schnellstraße verlassen haben, können wir uns an dem Anblick von dreihundert Meilen Mais erfreuen. Und an der Intelligenz und Klugheit von Burt Robeson.«

Er umklammerte das Lenkrad so fest, daß seine Knöchel weiß hervortraten. Er mußte es so fest halten. Wenn er losließ, würde sich eine seiner Hände selbständig machen und die Ex-Schönheitskönigin neben ihn in den Sitz hineinprügeln. Wir sind hier, um unsere Ehe zu retten, dachte er. Ja. Und ungefähr so erfolgreich, wie Schreien gegen fallende Bomben schützt.

»Vicky«, sagte er vorsichtig, »seit wir aus Boston losgefahren sind, bin ich fünfzehnhundert Meilen auf der Schnellstraße geblieben. Ich habe die ganze Zeit allein hinter dem Steuer gesessen, weil du dich weigerst, zu fahren. Dann –«

»Ich habe mich nicht geweigert!« sagte Vicky hitzig. »Aber du weißt, daß ich vom langen Fahren Kopfschmerzen bekomme –«

»Dann habe ich dich gebeten, mich mit der Karte über die Landstraße zu lotsen, und du hast gesagt, sicher, Burt. Genau das waren deine Worte. Sicher, Burt. Und –«

»Manchmal frage ich mich, wie ich dich jemals heiraten konnte.«

»Indem du ein kleines Wort gesagt hast.«

Sie starrte ihn einen Moment mit zusammengepreßten Lippen an, ehe sie den Atlas wieder zur Hand nahm und heftig darin zu blättern begann.

Es *war* ein Fehler gewesen, die Schnellstraße zu verlassen, dachte Burt mürrisch. Aber sie hatten während dieser Zeit wenigstens versucht, sich gegenseitig wie menschliche Wesen zu behandeln. Und für eine Weile hatte es sogar so ausgesehen, als ob diese Fahrt zur Küste – angeblich, um Vickys Bruder und seine Frau zu besuchen, aber in Wahrheit ein letzter, verzweifelter Versuch, ihre Ehe zu retten – ihren Zweck erfüllen würde.

Aber seit sie die Hauptstraße verlassen hatten, war es wieder schlimmer geworden. Wie schlimm? Nun, schlimm genug.

»Wir haben die Schnellstraße bei Hamburg verlassen, nicht?«

»Richtig.«

»Da kommt nichts mehr bis Gatlin«, sagte sie. »Zwanzig Meilen. Die einzige Ortschaft weit und breit. Was meinst du – können wir anhalten und eine Kleinigkeit essen, oder willst du wieder bis zwei Uhr nachts durchfahren, wie gestern?«

Er nahm den Blick von der Straße und sah sie an. »Allmählich reicht es mir, Vicky. Von mir aus können wir auf der Stelle umdrehen und nach Hause fahren, damit du zu deinem Anwalt gehen kannst. Wenn wir hier nicht –«

Sie hatte starr geradeaus gesehen, aber plötzlich wandelte sich der Ausdruck auf ihren Zügen, zuerst in Überraschung, dann in Schrecken.

»*Burt, sieh nach vorne, du –*«

Er blickte gerade noch rechtzeitig nach vorne, um irgend etwas unter der Stoßstange des T-Bird verschwinden zu sehen. Einen Moment später, noch bevor er vom Gas auf die Bremse gehen konnte, fühlte er einen dumpfen, Übelkeit erregenden Schlag zuerst unter den Vorder- dann unter den Hinterrädern. Sie schossen weiter vorwärts, während der Wagen über die Mittellinie schleuderte und schließlich entlang einer schwarzen Bremsspur zum Stehen kam.

»Ein Hund«, sagte er. »Sag mir, daß es ein Hund war, Vicky.«

Ihr Gesicht hatte die Farbe von bleichem Hüttenkäse angenommen. »Ein Junge. Ein kleiner Junge. Er kam aus dem Feld gelaufen und... Herzlichen Glückwunsch, Tiger.«

Sie fingerte die Tür auf, lehnte sich hinaus, stand auf.

Burt saß starr hinter dem Lenkrad des T-Bird, die Hände noch immer darum gekrampft. Er spürte nichts mehr, außer dem dunklen kräftigen Geruch von Kunstdünger.

Dann bemerkte er, daß Vicky fort war, und als er in den Außenspiegel schaute, sah er sie ungelenk auf etwas zustolpern, das wie ein Bündel Lumpen auf der Straße lag. Sie war eine anmutige Frau, aber von einem Moment zum anderen war ihre äußere Erscheinung zerstört worden.

Mord. So werden sie es nennen. Ich habe nicht auf die Straße geachtet.

Er stellte die Zündung ab und stieg aus. Der Wind fuhr sanft durch den mannshohen Mais und erzeugte ein Geräusch wie ein leises Atmen. Vicky stand jetzt über dem Lumpenbündel, und er konnte sie schluchzen hören.

Er war auf halbem Wege zwischen ihr und dem Wagen, als irgend etwas, ein greller Spritzer wie rote Scheunenfarbe zu seiner Linken, seine Aufmerksamkeit erregte.

Er blieb stehen und starrte ins Maisfeld. Er dachte daran (irgend etwas, ganz egal, nur etwas, das ihn von diesem Lumpenbündel, das kein Lumpenbündel war, ablenkte), daß es eine phantastisch gute Ernte werden müßte. Der Mais wuchs in dichten, überreifen Reihen. Man konnte sich in diesen engen, schattigen Reihen verirren und einen ganzen Tag lang nach dem Ausweg suchen. Aber hier war die wogende Wand durchbrochen. Eine Reihe von Ähren waren gebrochen oder zur Seite gebogen. Und was war das dort hinten in den Schatten?

»Burt!« schrie Vicky. »Willst du nicht herkommen und dir ansehen, was du getan hast? Du kannst deinen Pokerfreunden zu Hause davon erzählen. Willst du nicht–« Der Rest des Satzes ging in einem Strom von Tränen unter. Ihr Schatten schmiegte sich um ihre Füße wie ein dunkler See. Es war genau Mittag.

Über ihm schlossen sich die Schatten, als er in das Feld eindrang. Die rote Scheunenfarbe war Blut. Ein Fliegenschwarm erhob sich summend, kreiste einen Moment und verschwand... vielleicht, um anderen von ihrer Entdeckung zu berichten. Aber es konnte doch nicht so weit gespritzt sein? Und dann stand er vor dem Ding, das er von der Straße aus gesehen hatte. Er nahm es auf.

Die säuberlichen Reihen waren an dieser Stelle zerstört. Eine Anzahl von Halmen war wie betrunken zur Seite geneigt, zwei andere glatt abgebrochen. Der Boden war zerwühlt. Da war Blut. Der Mais raschelte. Mit einem leisen Schaudern ging er zur Straße zurück.

Vicky gab hysterische, sinnlose Laute von sich, lachte, weinte. Wer hätte ahnen können, daß es so melodramatisch enden würde? Er sah sie an, aber er fühlte keine Identitätskrise, keinen Wandel in seinem Leben oder sonst etwas von diesem neumodischen Kram. Er haßte sie. Er versetzte ihr einen harten Schlag ins Gesicht.

Sie verstummte für einen Moment und hob die Hand an die roten Abdrücke seiner Finger auf ihrer Wange. »Du wirst ins Gefängnis gehen, Burt«, sagte sie feierlich.

»Das glaube ich kaum«, sagte er, während er ihr den Handkoffer, den er im Feld gefunden hatte, vor die Füße warf.

»Was–?«

»Ich weiß es nicht. Aber vermutlich gehört es ihm.« Er deutete auf den reglos ausgestreckten Körper, der mit dem

Gesicht nach unten auf der Straße lag. Nicht älter als dreizehn, auf den ersten Blick.

Der Koffer war alt. Das braune Leder war zerschrammt und abgestoßen. Eine Wäscheleine war zweimal darumgewickelt und ungeschickt verknotet. Vicky beugte sich herab und schrak zurück, als sie das Blut in dem Knoten sah.

Burt kniete nieder und drehte den Körper vorsichtig um.

Vicky starrte hilflos zu Boden. »Ich will ihn nicht sehen«, sagte sie. Aber als sie in das blinde Gesicht des Toten sah, begann sie erneut zu weinen. Das Gesicht des Jungen war schmutzig, der Ausdruck darauf eine Grimasse des Grauens. Seine Kehle war durchgeschnitten.

Burt stand auf und nahm Vicky in die Arme, als sie zu wanken begann. »Beherrsch dich«, sagte er sehr leise. »Hörst du mich, Vicky? Fall jetzt nicht in Ohnmacht.«

Er sagte es wieder und immer wieder, und schließlich reagierte sie auf seine Stimme und klammerte sich an ihm fest. Sie hätten zwei Tänzer sein können, wie sie da auf der sonnen-überfluteten Straße neben dem toten Jungen standen.

»Vicky?«

»Was?« murmelte sie in sein Hemd.

»Geh zurück zum Wagen und steck die Schlüssel ein. Und dann nimmst du die Decke und das Gewehr vom Rücksitz und bringst sie her.«

»Das Gewehr?«

»Jemand hat ihm die Kehle durchgeschnitten. Vielleicht beobachtet er uns jetzt gerade.«

Ihr Kopf flog in den Nacken, und der Blick ihrer schreckge-weiteten Augen richtete sich auf den Mais, eine wogende, auf- und absteigende Decke, die das Land bedeckte, so weit ihr Blick reichte.

»Ich glaube, daß er fort ist. Aber warum sollen wir ein Risiko eingehen? Geh. Bring es her.«

Sie ging steif, ihrem Schatten folgend, in der Mittagshitze zurück zum Wagen. Burt hockte sich neben den Jungen, wäh-rend sie sich über den Rücksitz beugte. Weiß, keine besonderen Kennzeichen. Überfahren, ja, aber der T-Bird hatte ihm nicht die Kehle durchgeschnitten. Es war ein unsauberer, zerfetzter Schnitt – der Mörder war niemals in der Armee gewesen und hatte nicht die Feinheiten des Tötens gelernt –, aber er war tödlich. Trotzdem war er noch zehn Meter durch das Maisfeld gestolpert, tot oder tödlich verwundet. Und Burt Robeson hatte ihn überfahren. Aber selbst, wenn er noch gelebt hatte, als ihn der Wagen erfaßte, so machte das höchstens einen Unterschied von dreißig Sekunden.

Vicky tippte ihn auf die Schulter, und er sprang auf.

Sie trug die braune Army-Decke über dem linken Arm, das Gewehr – noch in der Hülle – in der rechten Hand, das Gesicht abgewandt. Er nahm die Decke und breitete sie auf der Straße aus. Vicky gab ein verzweifeltes kleines Stöhnen von sich, als er den Körper daraufrollte.

»Bist du okay?« Er sah zu ihr auf. »Vicky?«

»Okay«, sagte sie gepreßt.

Er schlug die Seiten der Decke über den Körper und stemmte ihn hoch. Das schwere, tote Gewicht versuchte, seine Arme durchzudrücken und seinem Griff zu entgleiten. Er packte es fester, und sie gingen zurück zum Wagen.

»Mach die Klappe auf«, murmelte er.

Die Ladefläche war vollgepackt mit Reiseutensilien, Koffern und Souvenirs. Vicky warf das meiste davon auf den Rücksitz, und Burt legte den reglosen Körper in den Wagen und warf die Heckklappe, sichtlich erleichtert, zu. Vicky stand neben der Fahrertür, das verpackte Gewehr noch immer fest umklammert.

»Wirf es auf den Rücksitz und steig ein.«

Er sah auf die Uhr; es waren gerade fünfzehn Minuten vergangen. Aber es schienen Stunden gewesen zu sein.

»Was ist mit dem Koffer?« fragte sie.

Er ging zurück zu dem Koffer, der wie der zentrale Punkt eines impressionistischen Gemäldes neben der weißen Mittellinie stand. Mit zitternden Händen nahm er ihn auf, stockte für einen Moment. Plötzlich hatte er das starke Gefühl, beobachtet zu werden. Es war die Art von Gefühl, über die er in Büchern gelesen hatte, zumeist in schlechten Romanen, ein Gefühl, das er immer angezweifelt hatte. Jetzt tat er es nicht mehr. Vielleicht waren Leute dort im Feld, viele vielleicht, und vielleicht schätzten sie gerade eiskalt ab, ob die Frau Zeit genug finden würde, das Gewehr aus seiner Hülle zu ziehen und zu benutzen, bevor sie ihn schnappen und zwischen die schattigen Reihen zerren, ihm die Kehle durchschneiden konnten...

Mit klopfendem Herzen rannte er zum Wagen zurück, zog den Schlüssel von der Heckklappe ab und stieg ein.

Vicky hatte wieder zu weinen begonnen. Sie fuhren los, und nach weniger als einer Minute war der Platz, an dem es passiert war, bereits aus dem Rückspiegel verschwunden.

»Wie hieß noch mal die nächste Stadt?« fragte er.

»Oh.« Sie beugte sich wieder über den Atlas. »Gatlin. Wir müßten in zehn Minuten da sein.«

»Sieht es groß genug aus, um eine eigene Polizeistation zu haben?«

»Nein. Nur ein Punkt auf der Karte.«

»Vielleicht haben sie einen Constabler.«

Sie fuhren eine Weile schweigend weiter. Ein Silo glitt links an ihnen vorbei. Sonst nichts als Mais. Nicht einmal ein Farmwagen kam ihnen entgegen.

»Sind wir irgend jemandem begegnet, seit wir die Schnellstraße verlassen haben, Vicky?«

Sie dachte einen Moment nach. »Ein Wagen und ein Traktor. An der Kreuzung.«

»Nein, ich meine auf dieser Straße. Route 17.«

»Nein, ich glaube nicht.« Noch vor kurzem hätte sie diese Frage zum Anlaß einer spitzen Bemerkung werden lassen. Jetzt starrte sie nur wortlos auf die Straße und die endlose, unterbrochene weiße Linie vor dem Fenster.

»Vicky? Kannst du den Koffer aufmachen?«

»Glaubst du, es würde etwas ändern?«

»Keine Ahnung. Möglich.«

Während sie die Knoten öffnete (ihr Gesicht hatte eine seltsame Starre angenommen – ausdruckslos, aber die Lippen fest zusammengekniffen – und erinnerte Burt absurderweise an seine Mutter, während sie die Innereien des Sonntagshähnchens herausnahm), schaltete er das Radio wieder ein.

Der Sender, dem sie bisher zugehört hatten, war jetzt von statischem Rauschen überlagert, und Burt ließ die rote Nadel langsam über die Skala gleiten. Ein landwirtschaftlicher Report. Buck Owens. Tammy Wynette. Alles weit entfernt, verzerrt bis zur Unverständlichkeit. Dann, fast am Ende der Skala, schmetterte ein einzelnes Wort aus dem Lautsprecher, so laut und klar, als befänden sich die Lippen des Sprechers direkt hinter dem Lautsprechergrill im Armaturenbrett.

»Buße!« donnerte die Stimme.

Burt gab einen überraschten Laut von sich. Vicky fuhr zusammen.

»NUR DURCH DAS BLUT DES LAMMES SIND WIR SICHER!« schrie die Stimme.

Burt drehte die Lautstärke hastig herunter. Der Sender mußte nahe sein. So nah, daß ... ja, da war er, ein spinnenfüßiges rotes Dreibein, das hoch gegen das Blau des Horizontes aus dem Mais ragte. Der Sendeturm.

»Büßen heißt das Wort, Brüder und Schwestern«, sagte die Stimme, nun schon nicht mehr ganz so theatralisch. Im Hintergrund, weiter weg vom Mikrophon, erklang ein vielstimmiges Amen. »Ihr glaubt, ihr könntet in die Welt hinausgehen, könntet in ihr leben und arbeiten, ohne von ihr besudelt zu werden. Aber ist es das, was uns das Wort Gottes sagen will?«

Weiter fort, aber laut: »Nein!«

»HEILIGER JESUS!« donnerte der Prediger, und seine Worte kamen jetzt in einer kraftvollen, hämmernden Kaskade, wie der Rhythmus einer Rock 'n' Roll-Gruppe. »Wann werden sie einsehen, daß der Lohn des Lebens erst auf der anderen Seite ausgezahlt wird? Nun? Nun? Der Herr sagt, daß in seinem Haus viele Zimmer sind. Aber da ist kein Platz für die Ehebrecher. Kein Platz für die Lüsternen. Kein Platz für die, die unseren Mais besudeln. Kein Platz für die Homosexuellen. Kein Platz –«

Vicky schaltete das Radio aus. »Dieses Gestammele macht mich krank.«

»Was hat er gesagt?« fragte Burt. »Er sagte irgend etwas über Mais.«

»Ich habe nicht hingehört.« Sie zupfte noch immer an den Knoten herum.

»Er hat irgend etwas über Mais gesagt. Ich bin sicher.«

»Ich habe es!« sagte Vicky. Der Deckel des Koffers fiel auf ihren Schoß. Sie passierten ein Schild: GATLIN 5 MEILEN. DENKEN SIE AN UNSERE KINDER – FAHREN SIE VORSICHTIG. Geschosse vom Kaliber 22 hatten Löcher in das Schild gerissen.

»Socken«, sagte Vicky. »Zwei Paar Hausschuhe... ein Hemd... ein Gürtel... ein Halstuch mit...« Sie hielt es hoch und zeigte ihm die schmale, vergoldete Klammer mit der eingravierten Figur. »Wer soll das sein?«

Burt sah es an. »Hopalong Cassidy, vermutlich.«

»Oh.« Sie legte es zurück und begann wieder zu weinen.

Nach einer Weile sagte Burt: »Was hat dich an diesem Gequatsche im Radio so aufgeregt?«

»Oh, nichts. Aber ich habe als Kind genug davon gehört. Ich habe dir doch davon erzählt.«

»Findest du nicht, daß er sich ein bißchen jung anhört? Dieser Prediger?«

Sie lachte humorlos. »Ein Teenager, was sonst? Das ist ja das Grausame daran. Sie wissen genau, wann sie dich kriegen können. Wenn du jung bist und für alles aufgeschlossen. Du hättest eines dieser Sommerlager erleben sollen, zu denen mich meine Eltern geschickt haben... Eines von diesen Lagern, in denen du unter ›liebevoller Obhut‹ warst.

Warte... da war Baby Hortense,. das Singende Wunder. Sie war acht. Sie sang: ›Gebe dich in seine Arme‹, während ihr Vater mit dem Klingelbeutel herumging und predigte: ›Laßt dieses Kind nicht aus Gottes Gnade fallen.‹ Oder Norman Staunton. Er trug kurze Hosen und predigte Höllenfeuer und Schwefel. Er war sieben.«

Sie nickte bekräftigend, als sie seinen ungläubigen Blick sah.

»Oh, es waren nicht nur die beiden. Eine Menge von ihnen waren damals auf Tournee. Sie waren gute *Zugpferde*.« Sie spie das Wort regelrecht aus. »Ruby Stempnell. Eine zehnjährige Gesundbeterin. Die Grace-Schwestern. Sie traten mit kleinen Messing-Heiligenscheinen über den Köpfen auf und – *oh*!«

»Was ist los?« Er fuhr herum, um zu sehen, was sie in der Hand hielt. Vicky sah den Gegenstand, den sie auf dem Boden des Koffers gefunden hatte, nachdenklich an. Während sie sprach, hatten ihre bedächtig suchenden Hände es in dem Durcheinander des Kofferbodens ertastet und nach oben gebracht. Burt beugte sich neugierig herüber, und sie gab es ihm wortlos.

Es war ein Kruzifix, aus zwei ehemals grünen, aber jetzt längst vertrockneten Ähren gefertigt. Ein einzelner Maiskolben war mit einem dünnen Faden daran befestigt. Der Großteil der Kerne war vorsichtig mit einem Taschenmesser entfernt worden. Die Übriggebliebenen bildeten eine rohe, reliefartig hervorstehende Kreuzform. Kornaugen, mit einem dünnen, senkrechten Schlitz als Pupillen. Ausgestreckte Kornarme, die Beine zusammengelegt und in der rohen Nachbildung nackter Füße endend. Darüber waren vier Buchstaben in den weißlichen Kolben graviert: INRI.

»Das ist eine phantastische Arbeit!« sagte er.

»Es ist abscheulich«, sagte Vicky gepreßt. »Wirf es weg.«

»Die Polizei wird es sehen wollen, Vicky.«

»Warum?«

»Ich weiß es nicht. Vielleicht –«

»Wirf es weg, bitte. Tu mir den Gefallen. Ich will es nicht im Wagen haben.«

»Ich lege es zurück. Sobald wir einen Polizisten sehen, werden wir es auf die eine oder andere Weise los. Ich verspreche es. Okay?«

»Mach doch, was du willst!« schrie sie. »So wie immer!«

Verwirrt legte er das Ding zurück auf den unordentlichen Kleiderhaufen. Die Kornaugen starrten versunken gegen die Decke des T-Bird. Er nahm es noch einmal heraus. Sand rieselte aus den Kleidern im Koffer.

»Wir übergeben den Toten und alles, was er bei sich hatte, an die Polizei«, versprach er. »Dann sind wir es los.«

Vicky antwortete nicht. Sie starrte auf ihre Hände herab.

Nach einer Meile begannen die endlosen Felder allmählich von der Straße zurückzuweichen, und sie sahen die ersten Farmhäuser. Ein paar schmuddelige Hühner pickten dicht neben der Straße rastlos auf dem Boden herum. Auf den Dächern der Scheunen prangte Coca-Cola, Kaugummi- und Zigarettenreklame. Sie passierten ein Schild, auf dem: NUR JESUS RETTET EUCH! stand. Dann kam ein kleines Café mit einer Conoco-Tankstelle, aber Burt fuhr vorbei, um zur Stadtmitte zu kommen; falls es eine gab. Wenn nicht, würden sie zu diesem Café zurückfahren. Aber der Gedanke kam ihm erst, als sie am Parkplatz des Cafés vorbeifuhren. Er war leer bis auf einen verrosteten Schrotthaufen, der auf zwei platten Reifen stand.

Vicky begann plötzlich zu lachen; ein hoher, kichernder Laut, der Burt wie der Vorbote eines hysterischen Anfalles vorkam.

»Was findest du so komisch?«

»Die Schilder«, kicherte sie. »Hast du sie nicht gelesen? So kindisch können sie gar nicht mehr sein, wenn sie diese Bibel-sprüche aufgestellt haben. Herrgott, da vorne sind noch mehr.« Ein neuer Anfall von hysterischem Gelächter schüttelte sie, und sie schlug hastig die Hände vor den Mund.

Jedes Schild hatte nur ein einziges Wort. Sie reihten sich im Abstand von vielleicht fünfundzwanzig Metern entlang der Straße, die Schrift auf weißem Grund, verblichen und ver-dreckt. Burt las:

EINE… WOLKE… AM… TAG… EINE… FLAMMENSÄULE… BEI… NACHT.

»Sie haben nur eines vergessen«, sagte Vicky, immer noch hilflos kichernd.

»Was?« fragte Burt stirnrunzelnd.

»Die Mönche aus Burma.« Sie preßte die Faust fest gegen den Mund und versuchte, gegen das Lachen anzukämpfen.

»Vicky, bist du in Ordnung?«

»Ich werde es sein, sobald wir tausend Meilen von hier weg

361

sind und die Rockys zwischen uns und Nebraska haben, in Kalifornien.«

Eine neue Reihe von Schildern tauchte vor ihnen auf.

NEHMT... DIES... UND... LABET... EUCH... SAGT... GOTT... DER... HERR.

Warum nur, dachte Burt, bringe ich diesen seltsamen Satz sofort mit dem Mais in Verbindung? Benutzen sie nicht die gleichen Worte bei der Kommunion? Sein letzter Kirchenbesuch lag schon so weit zurück, daß er sich nicht mehr genau daran erinnern konnte. Es hätte ihn nicht einmal überrascht, wenn sie in dieser Gegend für die heilige Hostie Maisbrot verwendet hätten. Er öffnete den Mund, wollte es Vicky sagen, aber dann hielt er es doch für besser, zu schweigen.

Nachdem sie eine leichte Anhöhe überquert hatten, breitete sich Gatlin unter ihnen aus, aufgeteilt in drei Komplexe, wie die Szenerie eines Kinofilms über die Weltwirtschaftskrise.

»Hier wird es mit Sicherheit einen Constabler geben«, sagte Burt, während er sich fragte, warum ihm beim Anblick dieser hinterwäldlerischen Stadt, die dort in der Mittagssonne vor sich hin döste, ein beklemmendes Gefühl den Atem zu nehmen drohte.

Sie kamen an einem Verkehrsschild vorbei, das die Höchstgeschwindigkeit auf dreißig Meilen begrenzte, und dann tauchte ein anderes, verrostetes Schild mit folgendem Wortlaut auf: SIE KOMMEN JETZT NACH GATLIN, DER NETTESTEN KLEINEN STADT IN NEBRASKA – UND IN DER ÜBRIGEN WELT! 5431 EINWOHNER.

Staubige Ulmen umsäumten beide Straßenseiten, die meisten waren verkrüppelt. Sie passierten den Holzplatz von Gatlin und eine 76-Tankstelle, deren Preisschilder sanft im heißen Mittagswind schwangen: NORMAL 35,9 – SUPER 38,9 und ein zusätzliches mit dem Hinweis: DIESEL FÜR LASTWAGEN AUF DER RÜCKSEITE.

Sie überquerten die Elm Street, dann die Birch Street und gelangten auf den Marktplatz. Holzhäuser mit überdachter Veranda rahmten ihn ein. Rechteckig und funktional. Die Rasenstücke waren gelb und niedergedrückt. Vor ihnen bewegte sich gemächlich eine Promenadenmischung auf die

Mitte der Maple Street zu, sah einen Moment lang zu ihnen herüber und legte sich dann nieder, mit der Nase auf den Pfoten.

»Halt an«, sagte Vicky. »Halte hier.«

Burt fuhr gehorsam an den Straßenrand ran.

»Dreh um. Laß uns den Jungen nach Grand Island bringen. Das ist doch gar nicht mehr weit, oder? Nun mach schon.«

»Was ist los, Vicky?«

»Was meinst du mit: Was ist los?« fragte sie in einem Tonfall, der eine Spur zu schrill klang. »Diese Stadt ist ausgestorben, Burt. Außer uns ist niemand hier. Spürst du es denn nicht?«

Er hatte etwas gespürt, und er spürte es immer noch. Aber –

»Schon möglich«, sagte er. »Aber das Nest ist so winzig, daß sie bestimmt nur einen Hydranten haben. Wahrscheinlich sind sie alle bei einem Volksfest mit Kuchenverkauf und Bingo-spiel.«

»Es ist niemand hier.« Sie sprach die Worte seltsam gefaßt aus. »Hast du vorhin nicht die Tankstelle gesehen?«

»Sicher, beim Holzplatz, warum?« Seine Gedanken waren woanders, lauschten dem stumpfsinnigen Summen einer Zikade, die sich in einer der nahen Ulmen eingrub. Es roch nach Mais, blühenden Rosen und nach Dünger – wie hier nicht anders zu erwarten war. Zum ersten Mal hatten sie sich von der Schnellstraße entfernt und eine Stadt aufgesucht. Eine Stadt in einem Staat, in dem er noch nie zuvor gewesen war (obwohl er sie einige Male mit einer 747 der United Airlines überflogen haben mußte), und irgendwie löste das in ihm ein seltsames Gefühl aus. Irgendwo weiter vor ihnen würde ein Drugstore mit einem Zapfhahn für Sodawasser sein, ein Kino mit dem Namen Bijou, eine Schule, die man nach John F. Kennedy benannt hatte.

»Burt, auf den Preisschildern stand, daß Normal 35,9 kostete und Super 38,9. Wie lange ist es eigentlich her, daß solche Preise üblich waren?«

»Wenigstens vier Jahre«, gab er zu. »Aber, Vicky –«

»Wir sind mitten in der Stadt, Burt, und ich habe bis jetzt noch kein Auto gesehen! *Kein Auto*!«

»Grand Island ist 70 Meilen entfernt. Es würde etwas komisch aussehen, wenn wir ihn dorthin bringen würden.«

»Das ist mir egal.«

»Nun hör mal, wir fahren jetzt zum Gerichtsgebäude und –«

»Nein!«

Da hatten sie es wieder. Darum zersplittert unsere Ehe in tausend Stücke. Nein, ich will nicht mehr. No, Sir. Und wenn du nicht tust, was ich will, dann halte ich die Luft an, bis ich blau anlaufe.

»Vicky«, sagte er.

»Ich möchte hier weg, Burt.«

»Vicky, hör mir zu.«

»Dreh um. Laß uns abhauen.«

»Vicky, würdest du vielleicht mal eine Minute ruhig sein?«

»Sobald wir aus der Stadt herausfahren. Nun mach schon.«

Wir haben ein totes Kind im Kofferraum!« brüllte er sie an, und er beobachtete mit einem diabolischen Vergnügen, wie sie zurückschreckte, wie ihr Gesicht einfiel. In einem ruhigeren Tonfall fuhr er fort: »Man hat dem Jungen die Kehle durchgeschnitten und ihn auf die Straße geworfen, und ich habe ihn überfahren. Deswegen fahre ich jetzt zum Gerichtsgebäude oder was auch immer sie hier haben, und ich werde es melden. Aber wenn du zurückgehen willst, dann bitte. Ich werde dich wieder auflesen. Aber erzähl mir nicht, daß wir drehen und 70 Meilen nach Grand Island fahren sollen, als ob wir nichts als eine Tasche voll Plunder im Kofferraum hätten. Er wird wohl der Sohn einer Mutter sein, und ich werde es melden, bevor der Mörder über die Hügel entfliehen kann.«

»Du Bastard«, sagte sie weinend. »Was mache ich nur mit dir?«

»Das weiß ich nicht«, sagte er. »Ich weiß überhaupt nichts mehr. Aber das ändert nichts an der Situation, Vicky.«

Er fuhr vom Straßenrand los. Der Hund hob den Kopf in der flüchtigen Art eines Dösenden und ließ den Kopf dann wieder auf die Pfoten sinken.

Sie fuhren weiter ins Zentrum. An der Ecke von Haupt- und Einkaufsstraße gabelte sich die Hauptstraße. Dort lag tatsächlich eine Art Festwiese mit einem Musikpavillon in der Mitte. Auf der anderen Seite, wo sich die Hauptstraße wieder vereinte, standen zwei Verwaltungsgebäude. Burt entzifferte eine der Inschriften: GATLIN-STADT-ZENTRUM.

»Das ist es«, sagte er.

Vicky erwiderte nichts.

Auf halbem Wege bremste Burt erneut ab. Sie hielten neben einer Imbißstube, der Gatlin-Bar-und-Grill.

»Wohin gehst du?« fragte Vicky nervös, als er seine Tür öffnete.

»Ich will herausfinden, wo sie alle geblieben sind. Nach dem Schild am Fenster zu urteilen, ist es geöffnet.«

»Du kannst mich doch hier nicht allein lassen.«

»Dann komm doch mit. Wer hält dich denn auf?«

Sie entsicherte ihre Tür und stieg aus, als er gerade den Wagen umrundete. Er sah ihr blasses Gesicht, und einen Moment lang fühlte er Mitleid in sich aufsteigen. Hoffnungsloses Mitleid.

»Hörst du es?« fragte sie, als er auf gleicher Höhe war.

»Was soll ich hören?«

»Das Nichts. Autos. Menschen. Trecker. Nichts.«

Und dann hörten sie einen Block weiter das hohe und fröhliche Gelächter von Kindern.

»Ich höre Kinder«, sagte er. »Du nicht?«

Sie sah ihn bestürzt an.

Er öffnete die Tür der Imbißstube, und eine trockene sterile Hitze schlug ihm entgegen.

Der Boden war staubbedeckt. Die Chromteile waren stumpf. Die Holzlamellen des Sonnenschutzes waren verkantet. Leere Barhocker. Aber der Spiegel hinter der Theke war zertrümmert worden und da war noch irgend etwas anderes... Einen Moment später wußte er, was es war. Die Bieretiketten waren abgerissen worden. Sie lagen auf der Theke – wie ein bizarrer Partyscherz.

Vickys Stimme klang eine Spur zu hysterisch, um fröhlich zu wirken. »Natürlich. Frag doch jemanden. Entschuldigen Sie, mein Herr, aber können Sie mir sagen –«

»Oh, halt doch die Klappe.« Aber seine Stimme klang dumpf und kraftlos. Sie standen in einem Streifen dunstigen Sonnenlichtes, das durch die dicken Scheiben der Imbißstube fiel, und wieder hatte er das Gefühl, beobachtet zu werden, und er dachte an den Jungen, den sie im Kofferraum hatten und an das fröhliche Gelächter der Kinder. Ohne Grund begann ein Satz in seinem Kopf herumzuspuken, ein literarisch klingender Satz, der sich in sturer Regelmäßigkeit wiederholte: *Unbekannter Anblick. Unbekannter Anblick. Unbekannter Anblick.*

Seine Augen glitten über die vergilbte Karte, die mit Reißzwecken hinter der Theke befestigt war: CHEESEBURGER 35 ¢ DER WELTBESTE JOE 10 ¢ ERDBEER-RHABARBER-STÜCK 25 ¢ HEUTE SPEZIAL HAMBURGER & ROTE SPEZIALSAUCE/GEMISCHTE PORTION 80 ¢.

Wie lange war es her, daß er in Imbißstuben solche Preise gesehen hatte? Vicky kannte die Antwort. »Sieh dir das an«, sagte sie schrill. Sie deutete auf den Kalender an der Wand. »Es dürfte schon 12 Jahre her sein, daß hier zum letzten Mal gegessen wurde.« Sie stieß ein gequältes Lachen aus.

Er trat näher. Das Bild zeigte zwei Jungen, die in einem Teich schwammen, während ein kleiner frecher Hund ihre Kleidungsstücke wegtrug. Unter dem Bild war zu lesen: MIT DER BESTEN EMPFEHLUNG DER GATLIN HOLZ & EISENWAREN. SIE MACHEN'S KAPUTT, WIR REPARIEREN'S WIEDER.

Das Kalenderblatt stammte vom August 1964.

»Das verstehe ich nicht«, stammelte er, »aber ich bin sicher –«

»Du bist sicher!« schrie sie hysterisch. »Sicher bist du sicher! Das ist ja das Schlimme mit dir, Burt, dein ganzes Leben lang bist du dir *sicher* gewesen!«

Er drehte sich zur Tür um, und sie folgte ihm.

»Wohin gehst du?«

»Zum Stadtzentrum.«

»Burt, warum bist du nur so stur? Du weißt, daß hier etwas nicht stimmt. Kannst du es denn nicht zugeben?«

»Ich bin nicht stur. Ich möchte nur das loswerden, was wir im Kofferraum mit uns schleppen.«

Sie traten auf den Bürgersteig hinaus, und Burt wurde erneut von der Stille in der Stadt überrascht, von dem Geruch des

Düngers. Irgendwie dachte man nie an diesen Geruch, wenn man einen Maiskolben butterte, ihn salzte und hineinbiß. Bestandteile von Sonne, Regen, alle Sorten menschlicher Phosphate und eine gesunde Dosis Kuhdung. Aber irgendwie unterschied sich dieser Geruch von dem, den er in dem ländlichen Hinterland von New York kennengelernt hatte. Man konnte gegen organischen Dünger sagen, was man wollte, aber er hatte irgend etwas fast Wohlriechendes an sich, wenn er im Frühjahr auf die Felder gesprüht wurde. Kein großartiger Geruch, weiß Gott nicht, aber wenn die Abendbrise ihn aufnahm und auf die frisch gepflügten Felder verteilte, löste er gute Assoziationen aus. Es bedeutete, daß der Winter vorüber war. Es bedeutete, daß sich die Schultüren in ungefähr sechs Wochen schließen und sie alle in den Sommer hinauslassen würden. Es erinnerte ihn an die anderen Gerüche, die wirklich wohlriechend waren: Gras, Klee, frische Erde, Kornblumen.

Aber sie mußten hier irgend etwas anders machen, dachte er. Der Geruch war ähnlich, aber nicht gleich. Da war ein krankhaft-süßer Unterton. Fast wie Leichengeruch. Als ehemaliger Sanitäter in Vietnam kannte er diesen Geruch zu gut.

Vicky saß ruhig im Wagen, hielt das Maiskreuz auf ihrem Schoß und starrte es auf eine Art und Weise an, die Burt gar nicht gefallen wollte.

»Leg das Ding weg«, sagte er.

»Nein«, sagte sie ohne hochzusehen. »Du spielst deine Spiele, und ich spiele meine.«

Er legte einen Gang ein und fuhr um die Ecke. Eine ausgeschaltete Ampel hing über ihnen, schwang in der schwachen Brise. Auf der linken Seite befand sich eine saubere kleine Kirche. Das Gras war geschnitten. Gepflegte Blumen umrahmten einen mit Steinplatten belegten Pfad, der zur Tür führte.

Burt hielt darauf zu.

»Was hast du vor?«

»Ich werde hineingehen und mich etwas umsehen«, sagte Burt. »Es ist der einzige Ort in der Stadt, der nicht so aussieht, als ob man ihn 10 Jahre lang hat im Staub ersticken lassen. Und wirf mal einen Blick auf das Zeremonienbord.«

Sie betrachtete es. Weiße saubere Buchstaben, die unter Glas lagen: DIE MACHT UND ANMUT VON IHM, DER HINTER DEN REIHEN WANDELT. Das Datum war der 24. Juli 1976 – der letzte Sonntag.

»Er, der hinter den Reihen wandelt«, sagte Burt. »Ich nehme an, daß das einer von den neuntausend Namen ist, die man in Nebraska für Gott benutzt. Kommst du?«

Sie lächelte nicht. »Ich komme nicht mit dir.«

»Gut. Wie du willst.«

»Ich bin nicht mehr in einer Kirche gewesen, seit ich von zu Hause fort bin, und ich will nicht in diese Kirche, und ich will nicht in dieser Stadt sein, Burt. Ich habe Angst, können wir nicht endlich gehen?«

»Es dauert nur eine Minute.«

»Ich habe meine eigenen Schlüssel, Burt. Wenn du nicht in fünf Minuten zurück bist, werde ich wegfahren und dich allein hier lassen.«

»Du wirst doch wohl eine Minute warten können, meine Dame.«

»Genau das habe ich vor. Vorausgesetzt, du benimmst dich nicht wie einer von diesen Schlägertypen und nimmst mir die Schlüssel ab. Ich könnte mir vorstellen, daß du dazu in der Lage wärst.«

»Aber du glaubst nicht, daß ich das tun werde.«

»Nein.«

Ihre Handtasche lag auf dem Sitz zwischen ihnen. Er öffnete sie. Sie schrie auf und griff nach dem Schulterriemen. Er zog ihn aus ihrer Reichweite. Ohne sich die Mühe zu machen, nach dem Schlüssel zu suchen, drehte er die Handtasche einfach um und kippte den Inhalt aus. Ihr Schlüsselbund glitzerte inmitten von Papiertaschentüchern, Kosmetika, Wechselgeld, Einkaufslisten. Sie langte danach, aber er schlug sie erneut und steckte die Schlüssel in seine Tasche.

»Du hast kein Recht, das zu tun«, sagte sie weinend. »Gib sie mir zurück.«

»Nein«, sagte er und sah sie mit kaltem Lächeln an. »Auf keinen Fall.«

»*Bitte, Burt! Ich habe Angst!*« Sie streckte in einer bittenden Geste die Hand aus.

»Du würdest zwei Minuten warten und dann beschließen, daß das lange genug war.«

»Das würde ich nicht –«

»Und dann würdest du lachend davonfahren und zu dir selbst sagen: Das wird Burt zeigen, daß er lieber auf mich hören sollte, wenn ich etwas haben will. War das nicht dein Motto während unseres ganzen Ehelebens? Burt zu zeigen, daß er auf mich hören soll?«

Er stieg aus.

»Bitte, Burt!« rief sie ihm nach und rutschte hastig über den Sitz. »Hör mir doch zu ... ich weiß ... wir fahren aus der Stadt raus und rufen von einer Telefonzelle an, okay? Ich habe alles mögliche Wechselgeld dabei. Ich will nur ... wir können ... *laß mich nicht allein, Burt, du kannst mich hier draußen doch nicht allein lassen!*«

Er schlug die Autotür bei ihrem Aufschrei zu und lehnte sich einen Moment an den T-Bird, die Daumen gegen seine geschlossenen Augen gedrückt. Sie hämmerte gegen das Fenster auf der Fahrerseite und rief seinen Namen. Sie würde einen wundervollen Eindruck hinterlassen, wenn er endlich jemanden gefunden hatte, der sich um den Körper des Kindes kümmern konnte. Oh ja.

Er drehte sich um und ging den mit Steinplatten belegten Pfad zur Kirche hinauf. Zwei oder drei Minuten, er wollte sich nur mal schnell umsehen, und dann konnten sie weiterfahren. Wahrscheinlich war die Tür sogar geöffnet.

Die Scharniere waren so gut geölt, daß er beim Eintreten kein Geräusch verursachte (erst vor kurzem geölt, dachte er, und aus irgendeinem unerklärlichen Grund amüsierte ihn dieser Gedanke), und er trat in die Vorhalle, die so kühl war, daß ihn fast ein Frösteln überlief. Es dauerte einen Moment, bis sich seine Augen auf das Dämmerlicht eingestellt hatten.

Das erste, was er bemerkte, war ein Berg hölzerner Buchstaben, die in der hintersten Ecke lagen, verstaubt und zu einem wirren Haufen zusammengeworfen. Neugierig trat er näher.

Sie sahen so alt und vergessen aus wie der Kalender in der Imbißstube, ganz im Gegensatz zum Rest der Vorhalle, der staubfrei und aufgeräumt war. Die Buchstaben waren ungefähr zwei Fuß hoch und gehörten offensichtlich zusammen. Er breitete sie auf dem Teppich aus – es waren 20 – und suchte nach sinnvollen Worten.

REICH GENIE TANKSTAND BP

Nichts.

KRIEGSPECH TANNE BANDIT

Das war auch Blödsinn. Bis auf das BA in Bandit. Er bildete schnell das Wort BAPTIST und übrig blieb NAGEND KRIECHEN. Schwachsinn. Er verbrachte seine Zeit mit idiotischen Spielereien, während Vicky draußen im Wagen langsam verrückt wurde. Er wollte schon aufstehen und hinausgehen, als er es plötzlich sah. Er stellte das Wort GNADEN zusammen, damit blieb nur noch KRIECHEN übrig – und durch eine geringfügige Änderung ergab sich KIRCHE. BAPTISTEN GNADEN KIRCHE! Die Buchstaben mußten draußen befestigt gewesen sein. Sie hatten sie abgenommen und sie achtlos in diese Ecke geworfen, und die Kirche war angemalt worden, so daß man noch nicht einmal die Stellen sehen konnte, an denen die Buchstaben einst befestigt waren.

Warum?

Es war nicht mehr die BAPTISTEN GNADEN KIRCHE, darum. Was für eine Art Kirche war es denn? Aus irgendeinem Grund beunruhigte ihn diese Frage, und er stand rasch auf, streifte sich den Staub von den Fingern. Sie hatten die Buchstaben abgenommen und dann? Vielleicht hatten sie daraus die Flip-Wilsons-Kirche der Gegenwärtigen Geschehnisse gemacht.

Aber wie war es dann weiter gegangen?

Er schob die Gedanken ungeduldig beiseite und ging durch die inneren Türen.

Nun stand er im Inneren der Kirche selber, und als er zum Hauptschiff hinaufsah, fühlte er, wie sich sein Herz vor Furcht verkrampfte. Sein heftiger Atem wirkte störend in der heiligen Stille dieses Ortes.

Der Raum hinter der Kanzel wurde von einem gigantischen

Porträt von Christus beherrscht, und Burt dachte: Wenn auch nichts anderes in dieser Stadt Vickys Hysterie rechtfertigen würde, dann doch dieses Bild.

Christus grinste wolfsähnlich. Seine weit aufgerissenen Augen starrten Burt an und erinnerten ihn auf eine unangenehme Art und Weise an Lon Chaney in *Das Phantom in der Oper*. In den großen schwarzen Pupillen war eine Gestalt zu erkennen (wahrscheinlich ein Sünder), der in einem See von Feuer ertränkt wurde. Aber das Merkwürdigste an der Sache war, daß Christus grüne Haare hatte... Haare, die sich bei näherer Betrachtung als eine geflochtene Masse grüner Maishalme herausstellte. Trotz künstlerischer Mängel wirkte das Bild beeindruckend. Es sah aus wie ein Comicstrip-Wandgemälde, das von einem begnadeten Kind angefertigt worden war – ein Christus des Alten Testamentes, oder ein heidnischer Christus, der seine Schafe eher für ein Opfer schlachten würde, anstatt sie zu führen.

Am linken hinteren Ende der Kirchenstuhlreihen befand sich eine Orgel, und zuerst war Burt nicht in der Lage zu sagen, was mit ihr nicht stimmte. Er ging das linke Seitenschiff hinunter und sah mit wachsendem Entsetzen, daß die Tasten herausgerissen worden waren, die Register zertrümmert... und die Orgelpfeifen waren mit Maishülsen gefüllt. Über der Orgel hing eine sorgfältig gemalte Inschrift: VERDAMMT SEI DIE MUSIK MIT AUSNAHME DER MENSCHLICHEN ZUNGE, DIE DEN HERRN PREIST.

Vicky hatte recht. Hier stimmte irgend etwas ganz und gar nicht. Er überlegte, ob er wieder zu Vicky zurückkehren sollte, ohne weitere Nachforschungen anzustellen, einfach ins Auto zu steigen und die Stadt so schnell wie möglich hinter sich zu lassen, und sich nicht mehr um das Gerichtsgebäude zu kümmern. Aber das war ihm zuwider. Die Wahrheit zu erzählen, dachte er. Ihren Widerstand zu rechtfertigen und zuzugeben, daß sie von Anfang an das richtige Gefühl gehabt hatte.

Er würde sich noch eine Minute Zeit lassen.

Er ging zur Kanzel hinauf und dachte: Irgend jemand muß doch während dieser langen Zeit hier vorbei gekommen sein. Es muß doch Leute in den Nachbarstädten geben, die hier

Freunde und Verwandte haben. Die Nebraska-Post mußte einen regelmäßigen Verkehr unterhalten. Und was war mit den Elektrizitätswerken? Die Ampel war ausgeschaltet gewesen. Sie mußten seit zwölf Jahren wissen, daß hier kein Strom mehr verbraucht wurde. Schlußfolgerung: Das, was in Gatlin geschehen war, schien unmöglich zu sein.

Er hatte immer noch eine Gänsehaut.

Er stieg die vier Stufen zur Kanzel empor und sah auf die verlassenen Stuhlreihen hinab, die das Licht im Halbdunkeln reflektierten. Er hatte das Gefühl, die unheimlichen und mit Sicherheit unchristlichen Augen in seinem Rücken zu spüren.

Auf dem Pult lag eine große Bibel; das 38. Kapitel von Hiob war aufgeschlagen. Burt las: »Und der Herr antwortete Hiob aus dem Wetter und sprach: Wer ist der, der den Ratschluß verdunkelt mit Worten ohne Verstand?... Wo warest du, da ich die Erde schuf? Sage an, bist du so klug?« Der Herr. Er, der hinter den Reihen wandelt. Sage an, bist du so klug? Und meide bitte den Mais.

Er schlug die Bibelseiten um, und sie verursachten in der Stille ein laut raschelndes Geräusch – ein gespenstisches Geräusch, falls es so etwas wirklich gab. Und an einem Ort wie diesem konnte man das fast glauben. Teile der Bibel waren herausgerissen worden. Hauptsächlich aus dem Neuen Testament. Irgend jemand schien den Entschluß gefaßt zu haben, Gottes Worte mit der Schere zu berichtigen.

Aber das Alte Testament hatte er in Ruhe gelassen.

Burt wollte schon die Kanzel verlassen, als er ein anderes Buch auf einem unteren Bord bemerkte und es in dem Glauben herausnahm, daß es ein Kirchenbuch mit Hochzeiten, Konfirmationen und Beerdigungen sei.

Er verzog das Gesicht, als er die Inschrift las, die in unregelmäßigen Goldlettern auf dem Umschlag prangte: LASST UNS DIE SÜNDE NIEDERWERFEN, AUF DASS DER BODEN WIEDER FRUCHTBAR WERDE, SAGT DER HERR DER HEERSCHAREN.

Das schien im Sinne des Gedankengutes zu sein, das hier verbreitet war, und Burt spürte, wie seine Neugierde erwachte.

Er öffnete das Buch auf der ersten, leinenen Seite. Augenblicklich erkannte er, daß ein Kind die Beschriftung vorgenommen hatte. An einigen Stellen sah man, daß jemand sorgfältig mit einem Radiermesser Verbesserungen vorgenommen hatte, und obwohl die Worte fehlerlos waren, wirkten die Buchstaben zu groß und kindlich, fast wie gemalt. Auf der ersten Seite war zu lesen:

Amos Deigan (Richard),	4. Sept. 1945	4. Sept. 1964
Isaac Renfrew (William),	19. Sept. 1945	19. Sept. 1964
Zepeniah Kirk (George),	14. Okt. 1945	14. Okt. 1964
Mary Wells (Roberta),	12. Nov. 1945	12. Nov. 1964
Yemen Hollis (Edward),	5. Jan. 1946	5. Jan. 1965

Stirnrunzelnd blätterte Burt die Seiten durch. Plötzlich endeten die Eintragungen abrupt:

Rachel Stigman (Donna), 21. Juni 1957   21. Juni 1976
Moses Richardson (Henry), 29. Juli 1957
Malachias Boardman (Craig), 15. Aug. 1957
Der letzte Name lautete Ruth Clawson (Sandra), 30. April 1961. Burt sah auf dem Bord nach, auf dem er das Buch gefunden hatte, und fand zwei weitere.

Das erste hatte den gleichen LASST UNS DIE SÜNDE NIEDERWERFEN-Titel, und auf einer einspaltigen Liste waren in der gleichen Art die Geburtsdaten und Namen eingetragen.

Anfang September 1964 fand er Job Gilman (Clayton), 6. September, und die nächste Eintragung lautete Eve Tobin, 16. Juni 1965. Der eingeklammerte Zweitname fehlte.

Das dritte Buch war leer.

Während Burt auf der Kanzel stand, dachte er darüber nach.

Irgend etwas war 1964 geschehen. Irgend etwas, das mit Religion und dem Mais... und mit Kindern zu tun hatte.

Lieber Gott, wir erbitten deinen Segen für die Ernte. Gelobt sei Jesus Christus, amen.

Und das hoch erhobene Messer, mit dem das Lamm geopfert werden sollte – aber war es überhaupt ein Lamm gewesen? Vielleicht war eine religiöse Zwangsvorstellung an ihrem Verschwinden schuld. Allein, vollkommen allein, von der Außenwelt abgeschnitten und inmitten mehrerer 100 Quadratkilometer raschelnder, geheimnisvoller Maisfelder. Allein unter dem endlosen blauen Himmel. Allein unter dem aufmerksamen Auge Gottes, der jetzt zu einem fremdartigen, grünen Gott geworden war, ein Gott des Mais, alt, fremdartig und hungrig. Er, der hinter den Reihen wandelt.

Burt überlief ein kalter Schauder.

Vicky, laß mich dir eine Geschichte erzählen. Sie handelt von Amos Deigan, der als Richard Deigan am 4. September 1945 geboren wurde. Er nahm den Namen Amos im Jahre 1964 an, ein guter, alttestamentarischer Name, Amos, einer der unbedeutenden Propheten. Nun, Vicky, dann geschah es – lach nicht –, daß Dick Deigan und seine Freunde – Billy Renfrew, George Kirk, Roberta Wells und Eddie Hollis – einem religiösen Wahn zum Opfer fielen und ihre Eltern töteten. Alle. Ist das nicht zum Schreien? Erschossen sie in ihren Betten, erstachen sie in ihren Badezimmern, vergifteten ihr Abendessen, hingen sie auf, und entleibten sie und was weiß ich noch.

Warum? Der Mais. Vielleicht lag er im Sterben. Vielleicht hatten sie die Vorstellung, daß der Mais starb, weil es zuviel Sünde gab. Nicht genügend Opfer. Sie werden es im Korn getan haben, inmitten der Reihen.

Und irgendwie, Vicky, bin ich mir dessen sehr sicher, irgendwie beschlossen sie dann, daß niemand älter als neunzehn werden sollte. Richard »Amos« Deigan, der Held unserer kleinen Geschichte, hatte am 4. September 1964 seinen 19. Geburtstag – dieses Datum nannte das Buch. Ich glaube, daß sie ihn getötet haben. Ihn dem Mais geopfert haben. Ist das nicht eine blödsinnige Geschichte?

Und was ist mit Rachel Stigman, die bis 1964 Donna Stigman hieß? Sie wurde am 21. Juni neunzehn, genau vor einem Monat. Moses Richardson wurde am 29. Juli geboren – in drei Tagen wird er neunzehn. Kannst du dir vorstellen, was mit dem guten Moses am 29. passiert?

Ich mir schon.

Burt befeuchtete seine trockenen Lippen.

Da ist noch etwas anderes, Vicky. Sieh dir das an. Da haben wir Job Gilman (Clayton), der am 6. September 1964 geboren wurde. Keine anderen Geburten mehr bis zum 16. Juni 1965. Eine Lücke von zehn Monaten. Weißt du, was ich glaube? Sie haben alle Eltern getötet, selbst die Schwangeren, das ist, was ich glaube. Und eine von *ihnen* wurde im Oktober 1964 schwanger und gebar Eva. Ein sechzehn- oder siebzehnjähriges Mädchen. *Eva. Die erste Frau.*

Aufgeregt blätterte er im Buch zurück und fand den Eintrag Eva Tobin. Darunter: »Adam Greenlaw, 11. Juli 1965«.

Bis jetzt müssen es elf sein, dachte er, und es kroch eiskalt seinen Rücken hoch. Und vielleicht waren sie dort draußen. Irgendwo.

Aber wie konnte das so lange geheimgehalten werden? Warum waren sie bis jetzt noch nicht entdeckt worden?

Wie, wenn es nicht von Gott selbst gutgeheißen würde?

»O Jesus«, sagte Burt in die Stille hinein, und dann begann die Hupe des T-Bird zu röhren, ein einziger gequälter Aufschrei.

Burt sprang von der Kanzel hinunter und rannte das Mittelschiff entlang. Er schleuderte die Außentüren der Vorhalle zur Seite, und die drückende Sommerhitze schlug ihm entgegen. Vicky saß kerzengerade hinter dem Lenkrad, mit beiden Händen hielt sie den Hupenring umklammert, ihr Kopf schwang wild hin und her. Die Kinder kamen aus allen Richtungen. Einige von ihnen lachten fröhlich. Sie hatten Messer, Steine, Rohrstücke, Kiesel und Hämmer dabei. Ein Mädchen, das vielleicht acht Jahre alt war und schönes, langes blondes Haar besaß, hielt einen Eispickel in der Hand. Ländliche Waffen. Kein Gewehr. Burt fühlte das wilde Verlangen aufzuschreien: *Wer von euch ist Adam, und wer von euch ist Eva? Wer sind die Mütter? Wer sind die Töchter? Väter? Söhne?*

Sage an, bist du so klug?

Sie kamen aus den Seitenstraßen, von der Festwiese, durch ein Tor im Maschenzaun, der den Schulhof einen Block weiter westlich eingrenzte. Einige von ihnen warfen Burt nichtssagende Blicke zu, standen wie erstarrt auf den Kirchenstufen, stießen sich heimlich an, deuteten auf ihn und lächelten... ihr liebliches Kinderlächeln.

Die Mädchen waren in langer brauner Wolle gekleidet, ihre Köpfe wurden von ausgebleichten Sonnenmützen geschützt. Die Jungen waren wie Quäker-Pfarrer alle in Schwarz und trugen breitkrempige Hüte. Sie strömten aus der Stadtmitte auf das Auto zu, überquerten die Rasenflächen, einige wenige kamen über den Vorhof des Gebäudes, das bis 1964 die BAPTISTEN GNADEN KIRCHE gewesen war. Ein oder zwei von ihnen standen so nahe, daß er sie fast hätte berühren können.

»Das Gewehr!« schrie Burt. »Vicky, hol das Gewehr!«

Aber die Angst hatte sie erstarren lassen, er konnte das von den Stufen aus erkennen. Er bezweifelte, ob sie ihn überhaupt durch die geschlossenen Fensterscheiben hören konnte.

Sie versammelten sich um den Thunderbird. Die Äxte und Steine und Rohrstücke begannen zu fallen. Mein Gott, und ich sehe zu? dachte er wie erstarrt. Eine Chromleiste fiel ab. Das Markenzeichen sauste davon. Messer bohrten Spiralen in die Seiten der Reifen, und der Wagen sackte ab. Die Hupe röhrte immer noch. Die Windschutzscheibe und die Seitenfenster wurden milchig, und tiefe Risse begannen sich zu bilden... und dann splitterte das Sicherheitsglas nach innen, und er konnte wieder sehen. Vicky war zurückgekrochen, nur noch eine Hand lag auf dem Hupenring, mit der anderen versuchte sie, ihr Gesicht zu schützen. Gierige junge Hände griffen nach ihr, suchten den Knopf des Sicherheitsgurtes. Sie wehrte sich, so gut es ging. Die Hupe fing an zu stottern und hörte dann vollständig auf.

Die verbeulte und mit Rissen übersäte Fahrertür wurde aufgerissen. Sie versuchten, sie hinauszuziehen, aber ihre Hände umklammerten das Lenkrad. Dann beugte sich einer nach innen, ein Messer in der Hand, und—

Die Erstarrung fiel von ihm ab, und er stürmte die Stufen hinunter, fiel fast, und rannte den gepflasterten Weg auf sie zu. Einer von ihnen, ein Junge von vielleicht sechzehn Jahren, dessen rotes Haar unter dem Hut hervorquoll, drehte sich zu ihm um, fast wie zufällig, und irgend etwas sauste durch die Luft auf ihn zu. Burts linker Arm wurde zurückgeschleudert, und einen Moment lang hatte er das verrückte Gefühl, daß er mit einem Schlag kampfunfähig gemacht worden war. Dann überwältigte ihn der Schmerz, so scharf und plötzlich, daß die Welt um ihn herum hinter einem grauen Schleier verschwand.

Er untersuchte seinen Arm mit einer stumpfsinnigen Art von Entsetzen. Ein 1/2-Dollar-Pensy-Messer ragte wie ein verirrter Fremdkörper hervor. Der Ärmel seines J. C.-Penney-Sporthemdes wurde rot. Er starrte eine kleine Ewigkeit darauf und versuchte zu verstehen, wie dieses Messer dahin geraten war... wie war das möglich?

Als er aufsah, stand der Junge mit den roten Haaren fast vor ihm. Er grinste zufrieden.

»He, du Bastard«, sagte Burt. Seine Stimme klang gebrochen, geschockt.

»Vertraue deine Seele Gott an, denn du wirst in wenigen Augenblicken vor seinem Thron stehen«, sagte der Junge mit den roten Haaren und versuchte mit den Fingern, Burts Augen auszustechen.

Burt taumelte zurück, riß das Messer aus dem Arm und stach es in die Kehle des Jungen hinein. Eine Blutfontäne schoß hervor. Burt wurde vollgespritzt. Der rothaarige Junge begann zu gurgeln und drehte sich im Kreis. Er umklammerte das Messer, versuchte es herauszuziehen, aber es gelang ihm nicht. Burt beobachtete ihn mit offenstehendem Mund. Das konnte doch alles nicht wahr sein. Es war ein Traum. Der rothaarige Junge gurgelte und ging. Nun war dieses Geräusch das einzige in dem heißen Frühnachmittag. Die anderen standen wie erstarrt da.

Das war nicht vorgesehen, dachte Burt dumpf. Vicky und ich, wir waren vorgesehen. Und der Junge im Mais, der zu fliehen versucht hatte. Aber nicht einer von ihnen. Er starrte sie wild an, wollte schreien: *Wie gefällt euch das?*

Der rothaarige Junge gab ein letztes gurgelndes Geräusch von sich und sank dann auf die Knie. Einen Moment lang starrte er Burt an, und dann rutschten seine Hände von dem Messerheft ab, und er fiel nach vorn.

Ein leiser Aufseufzer ging durch die Kinder, die sich um den Thunderbird versammelt hatten. Sie starrten Burt an. Burt starrte fasziniert zurück... und dann erst bemerkte er, daß Vicky nicht mehr da war.

»Wo ist sie?« fragte er. »Wohin habt ihr sie gebracht?«

Einer der Jungen hob ein bluttriefendes Jagdmesser und machte eine bezeichnende Bewegung an der Kehle. Er grinste. Das war die einzige Antwort.

Irgendwo weiter hinten sagte die leise Stimme eines älteren Jungen: »Schnappen wir ihn uns.«

Die Jungen begannen, sich auf ihn zu zu bewegen. Burt wich zurück. Sie begannen, schneller zu gehen. Auch Burt steigerte sein Tempo. Das Gewehr, das gottverdammte Gewehr! Außer Reichweite. Ihre schwarzen Schatten malten sich auf dem grünen Kirchenrasen ab... und dann war er auf dem Bürgersteig. Er drehte sich um und rannte.

»*Tötet ihn!*« brüllte jemand, und sie rannten hinter ihm her.

Er lief, aber er entwickelte einen Plan. Er umging die Städtischen Gebäude – hier war keine Hilfe zu erwarten, sie würden ihn wie eine Ratte ausräumern – und rannte die Hauptstraße hinauf, die sich öffnete und zwei Blocks weiter wieder zur Landstraße wurde. Er und Vicky wären jetzt auf dieser Straße, wenn er nur auf sie gehört hätte.

Seine Sandalen klapperten auf dem Bürgersteig. Vor sich erkannte er ein paar Geschäfte, einschließlich der Gatlin-Eisdiele und – natürlich – das Bijou-Kino. Verdreckte Buchstaben kündigten an: JETZT VORBESTELLEN LETZTE WOCHE ELI A TH TAYLOR A S KLEOP RA. An der nächsten Kreuzung befand sich eine Tankstelle, die die Stadt begrenzte. Und dahinter war der Mais, wucherte auf beiden Straßenseiten. Ein grünes Maismeer.

Burt rannte. Bereits jetzt war er außer Atem, und die Messerwunde in seinem Oberarm begann zu schmerzen. Er ließ eine Blutspur hinter sich. Während er rannte, riß er ein Taschentuch hervor und drückte es in das Hemd hinein.

Er rannte. Seine Sandalen dröhnten auf dem rissigen Beton des Bürgersteiges, sein Atem rasselte, und die Hitze machte ihm immer mehr zu schaffen. Sein Arm begann heftig zu pochen. Mit irgendeinem verbissenen Teil seines Verstandes fragte er sich, ob er den ganzen Weg bis zur nächsten Stadt laufen könnte, ob er die 20 Meilen durchhalten würde.

Er rannte. Hinter sich hörte er ihre fünfzehn Jahre jüngeren Füße, die leisen schnellen Bewegungen, mit denen sie aufholten. Sie schrien aufgeregt und feuerten sich gegenseitig an. Sie schienen dabei mehr Spaß als bei einem Großbrand zu empfinden, dachte Burt zusammenhanglos. Sie würden noch Jahre darüber sprechen.

Burt rannte.

Er rannte bis zur Tankstelle, mit der die Stadt aufhörte. Jeder Atemzug verursachte ein schmerzhaftes Brennen in seiner Brust. Der Bürgersteig lief unter seinen Füßen aus. Und jetzt blieb ihm nur noch eine Möglichkeit offen, nur eine Chance, sie abzuschütteln, und mit seinem Leben davonzukommen. Hier standen keine Häuser mehr, die Stadt lag hinter ihm. Der Mais brandete in einer sanften grünen Welle, die bis an die Straßenecken reichte. Die grünen, schwertähnlichen Blätter raschelten leise. Es würde dort dunkel sein, dunkel und kühl, schattig in den Reihen des mannshohen Mais.

Er rannte an dem Ortsendeschild vorbei: SIE VERLASSEN JETZT GATLIN, DIE NETTESTE KLEINSTADT IN NEBRASKA – UND IN DER ÜBRIGEN WELT! KOMMEN SIE JEDERZEIT WIEDER!

Das werde ich mit Sicherheit tun, dachte Burt dumpf.

Hinter dem Schild spurtete er wie ein Kurzstreckenläufer los, der das Zielband vor Augen hat, und dann wich er plötzlich nach links aus, überquerte die Straße und schleuderte seine Sandalen weg. Dann war er im Mais, und er hüllte ihn wie die grünen Wellen des Meeres ein, nahm ihn auf. Verbarg ihn. Eine unerwartete Erleichterung ergriff von ihm Besitz, und im selben Moment bekam er wieder Luft. Seine brennenden Lungen begannen sich zu beruhigen.

Er rannte die Reihe entlang, in die er eingedrungen war, lief mit geducktem Kopf, so daß seine Schultern die Halme berührten und sie zittern ließen. Dann änderte er seine Richtung, lief 20 Yards parallel zur Straße entlang, behielt dabei sein Tempo bei, lief so geduckt wie möglich, damit sie seinen schwarzen Kopf nicht sehen konnten, der die gelben Maiskolben streifte.

Ein paar Sekunden lang hielt er auf die Straße zu, überquerte mehrere Reihen und wandte dann der Straße wieder den Rücken zu, hüpfte wahllos von Reihe zu Reihe und geriet dabei immer tiefer in den Mais.

Schließlich fiel er auf die Knie und drückte seinen Kopf auf den Boden. Er hörte nichts weiter als seinen eigenen, keuchenden Atem, und in seinem Inneren spielte sich unermüdlich ein Gedanke ab: *Gott sei Dank habe ich das Rauchen aufgegeben, Gott sei Dank habe ich das Rauchen aufgegeben, Gott sei Dank—*

Dann hörte er sie, hörte, wie sie sich gegenseitig anfeuerten, wie sie sich manchmal in die Quere kamen (»He, das ist meine Reihe!«), und das Geräusch drohte ihn in Panik zu versetzen. Sie waren ein ganz schönes Stück weiter links, und es klang nicht so, als ob sie Erfahrung mit solchem Suchen hätten.

Er nahm das Taschentuch aus dem Hemd, faltete es und drückte es wieder hinein, nachdem er sich die Wunde angesehen hatte. Trotz der primitiven Behandlung war die Blutung zum Stillstand gekommen.

Er ruhte sich noch einen Moment aus, und plötzlich wurde er sich bewußt, wie gut er sich fühlte, so gut wie schon seit Jahren nicht mehr... mit Ausnahme des Pochens in seinem Arm. Er fühlte sich irgendwie befreit, und mit plötzlicher Klarheit erkannte er, wie die letzten beiden Jahre seiner Ehe an ihm gezehrt hatten. Es war nicht richtig, daß er so dachte, sagte er sich selbst. Er befand sich in der gefährlichsten Situation seines Lebens, und seine Frau war ihnen in die Hände gefallen. Vielleicht war sie jetzt schon tot. Er versuchte, sich Vickys Gesicht vorzustellen und versuchte, das seltsame, gute Gefühl zu unterdrücken, das er dabei empfand, aber ihr Gesicht blieb verschwommen. Statt dessen sah er den rothaarigen Jungen vor sich, der das Messer in seiner Kehle umklammert hielt.

Er wurde sich des süßlichen Duftes um ihn herum bewußt. Der Wind, der über die Pflanzenspitzen strich, machte ein Geräusch, das dem entfernter Stimmen ähnlich war. Besänftigend. Was auch immer im Namen des Mais geschehen sein mochte, nun schützte er ihn. Aber sie kamen näher.

Geduckt jagte er die Reihe entlang, in der er sich ausgeruht hatte, wich nach rechts aus, lief zurück und überquerte immer mehr Reihen. Er versuchte dabei, sich rechts von den Stimmen zu halten, aber je weiter der Nachmittag voranschritt, um so schwieriger wurde es. Die Stimmen wurden schwächer, und oft vermischten sie sich mit dem Rascheln des Mais, so daß er die Geräusche nicht mehr zu trennen vermochte. Er rannte, lauschte, rannte wieder. Die Erde war ausgedörrt, und seine bestrumpften Füße hinterließen fast keine Spuren.

Als er endlich anhielt, hing die Sonne über den Feldern zu seiner Rechten, rot und verwaschen, und ein Blick auf die Uhr zeigte ihm, daß es schon Viertel nach sieben war. Die Sonne hatte die Maisspitzen in rotes Gold getaucht, aber die Schatten waren bereits tief und dunkel. Er hob den Kopf und lauschte. Bei Beginn des Sonnenunterganges war der Wind vollkommen versiegt, und der Mais stand still, entfaltete sein Aroma in der warmen Luft. Wenn sie immer noch im Mais waren, dann waren sie entweder sehr weit entfernt, oder sie hatten sich versteckt und lauschten ihrerseits.

Aber Burt konnte sich nicht vorstellen, daß eine Kinderbande, selbst eine solch verrückte, sich so lange ruhig halten konnte. Er vermutete, daß sie sich genauso wie andere Kinder verhalten würden, ohne die Konsequenzen zu bedenken: Sie hatten aufgegeben und waren nach Hause gegangen.

Er begann, sich in Richtung der untergehenden Sonne zu bewegen, die zwischen den weißen Wolken am Horizont hing. Wenn er sich diagonal zu den Reihen bewegte, und dabei immer die Sonne im Rücken behielt, mußte er früher oder später auf die Bundesstraße 17 stoßen.

Der Schmerz in seinem Arm war zu einem dumpfen Pochen abgeklungen, das er als fast angenehm empfand, und noch immer fühlte er sich von einem erlösten Gefühl durchströmt. Er beschloß, dieses Gefühl, solange er hier war, zu genießen, ohne sich dabei von irgend etwas anderem ablenken zu lassen. Wenn er sich den Behörden stellte und berichtete, was in Gatlin geschah, dann würde ihn früh genug die Schuld einholen. Aber das hatte Zeit.

Er schob sich durch den Mais und dachte, daß er sich noch

nie zuvor so klar gefühlt hatte. Fünfzehn Minuten später war
die Sonne nur noch eine Halbkugel am Horizont, und er hielt
wieder; sein neu erwachtes Bewußtsein verwischte sich in einer
Art, die er nicht mochte. Er empfand irgendwie... nun, er
empfand irgendwie Angst.

Er hob den Kopf. Der Mais raschelte. Burt hatte es schon die
ganze Zeit über bemerkt, aber er hatte ihm keine Beachtung
geschenkt.

Es war windstill. Was konnte es sein?

Er sah sich unsicher um, erwartete halbwegs, erwartete fast,
daß die lächelnden Jungen in ihren Priestergewändern aus dem
Mais gekrochen kamen, ihre Messer entschlossen in der Hand
hielten. Aber nichts dergleichen. Immer noch raschelte es. Zu
seiner Linken.

Er ging jetzt in diese Richtung, mußte sich nicht mehr durch
den Mais zwängen. Die Reihe führte ihn in die Richtung, die er
gehen wollte. Und dann endete die Reihe vor ihm. Endete?
Nein, lief irgendwie aus. Das Rascheln kam von dort, von einer
Art Maislichtung.

Er hielt, hatte plötzlich Angst.

Der Geruch des Mais war so stark, daß er unangenehm zu
werden begann. In den Reihen hatte sich die Tageshitze gespei-
chert, und es wurde ihm plötzlich bewußt, daß er mit einer
Mischung aus Schweiß, Spreu und dünnen Getreidehalmen
übersät war. An sich hätte er Insekten anlocken müssen...
aber es waren keine da.

Er stand still da, starrte auf die Stelle, in der sich der Mais zu
einem großen Kreis öffnete, auf dem überhaupt nichts zu
wachsen schien.

Es gab keine Mücken oder Moskitos, weder Stechfliegen
noch Milben – diese Art von Insekten, die Vicky in ihrer
Verlobungszeit »Eindringlinge« genannt hatte, dachte er mit
einem plötzlichen und unerwartet nostalgischen Gefühl. Und
er sah keine einzige Krähe. Was war das für ein gespenstischer
Ort, ein Maisfeld ohne Krähen?

Im verblassenden Tageslicht betrachtete er die Maisreihen zu
seiner Linken und sah, daß jede Reihe, jeder Kolben perfekt

ausgerichtet war, was einfach unmöglich war. Kein Schädlings-
befall. Keine abgerissenen Blätter, keine Raupenspur, keine
Erdlöcher, keine –

Seine Augen weiteten sich.

Mein Gott, da war überhaupt kein Unkraut!

Nicht ein einziges. In einem Abstand von einem halben Fuß
wuchs der Mais senkrecht aus dem Boden. Er sah weder
Brennesseln noch Löwenzahn, Schafgarbe, Kamille oder
Klatschmohn. Nichts.

Burts Augen waren weit aufgerissen. Das Licht der untergehenden Sonne ließ nach. Die hellen Wolken hatten sich weiter-
bewegt. Unter ihnen verblaßte das goldene Licht in rötlichen
und ockerfarbenen Tönen. Es würde bald dunkel sein.

Es war an der Zeit, in die Lichtung einzudringen und sich
dem zu stellen, was er dort vorfinden würde – war das von
Anfang an so geplant gewesen? All die Zeit, in der er geglaubt
hatte, sich auf die Schnellstraße zuzubewegen, war er da zu
diesem Platz geführt worden?

Mit verkrampftem Magen bewegte er sich die Reihe hinunter
und stand am Ende der Lichtung. Es war noch so hell, daß er
erkennen konnte, was sich dort befand. Er konnte nicht
schreien. Es schien nicht mehr genug Luft in ihm zu sein. Er
torkelte auf weichen Knien vorwärts. Seine Augen quollen ihm
fast aus dem verschwitzten Gesicht.

»Vicky«, flüsterte er. »O Vicky, mein Gott –«

Sie war wie ein heidnisches Opfer auf einer Querlatte aufge-
schnallt worden, die Arme wurden an den Handgelenken
gehalten, und ihre Beine waren an den Knöcheln mit normalem
Stacheldraht festgezurrt worden, den man für 70 Cent in jedem
Eisenwarengeschäft in Nebraska kaufen konnte. Man hatte ihr
die Augen ausgehöhlt. In die leeren Augenhöhlen war Spreu
gestopft worden. Ihr Kiefer war wie zu einem stummen Schrei
geöffnet, ihr Mund war mit Maiskolben vollgestopft.

Zu ihrer Linken befand sich ein Skelett in einem vermoderten
Chorhemd. Die nackten Unterkieferknochen grinsten. Die
Augenhöhlen schienen Burt schalkhaft zuzuzwinkern, als ob
der ehemalige Pfarrer der BAPTISTEN GNADEN KIRCHE sagen

wollte: *Es ist gar nicht so schlimm, von heidnischen Teufelskindern im Mais geopfert zu werden, die Augen aus dem Schädel herausgerissen zu bekommen, ganz wie es das Gesetz von Moses befiehlt, es ist gar nicht so schlimm –*. Links von dem Skelett in dem Chorhemd befand sich ein weiteres Skelett, das in eine verrottete blaue Uniform gekleidet war. Eine Mütze hing über dem Schädel und verbarg die Augen, mühsam konnte Burt die Worte auf dem grünlichen Band der Mütze entziffern: POLIZEICHEF.

Und dann hörte Burt, wie es kam: nicht die Kinder, aber etwas viel Größeres, das sich durch den Mais bewegte und auf die Lichtung zuhielt. Nicht die Kinder, nein. Die Kinder würden sich nicht in der Nacht im Mais aufhalten. Dies hier war ein heiliger Ort, der Ort von ihm, der hinter den Reihen wandelte.

Mit einem Satz wandte sich Burt zur Flucht. Die Reihe, die ihn zur Lichtung geführt hatte, war verschwunden. Sie hatte sich geschlossen. Alle Reihen hatten sich geschlossen. Es kam näher, und er konnte hören, wie der Mais zur Seite gedrückt wurde. Er hörte seinen eigenen, stoßartigen Atem. Eine fast übernatürliche Panik ergriff ihn. Es kam. Der Mais auf der gegenüberliegenden Seite der Lichtung verdunkelte sich plötzlich, als ob er von einem gigantischen Schatten ausgelöscht worden wäre.

Er kam.

Er, der hinter den Reihen wandelt.

Er war jetzt in der Lichtung. Burt sah etwas Grünes, mit schrecklichen roten Augen in der Größe von Fußbällen.

Etwas, das den Geruch von Maiskolben verströmte, die jahrelang in einer dunklen Scheune gelagert worden waren.

Burt begann zu schreien. Aber er schrie nicht sehr lange.

Etwas später ging ein Mond von der Farbe einer blutroten Orange auf.

Die Kinder des Mais standen am Mittag auf der Lichtung, sahen auf die beiden gekreuzigten Skelette und die beiden Körper ... die beiden Körper, die noch keine Skelette waren, aber es bald sein würden. Im Laufe der Zeit. Und hier, im

Herzen von Nebraska, inmitten des Korns, hatten sie genug Zeit.

»Siehe da, ein Traum überkam mich des Nachts, und der Herr zeigte mir das alles.«

Sie alle drehten sich um, sogar Malachias, und sahen Isaak mit einer Mischung von Ehrfurcht und Erstaunen an. Isaak war erst neun, aber seit David vor einem Jahr vom Mais genommen wurde, war er der Seher der Gruppe. David war damals neunzehn geworden, und er war an seinem Geburtstag in den Mais gegangen, gerade als der Dunst von den Reihen aufgestiegen war.

Isaaks schmales Gesicht wirkte unter dem runden Hut ernst und feierlich, als er fortfuhr.

»Und in meinem Traum war der Herr ein Schatten, der hinter den Reihen wandelte, und er sprach zu mir in den Worten, die er vor Jahren unseren älteren Brüdern gesagt hatte. Er hat großes Mißfallen an dem Opfer gefunden.«

Ein Aufstöhnen ging durch die Gruppe, und sie sahen das alles umgebene Grün.

»Und der Herr sprach: Habe ich euch nicht einen Platz des Todes gegeben, damit ihr da selbst opfern könnt? Und habe ich euch nicht meine Gunst erwiesen? Aber dieser Mann machte sich der Sünde der Blasphemie schuldig, und ich selbst habe das Opfer vollendet. Wie beim blauen Mann und dem falschen Priester, der vor vielen Jahren entkam.«

»Der blaue Mann . . . der falsche Priester«, flüsterten sie und warfen sich unsichere Blicke zu.

»So, nun wird das Alter der Gunst von neunzehn Feldbestellungen und Ernten auf achtzehn erniedrigt«, fuhr Isaak ohne Unterbrechung fort. »Doch seid fruchtbar und mehret euch, wie sich der Mais mehrt, daß sich meine Gunst euch aufs neue erweisen möge und über euch komme.«

Isaak verstummte.

Sie drehten sich langsam zu Malachias und Josef um, die einzigen unter ihnen, die schon achtzehn waren. Die anderen waren in der Stadt verblieben, insgesamt ungefähr zwanzig an der Zahl.

Sie warteten auf das, was Malachias sagen würde, Malachias, der die Jagd nach Japet geleitet hatte, der von nun an Ahaz genannt wurde, der von Gott Verfluchte. Malachias hatte Ahaz die Kehle durchgeschnitten und seinen Körper vom Mais auf die Straße geschmissen, so daß er weder besudele noch entweihe.

»Ich gehorche dem Wort Gottes«, flüsterte Malachias.

Der Mais schien mit einem Seufzer sein Einverständnis zu geben.

In den kommenden Wochen würden die Mädchen viel damit zu tun haben, um aus den Maiskolben Kreuze zu flechten, die weiteres Unheil abwehren sollten.

Und in dieser Nacht gingen all diejenigen, die das Alter der Gunst überschritten hatten, gefaßt und ruhig in den Mais, gingen zur Lichtung, um die Gunst desjenigen zu gewinnen, der hinter den Reihen wandelt.

»Auf Wiedersehen, Malachias«, rief Ruth. Sie winkte unglücklich. Sie war von Malachias' Kind schwanger, und Tränen liefen ihr über die Wangen. Malachias drehte sich nicht um. Er hielt sich aufrecht. Der Mais verschluckte ihn.

Ruth drehte sich, immer noch weinend, um. Ein Haßgefühl gegenüber dem Mais hatte von ihr Besitz ergriffen, und manchmal träumte sie davon, mit Fackeln in den Händen an einem trockenen September-Tag wiederzukommen, wenn die Halme tot und explosiv entzündbar waren. Aber sie fürchtete sich auch davor. Hier draußen bewegte sich etwas in der Nacht und sah alles... selbst die geheimsten Gedanken, die in menschlichen Herzen verschlossen waren.

Der Abenddunst ging in Nacht über. Der Mais um Gatlin raschelte und flüsterte geheimnisvoll. Der Mais war sehr zufrieden.

Die letzte Sprosse

Gestern bekam ich Katrinas Brief, keine Woche, nachdem mein Vater und ich aus Los Angeles zurück sind. Er war nach Wilmington, Delaware, adressiert, und seit damals bin ich zweimal umgezogen. Die Leute ziehen heutzutage so viel um, und es ist komisch, aber diese durchgestrichenen Adressen und die Empfänger-verzogen-Aufkleber können manchmal wirklich wie Anklagen aussehen. Ihr Brief war zerknittert und schmutzig, und eine der Ecken mußte irgendwo auf dem Weg geknickt worden sein. Ich las ihn, und das nächste, was ich weiß, ist, daß ich neben dem Telefon im Wohnzimmer stand, den Hörer in der Hand, und Dad anrufen wollte. Doch dann legte ich den Hörer entsetzt wieder auf die Gabel. Er war ein alter Mann und hatte schon zwei Herzanfälle hinter sich. Ich wollte ihn doch nicht im Ernst anrufen und ihm von Katrinas Brief erzählen, so kurz nachdem wir aus Los Angeles zurück waren? Das hätte seinen Tod bedeuten können.

Ich rief ihn also nicht an. Und es gab niemanden, dem ich es hätte erzählen können... so etwas wie dieser Brief ist so persönlich, daß man höchstens mit seiner Frau oder einem sehr engen Freund darüber sprechen kann. Richtig enge Freunde habe ich hier eigentlich nicht, und meine Frau Helen und ich haben uns 1971 scheiden lassen. Der einzige Kontakt, den wir noch haben, sind die Karten zu Weihnachten. Wie geht es dir? Was macht die Arbeit? Ein frohes Neues Jahr.

Ich habe die ganze Nacht wachgelegen und über Katrinas Brief nachgedacht. Sie hätte es auch auf eine Postkarte schreiben können. Es stand nur ein einziger Satz unter der Anrede »Lieber Larry«. Aber ein Satz kann sehr viel aussagen. Und er kann sehr viel bewirken.

Ich sehe Dad noch im Flugzeug vor mir, sein Gesicht wirkte alt und müde im harten Sonnenlicht von 18 000 Fuß Höhe, als wir von New York aus nach Westen flogen. Wir hatten gerade Omaha hinter uns gelassen, wie uns der Pilot erklärte, und Dad meinte: »Es ist viel weiter, als es aussieht, Larry.« In seiner Stimme lag eine tiefe Traurigkeit, die mich unsicher machte, weil ich es nicht verstehen konnte. Ich verstand es, nachdem ich Katrinas Brief bekam.

Wir wuchsen in einer Stadt namens Hemingford Home achtzig Meilen westlich von Omaha auf – wir, das waren mein Dad, meine Mom, meine Schwester Katrina und ich. Ich war zwei Jahre älter als Katrina, die von allen Kitty gerufen wurde. Sie war ein bildhübsches Kind und später eine bildhübsche Frau – schon mit acht, als diese Sache in der Scheune passierte, konnte man sehen, daß ihr weizenblondes, seidiges Haar nie dunkler werden und ihre Augen immer tiefblau bleiben würden. Ein Blick in diese Augen mußte jeden Mann schwach werden lassen.

Ich glaube, man hätte uns als Bauern bezeichnen können. Mein Dad besaß dreihundert Morgen flaches, fruchtbares Land, auf dem er Korn anbaute und Vieh züchtete. Alle nannten es einfach »Daheim«. Damals waren noch alle Straßen unbefestigt, mit Ausnahme der Highways Interstate 80 und Nebraska Route 96, und eine Fahrt in die Stadt war etwas, worauf man sich schon drei Tage im voraus freute.

Heute bin ich einer der besten freien Rechtsberater in Amerika – so hat man mir jedenfalls gesagt –, und der Ehrlichkeit halber muß ich eingestehen, daß ich glaube, sie haben recht. Der Präsident einer großen Gesellschaft stellte mich einmal seinem Direktorium als seine »beste Kanone« vor. Ich trage teure Anzüge und Schuhe aus feinstem Leder, habe drei vollbeschäftigte Assistenten und kann jederzeit auf ein Dutzend andere zurückgreifen, wenn ich sie brauche. Damals aber ging ich auf einer staubigen Landstraße zu einer Schule mit einem einzigen Klassenraum, die mit einem Riemen zusammengebundenen Bücher über die Schulter gehängt, und Katrina ging mit. Manchmal, im Frühjahr, gingen wir barfuß. In jener Zeit mußte man noch Schuhe an den Füßen haben, wenn man in einem Restaurant bedient werden oder in einem Laden einkaufen wollte.

Später starb dann meine Mutter – Katrina und ich besuchten zu der Zeit die High School in Columbia City –, und zwei Jahre darauf verlor mein Vater unser Heim und fing an, Traktoren zu verkaufen. Es war das Ende unserer Familie, auch wenn es damals nicht so schlimm aussah. Dad kam vorwärts in seinem neuen Job, kaufte sich eine Vertretung und erhielt vor neun Jahren einen Managerposten. Ich bekam ein Footballstipendium an der Universität von Nebraska und brachte es fertig, auch noch etwas anderes zu lernen, als mit einem Ball umzugehen.

Und Katrina? Aber gerade über sie will ich ja erzählen.

Die Sache mit der Scheune passierte an einem Samstag, Anfang November. In welchem Jahr genau es war, kann ich wirklich nicht mehr sagen, aber ich weiß, daß Ike noch Präsident war. Mom war auf einem Basar in Columbia City und Dad zu unserem nächsten Nachbarn (und der war sieben Meilen entfernt), um ihm bei der Reparatur eines Heuwenders zu helfen. Es hätte zwar eigentlich jemand da sein sollen, ein Mann, den Dad eingestellt hatte, aber er tauchte an jenem Tag nicht auf, und mein Dad feuerte ihn keine vier Wochen später.

Dad hatte mir eine Liste mit Dingen dagelassen, die ich erledigen sollte (es war auch einiges für Kitty dabei) und uns gesagt, daß wir nicht eher spielen gehen durften, bis alles getan war. Doch das dauerte nicht lange. Es war November, und zu dieser Jahreszeit war der kritische Zeitpunkt, an dem sich entschied, ob man das Jahr schaffte oder nicht, längst vorbei. In jenem Jahr hatten wir es wieder einmal geschafft. Aber so blieb es nicht immer.

Ich kann mich noch sehr genau an jenen Tag erinnern. Der Himmel war überzogen, und es war zwar nicht kalt, aber man konnte spüren, daß es kalt werden *wollte,* daß es endlich richtig Winter mit Eis und Schnee werden wollte. Die Felder waren kahl, die Tiere mürrisch und träge. Überall im Haus schien es komischerweise ein bißchen zu ziehen, was vorher nie der Fall gewesen war.

An einem solchen Tag war der einzige wirklich angenehme Ort die Scheune. Sie war warm und erfüllt vom Geruch nach Heu, Tieren und Mist und dem geheimnisvollen Glucken und Gurren der Rauchschwalben hoch oben auf dem dritten Heuboden. Wenn man sich den Hals verrenkte, konnte man das weiße Novemberlicht sehen, das durch die Ritzen im Dach hereinfiel, und versuchen, seinen Namen zu buchstabieren. Es war ein Spiel, wie man es wirklich nur an trüben Herbsttagen spielen würde.

In der Scheune gab es eine Leiter, die an einen Querbalken hoch oben im dritten Heuboden genagelt war und senkrecht hinunter bis auf den Scheunenboden ging. Es war uns verboten, hinaufzuklettern, weil sie alt und morsch war. Dad hatte Mom schon hundertmal versprochen, sie abzureißen und eine neue aufzustellen, aber irgendwie schien immer etwas anderes dazwischenzukommen, wenn er Zeit gehabt hätte ... zum Beispiel einem Nachbarn bei der Reparatur seines Heuwenders zu helfen. Und der Mann, den Dad eingestellt hatte, gehörte nicht gerade zu den Arbeitswütigen.

Wenn man diese brüchige Leiter hinaufkletterte – sie hatte genau dreiundvierzig Sprossen; Kitty und ich hatten sie oft genug gezählt –, landete man oben auf einem Balken, der zwanzig Meter über dem Scheunenboden lief. Und dann, nachdem man vorsichtig etwa vier Meter über den Balken balanciert war, mit zitternden Knien, knirschenden Knöcheln und trockenem Mund, dann stand man genau über dem Heuhaufen. Und dann konnte man vom Balken hinunterspringen und fiel mit einem Gefühl, als ob man gleich sterben müßte, in einem tollen Senkrechtsturz geradewegs in ein riesiges, üppiges Bett aus weichem Heu. Heu hat einen süßen Duft, und man fiel mitten hinein in diesen Duft des wiedergeborenen Sommers, während der Magen noch irgendwo hoch oben in der Luft hing, und man fühlte sich ... nun, wie Lazarus. Man war gesprungen und hatte überlebt, um darüber berichten zu können.

Natürlich war das Spiel verboten, wegen der Leiter und weil man auf den harten Planken des Scheunenbodens in seinen sicheren Tod gestürzt wäre, wenn man die Balance verloren hätte und vom Balken gefallen wäre, bevor man das sichere Heubett erreicht hatte. Wenn wir dabei erwischt worden wären, hätte meine Mutter Zeter und Mordio geschrien, und mein Vater hätte uns trotz unseres Alters noch die Hosen strammgezogen.

Aber die Versuchung war einfach zu groß. Sie kennen ja das Sprichwort: Wenn die Katze aus dem Haus ist und so weiter...

Jener Tag begann wie all die anderen vorher, mit einem herrlichen Gefühl der Angst, in das sich freudige Erwartung mischte. Wir standen am Fuß der Leiter und sahen einander an. Kitty war ganz rot im Gesicht, und ihre Augen waren noch dunkler und glänzender als sonst.

»Du traust dich nicht«, sagte ich.

»Zuerst du«, erwiderte Kitty prompt.

»Mädchen vor Jungen«, kam es sofort von mir zurück.

»Nicht, wenn es gefährlich ist.« Sie schlug geziert die Augen nieder, als ob nicht jeder gewußt hätte, daß sie der zweitgrößte Wildfang in ganz Hemingford war. Aber so machte sie es eben immer. Sie würde hinaufklettern, aber nicht als erste.

»Na schön«, sagte ich. »Dann gehe ich eben zuerst.«

Ich war in jenem Jahr zehn und mit meinen achtzig Pfund so dünn wie ein Strich in der Landschaft. Kitty war acht und fast zwanzig Pfund leichter. Da uns die Leiter bisher jedesmal gehalten hatte, glaubten wir, sie müßte uns immer halten, eine Philosophie, die Menschen und Nationen immer wieder in Schwierigkeiten bringt.

Ihren Trugschluß begann ich an jenem Tag zu erahnen, als ich in der staubigen Scheunenluft immer höher kletterte. Wie immer erlebte ich auf halbem Weg nach oben eine Vision dessen, was mit mir passieren würde, wenn die Leiter plötzlich ihren Geist aufgab. Aber trotzdem stieg ich weiter hinauf, bis ich endlich den Balken umklammern, mich hinaufziehen und hinunterblicken konnte.

Kittys Gesicht, das zu mir hinaufgewandt war, glich einem kleinen weißen Oval. In ihrem ausgebleichten karierten Hemd und der blauen Jeans sah sie aus wie eine Puppe. Über mir, zwischen den **staub**igen Dachbalken, gurrten die Schwalben leise.

»Hi, da unten!« rief ich wie immer, und meine Stimme schwebte auf winzigen Spreustäubchen zu ihr herunter.

»Hi, da oben!«

Ich stand auf. Schwankte ein bißchen hin und her. Wie immer schienen plötzlich seltsame Strömungen in der Luft zu sein, die es unten nicht gegeben hatte. Ich konnte mein Herz klopfen hören, als ich begann, mich Zentimeter für Zentimeter vorwärtszuarbeiten, die Arme zur Seite ausgestreckt, um besser die Balance halten zu können. Bei diesem Teil des Unternehmens war mir einmal eine Schwalbe dicht am Kopf vorbei getaucht, und als ich ausweichen wollte, hätte ich fast das Gleichgewicht verloren. Seitdem hatte ich Angst davor, daß dies wieder passieren könnte.

Doch diesmal nicht. Endlich stand ich über dem sicheren Heuhaufen. Jetzt war der Blick nach unten weniger angsteinflößend als vielmehr sinnlich. Ich erlebte einen Augenblick freudiger Erwartung, bevor ich ins Leere trat, wobei ich mir wegen des Effekts die Nase zuhielt. Und wie immer, als mich die Schwerkraft so plötzlich ergriff, mich brutal hinunterzog, so daß ich wie ein Stein in die Tiefe stürzte, glaubte ich, schreien zu müssen: *Nein, es tut mir leid, es war verkehrt, ich will wieder hinauf!*

Dann schoß ich auch schon wie ein Projektil in das Heu, das mich mit seinem süßen und staubigen Duft umfing, sank tiefer, als tauchte ich in Wasser ein, bis es endlich vorbei war und ich im Heu begraben war. Wie immer merkte ich, wie es in meiner Nase kitzelte. Und ich hörte, wie ein paar aufgescheuchte Feldmäuse erschrocken das Weite und einen etwas ruhigeren Teil des Heuhaufens suchten. Und fühlte mich auf jene sonderbare Weise wie neugeboren. Ich weiß, daß Kitty mir einmal gesagt hat, daß sie sich nach dem Sprung in das Heu frisch und wie ein neugeborenes Baby fühlte. Damals habe ich nur die Achseln gezuckt – irgendwie wußte ich, was sie meinte, und wußte es doch nicht –, aber seit ich ihren Brief bekommen habe, denke ich auch darüber nach.

Ich kletterte aus dem Heu, fast, als würde ich hindurchschwimmen, bis ich dann auf dem Scheunenboden stand. Ich war überall voll von Heuhalmen, sie steckten in meinem Nakken, klebten auf meiner Hose und den Turnschuhen, und sogar in den Haaren hatte ich Heusamen.

Kitty war inzwischen schon halb die Leiter hinauf, und ihre goldblonden Rattenschwänze hüpften ausgelassen auf ihren Schultern, während sie durch einen staubigen Lichtschacht hinaufkletterte. An anderen Tagen hätte jenes Licht vielleicht genauso geschimmert wie ihre Haare, aber an jenem Tag waren ihre Rattenschwänze ohne Konkurrenz – sie waren bei weitem das Leuchtendste, was es da oben gab.

Ich weiß noch, wie ich dachte, daß die Leiter gefährlich wackelte, und ich fand, daß sie mir noch nie so unsicher vorgekommen war.

Dann stand sie auf dem Balken, hoch über mir – jetzt war ich die Puppe unten, und mein Gesicht war das kleine, weiße, nach oben gerichtete Oval, als ihre Stimme auf den treibenden Spreuteilchen zu mir herunterschwebte, die ich mit meinem Sprung aufgewirbelt hatte:

»Hi, da unten!«

»Hi, da oben!«

Sie balancierte über den Balken, und mein Herz löste sich ein kleines bißchen in meiner Brust, als ich sie in Sicherheit über dem Heu wußte. So war es immer, auch wenn sie sich viel sicherer bewegte als ich... und viel athletischer war, wenn man das so von seiner Schwester sagen kann.

Sie stand da oben und balancierte auf den Spitzen ihrer alten Turnschuhe, die Hände vor sich ausgestreckt. Und dann tauchte sie. Es gibt eine Menge von Dingen, die man nicht vergessen und die man nicht beschreiben kann. Nun, ich kann es beschreiben... jedenfalls auf gewisse Weise. Allerdings nicht so, daß ich Ihnen begreiflich machen könnte, wie wundervoll es war, wie perfekt, eins der wenigen Dinge in meinem Leben, die absolut perfekt und vollkommen scheinen. Nein, das kann ich Ihnen nicht beschreiben, denn dazu fehlt mir die Fähigkeit, sowohl mit der Feder wie mit Worten.

Einen Augenblick lang schien sie in der Luft zu hängen, als würde sie von einer jener mysteriösen Strömungen getragen, die es nur oben auf dem dritten Boden gab, eine strahlende Schwalbe mit goldenem Gefieder, wie sie Nebraska noch nie gesehen hatte. Sie war Kitty, meine Schwester, die Arme nach hinten gestreckt und den Rücken gebogen. Wie sehr ich sie diesen Herzschlag lang liebte!

Und dann war sie unten, sank in das Heu und verschwand. Spreu und ihr Kichern stoben aus dem Loch, das sie hinterlassen hatte. Schon hatte ich vergessen, wie morsch und unsicher die Leiter unter ihr ausgesehen hatte, und als sie endlich aus dem Heuhaufen heraus war, war ich schon wieder halb oben.

Ich kann nicht genau sagen, wie lange das Spiel so weiterging, doch als ich irgendwann, zehn oder zwölf Sprünge später, hinaufblickte, sah ich, daß sich das Licht verändert hatte. Bald würden unsere Mom und unser Dad wieder zurück sein, und wir waren über und über voll Heu... genausogut wie ein offenes Geständnis. Wir einigten uns darauf, daß wir jeder noch einmal sprangen.

Ich war der erste, und als ich hinaufkletterte, konnte ich – wenn auch nur ganz schwach – das Quietschen der alten Nägel hören, die sich aus dem Holz lösten. Zum erstenmal bekam ich es richtig mit der Angst zu tun, und ich glaube, wenn ich nicht schon so hoch gewesen wäre, dann wäre ich wieder heruntergestiegen, und damit wäre die ganze Sache zu Ende gewesen, aber der Balken war näher und schien sicherer. Bei den letzten drei Sprossen wurde das Quietschen der Nägel lauter, und plötzlich war ich starr vor Angst, in der Gewißheit, daß ich es zu weit getrieben hatte.

Dann fühlte ich den rauhen Balken unter meinen Händen und zog mein Gewicht von der Leiter. Kalter, unangenehmer Schweiß bildete sich zwischen den Heuspelzen auf meiner Stirn. Das Spiel machte auf einmal keinen Spaß mehr.

Hastig balancierte ich zum Heuhaufen hinüber und sprang. Auch das angenehme Gefühl beim Fallen wollte sich nicht mehr einstellen. Auf dem Weg nach unten stellte ich mir vor, wie es wäre, wenn mich statt des weichen Heuhaufens die harten Planken des Scheunenbodens in Empfang nehmen würden.

Als ich aus dem Heu wieder auftauchte, sah ich, wie Kitty schon die Leiter hinaufeilte. »Hey, komm runter!« rief ich ihr nach. »Sie wackelt!«

»Sie hält mich schon!« rief sie zuversichtlich zurück. »Ich bin ja leichter als du!«

»Kitty—«

Weiter kam ich nicht, denn in diesem Augenblick gab die Leiter nach.

Mit einem morschen Krachen brach sie durch. Ich stieß einen Schrei aus, und Kitty begann zu schreien. Sie war ungefähr dort, wo ich zu der Überzeugung gekommen war, daß ich mein Glück zu sehr herausgefordert hatte.

Die Sprosse, auf der sie stand, gab nach, und dann brachen beide Holme. Für einen Moment erinnerte die Leiter unter ihr, die jetzt völlig frei stand, an ein schwerfälliges Insekt – eine Gottesanbeterin oder eine Heuschrecke –, das gerade davonstelzen wollte.

Dann kippte sie um und schlug klatschend auf dem Boden auf. Staub wirbelte auf, und die Kühe muhten verstört. Eine Kuh trat gegen die Tür ihrer Box.

Kitty stieß einen schrillen, durchdringenden Schrei aus.

»Larry! Larry! Hilf mir!«

Ich wußte, was ich tun mußte, ich sah es sofort. Ich hatte zwar entsetzliche Angst, aber doch nicht so schlimm, daß ich wie erstarrt dagestanden hätte. Kitty hing mehr als sechzehn Meter über mir, die Beine in den Blue Jeans strampelten wild in der Luft, während über ihr die Rauchschwalben gurrten. Ich hatte Angst, große Angst. Wissen Sie, auch heute kann ich noch nicht bei einem Luftakt im Zirkus hinschauen, noch nicht mal im Fernsehen. Dabei wird es mir jedesmal flau im Magen.

Trotzdem wußte ich, was ich zu tun hatte.

»Kitty!« brüllte ich hinauf.

»Halt still! *Nicht bewegen!«*

Sie gehorchte augenblicklich. Ihre Beine hörten auf zu strampeln, und sie hing senkrecht herunter, die kleinen Hände um die letzte Sprosse des abgebrochenen Leiterendes geklammert, wie ein Akrobat, dessen Trapez zu schwingen aufgehört hat.

Ich lief hinüber zum Heuhaufen, griff mir einen Armvoll, rannte zurück und warf es hin. Dann rannte ich wieder zurück. Und wieder. Und wieder.

Danach weiß ich nicht mehr viel, außer, daß mir das Heu in der Nase kitzelte und ich anfing zu niesen und nicht mehr aufhören konnte. Ich rannte hin und her und türmte einen Heuhaufen auf, dort, wo der Fuß der Leiter gewesen war. Es war ein sehr kleiner Heuhaufen. Wenn man ihn und dann Kitty so hoch oben sah, kam einem einer dieser Cartoons in den Sinn, in dem jemand aus hundert Meter Höhe in ein Wasserglas springt.

Hin und her. Hin und her.

»Larry, ich kann nicht mehr lange halten!« Ihre Stimme klang schrill und verzweifelt.

»Du mußt, Kitty! Du mußt!«

Hin und her. Heu kratzte in meinem Hemd. Hin und her. Der Heuhaufen ging mir mittlerweile bis zum Kinn, aber der, in den wir gesprungen waren, war sieben Meter tief. Ich überlegte, daß wir noch Glück hatten, wenn sie sich bloß die Beine brach. Und ich wußte, daß es ihren Tod bedeuten würde, wenn sie den Heuhaufen verfehlte. Hin und her.

»Larry! Die Sprosse! Sie gibt nach!«

Ich konnte den anhaltenden, knirschenden Schrei der Sprosse hören, die sich unter ihrem Gewicht langsam löste. In Panik fing sie wieder zu strampeln an, aber wenn sie so zappelte, würde sie den Haufen mit Sicherheit verfehlen.

»Nein!« brüllte ich. »Nein! Hör auf! Laß los! Laß los, Kitty!« Es war nämlich zu spät, noch mehr Heu zu holen. Zu spät für alles, außer blind zu hoffen.

Sie ließ sich im selben Augenblick, als ich es ihr sagte, los und fiel pfeilgerade herunter. Mir kam ihr Fall wie eine Ewigkeit vor. Die goldblonden Rattenschwänze standen nach oben ab, ihre Augen waren geschlossen, und ihr Gesicht war totenblaß. Ihre Hände waren vor ihren Lippen gefaltet, als ob sie betete.

Und sie traf den Heuhaufen genau in der Mitte. Sie tauchte

hinein und verschwand – und um sie herum wirbelte das Heu auf, als wäre eine Granate eingeschlagen. Dann hörte ich, wie sie auf den Brettern des Scheunenbodens aufschlug. Das Geräusch, ein dumpfer Schlag, jagte mir eine Gänsehaut über den Rücken. Es war zu laut gewesen, viel zu laut. Aber ich mußte mich überzeugen.

Mit aufsteigenden Tränen in den Augen sprang ich in das Heu und begann, es auseinanderzureißen und hinter mich zu werfen. Ein Bein in Blue Jeans kam zum Vorschein, dann ein kariertes Hemd... und endlich Kittys Gesicht. Es war leichenblaß, und die Augen waren geschlossen. Sie war tot, das wußte ich, als ich sie ansah. Die Welt wurde grau für mich, grau wie ein Novembertag. Das einzige Farbige in dieser Welt waren noch ihre leuchtend goldblonden Rattenschwänze.

Und das tiefe Blau ihrer Iris, als sie die Augen aufschlug.

»Kitty?« fragte ich heiser und ungläubig. Mein Hals kratzte vom Heustaub.

»Larry?« sagte sie verwirrt. »Bin ich noch am Leben?«

Ich half ihr aus dem Heu und drückte sie, und sie legte ihre Arme um meinen Nacken und drückte mich wieder. »Ja, du bist noch am Leben«, antwortete ich. »Du bist noch am Leben.«

Sie hatte sich den linken Knöchel gebrochen, mehr nicht. Als Dr. Pederson, unser Hausarzt aus Columbia City, mit meinem Vater und mir aus dem Haus in die Scheune kam, sah er lange hinauf in die Dunkelheit.

Die letzte Sprosse der Leiter hing immer noch, an einem einzigen Nagel, schief dort oben.

Wie ich sagte, Dr. Pederson sah sehr lange hinauf. »Es ist ein Wunder«, sagte er zu meinem Vater und trat verächtlich gegen das Heu, das ich aufgestapelt hatte. Dann ging er hinaus zu seinem staubigen Auto und fuhr davon.

Ich fühlte die Hand meines Vaters auf meiner Schulter. »Wir beide gehen jetzt zum Holzschuppen, Larry«, meinte er ganz ruhig. »Ich nehme an, du kannst dir denken, was dort passiert.«

»Ja, Sir«, flüsterte ich.

»Und bei jedem Schlag, Larry, sollst du Gott danken, daß deine Schwester noch lebt.«

»Ja, Sir.«

Dann gingen wir. Er schlug mich sehr oft, so oft, daß ich hinterher eine Woche lang nur im Stehen und danach noch zwei Wochen lang mit einem Kissen auf meinem Stuhl essen konnte. Und jedesmal, wenn er mich mit seiner großen, roten und schwieligen Hand schlug, dankte ich Gott.

Mit lauter, sehr lauter Stimme. Und bei den letzten zwei oder drei Schlägen war ich ziemlich sicher, daß Er mich hörte.

Kurz vor dem Schlafengehen durfte ich zu ihr. Draußen vor ihrem Fenster saß eine Spottdrossel, das weiß ich noch. Ihr Fuß war ganz verbunden und auf einem kleinen Tischchen hochgelegt.

Sie sah mich so lange und liebevoll an, daß ich verlegen wurde. »Heu«, meinte sie dann. »Du hast Heu hingelegt.«

»Natürlich«, platzte ich heraus. »Was sollte ich sonst machen? Als die Leiter abgebrochen war, konnte ich doch nicht mehr zu dir rauf.«

»Ich wußte nicht, was du unten gemacht hast«, sagte sie.

»Aber das mußt du! Ich war doch direkt unter dir!«

»Ich habe mich nicht getraut, nach unten zu sehen, weil ich solche Angst hatte. Ich habe die ganze Zeit die Augen zugehalten.«

Ich starrte sie an wie vom Donner gerührt.

»Du wußtest es nicht? Du wußtest nicht, was ich da unten machte?«

Sie schüttelte den Kopf.

»Und als ich dir gesagt habe, du sollst loslassen ... da hast du es *einfach* getan?«

Sie nickte.

»Wieso, Kitty?«

Sie sah mich aus ihren tiefblauen Augen an.

»Ich wußte, daß du sicher irgend etwas getan hattest, um mir zu helfen. Du bist doch mein großer Bruder. Ich wußte, daß du mir helfen würdest.«

»Oh, Kitty, du weißt nicht, wie knapp es war.«

Ich hatte die Hände vor das Gesicht geschlagen. Kitty setzte sich auf und nahm sie weg. Sie küßte mich auf die Wange. »Nein«, sagte sie. »Aber ich wußte, daß du da unten warst. Himmel, bin ich müde. Bis morgen, Larry. Der Fuß muß in Gips, hat Dr. Pederson gesagt.«

Sie hatte den Gips nicht ganz einen Monat, und alle ihre Klassenkameraden unterschrieben darauf – sogar mich brachte sie dazu, zu unterschreiben. Als er dann abgenommen wurde, war der Zwischenfall in der Scheune damit beendet. Mein Vater ersetzte die Leiter zum dritten Heuboden durch eine neue, starke, aber ich bin nie wieder hinauf auf den Balken geklettert und dann in den Heuhaufen gesprungen, und Kitty auch nicht, soweit ich weiß.

Es war das Ende, und irgendwie doch nicht das Ende. Irgendwie endete die ganze Geschichte erst vor neun Tagen, als Kitty aus dem obersten Stock eines Versicherungsgebäudes sprang. Ich habe den Ausschnitt aus der *Los Angeles Times* in meiner Brieftasche, und ich werde ihn wohl immer bei mir tragen, wenn auch nicht so, wie man Schnappschüsse von Menschen bei sich trägt, die man nicht vergessen will, oder Theaterkarten einer wirklich guten Vorstellung, oder das Programm der Meisterschaftsspiele im Baseball. Ich trage diesen Zeitungsausschnitt so bei mir, wie man etwas Schweres trägt, weil Tragen eine Arbeit ist.

Die Überschrift lautet: CALLGIRL SPRINGT IN DEN TOD.

Wir wuchsen heran. Das ist alles, was ich weiß, außer Tatsachen, die nichts bedeuten. Sie sollte auf die Handelsschule in Omaha, doch in jenem Sommer, als sie die High School abschloß, gewann sie einen Schönheitswettbewerb und heiratete einen der Juroren. Es klingt wie ein schäbiger Witz, nicht? Meine Kitty.

Ich war noch auf der Universität und studierte Rechtswissenschaft, als sie sich scheiden ließ. Sie schrieb mir einen langen Brief von zehn Seiten oder noch mehr, in dem sie mir erzählte, wie es gewesen war, wie verkehrt alles gelaufen war, und daß vielleicht alles viel besser gewesen wäre, wenn sie nur ein Kind hätte haben können. Sie fragte mich, ob ich nicht kommen könnte. Aber ich konnte es mir nicht leisten, eine Woche meine Vorlesungen zu verpassen. Studenten der Rechtswissenschaft sind wie Greyhounds. Wenn man erst einmal Blickkontakt mit dem kleinen mechanischen Hasen verloren hat, ist es aus und vorbei.

Sie zog nach Los Angeles und heiratete wieder. Als ihre zweite Ehe zerbrach, war ich mit meinem Studium schon fertig. Sie schrieb mir wieder, diesmal einen kürzeren, verbitterteren Brief. Sie würde sich nie wieder auf dieses Karussell setzen, meinte sie. Die einzige Möglichkeit, den Messingring zu bekommen, sei, daß man dabei vom Pferd fiel und sich den Schädel einschlug. Wenn das der Preis für eine Freifahrt sei, wer würde sie dann schon wollen? PS. Könntest du nicht kommen, Larry? Es ist schon so lange her.

Ich schrieb ihr zurück, daß ich schrecklich gern kommen würde, aber ich könnte nicht. Ich hatte einen Job in einer sehr dynamischen Firma bekommen, ganz unten auf der Hierarchieleiter, wo ich für andere die Arbeit machte. Wenn ich die nächst höhere Stufe schaffen wollte, dann müßte es noch in diesem Jahr sein, schrieb ich ihr. Das war *mein* langer Brief, und er handelte einzig von meiner Karriere.

Ich beantwortete alle ihre Briefe, aber ich konnte nie so recht glauben, daß es wirklich Kitty war, die sie schrieb, wissen Sie, ähnlich wie ich nie richtig glauben konnte, daß das Heu wirklich da war... bis es mich am Ende meines Falls auffing und mir das Leben rettete. Ich konnte einfach nicht fassen, daß meine Schwester und die vom Leben enttäuschte Frau, die ihre Briefe mit einem eingekreisten ›Kitty‹ unterschrieb, wirklich ein und dieselbe Person waren. Meine Schwester war ein kleines Mädchen mit Rattenschwänzen und noch ohne Busen.

Sie war diejenige, die dann mit Schreiben aufhörte. Ich bekam noch Karten zu Weihnachten und zum Geburtstag, die meine Frau für mich erwiderte. Dann ließen wir uns scheiden, ich zog um und vergaß es einfach. An Weihnachten und meinem Geburtstag darauf erreichten mich die Karten über meine alte Adresse. Die erste. Und ich dachte immer bei mir: Himmel, ich muß Kitty schreiben und ihr sagen, daß ich umgezogen bin. Aber ich tat es dann doch nie.

Doch, wie gesagt, das sind nur Fakten, die nichts bedeuten. Das einzige, was wirklich von Bedeutung ist, das ist, daß wir heranwuchsen und sie von jenem Versicherungsgebäude sprang, und daß Kitty diejenige war, die immer glaubte, daß das Heu dort wäre. Es war Kitty, die gesagt hatte: »Ich wußte, daß du sicher irgend etwas getan hattest, um mir zu helfen.« Diese Dinge sind wichtig. Und Kittys Brief.

Die Leute ziehen heutzutage so viel um, und es ist komisch, aber diese durchgestrichenen Adressen und die Empfänger-verzogen-Aufkleber können manchmal wirklich wie Anklagen aussehen. In der oberen linken Ecke des Briefumschlags stand in Druckschrift ihre Anschrift, die Adresse, wo sie bis zu ihrem Tod gewohnt hatte. Es war ein sehr hübsches Apartmentgebäude. Dad und ich waren dort, um ihre Sachen abzuholen. Die Hauswirtin war nett. Sie hatte Kitty gern gehabt.

Der Brief war zwei Wochen vor ihrem Tod abgestempelt. Er hätte mich schon viel früher erreicht, wenn er nicht zuerst an die alte Adresse gegangen wäre. Sie muß das Warten leid geworden sein.

Lieber Larry,
ich habe in letzter Zeit sehr viel nachgedacht ... und ich glaube jetzt,
daß es besser für mich gewesen wäre, wenn die letzte Sprosse abgerissen wäre, bevor Du das Heu unter mich legen konntest.
Deine Kitty

Ja, ich glaube, sie muß das Warten leid geworden sein. Jedenfalls ist mir dieser Gedanke lieber als der, daß sie geglaubt haben könnte, ich hätte sie vergessen. Ich hätte nicht gewollt, daß sie das denkt, denn dieser eine Satz war wahrscheinlich das einzige, was mir Beine gemacht hätte.

Aber auch das ist nicht der eigentliche Grund dafür, warum ich jetzt so schlecht einschlafen kann. Wenn ich die Augen schließe und einnicken will, dann sehe ich sie vom dritten Heuboden herunterfallen, die dunkelblauen Augen weit offen, den Körper gebogen und die Arme hoch über ihrem Kopf.

Sie war es, die immer gewußt hatte, daß das Heu dasein würde.

Der Mann, der Blumen liebte

Es war einer jener Maiabende im Jahre 1963. Der junge Mann, der, die Hände in den Hosentaschen vergraben, schnellen Schrittes die Third Avenue in New York entlangging, war offensichtlich bester Laune. Er genoß die milde, schmeichelnde Frühlingsluft und das Farbenspiel am Himmel, der sich in der Dämmerung langsam von Blau in samtiges Dunkelviolett verwandelte. Es soll Leute geben, die die Stadt lieben, und dies war einer der Abende, an denen ihnen diese Liebe bewußt werden mußte. Die Menschen, die in den Eingängen der Delikatessenläden und Schnellreinigungen standen, schienen alle zu lächeln. Eine alte Frau, die ihre Einkaufstüten in einem alten Kinderwagen vor sich her schob, grinste den jungen Mann an und rief ihm zu: »Hallo, schöner Prinz!« Er winkte ihr flüchtig zu und ging vorbei.

Sie sah ihn an, dachte: Du wirst geliebt.

Genauso sah er aus. Er trug einen hellgrauen Anzug, und unter dem gelockerten Schlipsknoten war der oberste Hemdknopf geöffnet. Sein dunkles Haar war kurz geschoren, seine Haut sah gesund aus, und seine Augen strahlten hellblau. Das Gesicht war eigentlich nichts Besonderes, doch an diesem warmen Frühlingsabend, auf dieser Straße, in diesem Mai 1963 war er schön, und die alte Frau träumte in süßen Erinnerungen, daß im Frühling jeder schön ist... wenn er auf dem Weg zu seiner Angebeteten ist, um sie zum Essen und vielleicht danach zum Tanzen auszuführen. Der Frühling ist die einzige Jahreszeit, in der Erinnerungen niemals bitter sind, so ging sie weiter, froh, ihn angesprochen zu haben und glücklich, daß er ihr Kompliment angenommen hatte.

Der junge Mann überquerte die sechsundsechzigste Straße

und schlenderte, immer mit diesem Lächeln auf dem Gesicht, auf einen alten Mann zu, der ungefähr auf der Mitte des Blocks neben seinem prächtig gefüllten Blumenwagen stand. Die beherrschende Farbe war Gelb – ein gelbes Glühen von Narzissen und verspäteten Krokussen, dazwischen Nelken und ein paar Teerosen aus dem Gewächshaus, meist gelbe und weiße. Er knabberte an einer Brezel und lauschte dem Gejaule eines Koffersupers, der auf einer Ecke seines Karrens thronte.

Aus dem Radio quollen schlechte Nachrichten, die keinen interessierten: Der Totschläger mit dem Hammer lief immer noch frei herum; John F. Kennedy hatte erklärt, daß man sehr genau beobachten werde, was in einem kleinen Land in Asien, der Sprecher buchstabierte gerade V-i-e-t-n-a-m, passierte. Eine unbekannte Nackte war aus dem East River gefischt worden; ein Schwurgericht war nicht in der Lage gewesen, einen Paten aus der Heroinszene zu verurteilen; die Russen hatten eine Atombombe gezündet. Nichts schien real, nichts schien irgendwie von Bedeutung zu sein. Die Luft war weich und süß. Zwei Bierbäuche standen vor einer Bäckerei und schnibbelten mit Vierteldollar-Münzen um die Wette. Nach dem Frühling würde der Sommer kommen, und in der Stadt ist der Sommer die Zeit der Träume.

Der junge Mann ließ den Blumenstand hinter sich, die schlechten Nachrichten versickerten im Rauschen der vorbeifahrenden Autos. Er verlangsamte seinen Schritt, schaute sich um und überlegte kurz. Dann griff er in seine Manteltasche und betastete den Gegenstand darin. Einen Augenblick lang sah er verwirrt aus, einsam, gehetzt, doch dann zog er die Hand wieder aus der Tasche, sein Gesicht war, wie vorher, voll freudiger Erwartung.

Lächelnd ging er zu dem Blumenstand zurück. Er würde ihr einen Strauß Blumen mitbringen, das würde ihr bestimmt gefallen. Er liebte ihre Augen, wenn sie vor Überraschung und Freude glänzten. Kleine Geschenke genügten dafür, für mehr hatte er auch kein Geld. Eine Schachtel Pralinen, ein billiges Armband, einmal war es nur ein Beutel spanischer Orangen, denn er wußte, daß Norma die am liebsten mochte.

»Junger Freund...«, sagte der Blumenverkäufer, als der Mann im grauen Anzug zurückkam und seinen Blick über die duftende Auslage in dem Handkarren schweifen ließ. Der Blumenmann war vielleicht Ende Sechzig und trug einen filzigen grauen Pullover und, trotz der angenehmen Temperatur, eine dicke Wollmütze. Sein Gesicht war ein Netz von Falten, seine Augen schwammen auf geschwollenen Tränensäcken, und zwischen seinen gelben Fingern zitterte eine Zigarette. Doch auch er kannte das Gefühl: Es ist Frühling, und du bist jung – jung und so verliebt, daß es jeder sehen kann. Der normale Gesichtsausdruck des Verkäufers war mißmutig und gelangweilt, doch jetzt lächelte er ein wenig, genau wie die alte Frau mit ihren Einkaufstüten, so deutlich sah man es diesem jungen Mann an. Er wischte ein paar Krümel von seinem strapazierten Pullover und dachte: Dem kann heute abend nichts passieren, die Engel werden schon auf ihn aufpassen.

»Was kosten die Blumen?« fragte der junge Mann.

»Ich mache Ihnen einen schönen Strauß für einen Dollar. Die Teerosen dort kommen aus dem Gewächshaus, die sind etwas teurer, siebzig Cent das Stück. Für dreieinhalb Dollar gebe ich Ihnen ein halbes Dutzend.«

»Teuer«, sagte der Mann.

»Alles, was gut ist, ist teuer, junger Freund, hat dir das deine Mutter nicht beigebracht?«

Der junge Mann lächelte. »Vielleicht hat sie mal so etwas erwähnt.«

»Aber ganz bestimmt. Ich gebe dir ein halbes Dutzend, zwei rote, zwei gelbe, zwei weiße. Mehr kann ich nicht für dich tun. Ein bißchen Grünzeug dazwischen – das haben sie alle gern – und fertig. Oder nimm doch den Strauß für 'nen Dollar. Du wirst sehen, wie sie sich freut.«

»Sie...?« fragte der junge Mann, ohne sein Lächeln zu verlieren.

»Mein junger Freund«, lächelte der Blumenhändler zurück, während die Zigarettenasche auf seine Hose fiel, »kein Mensch kauft im Mai Blumen für sich selbst; es ist wie ein Gesetz, du verstehst, was ich meine?«

Der junge Mann dachte an Norma, ihre glücklichen Augen, ihr sanftes Lächeln. Er nickte. »Ja, ja, so ist das«, sagte er.

»Keine Frage. Was ist also jetzt mit den Blumen?«

»Was würden *Sie* mir raten?«

»Das kann ich dir sagen. Ha, guter Rat ist immer noch umsonst, ist es nicht so?« Der junge Mann lächelte und sagte: »Wahrscheinlich das einzige, was noch umsonst ist.«

»Da kannst du verdammt einen drauf lassen«, sagte der Blumenmann. »Okay, mein junger Freund. Sind die Blumen für deine Mutter, dann nimm den Strauß. Ein paar Narzissen, ein paar Krokusse, ein bißchen Farnkraut, das genügt. Sie wird schon nicht sagen ›O Junge, wie schön, wie teuer waren die, oh, du sollst doch nicht so mit dem Geld rumschmeißen‹.«

Der junge Mann warf seinen Kopf zurück und lachte.

»Doch wenn sie für die Liebste sind«, fuhr der Alte fort, »dann ist das etwas anderes, mein Sohn, das weißt du. Schenk ihr Rosen, und sie wird nicht weiter fragen, verstehst du? Ha! Sie wird sich an dich drücken und ihre Arme um deinen Hals schlingen –«

»Ich nehme die Rosen«, sagte der junge Mann, und jetzt war es der Blumenhändler, der lachen mußte. Die beiden Männer, die die Münzen gegen die Hauswand schnippten, schauten herüber und lächelten.

»He Junge!« rief einer von ihnen. »Brauchst du einen Trauring? Du kannst meinen haben, ich brauche ihn nicht mehr.«

Der junge Mann grinste und fuhr sich verlegen durchs Haar.

Der Blumenverkäufer suchte sechs Teeröschen aus, schnitt die Enden der Stengel ab, spritzte sie ein wenig ab und schlug sie in einen großen Papierbogen ein.

»Das Wetter heute abend wird ganz nach Ihrem Geschmack sein«, sagte das Radio. »Milde Meeresluft, Temperaturen um zwanzig Grad, perfekt zum Träumen und zum Sterne anschaun. Freu dich, New York, freu dich!«

Der Blumenmann befestigte das Papier mit Klebeband und empfahl dem jungen Mann, seiner Freundin zu sagen, daß ein wenig Zucker im Blumenwasser dafür sorgen würde, daß die Rosen ein paar Tage länger hielten.

»Danke«, sagte der Mann, »danke«, und zog eine Fünfdollar-
note aus der Tasche.

»Ach, ich mach nur meine Arbeit, mein Lieber«, erwiderte
der Verkäufer, als er ihm das Wechselgeld auf die Hand zählte.
In sein Lächeln mischte sich ein Anflug von Traurigkeit. »Und
gib ihr einen Kuß von mir.«

Im Radio sangen die Four Seasons gerade ihren Song
»Sherry«. Er steckte das Geld in die Tasche und ging weiter.
Seine Augen waren weit geöffnet, wach und lebendig. Sie
sahen weniger das pulsierende Leben auf der Third Avenue,
vielmehr waren sie nach innen gerichtet und voller freudiger
Erwartung. Von dem, was um ihn herum vorging, nahm er nur
einzelne Szenen wahr: Eine junge Mutter schob einen Säugling
vor sich her, dessen Gesicht über und über mit Eiskrem
beschmiert war; ein kleines Mädchen beim Seilspringen, einen
Kinderreim keuchend: »Verliebt, verlobt, verheiratet...« Zwei
Frauen standen vor einem Waschsalon und unterhielten sich
über ihre Schwangerschaften. Ein paar Männer standen vor
dem Schaufenster eines Fernsehgeschäfts und starrten auf
einen riesigen Farbfernseher mit einem vierstelligen Preis-
schild. Es lief gerade ein Baseballspiel, die Gesichter der Spieler
sahen kräftig grün aus. Das Spielfeld war erdbeerrot, und die
New York Mets lagen mit sechs zu eins in Führung vor den
Phillies.

Mit den Blumen in der Hand ging er immer weiter. Er merkte
nicht, daß die Frauen vor dem Waschsalon einen Moment zu
schwatzen aufhörten, als er mit seinem Rosenstrauß vorbeiging; die Zeiten, wo sie noch Blumen geschenkt bekamen,
waren längst vorbei.

Er bemerkte auch den jungen Schutzmann nicht, der mit
seiner Trillerpfeife die Autos an der Kreuzung von Dritter und
Neunundsechzigster anhielt, um ihn über die Straße zu lassen.
Der Polizist war selbst verlobt und kannte den verträumten
Ausdruck im Gesicht des jungen Mannes gut von sich selbst,
wie er sich jeden Morgen im Rasierspiegel sah. Er nahm auch
die beiden Teenager nicht wahr, die ihm entgegenkamen und
beim Vorbeigehen die Köpfe zusammensteckten und kicherten.

An der dreiundsiebzigsten Straße blieb er stehen und ging rechts ab. Diese Straße war etwas dunkler und bot ein italienisches Restaurant neben dem anderen. Drei Blocks weiter stand eine Menschentraube um Boulespieler herum, doch so weit ging der junge Mann gar nicht. Nach kurzer Zeit bog er in eine enge Seitenstraße ein.

Die Sterne schimmerten jetzt weich am fast schwarzen Himmel. Die Straße lag fast ganz im Dunkeln und war gesäumt von überfüllten Mülleimern. Der junge Mann war jetzt allein – doch nicht ganz. Ein furchtbares Wimmern kam aus dem Schatten, er fröstelte. Irgendein Kater gab ein ohrenbetäubendes, klagendes Liebeslied von sich, und daran war absolut *nichts* Schönes.

Er ging noch langsamer und schaute auf seine Uhr. Es war Viertel nach Sieben, Norma würde jetzt –

Dann sah er sie. Sie kam aus einem Hinterhof, ihre blaue Hose und ihre Matrosenbluse ließen sein Herz klopfen. Jedesmal war es eine Überraschung, wenn er sie zum ersten Mal sah, immer war es ein süßer Schock – sie war ja noch so *jung!*

Sein Lächeln strahlte ihr entgegen, er ging schneller.

»Norma!« sagte er.

Sie schaute auf und lächelte... doch als er näherkam, erfror das Lächeln in ihrem Gesicht.

Sein Mund zitterte ein wenig, er war sich plötzlich nicht mehr sicher. Ihr Gesicht verschwamm über der Matrosenbluse. Es war schon ziemlich dunkel... konnte er sich irren? Bestimmt nicht. Es *war* Norma.

»Ich habe dir Blumen mitgebracht«, sagte er erleichtert und überreichte ihr die Rosen samt Verpackung.

Sie schaute sich das Bündel einen Moment lang an, lächelte – und gab es ihm zurück.

»Vielen Dank, aber Sie verwechseln mich«, sagte sie, »ich heiße...«

»Norma«, flüsterte er und zog den kurzstieligen Hammer aus seiner Manteltasche, wo er ihn immer bei sich trug, wenn er abends ausging. »Sie sind für dich, Norma... sie sind immer nur für dich, alles ist für dich.«

Ihr Gesicht war nur noch weißer Teig; ihr Mund war in

stummem Entsetzen weit geöffnet. Sie war nicht Norma, Norma war tot, schon seit zehn Jahren, doch das war nicht mehr wichtig, denn sie wollte schreien, und er schwang den Hammer, um den Schrei zu ersticken, zu töten, und als er ausholte, fielen die Blumen auf die Straße, das Papier flog weg, rote, gelbe und weiße Rosen fielen zwischen die Mülltonnen, wo die Katzen im Liebesrausch schrien, die Katzen, die sich im Dunkeln liebten, sie schrien in Ekstase.

Er schwang den Hammer, und sie schrie nicht, doch sie wollte schreien, denn sie war nicht Norma, keine von ihnen war Norma gewesen, und er schwang den Hammer, den Hammer, der ihr Schicksal war. Sie war nicht Norma, und deshalb holte er aus, immer wieder, die Schläge prasselten auf sie nieder, er schwang den Hammer, wie schon fünfmal zuvor.

Irgendwann steckte er ihn zurück in seine Innentasche, drehte sich um, weg von dem Schatten, weg von den auf dem Boden zwischen den Mülltonnen verstreuten Teerosen. Er kehrte der Seitenstraße den Rücken zu, die jetzt in völliger Finsternis versunken war. Die Boulespieler waren heimgegangen. Wenn er Blutspritzer auf seinem Anzug hatte, so könnte sie in dieser Dunkelheit keiner sehen, niemand könnte sie sehen in der lieblichen Dunkelheit dieser Frühlingsnacht, und ihr Name war nicht Norma, doch sie kannte seinen Namen, den Namen der *Liebe*.

Er war ein schöner Prinz, und sein Name war Liebe. Er streifte durch die dunklen Straßen, weil Norma auf ihn wartete. Er würde sie finden, eines Tages, bald.

Er lächelte wieder. Lockeren Schrittes, fast hüpfend, ging er die dreiundsiebzigste Straße hinunter. Ein älteres Ehepaar saß vor seinem Haus und schaute dem jungen Mann nach, der hocherhobenen Kopfes mit strahlenden, in die Ferne gerichteten Augen an ihnen vorbeiging. Die Frau sagte: »Warum kannst du nur nicht mehr so aussehen?«

»Häh?«

»Ach nichts«, sagte sie. Sie schaute dem jungen Mann nach, der in der Finsternis der Nacht verschwand, und dachte, daß nur junge Liebe noch schöner sein konnte als der Frühling.

Einen auf den Weg

Es war viertel vor zehn, und Herb Tooklander war im Begriff, ›Tookey's Bar‹ zu schließen, als der Mann mit dem bleichen, starren Gesicht und dem neumodischen Mantel herein platzte. ›Tookey's Bar‹ liegt im nördlichen Teil von Falmouth. Es war der zehnte Januar, gerade die Zeit, in der die meisten Leute anfangen, behaglich mit all den Vorsätzen zum neuen Jahr zu leben, die sie bereits gebrochen hatten, und draußen blies ein höllischer Nordost.

Fünfzehn Zentimeter Schnee waren bis zur Dämmerung heruntergekommen, und seitdem war es heftig weitergegangen. Zweimal hatten wir Billy Larribee hoch oben in der Kabine des städtischen Schneepflugs vorbeifahren sehen, und beim zweitenmal hatte Tookey ihm ein Bier herausgebracht – ein Akt purer Nächstenliebe, hätte meine Mutter gesagt, und sie hat bei Gott zu ihrer Zeit genug von Tookeys Bier heruntergespült. Billy hatte ihm gesagt, daß sie die Hauptstraße noch freihalten konnten, aber die Nebenstraßen waren gesperrt und würden es wahrscheinlich bis zum nächsten Morgen bleiben. Die Radiostation in Portland sagte weitere dreißig Zentimeter Schnee und einen Sturm voraus, der die Wolken mit siebzig Stundenkilometern vor sich her treiben würde.

Nur Tookey und ich waren in der Bar, lauschten dem Wind, der um die Dächer heulte, und sahen zu, wie er das Feuer im Herd tanzen ließ. »Nimm dir noch einen auf den Weg«, sagte Tookey, »ich werd' dichtmachen.«

Er zapfte mir einen und noch einen für sich, und in diesem Augenblick flog die Tür auf, und dieser Fremde stolperte herein, Schnee auf den Schultern und im Haar, als hätte er sich in Puderzucker gewälzt. Hinter ihm türmte der Wind eine feine Schneedecke im Raum auf.

»Die Tür zu!« röhrte Tookey ihn an. »Bist du im Stall zu Hause?«

Ich habe noch nie einen Menschen gesehen, der so entsetzt aussah. Er glich einem Pferd, das den Nachmittag damit verbracht hat, Feuerkletten zu fressen. Seine Augen rollten zu Tookey herüber, und er stammelte: »Meine Frau – meine Tochter –« und brach ohnmächtig zusammen.

»Heiliger Josef«, sagte Tookey. »Mach die Tür zu, Booth, ja?«

Ich ging und machte sie zu, und sie gegen den Wind zu stemmen, war kein Zuckerschlecken. Tookey kniete neben dem Burschen, hielt seinen Kopf hoch und schlug ihm auf die Wangen. Ich kam zu ihm rüber und sah auf den ersten Blick, daß es schlecht stand. Sein Gesicht war feuerrot, aber hier und da waren graue Flecken zu sehen, und wenn man die Winter in Maine durchlebt hat, seit Woodrow Wilson Präsident war, dann weiß man, daß graue Flecken Erfrierungen sind.

»Ohnmächtig«, sagte Tookey. »Sei so nett und hol mir den Brandy aus der Theke.«

Ich holte ihn und kam zurück. Tookey hatte den Mantel des Burschen geöffnet. Er war wieder ein bißchen zu sich gekommen; die Augen waren halb offen, und er murmelte etwas vor sich hin, zu leise, um ihn zu verstehen.

»Mach die Kappe voll«, sagte Tookey.

»Nur 'ne Kappe?« fragte ich ihn.

»Das Zeug ist Dynamit«, sagte Tookey. »Er braucht ja nicht gleich besoffen zu werden.«

Ich füllte etwa eine Kappe ab und sah Tookey an. Der nickte. »Direkt die Kehle runter.«

Ich schüttete es in den Fremden hinein. Es war faszinierend, dabei zuzuschauen. Der Mann zitterte am ganzen Körper und begann zu husten. Sein Gesicht wurde dunkelrot. Seine Augenlider, die auf Halbmast gestanden hatten, flogen auf wie Fensterläden. Ich war ein wenig besorgt, aber Tookey setzte ihn auf wie ein großes Baby und schlug ihm auf den Rücken.

Der Mann fing an zu würgen, und Tookey gab ihm noch einen Klaps.

»Halt es drin«, sagte er, »der Brandy ist gut.«

Der Mann hustete noch ein bißchen, aber es wurde schon besser. Ich nahm ihn jetzt zum erstenmal richtig in Augenschein. Stadtmensch, natürlich, und von irgendwo südlich von Boston, vermutete ich. Er trug Glacéhandschuhe, teuer, aber dünn. Er hatte wohl noch ein paar von diesen grauen Flecken auf den Händen, und wenn er nicht einen oder zwei Finger verlor, hatte er Glück gehabt. Sein Mantel war ziemlich ausgefallen, klar; wenn ich jemals ein Dreihundert-Dollar-Stück gesehen habe, dann dieses. Er trug enge, kleine Schuhe, die ihm kaum bis an den Knöchel reichten, und ich begann mir Sorgen um seine Zehen zu machen.

»Besser«, sagte er.

»Schon gut«, sagte Tookey. »Schaffst du es bis zum Feuer?«

»Meine Frau und meine Tochter«, sagte er. »Sie sind da draußen ... im Sturm.«

»So wie du hier hereingekommen bist, hatte ich nicht den Eindruck, daß sie zu Hause am Fernseher sitzen«, meinte Tookey. »Du kannst es uns am Feuer ebensogut erzählen wie hier auf dem Boden. Faß mit an, Booth.«

Er kam auf die Beine, aber stieß ein leises Stöhnen aus, und sein Mund verzog sich schmerzvoll. Ich dachte wieder an seine Zehen, und ich fragte mich, warum Gott der Meinung war, er müßte diese Idioten aus New York City machen, die im Zentrum eines Blizzard durch Süd-Maine kutschierten. Und ich fragte mich, ob seine Frau und sein kleines Mädchen wärmer angezogen waren als er.

Wir schleppten ihn hinüber zur Feuerstelle und brachten ihn dazu, sich in den Schaukelstuhl zu setzen, der Mrs. Tookeys Lieblingsstück gewesen war, bevor sie '74 starb. Es war Mrs. Tookey gewesen, die aus ›Tookey's Bar‹ das gemacht hatte, was sie heute war – ein Lokal, das im *Down East* und im *Sunday Telegram* und einmal sogar in der Sonntagsbeilage des *Boston*

Globe lobend erwähnt worden war. Es ähnelte in Wirklichkeit mehr einem englischen Pub als einer Bar, mit dem hölzernen, eher zusammengehauenen als genagelten Boden, der Theke aus Ahorn, einer Decke wie in einer Scheune, und dem wuchtig großen Steinherd. Mrs. Tookey hatte einige Ideen in ihrem Kopf ausgebrütet, als der Artikel im *Down East* erschienen war, wollte damit anfangen, das Lokal ›Tookey's Inn‹ oder ›Tookey's Rast‹ zu nennen, und ich gebe zu, daß der Klang ein wenig an die Kolonialzeit erinnerte, aber ich ziehe das gute alte ›Tookey's Bar‹ vor. Es ist eine Sache, im Sommer hochherrschaftlich zu tun, wenn der Staat voll von Touristen ist, aber eine andere, im Winter durchzuhalten, wenn man mit seinen Nachbarn zurechtkommen muß. Und es hatte eine ganze Reihe von Winternächten gegeben, so wie diese, in denen Tookey und ich die ganze Zeit allein verbracht haben und Scotch mit Wasser tranken, oder nur ein paar Bier. Meine Victoria starb dreiundsiebzig, und Tookey's war ein Ort, wohin man gehen konnte, in dem genügend Stimmen zu hören waren, um das beharrliche Ticken der Totenuhr zu übertönen – selbst wenn nur Tookey und ich da waren, das war schon genug. Ich hätte nicht so darüber gedacht, wenn es ›Tookey's Rast‹ geheißen hätte. Es klingt verrückt, aber so ist es.

Wir brachten diesen Burschen zum Feuer, wo er schlimmer zu zittern begann als vorher. Er drückte seine Knie an sich und klapperte mit den Zähnen, während ihm ein paar Tropfen klaren Schleims aus der Nase rannen. Ich denke, er begriff jetzt erst, daß ihn eine weitere Viertelstunde oder so da draußen wahrscheinlich umgebracht hätte. Es ist nicht der Schnee, sondern die Kälte des Windes. Sie raubt einem jegliche Körperwärme.

»Wo seid ihr von der Straße abgekommen?« fragte Tookey ihn.

»Sechs M-Meilen s-südlich von h-hier«, sagte er.

Tookey und ich sahen uns an, und plötzlich wurde mir kalt. Am ganzen Körper kalt.

»Bist du sicher?« entgegnete Tookey. »Du bist sechs Meilen durch den Schnee gelaufen?«

Er nickte. »Ich habe auf den Kilometerzähler geachtet, als wir durch die Stadt kamen. Ich bin der Beschreibung gefolgt... wir wollten die Schwester meiner Frau besuchen... in Cumberland... bin noch nie dagewesen... wir sind aus New Jersey...«

New Jersey. Wenn es Menschen gibt, die noch blöder sind als die aus New York, dann sind es die Burschen aus New Jersey.

»Sechs Meilen, ganz sicher?« fragte Tookey weiter.

»Verdammt sicher, ja. Ich fand diese Abzweigung, aber sie war eingeschneit... es war...«

Tookey griff seinen Arm. Im flackernden Schein des Feuers sah sein Gesicht bleich und angespannt aus, machte sein sechsundsechzigjähriges Gesicht noch um zehn Jahre älter.

»Du bist rechts abgebogen?«

»Rechts, ja, stimmt. Meine Frau –«

»Habt ihr ein Schild gesehen?«

»Ein Schild?« Er sah Tookey fragend an und wischte sich die Nasenspitze ab. »Natürlich habe ich es gesehen. Das war auch in meiner Beschreibung. Nimm die Jointner Avenue durch Jerusalem's Lot bis zur Auffahrt auf die 291.« Er sah von Tookey zu mir und wieder zu Tookey. Draußen heulte, ächzte und brüllte der Wind um die Dächer. »War das nicht richtig, Mister?«

»Jerusalem's Lot«, sagte Tookey, beinahe zu leise, als daß man ihn hören konnte. »O mein Gott.«

»Was ist denn?« fragte der Mann. Er hob seine Stimme. »Was ist los? Ich meine, die Straße sah eingeschneit aus, aber ich dachte... wenn da eine Stadt ist, kommen doch die Pflüge... dann hätte ich...«

Er verstummte plötzlich.

»Booth«, sagte Tookey leise zu mir. »Geh an das Telefon. Ruf den Sheriff an.«

»Genau«, sagte dieser Idiot aus New Jersey, »das ist es. Was ist überhaupt los mit euch, Jungs? Ihr seht aus, als hättet ihr ein Gespenst gesehen.«

Tookey sagte: »Gespenster gibt es keine im Lot, Mister. Hast du ihnen gesagt, daß sie im Wagen bleiben sollen?«

»Sicher hab' ich das getan. Ich bin doch nicht blöde.«

Nun, ich hätte darauf keinen Eid geleistet.

»Wie heißt du?« fragte ich ihn. »Für den Sheriff.«

»Lumley«, sagte er. »Gerard Lumley.«

Er fing wieder mit Tookey an, und ich ging zum Telefon hinüber. Ich nahm den Hörer ab und hörte nichts außer einem tödlichen Schweigen.

Ich schlug ein paarmal auf die Unterbrechungstasten. Immer noch nichts.

Ich kam zurück. Tookey hatte Lumley noch ein wenig Brandy eingeschüttet, und der ging ihm jetzt ein wenig leichter die Kehle hinunter.

»War er nicht da?« fragte Tookey.

»Leitung ist tot.«

»Verdammte Scheiße«, sagte Tookey, und wir sahen uns an. Draußen frischte der Wind auf und warf Schnee gegen die Fenster.

Lumley blickte von Tookey zu mir und wieder zurück.

»Hat denn keiner von euch ein Auto?« fragte er. Die Angst war in seine Stimme zurückgekehrt. »Sie müssen den Motor laufenlassen, damit die Heizung läuft. Ich hatte den Tank nur noch zu einem Viertel voll, und bis hierhin habe ich anderthalb Stunden gebraucht... hört mal, bekomme ich jetzt eine ANT-WORT?« Er stand auf und griff Tookey am Kragen.

»Mister«, sagte Tookey, »ich habe den Eindruck, diese Hand ist gerade deinem Gehirn entwischt.«

Lumley sah auf seine Hand, sah Tookey an und ließ ihn los. »Maine«, zischte er. Es hörte sich an, als sagte er etwas Schmutziges über die Mutter von irgendwem. »Nun gut«, sagte er. »Wo ist die nächste Tankstelle? Die müssen einen Abschleppwagen haben...«

»Nächste Tankstelle ist in der Stadtmitte von Falmouth«, sagte ich. »Und das ist drei Meilen weit die Straße runter.«

»Danke«, meinte er, ein wenig sarkastisch, und drehte sich zur Tür, dabei den Mantel zuknöpfend.

»Wird allerdings nicht offen sein«, fügte ich hinzu.

Er drehte sich langsam wieder um und sah uns an.

»Wovon redest du überhaupt?«

»Er versucht, dir zu erklären, daß die Tankstelle in der Stadt Billy Larribee gehört, und Billy ist draußen mit dem Pflug, du verdammter Idiot«, sagte Tookey geduldig. »Warum kommst du nicht einfach wieder her und setzt dich, bevor du die ganze Sache versaust?«

Er kam zurück, verstört und ängstlich. »Wollt ihr sagen, daß es keine ... daß ich nicht ...«

»Gar nichts haben wir gesagt«, unterbrach ihn Tookey. »Du redest schon die ganze Zeit, und wenn du eine Minute still wärst, könnten wir die Sache überdenken.«

»Was ist das für eine Stadt, dieses Jerusalem's Lot?« fragte er. »Warum war die Straße eingeschneit? Warum waren da nirgends Lampen an?«

Ich sagte: »Jerusalem's Lot ist vor zwei Jahren niedergebrannt.«

»Und sie haben sie nicht wieder aufgebaut?« Er sah aus, als könnte er es nicht begreifen.

»Sieht so aus«, sagte ich und blickte Tookey an. »Was machen wir nun in der Sache?«

»Wir können sie nicht da draußen lassen«, sagte er.

Ich ging näher zu ihm hin. Lumley war zum Fenster gewandert und blickte in die verschneite Nacht.

»Was ist, wenn sie hingegangen sind?« fragte ich.

»Das mag sein«, sagte er. »Aber wir wissen es nicht sicher. Ich habe meine Bibel hier auf dem Regal. Trägst du noch deine Medaille vom Papst?«

Ich zog das Kruzifix aus dem Hemd und zeigte es ihm. Ich bin in einer freien Kirchengemeinde geboren und aufgezogen worden, aber die meisten Leute, die um Jerusalem's Lot herum leben, tragen etwas – Kreuze, Medaillen des St. Christophorus, Rosenkränze, irgend etwas. Weil vor zwei Jahren, innerhalb eines einzigen dunklen Oktobers, Jerusalem's Lot verdammt wurde. Manchmal, spät in der Nacht, wenn nur ein paar Einheimische um Tookeys Feuer herum sitzen, reden die Leute darüber. Sie reden drumherum, das kommt der Wahrheit näher. Es begann damit, daß die Leute in Jerusalem's Lot verschwanden. Erst einige wenige, dann noch ein paar, dann ein ganzer Haufen. Die Schulen wurden geschlossen. Die Stadt stand mindestens ein Jahr lang leer. Oh, ein paar Menschen zogen ein – größtenteils so Idioten von außerhalb wie dieses feine Exemplar hier –, von den niedrigen Grundstückspreisen angezogen, schätze ich. Aber sie blieben nicht lange. Eine Menge von ihnen zog einen Monat oder zwei, nachdem sie gekommen waren, wieder aus. Die anderen... nun, sie verschwanden. Dann brannte die gesamte Stadt nieder. Es war am Ende eines langen, trockenen Herbstes. Man vermutet, daß es im Haus der Marstens anfing, auf dem Hügel, der die Jointner Avenue überragt, aber bis auf den heutigen Tag weiß niemand, wie es wirklich passiert ist. Drei Tage lang wütete das Feuer völlig unkontrolliert. Danach war es, zumindest für eine Zeitlang, besser. Und dann kamen sie wieder.

Ich hörte nur ein einziges Mal, daß das Wort »Vampire« erwähnt wurde. Ein verrückter Trucker namens Richie Messina, der vom Freihafen Früchte herüberbrachte, war an dem Abend bei Tookey's und verdammt gut abgefüllt. »Jesus Christus«, brüllte dieser Irre und stand auf, zwei Meter lang in seinen Baumwollhosen, dem karierten Hemd und Lederstiefeln. »Habt ihr denn alle einen derartigen Schiß, daß ihr es nicht herausbekommt? Vampire! Jesus Christus und alle Teufel der Hölle auf einem Motorrad! Wie ein Haufen Kinder von den Filmen verschreckt! Wollt ihr wissen, was los ist in ›Salem's Lot‹? Soll ich's euch sagen? Soll ich's euch sagen?«

»Nur los, Richie, sag's uns«, sagte Tookey. In der Bar war es absolut still geworden. Man konnte das Feuer zischen hören und draußen das sanfte Klopfen des Novemberregens, der in der Dunkelheit herunterkam. »Wir sind ganz Ohr.«

»Was ihr da drüben habt, ist ganz einfach eine Meute wilder Hunde«, erklärte uns Richie Messina. »Das ist alles. Das und eine Menge alter Frauen, die eine gute Spukgeschichte lieben. Für achtzig Eier gehe ich da hoch und verbringe die Nacht in dem, was von diesem Spukhaus übrig ist, das euch allen solche Sorgen macht. Na, was ist damit? Irgendwer hier, der annimmt?«

Aber niemand war dazu bereit. Richie war ein Großmaul und ein gemeiner Säufer, bei dessen Begräbnis niemand Tränen vergießen würde, aber keiner von uns hätte ihn gern nach Einbruch der Dunkelheit nach 'Salem's Lot gehen sehen.

»Ich scheiß auf euch alle«, sagt Richie. »Ich habe einen Karabiner vorn in meinem Chevy hängen, und der stoppt alles in Falmouth, Cumberland, oder Jerusalem's Lot. Und genau da werde ich jetzt hingehen.«

Er polterte aus der Bar, und eine Weile lang sagte niemand etwas. Dann sagte Lamont Henry, sehr leise: »Das ist das letzte Mal, daß jemand Richie Messina sieht. Heiliger Jesus.« Und Lamont, am Knie seiner Mutter zu einem Methodisten erzogen, bekreuzigte sich.

»Er ist besoffen und wird's sich noch überlegen«, sagte Tookey, aber er hörte sich unsicher an. »Der ist zurück, bevor wir zumachen, und dann wird er erzählen, es wäre alles nur ein Scherz gewesen.«

Aber diesmal hatte Lamont recht behalten, weil niemand Richie je wiedersah. Seine Frau sagte der Polizei, sie wäre der Meinung, daß er nach Florida gegangen sei, um einem Kredithai zu entgehen, aber man konnte die Wahrheit in ihren Augen sehen – kranke, erschreckte Augen. Nicht viel später ging sie nach Rhode Island. Vielleicht dachte sie, daß Richie eines Nachts hinter ihr her sein würde. Und ich war nicht der Mann, der behaupten konnte, daß so etwas nicht passieren würde.

Nun sah Tookey mich an, und ich sah Tookey an, während ich das Kreuz wieder ins Hemd stopfte. Niemals zuvor in meinem Leben hatte ich mich so alt oder so ängstlich gefühlt.

Tookey sagte noch einmal: »Wir können sie nicht da draußen lassen.« »Ja. Ich weiß.«

Wir sahen uns noch einen Moment lang an, und dann griff er nach meiner Schulter und drückte sie. »Du bist ein guter Mann, Booth.« Das reichte, um mein Selbstvertrauen wieder ein wenig zu stärken. Wenn man die Siebzig überschritten hat, scheint es so, als würden die Leute vergessen, daß man ein Mann ist oder jemals einer war.

Tookey ging zu Lumley und sagte: »Ich habe einen Scout mit Vierradantrieb. Ich werd' ihn holen.«

»Um Gottes willen, warum hast du das nicht früher gesagt?« Er war vom Fenster weg herumgewirbelt und starrte Tookey böse an. »Warum mußten wir hier zehn Minuten damit verbringen, um den heißen Brei herumzureden?«

Tookey sagte sehr sanft: »Mister, halt besser deinen Mund. Und wenn du vorhast, ihn noch einmal aufzumachen, dann denk daran, wer mitten in einem gottverdammten Wirbelsturm in eine ungepflügte Straße eingebogen ist.«

Lumley wollte zuerst antworten, hielt schließlich aber den Mund. Seine Wangen hatten sich dunkel gefärbt. Tookey ging los, um seinen Scout aus der Garage zu holen. Ich fühlte unter der Bar entlang, bis ich die verchromte Thermosflasche gefunden hatte, und füllte sie mit Brandy. Dachte mir, daß wir den brauchen konnten, bevor die Nacht vorüber war.

Ein Wirbelsturm über Maine – schon einmal in einem gewesen?

Der Schnee kommt so dicht und so fein geflogen, daß er wie Sand aussieht und auch so klingt, wenn er gegen die Türen deines Autos schlägt. Du willst deine starken Lampen nicht anmachen, weil der Strahl vom Schnee reflektiert wird und man vorn keine drei Meter sehen kann. Mit den schwächeren Lampen sieht man vielleicht viereinhalb Meter weit. Aber ich kann mit dem Schnee leben. Es ist der Wind, den ich nicht leiden kann, wenn er auffrischt und zu heulen beginnt, den Schnee in hundert seltsame fliegende Figuren treibt und klingt wie all der Haß und Schmerz und alle Furcht der Welt. In der Stimme des Schneesturms liegt der Tod, weißer Tod – und vielleicht Schlimmeres, über den Tod hinaus. Man hört es nicht, wenn man bequem eingerollt im eigenen Bett liegt, mit verriegelten Fensterläden und verschlossenen Türen. Wenn man fährt, ist es viel schlimmer. Und wir fuhren geradewegs nach 'Salem's Lot.

»Kannst du dich nicht ein bißchen beeilen?« fragte Lumley.

Ich sagte: »Für einen Mann, der halb erfroren angekommen ist, hast du es höllisch eilig, wieder zu laufen, wenn du stirbst.«

Er warf mir einen ärgerlichen und verblüfften Blick zu und sagte gar nichts mehr. Wir fuhren den Highway mit gleichmäßigen fünfundzwanzig Meilen hoch. Es war kaum zu glauben, daß Billy Larribee diesen Streifen gerade erst vor einer Stunde geräumt hatte; die Decke war wieder fünf Zentimeter dick, und die Straße schneite ein. Die schlimmsten Windstöße drückten den Scout auf seine Stoßdämpfer. Die Scheinwerfer zeigten ein wirbelndes weißes Nichts vor uns. Wir waren nicht einem einzigen Wagen begegnet.

Ungefähr zehn Minuten später keuchte Lumley: »He! Was war denn das?«

»Was war was? Wild?« fragte ich.

»Ich glaube, ja«, sagte er. Es klang etwas zittrig. »Aber seine Augen – sie waren rot.« Er sah mich an. »Sehen die Augen von Tieren so in der Dunkelheit aus?« Es hörte sich fast flehend an.

»Die können wie alles mögliche aussehen«, sagte ich, und dachte, daß das wahr sein mochte, aber ich habe viel Wild aus vielen Autos nachts beobachtet und niemals dabei ein Augenpaar gesehen, das rot leuchtete.

Tookey sagte nichts.

Ungefähr fünfzehn Minuten später kamen wir an ein Stück, an dem der Schneehaufen rechts neben der Straße nicht so hoch war, weil die Pflüge ihre Schaufeln immer etwas anheben, wenn sie an einer Kreuzung arbeiten.

»Hier könnte es sein, wo wir abgebogen sind« sagte Lumley, aber er schien sich nicht ganz sicher zu sein. »Ich kann das Schild nicht finden–«

»Da ist es«, antwortete Tookey. Seine Stimme schien jemand anderem zu gehören. »Man sieht nur das Ende des Mastes herausragen.«

»Oh. Stimmt.« Lumley klang erleichtert. »Hör mal, Tooklander, es tut mir leid, daß ich eben so kurz angebunden war. Ich war ängstlich und halb erfroren und schimpfte mich selbst einen Idioten. Und ich will euch beiden danken...«

»Dank' Booth und mir nicht, bevor wir sie in diesem Wagen haben«, sagte Tookey. Er schaltete den Vierradantrieb ein und brach sich einen Weg durch den Schneehaufen auf die Jointner

Avenue, die durch Jerusalem's Lot geht und auf die 295 mündet. Von den Kotflügeln flog Schnee auf. Das Heck versuchte auszubrechen, aber Tookey war schon durch Schnee gefahren, als Hector noch ein Welpe war. Er trieb den Wagen an, redete ihm ein bißchen zu, und schon waren wir durch. Ab und zu beleuchteten die Scheinwerfer Andeutungen von Wagenspuren, die von Lumleys Wagen stammen mußten, und dann verschwanden sie wieder. Lumley saß nach vorne gelehnt und hielt nach seinem Wagen Ausschau. Und ganz plötzlich meinte Tookey: »Lumley?«

»Was ist?« Er sah zu Tookey herüber.

»Die Leute hier in der Gegend sind so etwas wie abergläubisch, was 'Salem's Lot angeht«, sagte Tookey leichthin – aber ich konnte die tiefen Falten der Anspannung um seinen Mund herum sehen und wie seine Augen hin und her wanderten. »Wenn deine Leute im Auto sind, nun, alles klar. Wir packen sie ein, fahren zu mir und bleiben da. Morgen, wenn der Sturm vorbei ist, wird Billy gern euren Wagen aus dem Schnee ziehen. Aber wenn sie nicht im Auto sind –«

»Nicht im Auto?« unterbrach ihn Lumley scharf. »Warum sollten sie nicht im Wagen sein?«

»Wenn sie nicht im Auto sind«, fuhr Tookey fort, ohne zu antworten, »werden wir umdrehen und zurück nach Falmouth fahren, um den Sheriff herbeizupfeifen. Hat doch keinen Sinn, nachts in einem Schneesturm herumzuirren, nicht wahr?«

»Sie werden im Wagen sein. Wo sollten sie denn sonst sein?«

Ich sagte: »Noch etwas, Lumley. Wenn wir irgend jemandem begegnen sollten, werden wir nicht mit ihm sprechen. Auch nicht, wenn er uns anspricht. Hast du das verstanden?«

Sehr langsam sagte Lumley: »Was für ein Aberglaube ist das?«

Bevor ich etwas sagen konnte – Gott allein weiß, was ich geantwortet hätte –, unterbrach Tookey uns.

»Wir sind da.«

Wir waren auf das Heck eines großen Mercedes gestoßen. Die gesamte Motorhaube war in einer Schneedecke begraben, und auch die ganze linke Seite war zugeweht. Aber die Schlußlichter waren an, und wir konnten den Rauch aus dem Auspuff aufsteigen sehen.

»Wenigstens ist ihnen nicht der Sprit ausgegangen«, sagte Lumley.

Tookey machte aus und zog die Notbremse an. »Denk an das, was Booth gesagt hat.«

»Sicher, sicher.« Aber er dachte an nichts anderes als seine Frau und seine Tochter. Ich glaube nicht, daß ihm das irgendwer verübeln konnte, trotz allem.

»Fertig, Booth?« fragte Tookey mich. Er sah mir in die Augen, grau und grimmig im Licht der Instrumententafel.

»Ich schätze schon«, sagte ich.

Wir stiegen alle aus und wurden vom Wind erfaßt, der uns Schnee in die Gesichter trieb. Lumley war der erste, stemmte sich gegen den Schnee, während sein teurer Mantel wie ein Segel hinter ihm her flatterte. Er warf zwei Schatten, einen von Tookeys Scheinwerfern, den anderen von seinen eigenen Schlußlichtern. Ich war hinter ihm und Tookey einen Schritt hinter mir.

Als wir zur Kabine des Mercedes kamen, hielt Tookey mich fest.

»Laß ihn«, sagte er.

»Janey! Francie!« schrie Lumley. »Alles in Ordnung?« Er öffnete die Beifahrertür und lehnte sich hinein. »Alles—«

»Heiliger Jesus, Booth«, sagte Tookey, das Gebrüll des Windes kaum übertönend. »Ich glaube, es ist wieder passiert.«

Lumley drehte sich zu uns um. Sein Gesicht sah erschrocken und wild aus, die Augen weit aufgerissen. Ganz plötzlich stürzte er durch den Schnee auf uns zu, rutschte und fiel beinahe hin. Er wischte mich zur Seite wie gar nichts und packte Tookey.

»Wie konntest du das wissen?« brüllte er. »Wo sind sie? Was zum Teufel geht hier vor?«

Tookey löste seinen Griff und schob sich hinter ihn. Er und ich sahen zusammen in den Mercedes. Drinnen war er warm wie ein Toast, aber das würde nicht mehr lange anhalten. Das kleine rote Warnlicht der Benzinanzeige brannte. Der große

Wagen war leer. Auf dem Boden vor den Rücksitzen lag eine Barbiepuppe, die dem Kind gehören mußte. Und ein Skiparka in Kindergröße lag auf dem Rücksitz.

Tookey schlug die Hände vors Gesicht – und war weg. Lumley hatte ihn herausgezerrt und rückwärts in eine Schneewehe hineingestoßen. Sein Gesicht war bleich und zeigte einen wilden Ausdruck. Sein Mund arbeitete, als hätte er irgendein bitteres Zeug gekaut, das ihm den Mund so zusammengezogen hatte, daß er nicht mal mehr ausspucken konnte. Er beugte sich hinein und griff nach dem Parka.

»Francies Mantel?« sagte er beinahe flüsternd. Und dann brüllte er laut heraus: »FRANCIES MANTEL!« Er drehte sich um und hielt den Parka an dem pelzgefütterten Kragen vor sich. Er blickte mich an, verblüfft und ungläubig. »Sie kann doch nicht ohne ihren Mantel draußen sein, Mr. Booth. Warum... warum... sie wird sich zu Tode frieren.«

»Mr. Lumley –«

Er lief blind los, den Parka immer noch in den Händen, und rief: »FRANCIE! JANEY! WO SEID IHR? WO SEID IIIHR?«

Ich gab Tookey meine Hand und half ihm auf die Füße. »Bist du in Ord-«

»Um mich mach dir keine Sorgen«, sagte er. »Wir müssen ihn zur Vernunft bringen, Booth.«

Wir folgten ihm so schnell wir konnten, was nicht sehr schnell war, weil der Schnee uns manchmal bis an die Hüften reichte. Aber dann hielt Lumley an, und wir schlossen zu ihm auf.

»Lumley –« begann Tookey und legte ihm eine Hand auf die Schulter.

»Hier entlang«, sagte Lumley. »Hier sind sie hergelaufen. Schaut doch!«

Wir sahen hinunter. Wir waren in einer Art Senke, und der Wind blies über unsere Köpfe hinweg. Und man konnte zwei Reihen von Spuren sehen, eine große und eine kleine, die sich gerade mit Schnee zu füllen begannen. Wenn wir fünf Minuten später gekommen wären, wären sie verschwunden gewesen.

Lumley ging wieder los, den Kopf gesenkt, aber Tookey zog ihn zurück. »Nein! Lumley, nicht!«

Lumley drehte sein wildes Gesicht zu Tookey und ballte eine Faust. Er holte aus... aber irgend etwas in Tookeys Ausdruck ließ ihn zögern. Er warf mir einen Blick zu und sah dann wieder Tookey an.

»Sie wird erfrieren«, sagte er, als wären wir dumme kleine Kinder. »Begreift ihr das nicht? Sie hat ihre Jacke nicht an und ist nicht einmal sieben Jahre alt...«

»Sie können überall hier draußen sein«, erwiderte Tookey. »Diesen Spuren kann man nicht folgen. Sie verschwinden in der nächsten Verwehung.«

»Was schlägst du denn vor?«, schrie Lumley mit hoher, hysterischer Stimme. »Wenn wir jetzt die Polizei holen, werden sie sich in der Zwischenzeit zu Tode frieren! Francie *und* meine Frau!«

»Sie können genausogut bereits erfroren sein«, sagte Tookey. Er sah Lumley in die Augen. »Erfroren, oder Schlimmeres.«

»Was soll das heißen?« flüsterte Lumley. »Sag es doch geradeheraus, verdammt! Sag schon!«

»Lumley«, sagt Tookey, »da ist etwas in Jerusalem's Lot –«

Aber ich **war** derjenige, der es schließlich herausbrachte und das Wort sagte, von dem ich nie erwartet hatte, es aussprechen zu können. »Vampire, Lumley. Jerusalem's Lot ist voll von Vampiren. Ich denke, es ist schwer, das jetzt so zu glauben –«

Er sah mich an, als wäre ich plötzlich grün geworden. »Bekloppte«, flüsterte er. »Ihr seid beide verrückt.« Dann drehte er sich weg, formte mit den Händen einen Trichter um den Mund und brüllte: »FRANCIE! JANEY!« Er stolperte wieder los. Der Schnee reichte ihm bis an den Saum seines teuren Mantels.

Ich sah Tookey an. »Was machen wir jetzt?«

»Ihm folgen«, sagte Tookey. Sein Haar war voller Schnee, und er sah tatsächlich ein bißchen wie ein Verrückter aus. »Ich kann ihn nicht hier draußen lassen, Booth. Kannst du das?«

»Nein«, sagte ich. »Ich glaube kaum.«

Also wateten wir weiter durch den Schnee hinter Lumley her, so gut wir konnten. Aber er holte mehr und mehr Vorsprung heraus. Er war noch jung, daran lag es. Er pflügte den Pfad, lief wie ein Stier gegen den Schnee an.

Meine Arthritis begann mir ganz schön zuzusetzen, und ich sah hinunter auf meine Beine, während ich zu mir sprach: Noch ein kleines Stück, nur ein kleines Stück, weitergehen, verdammte Scheiße, weitergehen ...

Ich lief direkt gegen Tookey, der mit gespreizten Beinen in einer Schneewehe stand. Sein Kopf hing herab, und er preßte beide Hände gegen seinen Bauch.

»Tookey«, sagte ich, »alles klar?«

»Ich bin in Ordnung«, sagte er und nahm die Hände weg. »Wir bleiben an ihm dran, Booth, und wenn er erst einmal erschöpft ist, wird er Vernunft annehmen.«

Wir kletterten eine Anhöhe herauf, und auf der Spitze stand Lumley, der verzweifelt nach weiteren Spuren suchte. Armer Kerl, er hatte nicht die geringste Chance, welche zu finden. Der Wind blies genau nach unten, wo er stand, und irgendwelche Spuren würden spätestens nach drei Minuten weggewischt werden, von ein paar Stunden ganz zu schweigen.

Er hob seinen Kopf und schrie in die Nacht: »FRANCIE! JANEY! UM GOTTES WILLEN!« Und man konnte die Verzweiflung aus seiner Stimme heraushören, und die Angst, und er konnte einem leid tun. Die einzige Antwort, die er bekam, war das Wimmern des Windes. Er schien ihn auszulachen und zu sagen: Ich habe sie genommen, Mister New Jersey mit dem teuren Wagen und dem Kamelhaarmantel. Ich habe sie genommen und die Spuren verwischt, und morgen früh werde ich sie so hübsch gefroren haben wie zwei Erdbeeren im Tiefkühlfach ...

»Lumley«, übertönte Tookey den Wind. »Hör zu, dich kümmern vielleicht keine Vampire und all das Zeug, aber dies hier mußt du doch einsehen! Du machst es nur noch schlimmer für sie! Wir müssen den–«

Und dann kam eine Antwort, eine Stimme aus der Dunkelheit, die klang wie kleine Silberglocken, und mein Herz wurde so kalt wie Eis in einer Dachrinne.

»Jerry ... Jerry, bist du das?«

Lumley rannte in die Richtung los. Und dann kam SIE, schwebte aus den dunklen Schatten einer kleinen Gruppe von Bäumen wie ein Geist. Sie war tatsächlich eine Frau aus der Stadt, und in diesem Augenblick schien sie die allerschönste Frau zu sein, die ich jemals gesehen hatte. Ich hatte das Gefühl, zu ihr gehen zu müssen, um ihr zu sagen, wie froh ich war, daß sie nach alledem jetzt in Sicherheit war. Sie trug so eine Art dicken, grünen Pullover, einen Poncho, glaube ich, nennt man so etwas. Er umwehte sie, und ihr dunkles Haar strömte im zausenden Wind wie Wasser in einem Dezemberfluß, kurz bevor der Winterfrost es anhält und einschließt.

Vielleicht ging ich einen Schritt auf sie zu, denn ich spürte Tookeys Hand auf meiner Schulter, rauh und warm. Und doch – wie soll ich mich ausdrücken –, ich *sehnte* mich nach ihr, so dunkel und wunderschön mit dem grünen Poncho, der um ihre Schultern und ihren Hals floß, so exotisch und fremdartig, wie man sich eine Frau aus einem Gedicht von Walter de la Mare vorstellt.

»Janey!« schrie Lumley. »JANEY!«

Er kämpfte sich durch den Schnee auf sie zu, die Arme weit ausgebreitet.

»Nein!« rief Tookey. »Nein, Lumley!«

Er sah nicht einmal auf... aber sie tat es. Sie sah zu uns herauf und grinste. Und als sie es tat, fühlte ich mein Verlangen, mein Sehnen zu einem Schrecken werden, kalt wie ein Grab, so bleich und schweigend wie Knochen in einem Sarg. Selbst von der Anhöhe aus konnten wir das düstere rote Glimmen in diesen Augen sehen. Sie waren weniger menschlich als die Augen eines Wolfes. Und als sie grinste, konnte man erkennen, zu was ihre Zähne geworden waren. Sie war kein Mensch mehr. Sie war ein totes Ding, das irgendwie ins Leben zurückgekehrt war, inmitten eines schwarzen, heulenden Sturms.

Tookey machte das Zeichen des Kreuzes zu ihr hin. Sie wich zurück... und grinste uns dann wieder an. Wir waren zu weit entfernt oder vielleicht auch zu ängstlich.

»Halt es auf!« flüsterte ich. »Können wir es nicht irgendwie aufhalten?«

»Zu spät, Booth«, sagte Tookey grimmig.

Lumley hatte sie erreicht. Er sah selbst aus wie ein Geist, über und über von Schnee bedeckt, wie er war. Er streckte die Hände zu ihr aus... und begann zu schreien. Ich werde diesen Laut in meinen Träumen hören, diesen Mann, der schrie wie ein Kind in einem Alptraum. Er versuchte, von ihr loszukommen, aber ihre Arme, lang und nackt und weiß wie der Schnee, griffen ihn und zogen ihn heran. Ich sah, wie sie den Kopf hob und dann nach vorne warf –

»Booth!« sagte Tookey heiser. »Wir müssen weg von hier!«

Und so rannten wir. Rannten wie die Ratten, würden manche wohl sagen, aber die waren nicht da draußen in dieser Nacht. Wir flohen den Weg zurück, den wir gekommen waren, fielen hin, standen wieder auf, rutschten und schlitterten. Immer wieder blickte ich über die Schulter, um zu sehen, ob diese Frau uns folgte, mit ihrem Grinsen und den entsetzlichen Blicken aus diesen roten Augen.

Wir erreichten den Scout, und Tookey krümmte sich mit vor den Bauch gehaltenen Händen zusammen. »Tookey!« sagte ich, zu Tode erschrocken. »Was –«

»Die Pumpe«, keuchte er. »Seit fünf Jahren oder mehr schon schlecht dran. Bring mich irgendwie auf den Beifahrersitz, Booth, und dann nichts wie weg hier.«

Ich hakte einen Arm unter seinen Mantel und zog ihn hoch und hievte ihn irgendwie hinein. Er lehnte seinen Kopf zurück und schloß die Augen. Seine Haut war wächsern und gelb.

Ich trabte um den Kühler des Wagens herum und war verdammt nahe daran, in das kleine Mädchen hineinzulaufen. Sie stand einfach da, neben der Fahrertür, das Haar in Pferdeschwänzen, ohne irgend etwas am Leib als ein winziges gelbes Kleid.

»Mister«, sagte sie mit einer hohen, klaren Stimme, so süß wie die Morgendämmerung, »kannst du mir helfen, meine Mutter wiederzufinden? Sie ist fort, und mir ist so kalt –«

»Kleines«, sagte ich, »Kleines, du gehst jetzt besser in den Wagen. Deine Mutter –«

Ich brach ab, und wenn es je in meinem Leben einen Moment gegeben hatte, wo ich beinahe in Ohnmacht gefallen wäre, dann war es dieser. Sie stand da, einfach so, aber sie stand *oben auf dem Schnee*, und es waren keine Spuren zu sehen, in keiner Richtung. Sie sah dann zu mir herauf, Lumleys Tochter Francie. Sie war nicht älter als sieben Jahre, und sie würde eine Ewigkeit an Nächten sieben bleiben. Ihr kleines Gesicht hatte ein geisterhaftes Leichenweiß, ihre Augen ein Rot und Silber, durch das man hindurchfallen konnte. Und an ihrem Hals konnte ich zwei kleine Punkte wie Einstiche sehen, die an den Rändern auf schreckliche Art zerfetzt waren.

Sie streckte ihre Arme nach mir aus und lächelte. »Nimm mich hoch, Mister«, sagte sie sanft. »Ich will dir einen Kuß geben. Danach kannst du mich zu meiner Mammi bringen.«

Ich wollte nicht, aber ich konnte nichts dagegen machen. Ich lehnte mich nach vorn, die Arme ausgestreckt. Ich konnte sehen, wie sich ihr Mund öffnete, ich sah die kleinen Fänge in dem rosa Ring, den ihre Lippen formten. Etwas tropfte von ihrem Kinn, klar und silbern, und mit dumpfem, fernem Grauen erkannte ich, daß sie geiferte.

Ihre kleinen Hände verschränkten sich in meinem Nacken, und ich dachte: Nun, vielleicht ist es gar nicht so schlimm, nicht so furchtbar, vielleicht verliert es nach einer Weile seinen Schrecken – als etwas Schwarzes aus dem Scout geflogen kam und sie an der Schulter traf. Es gab einen Knall, seltsam riechender Rauch stieg auf, eine Flamme, die in einem Augenblick wieder verschwand, und dann wich sie zischend zurück. Ihr Gesicht hatte sich zu einer viehischen Maske aus Wut, Haß und Schmerz verzogen. Sie drehte sich zur Seite und dann... war sie fort. Im einen Moment war sie noch da, und im nächsten war da ein wirbelnder Ballen Schnee, der ein wenig wie eine menschliche Gestalt aussah. Dann zerstreute der Wind es über die Felder.

»Booth!« flüsterte Tookey. »Beeil dich jetzt!«

Ich beeilte mich. Aber nicht so sehr, daß ich mir nicht die Zeit nahm, um aufzuheben, was er nach dem kleinen Mädchen aus der Hölle geworfen hatte. Die Bibel seiner Mutter.

Das ist jetzt eine Weile her. Ich bin jetzt ein ganzes Stück älter, und damals war ich nicht gerade ein grüner Junge. Herb Tooklander starb vor zwei Jahren. Er ging in Frieden, nachts. Die Bar gibt es immer noch, ein Mann aus Waterville und seine Frau haben sie gekauft, und sie haben beinahe alles so gelassen, wie es war. Aber ich gehe nicht oft dort vorbei. Irgendwie ist es anders, seit Tookey weg ist.

In Jerusalem's Lot gehen die Dinge weiter wie immer. Der Sheriff fand den Wagen dieses Burschen Lumley am nächsten Tag, mit leerem Tank und leerer Batterie. Weder Tookey noch ich sagten irgend etwas über die Sache. Was wäre dabei schon herausgekommen? Und hin und wieder verschwindet ein Tramper oder jemand beim Zelten in der Gegend, auf dem Hügel an der Schule oder in der Nähe des Harmony Hill-Friedhofs. Man findet den Rucksack des Burschen oder ein Taschenbuch, ausgebleicht und aufgequollen vom Regen oder Schnee, und solche Sachen. Aber niemals die Leute.

Ich habe immer noch Alpträume von dieser Nacht, in der wir hinausfuhren. Nicht so sehr wegen der Frau, nein, wegen dem Mädchen und der Art, wie sie lächelte, als sie die Arme hob, damit ich sie hochnahm. Damit sie mir einen Kuß geben konnte. Aber ich bin ein alter Mann, und bald kommt die Zeit, in der ich keine Träume mehr träume.

Sie werden vielleicht selbst eines Tages durch das südliche Maine reisen. Schöne Landschaft. Vielleicht halten Sie sogar an ›Tookey's Bar‹, um was zu trinken. Ein hübsches Plätzchen. Sie haben den Namen behalten. Also nehmen Sie Ihren Drink, und dann möchte ich Ihnen empfehlen, direkt nach Norden weiterzufahren. Was Sie auch vorhaben, meiden Sie die Straße, die nach Jerusalem's Lot führt.

Besonders nach Einbruch der Nacht.

Irgendwo dort draußen ist ein kleines Mädchen. Und ich glaube, sie wartet immer noch auf ihren Gutenachtkuß.

Die Frau im Zimmer

Die Frage ist: Bringt er es fertig?

Er weiß es nicht. Er weiß, daß sie sie manchmal kaut. Dabei verzieht sie das Gesicht wegen des scheußlichen Geschmacks, und es knirscht wie Schritte im Schnee, wenn ihre Zähne die Pillen zermahlen. Aber diese sind anders. Gelatinekapseln. Auf der Packung steht DARVON COMPLEX. Er steht vor ihrer Hausapotheke und dreht die Schachtel in den Händen. Der Arzt wird sie ihr gegeben haben, bevor sie wieder ins Krankenhaus mußte. Etwas für die langen Nächte. In diesem Schränkchen stehen noch viele andere Arzneimittel – sorgsam aufgereiht wie die geheimnisvollen Mixturen eines Voodoo-Doktors. Die Teufelaustreiber der modernen Welt. ZÄPFCHEN. Er hat so etwas nie benutzt, und der Gedanke, sich so ein Ding in den Darm zu schieben, und zu warten, bis die Körperwärme es auflöst, ist ihm widerlich. Es ist unter aller Würde, sich was in den Arsch zu stecken. PHILLIPS MAGNESIAMILCH. ANACIN ARTHRITIS SCHMERZ-FORMEL. PEPTO-BISMOL usw. Am Inhalt ihrer Hausapotheke kann er den Verlauf ihrer Krankheit ablesen.

Aber diese Pillen sind anders. Sie sind wie gewöhnliche Darvon-Tabletten, allerdings in Form von grauen Gelatinekapseln – und größer. Sein Vater nannte so was Roßkur-Pillen, als er noch lebte. Auf der Packung steht Asp. 350 gr, Darvon 100 gr. Und wenn er sie ihr gab? Konnte man diese Dinger überhaupt kauen? Die Geräusche im Haus sind noch wie früher. Die Heizung und der Kühlschrank schalten sich automatisch ein und aus, der Kuckuck springt schnarrend aus der Uhr und verkündet die volle oder halbe Stunde. Wenn sie gestorben ist, wird er zusammen mit seinem Bruder Kevin den Haushalt auflösen müssen. Sie ist nicht mehr da. Man spürt es. Sie ist im

Central Maine Hospital in Lewiston. Zimmer 312. Dorthin hat man sie gebracht, als die Schmerzen so stark wurden, daß sie nicht mehr in die Küche gehen konnte, um sich ihren Kaffee aufzubrühen. Wenn er sie besuchte, weinte sie manchmal, ohne es zu wissen.

Der Fahrstuhl quietscht auf dem Weg nach oben, aber auf dem blauen Zertifikat der Herstellerfirma steht, daß der Fahrstuhl sicher ist. Ob er nun quietscht oder nicht. Seit drei Wochen ist sie hier, und heute hat man sie operiert. »Cortotomie«. Er weiß nicht, ob das Wort so geschrieben wird, aber es klingt jedenfalls so. Der Arzt hat ihr erklärt, was »Cortotomie« bedeutet: Man führt eine Nadel von unterhalb des Ohres bis ins Gehirn. Es sei, sagt er, als ob man mit einer Nadel in eine Apfelsine sticht, um einen Kern aufzuspießen. Wenn die Nadel das Schmerzzentrum erreicht hat, schickt man einen Röntgenstrahl bis hinauf in die Spitze. Dann ist das Schmerzzentrum erledigt. So tot wie ein Fernseher, bei dem man den Stecker rausgezogen hat. Und der Erfolg wird sein, daß der Krebs in ihrem Bauch keine Chance mehr hat, sie zu quälen.

Der Gedanke an diese Operation ist ihm noch unangenehmer als der an Zäpfchen, die in der Wärme des Mastdarms schmelzen. Sie erinnert ihn an ein Buch von Michael Crichton mit dem Titel »Der Computer-Mann«, das davon handelt, wie Drähte in die Köpfe von Menschen gesteckt werden. Eine verdammt ekelhafte Sache, wenn man sich vorstellt, daß so was wirklich passieren könnte.

Auf der dritten Etage geht die Tür des Fahrstuhls auf, und er steigt aus. Dies ist der alte Flügel des Krankenhauses. Der Geruch hier erinnert ihn immer wieder an Jahrmärkte in der Provinz, wo man Haufen von Erbrochenem mit einer Art süßlich riechendem Sägemehl abdeckt. Die Pillen liegen unten im Auto. Im Handschuhfach. Getrunken hat er heute nichts.

Hier oben sind die Wände in zwei Farben gestrichen: unten braun, oben weiß. Er kann sich keine deprimierendere Farbkombination vorstellen, außer vielleicht rosa und schwarz.

Vor dem Fahrstuhl treffen zwei Flure in T-Form aufeinander. Dort steht ein Trinkbrunnen, an dem er sich immer ein bißchen aufhält, um den Besuch noch etwas hinauszuschieben. Hier und da stehen Krankenhausgeräte wie Spielzeug auf einem Kinderspielplatz. Eine Bahre auf Gummirädern mit verchromten Seitenteilen. Mit einem solchen Ding fahren sie dich zum OP, wenn sie dir deine »Cortotomie« machen. Dann ist da noch dieser große runde Apparat, dessen Verwendungszweck ihm unklar ist. Er sieht aus wie ein Laufrad in einem Eichhörnchenkäfig. Daneben ein Gestell auf Rädern, an dem oben zwei Flaschen hängen, wie ein Titten-Traum von Salvador Dalí. Am Ende des einen Korridors ist die Schwesternstation, aus der Kaffeeduft und Gelächter zu ihm dringt.

Er nimmt seinen Schluck Wasser aus dem Brunnen und geht langsam auf das Zimmer zu. Er fürchtet sich vor dem, was ihn erwartet, und er hofft, daß sie schläft. Dann wird er sie nicht wecken.

Über jeder Tür ist eine kleine rote Lampe, die aufleuchtet, wenn ein Kranker nach der Schwester klingelt. Patienten gehen langsam den Flur auf und ab. Sie tragen über der Krankenhausunterwäsche den billigen Anstaltskittel. Er ist blauweiß gestreift und hat einen runden Kragen. Die Unterhose wird »Johnny« genannt.

Es ist eine Art knielanger Schlüpfer, und besonders die Männer sehen ausgesprochen komisch darin aus. An den Füßen tragen die meisten Männer braune Slipper aus Lederimitation, die Frauen gestrickte Pantöffelchen mit runden Wollpompons darauf. Seine Mutter hat auch ein Paar davon. Sie nennt sie ihre »Mulis«.

Die Patienten erinnern ihn an den Horrorfilm *Die Nacht der lebenden Toten*.

Sie bewegen sich so langsam und vorsichtig, daß man glaubt, jemand hätte die Verschlüsse ihrer inneren Organe abgeschraubt, und die Flüssigkeit würde in ihnen umherschwappen. Einige stützen sich auf Stöcke. Diese bedächtige Promenade in den Gängen kommt ihm ziemlich unheimlich vor, aber sie ist nicht ohne Würde. Es ist der Gang von Menschen, die langsam ins Nichts gehen. So schreiten Universitätsstudenten gemessen zur Promotionsfeier.

Aus Transistorradios strömt ektoplasmische Musik. Leute reden. Er hört Black Oak Arkansas »Jim Dandy« singen. (»Go Jim Dandy, go Jim Dandy!« kreischt eine fröhliche Falsettstimme über den langsamen Spaziergängern.) Er hört einen Talk-Master in säuerlichem Ton über Nixon reden. Er hört eine Polka mit französischem Text – in Lewiston wird immer noch französisch gesprochen, und die Leute lieben ihre französischen Tänze und Lieder fast so sehr, wie sie es lieben, sich in den Bars in der unteren Lisbon Street zu schneiden.

Vor dem Zimmer seiner Mutter bleibt er stehen und

eine Zeitlang war er so haltlos gewesen, daß er sich betrank, bevor er herkam, und obwohl sie so mit Betäubungsmitteln vollgepumpt war, daß sie es gar nicht merken konnte, hatte er sich deswegen geschämt. Sie spritzten ihr Elavil. Das ist ein Beruhigungsmittel speziell für Krebskranke, damit sie vergessen, daß sie im Sterben liegen.

Er hatte nachmittags immer zwei Sechserpackungen Black Label Bier bei Sonnys gekauft und dann mit den Kindern ferngesehen. Drei Dosen bei *Sesamstraße*, zwei Dosen für *Mr. Rogers*, eine mit *Electric Company*. Dann eine zum Essen.

Die restlichen fünf Dosen packte er ins Auto. Von Raymond nach Lewiston sind es zweiundzwanzig Meilen, und wenn er am Krankenhaus ankam, war er ganz schön besoffen und hatte noch eine oder zwei Dosen übrig. Die Sachen, die er seiner Mutter bringen wollte, ließ er im Auto. So mußte er zurückkommen und konnte bei der Gelegenheit noch eine halbe Dose nachtanken, um den Pegel zu halten. Es gab ihm auch die Chance, draußen zu urinieren. Er parkte deshalb immer ganz am Rand des Parkplatzes auf zerfurchtem, gefrorenem Novemberdreck, und die kalte Nachtluft garantierte die totale Entleerung seiner Blase. In einer der Krankenhaustoiletten zu pinkeln war dagegen eine mit negativen Eindrücken gespickte Erfahrung: der Klingelknopf neben der Brille, an jeder Seite ein chromglänzender, im Winkel von 45 Grad angebrachter Haltegriff, über dem Waschbecken die Flasche mit dem rosa Desinfektionsmittel – alles Sachen, denen man besser aus dem Wege geht, das können Sie mir glauben.

Auf der Fahrt nach Hause verspürte er dann nicht mehr die geringste Lust, noch etwas zu trinken, und die übriggebliebenen Dosen wanderten in den Kühlschrank, bis es sechs waren und

wenn er gewußt hätte, daß es so schlimm war, hätte er sie heute nicht besucht. Sein erster Gedanke war: *Sie ist keine Apfelsine* und der zweite: *Sie stirbt immer schneller*, als müßte sie noch einen Zug erreichen, draußen im Nichts. Ihr Körper wirkt angespannt, obwohl sie regungslos daliegt. Nur die Augen bewegen sich. Die Spannung ist in ihr. In ihr bewegt sich etwas. Ihr Hals sieht aus wie mit Mennige beschmiert, und unter ihrem linken Ohr sitzt ein Verband. Dort hat ein geschäftiger Arzt die Radiumnadel eingeführt, um ihr Schmerzzentrum zu zerstören. Leider gingen dabei auch sechzig Prozent ihres motorischen Nervensystems zum Teufel. Ihre Augen folgen ihm wie die eines Jesusbildes aus einem Kindermalbuch.

— Es tut mir leid, Johnny. Heute abend geht es mir nicht besonders. Vielleicht ist es morgen besser.

— Hast du Schmerzen?

— Es juckt. Es juckt mich am ganzen Körper. Liegen meine Beine zusammen?

Sie liegen nicht zusammen. Sie sind ein auf den Kopf gestelltes V unter der Bettdecke. In diesem Zimmer ist es viel zu heiß. Das zweite Bett ist nicht belegt. Patienten kommen und gehen, denkt er, nur meine Mutter hat keine Chance. Mein Gott!

— Sie liegen zusammen, Mom.

— Drück sie runter, Johnny, bitte. Und dann geh lieber. Ich habe mich noch nie so hilflos gefühlt wie heute. Ich kann kein Glied rühren. Meine Nase juckt. Ist das nicht ein jämmerlicher Zustand: Du liegst da, und deine Nase juckt, und du kannst dich nicht kratzen?

Er reibt ihre Nase mit zwei Fingern, und dann faßt er ihre Unterschenkel und zieht, bis sie gestreckt nebeneinander liegen. Obwohl er keine besonders großen Hände hat, braucht er

434

nur eine Hand, um ihre beiden Beine mitsamt der Bettdecke zu umfassen. Sie stöhnt. Tränen rinnen über ihre Wangen zu den Ohren herunter.

— Mom?

— Kannst du meine Beine runterdrücken?

— Das hab' ich eben gemacht.

— Oh. Dann ist es gut. Ich glaube, ich weine. Ich möchte nicht, daß du mich weinen siehst. Ich wünschte, es wäre vorbei. Ich würde alles tun, damit es vorbeigeht.

— Möchtest du eine Zigarette?

— Gib mir erst ein bißchen Wasser. Ich bin ganz ausgedörrt.

— Gern.

Er nimmt das Glas mit dem flexiblen Strohhalm und geht aus dem Zimmer. Ein fetter Mann mit einer elastischen Binde am Bein segelt langsam den Korridor entlang. Er trägt nicht den gestreiften Anstaltskittel und hält seinen »Johnny« hinten zusammen.

Er füllt das Glas an dem Trinkbrunnen und kehrt zurück nach Zimmer 312. Sie weint nicht mehr. Die Art, wie ihre Lippen nach dem Strohhalm greifen, erinnert ihn an Kamele, die er in einem Film gesehen hat. Ihr Gesicht ist abgezehrt. Seine lebhafteste Erinnerung an seine Mutter stammt aus der Zeit, als er zwölf war. Damals waren er und sein Bruder Kevin und diese Frau nach Maine gezogen, damit die Frau ihre Eltern pflegen konnte. Ihre Mutter war alt und bettlägerig. Hoher Blutdruck hatte seine Großmutter senil gemacht und sie, um das Maß voll zu machen, auch noch erblinden lassen. Herzlichen Glückwunsch zum sechsundachtzigsten Geburtstag! Und sie lag den ganzen Tag im Bett, senil und blind, eingepackt in dicke Windeln und unförmige Gummischlüpfer. Was sie zum Frühstück gegessen hatte, wußte sie nicht mehr, aber alle Präsidenten der Vereinigten Staaten von Amerika konnte sie wie am Schnürchen aufzählen. Und so lebten die drei Generationen gemeinsam in dem Haus, in dem er heute diese Pillen gefunden hatte – natürlich waren seine Großeltern jetzt lange tot – und als er zwölf war, hatte er am Frühstückstisch eine dreiste Bemerkung gemacht. Er wußte nicht mehr worüber.

Und seine Mutter war dabei, die bepinkelten Windeln ihrer Mutter zu waschen und sie dann durch den Wringer ihrer altertümlichen Waschmaschine zu drehen – und mit einer dieser feuchten, schweren Windeln ging sie auf ihn los. Der erste Schlag fegte seine Schüssel mit Cornflakes vom Tisch, und der zweite ging quer über seinen Rücken. Es hatte nicht weh getan, aber was er noch Witziges hatte sagen wollen, blieb ihm im Halse stecken, und die Frau, die jetzt zusammengeschrumpft in diesem Zimmer in diesem Bett lag, hatte ihm immer wieder die nasse Windel über den Rücken geschlagen und dazu gekeift: Wirst du endlich deinen großen *Mund* halten? Das einzige, was groß an dir ist, ist dein *Mund*, und du wirst ihn *halten*, bis du selbst *groß* geworden bist, und jedes kursiv gesetzte Wort war begleitet von einem Schlag mit der nassen Windel seiner Großmutter. Pfui Teufel! Alle witzigen Sprüche, die er noch gerne von sich gegeben hätte, lösten sich in Nichts auf. Es lohnte sich einfach nicht, gescheite Bemerkungen zu machen. An diesem Tag hatte er für den Rest seines Lebens begriffen, daß nichts so geeignet war, einen Zwölfjährigen auf seine wahre Größe zu reduzieren, als ihm die nassen Windeln seiner Großmutter um die Ohren zu schlagen. Von dem Tage an war ihm der Spaß an frechen Sprüchen für mindestens vier Jahre vergangen.

Sie verschluckt sich ein bißchen an dem Wasser, und das beunruhigt ihn, obwohl er eben noch daran gedacht hat, ihr Tabletten zu geben. Er fragt sie noch einmal, ob sie eine Zigarette möchte, und sie sagt:

— Wenn es dir nichts ausmacht. Aber dann solltest du lieber gehen. Vielleicht geht es mir morgen besser.

Er schüttelt eine Filterzigarette aus einer der Packungen, die auf dem Tischchen neben ihrem Bett liegen. Er zündet sie an und hält sie ihr an den Mund. Sie spitzt die Lippen und zieht. Sie inhaliert nur schwach. Der Rauch quillt ihr gleich wieder aus dem Mund.

— Mußte ich sechzig Jahre leben, damit mein Sohn mir die Zigarette hält?

— Es macht mir nichts aus.

Wieder zieht sie. Diesmal so lange, daß er den Blick von der Zigarette zu ihren Augen wendet. Sie sind geschlossen.

— Mom?

Sie öffnet die Augen einen Spalt.

— Johnny?

— Ja.

— Wie lange bist du schon hier?

— Noch nicht lange. Ich will jetzt lieber gehen, damit du schlafen kannst.

— Hmmm.

Er drückt die Zigarette in ihrem Aschenbecher aus und schleicht aus dem Zimmer. Er denkt: Ich muß den Arzt sprechen. Verdammt, ich muß den Arzt sprechen, der das getan hat.

Als er in den Fahrstuhl steigt, denkt er, daß das Wort ›Arzt‹ zu einem Synonym für ›Mensch‹ wird, sobald ein Arzt sein Gewerbe beherrscht. Als erwarte man, daß Ärzte grausam sein müssen, um so einen gewissen Grad von Menschlichkeit zu erreichen. Aber

»Ich glaube nicht, daß sie es noch lange macht«, sagt er noch am gleichen Abend zu seinem Bruder. Sein Bruder lebt in Andover, siebzig Meilen weiter westlich. Er geht nur ein- oder zweimal die Woche ins Krankenhaus.

»Ist es nicht mit ihren Schmerzen besser geworden?«

»Sie sagt, es juckt.«

Er hat die Tabletten in der Tasche seiner Wolljacke. Seine Frau schläft fest. Er nimmt sie heraus, gestohlen aus dem leeren Haus seiner Mutter, in dem sie einst alle zusammen mit den Großeltern lebten. Er dreht die Schachtel wie eine Kaninchenpfote in den Händen, während er spricht.

»Dann geht es ihr doch besser.« Für Kevin wird immer alles besser, als bewege sich das Leben auf einen erhabenen Gipfel zu. Es ist eine Ansicht, die der jüngere Bruder nicht teilt.

»Sie ist gelähmt.«

»Spielt das in dieser Situation eine Rolle?«

»*Natürlich* spielt es eine Rolle!« bricht es aus ihm hervor, und er denkt an ihre Beine unter der weißen Decke.

»John, sie liegt im Sterben.«

»Aber sie ist noch nicht tot.« Und gerade das bereitet ihm Entsetzen. Von hier aus bewegt sich die Unterhaltung im Kreise. Aber es bleibt der Kernpunkt. Sie ist noch nicht tot. Sie liegt nur in diesem Zimmer mit einer Marke am Handgelenk und lauscht auf die Phantomradios, die durch die Halle plärren. Und

sie wird um die Zeit kämpfen müssen, sagt der Arzt. Er ist ein großer Mann mit einem roten Bart. Er ist über ein Meter achtzig groß und hat enorm breite Schultern.

Der Doktor hat ihn taktvoll auf den Flur hinausgeführt, als sie einnickte.

Der Arzt fährt fort:

— Sehen Sie, **bei** einer Operation wie der »Cortotomie« ist eine Beeinträchtigung der Motorik nahezu unvermeidlich. Ihre Mutter kann jetzt schon ihre linke Hand ein wenig bewegen. Es besteht Aussicht, daß sich in drei oder vier Wochen auch ihre rechte Hand ein wenig erholt hat.

— Wird sie wieder gehen können?

Mit kluger Miene starrt der Arzt gegen die Decke. Sein Bartwuchs reicht bis an den Kragen seines Wollhemds, und aus irgendeinem lächerlichen Grund denkt Johnny an Algernon Swinburne; warum, könnte er nicht sagen. Dieser Mann ist in jeder Hinsicht das genaue Gegenteil von dem armen Swinburne.

— Ich würde sagen, nein. Sie hat zuviel an Boden verloren.

— Sie wird also für den Rest ihres Lebens bettlägerig bleiben?

— Das dürfen wir wohl annehmen.

Er beginnt, Bewunderung für den Mann zu empfinden, den er hassen zu können glaubte. Ekel packt ihn. Ist die simple Wahrheit bewundernswert?

— Wie lange kann sie so leben?

— Das ist schwer zu sagen. (Das ist schon besser.) Der

Tumor blockiert jetzt eine ihrer Nieren. Die andere arbeitet gut. Wenn der Tumor sie ebenfalls blockiert, wird sie sterben.

— Ein urämisches Koma?

— Ja, sagt der Arzt ein wenig vorsichtiger. »Urämie« ist ein techno-pathologischer Begriff, dessen Verwendung normalerweise Medizinern vorbehalten ist, aber Johnny kennt ihn, denn seine Großmutter ist daran gestorben, obwohl sie keinen Krebs hatte. Ihre Nieren hörten ganz einfach auf zu arbeiten, und als sie starb, war sie innen bis an den Brustkorb voll Pisse. Sie starb um die Essenszeit zu Hause im Bett. Johnny vermutete als erster, daß sie diesmal wirklich tot war und nicht nur schlief, komatös und mit offenem Mund, wie es alten Leuten eigen ist. Zwei kleine Tränen waren aus ihren Augen gerollt. Ihr alter zahnloser Mund war verzerrt und erinnerte ihn an eine ausgehöhlte Tomate, in die man vielleicht Eiersalat gefüllt hat, um sie dann für einige Tage auf dem Küchenregal zu vergessen. Er hielt ihr eine Minute lang einen kleinen Taschenspiegel vor den Mund, und als das Glas nicht beschlug, rief er seine Mutter. All das war ihm so richtig erschienen wie diese Sache ihm falsch vorkam.

— Sie sagt, sie hat noch Schmerzen. Und daß es juckt.

Der Arzt tippt sich feierlich an den Kopf. Wie Victor DeGroot in den alten Psychiater-Comics.

— Sie bildet sich die Schmerzen ein. Aber sie sind dennoch wirklich. Für sie jedenfalls. Deshalb ist auch die Zeit so wichtig. Ihre Mutter kann die Zeit nicht mehr nach Sekunden, Minuten und Stunden ausrechnen. Sie muß diese Einheiten zu Tagen, Wochen und Monaten umkonstruieren.

Er erkennt, was dieser große Mann mit dem Bart sagt, und er erschrickt. Leise erklingt eine Glocke. Er kann nicht mehr mit diesem Mann reden. Der Mann ist Naturwissenschaftler. Er redet so glatt von der Zeit, als hätte er sie so im Griff, wie man eine Angelrute hält. Und vielleicht ist das wirklich der Fall.

— Können Sie nicht mehr für sie tun?

— Sehr wenig.

Aber er wirkt heiter, als ob dies alles richtig wäre. Immerhin macht er einem keine »falsche Hoffnung«.

— Kann es Schlimmeres geben als ein Koma?

— Natürlich *kann* es das. Diese Dinge lassen sich nicht so genau ausrechnen. Es ist, als würde im Körper ein Hai losgelassen. Sie könnte aufschwellen.

— Aufschwellen?

— Ihr Unterleib könnte anschwellen und dann wieder abschwellen und dann noch einmal anschwellen. Aber warum sprechen wir über diese Dinge? Eins kann man mit ziemlicher Gewißheit sagen

daß sie die Sache machen würden, aber wenn sie es nicht tun? Oder wenn man mich erwischt? Ich will doch nicht wegen Euthanasie angeklagt werden. Selbst wenn ich abhauen könnte. Er denkt an die schreienden Schlagzeilen der Zeitungen: MUTTERMORD. Und er verzieht das Gesicht. Er sitzt auf dem Parkplatz in seinem Wagen und dreht die Schachtel immer wieder in den Händen DARVON COMPLEX. Die Frage ist immer noch: *Bringt er es fertig? Sollte er es tun? Sie hat gesagt: Ich wünschte, es wäre vorbei. Ich würde alles tun, damit es vorbeigeht.* Kevin hat davon gesprochen, daß er ihr ein Zimmer in seinem Haus einrichten will, damit sie nicht im Krankenhaus sterben muß. Das Krankenhaus will sie loswerden. Sie haben ihr neue Tabletten gegeben, und sie wurde fast verrückt. Das war vier Tage nach der »Cortotomie«. Sie möchten sie gern woanders hinschaffen, denn bisher hat noch niemand eine narrensichere Cancerektomie entwickelt. Und wenn sie in dieser Situation alles aus ihr rausholen wollten, hätte sie nur noch Beine und Kopf. Er hat daran gedacht, daß sie die Zeit nicht mehr unter Kontrolle hat, wie den Inhalt eines Nähkastens, der auf dem Boden verstreut wurde und mit dem jetzt der große böse Kater spielt. Die Tage in Zimmer 312. Die Nächte in Zimmer 312. Sie haben ein Stück Tau an die Rufklingel gebunden und ihr am linken Zeigefinger befestigt, weil sie ihre Hand nicht mehr so weit bewegen kann, daß sie die Klingel erreicht, wenn sie denkt, daß sie eine Bettpfanne braucht.

Es spielt ohnehin keine große Rolle mehr, denn sie spürt den Druck unten nicht. Ihre Körpermitte könnte ebensogut ein Sack voll Sägespäne sein. Sie entleert ihren Darm ins Bett, und sie pinkelt ins Bett und merkt es nur, wenn sie es riecht. Sie ist von hundertfünfundvierzig auf neunzig Pfund abgemagert, und ihre Körpermuskeln sind so schwach, daß ihr Körper wie eine Kinderpuppe aus Stoff an ihrem Kopf hängt. Wäre es anders, wenn sie in Kevins Haus wäre? Kann er einen Mord begehen? Er weiß, daß es Mord wäre. Muttermord, die schlimmste Art von Mord. Als ob er ein intelligenter Fötus aus einer frühen Horrorgeschichte von Ray Bradbury sei, der entschlossen ist, den Spieß umzudrehen und das Tier, das ihm das Leben gab, abzutreiben. Vielleicht ist alles sowieso seine Schuld. Er ist das einzige Kind, das sie in ihrem Leib ausgetragen hat. Sein Bruder Kevin wurde adoptiert, als ein weiterer lächelnder Arzt ihr sagte, daß sie nie eigene Kinder haben werde. Und nun wuchs der Krebs in ihrem Leib wie ein zweites Kind, sein eigener finsterer Zwilling. Sein Leben und ihr Tod nahmen von der gleichen Stelle ihren Ausgang. Sollte er nicht lieber tun, was der andere so langsam und ungeschickt tut?

Gegen die Schmerzen, die sie sich einbildet, hat er ihr heimlich Aspirin gegeben. Zusammen mit ihren Genesungskarten und ihrer Lesebrille bewahrt sie sie in der Nachtschrankschublade auf. Sie haben ihr die Zahnprothesen weggenommen, denn sie fürchten, daß sie sie verschlucken könnte und vielleicht an ihnen erstickt. Jetzt lutscht sie die Aspirintabletten einfach, bis ihre Zunge weiß ist.

Gewiß, ich könnte ihr die Tabletten geben; drei oder vier würden genügen. Vierzehnhundert Gran Aspirin und vierhundert Gran Darvon. Einer Frau verabreicht, die in fünf Monaten 33 % ihres Körpergewichts verloren hat.

Niemand weiß, daß er die Tabletten hat, Kevin nicht und auch nicht seine Frau. Er denkt, daß man vielleicht jemand anders in das zweite Bett in Zimmer 312 verlegt hat. Dann brauchte er sich keine Sorgen mehr zu machen. Dann kann er seinen Plan ruhig aufgeben. Er fragt sich, ob das nicht vielleicht das beste wäre. Wenn eine zweite Frau im Zimmer liegt, hat er keine Wahl mehr, und er kann das als einen Wink der Vorsehung betrachten. Er denkt

— Du siehst heute abend besser aus.

— Findest du?

— Ja. Wie fühlst du dich?

— Oh, nicht so gut. Heute abend nicht so gut.

— Beweg mal deine rechte Hand.

Sie hebt die Hand von der Steppdecke. Mit gespreizten Fingern schwebt sie einen Augenblick vor ihren Augen. Dann sinkt sie wieder herab. Er lächelt, und sie lächelt zurück. Er fragt sie:

— War der Arzt heute hier?

— Ja, er war heute hier. Er kommt jeden Tag. Bringst du mir etwas Wasser, John?

Er reicht ihr Wasser und den Strohhalm.

— Es ist lieb von dir, so oft zu kommen, John. Du bist ein guter Junge.

Sie weint wieder. Das andere Bett steht anklagend leer. Ab und zu segelt eine der blau und weiß gestreiften Bademäntel durch den Flur. Die Tür ist halb geöffnet. Er nimmt ihr behutsam das Wasser weg und denkt idiotisch: Ist dies Glas halb leer oder halb voll?

— Wie geht es deiner linken Hand?

— Oh, ganz gut.

— Zeig mal.

Sie hebt die linke Hand. Es war immer ihre geschicktere Hand. Vielleicht hat sie sich deshalb von den verheerenden Auswirkungen der »Cortotomie« so gut erholt. Sie ballt sie zur Faust. Spannt die Finger an. Schnippt ein wenig mit den Fingern. Dann fällt sie auf die Steppdecke zurück. Sie klagt.

— Aber ich habe kein Gefühl in der Hand.

— Ich will mal etwas nachsehen.

Er öffnet den Schrank und greift hinter den Mantel, den sie trug, als sie eingeliefert wurde, um ihre Handtasche zu holen. Sie bewahrt sie im Schrank auf, weil sie wahnsinnige Angst vor Dieben hat. Von einer Bettnachbarin, die inzwischen wieder zu Hause ist, hat sie gehört, daß unter dem Personal ehemalige Artisten sind, die alles klauen, was ihnen in die Hände fällt. Eine andere Patientin erzählte ihr, einer Frau im neuen Trakt seien fünfhundert Dollar gestohlen worden, die sie in ihrem Schuh aufbewahrt hatte. Seine Mutter ist übrigens seit einiger Zeit in vieler Hinsicht komisch. Einmal hat sie ihm erzählt, daß sich spät nachts manchmal ein Mann unter ihrem Bett versteckt. Ein Teil davon ist auf die Drogenkombinationen zurückzuführen, die man ihr verabreicht. Sie lassen die Tabletten, die er während seiner College-Zeit manchmal schluckte, wie Exzedrin aussehen. In dem verschlossenen Medikamentenschrank hinter der Schwesternstation gibt es eine reichliche Auswahl. Aufputschmittel und Beruhigungstabletten, Schlafmittel und Weckamine. Vielleicht gibt es sogar den Tod, den gnädigen Tod, angenehm wie eine schwarze Wolldecke.

Er bringt ihr die Handtasche ans Bett und öffnet sie.

— Kannst du etwas herausnehmen?

— Oh Johnny, ich weiß nicht recht ...

Er überredet sie:

— Versuch es. Mir zuliebe.

Die linke Hand hebt sich von der Steppdecke wie ein beschädigter Hubschrauber. Sie kreuzt, taucht in die Handtasche hinab und kommt mit einem zerknüllten Kleenex-Tuch wieder heraus. Er applaudiert:

— Gut! Sehr gut!

Aber sie wendet das Gesicht ab.

— Im vergangenen Jahr konnte ich mit diesen Händen noch zwei volle Geschirrwagen ziehen.

Wenn es überhaupt sein soll, dann jetzt. Es ist sehr heiß im Zimmer, aber auf seiner Stirn liegt kalter Schweiß. Er denkt: Wenn sie mich nicht um Aspirin bittet, werde ich es nicht tun. Nicht heute abend. Dabei weiß er: Wenn es nicht heute abend geschieht, wird es nie geschehen. Okay.

Sie schaut verstohlen zur halb geöffneten Schranktür hinüber.

— Kannst du mir heimlich ein paar Tabletten holen, Johnny?

So fragt sie immer. Über ihre normale Medikation hinaus darf sie keine Tabletten nehmen. Sie hat zuviel Gewicht verloren, und ihr Immunsystem ist so geschwächt, daß eine Tablette zuviel eine tödliche Dosis bedeuten könnte. Eine Tablette mehr, und man ist tot. So soll es Marilyn Monroe ergangen sein.

— Ich habe ein paar Tabletten von zu Hause mitgebracht.

— So?

— Sie sind gut gegen Schmerzen.

Er reicht ihr die Schachtel. Sie kann Buchstaben nur ganz aus der Nähe erkennen. Sie runzelt die Stirn, als sie die große Schrift liest, und sagt dann:

— das Darvon-Zeug habe ich früher genommen. Es hat mir nicht geholfen.

— Dieses hier ist stärker.

Sie nimmt die Augen von der Schachtel hoch und sagt:

— Tatsächlich?

Er kann nur albern lächeln. Er bringt kein Wort heraus. Es ist, wie es bei seiner ersten Nummer war. Es passierte auf dem Rücksitz im Wagen seines Freundes. Zu Hause fragte ihn seine Mutter, ob er sich amüsiert habe. Und er konnte nur genauso albern lächeln wie heute.

— Kann ich sie kauen?

— Ich weiß nicht. Du könntest eine probieren.

— Gut. Sie dürfen es aber nicht sehen.

Er öffnet die Schachtel und löst den Plastikverschluß von der Flasche. Er zieht den Wattepfropfen aus dem Flaschenhals. Schaffte sie es mit ihrer funktionsunfähigen linken Hand? Würden sie es glauben? Er weiß es nicht. Vielleicht nicht. Vielleicht ist es ihnen sogar gleichgültig.

Er schüttet sich sechs Tabletten in die Hand. Es sind viel zu viele. Er sieht, wie sie ihn beobachtet. Wenn sie etwas sagt, wird er die Tabletten in die Flasche zurückschütten und ihr eine einzige Arthritis-Schmerzformel geben.

Eine Schwester schwebt draußen vorbei, und er verbirgt die grauen Kapseln in der Hand, aber die Schwester schaut nicht herein, um zu sehen, wie es der »Cortotomie-Frau« geht.

Seine Mutter sagt nichts. Sie betrachtet nur die Tabletten, als seien es ganz gewöhnliche Tabletten (wenn es so etwas überhaupt gibt). Aber sie war nie für lange Zeremonien. Sie würde an ihrem eigenen Boot keine Flasche Champagner zerschlagen.

— Es geht los,

sagt er mit völlig normaler Stimme und wirft ihr die erste in den Mund.

Sie lutscht nachdenklich daran, bis sich die Gelatine auflöst. Sie zuckt zusammen.

— Schmecken sie nicht? Ich werde...

— Es geht.

Er gibt ihr noch eine. Und noch eine. Sie kaut sie auf die gleiche nachdenkliche Art. Er gibt ihr eine vierte. Sie lächelt ihn an, und er sieht voll Entsetzen, daß ihre Zunge gelb ist. Wenn er ihr jetzt in den Magen schlägt, spuckt sie die Dinger vielleicht wieder aus. Aber das kann er nicht. Er könnte niemals seine Mutter schlagen.

— Würdest du nachsehen, ob meine Beine zusammenliegen?

— Nimm erst die Tabletten.

Er gibt ihr die fünfte. Und die sechste. Dann sieht er nach, ob ihre Beine zusammenliegen. Sie tun es. Sie sagt:

— Ich denke, ich werde jetzt ein wenig schlafen.

— Okay. Ich hole etwas zu trinken.

— Du warst immer ein guter Sohn, Johnny.

Er schiebt die Flasche in die Schachtel zurück und legt sie in ihre Handtasche. Die Plastikkappe läßt er auf dem Laken neben ihr liegen. Er läßt auch die offene Handtasche neben ihr liegen. *Sie bat um ihre Handtasche. Ich brachte sie ihr und öffnete sie bevor ich ging. Sie sagte, sie könne sich selbst herausnehmen, was sie brauche. Sie würde die Schwester bitten, die Handtasche wieder zurückzulegen.*

Er geht hinaus und trinkt etwas Wasser. Über dem Trinkbrunnen hängt ein Spiegel. Er steckt die Zunge aus und betrachtet sie.

Als er in das Zimmer zurückkommt, schläft sie mit zusammengepreßten Händen. Die Adern treten dick hervor. Er gibt ihr einen Kuß. Ihre Augen bewegen sich unter den Lidern, aber sie öffnet sie nicht.

Ja.

Er fühlt sich genau wie vorher, nicht besser, nicht schlechter.

Er verläßt das Zimmer und denkt plötzlich an etwas. Er tritt wieder an ihr Bett und nimmt die Flasche aus der Schachtel. Er wischt sie an seinem Hemd ab. Dann drückt er die schlaffen Fingerspitzen der Schlafenden an die Flasche. Dann legt er sie zurück und eilt, ohne sich umzuschauen, aus dem Zimmer.

Er geht nach Hause und wartet darauf, daß das Telefon klingelt. Er bedauert, daß er seiner Mutter nicht noch einen Kuß gegeben hat. Während er wartet, sieht er fern und trinkt sehr viel Wasser.

Quellennachweise

Briefe aus Jerusalem
Originaltitel: Jerusalem's Lot
Deutsche Übersetzung:
Barbara Heidkamp
Copyright © 1978 by Stephen
King

Spätschicht
Originaltitel: Graveyard Shift
Deutsche Übersetzung:
Harro Christensen
Copyright © 1970 by *Cavalier*

Nächtliche Brandung
Originaltitel: Night Surf
Deutsche Übersetzung:
Michael Kubiak
Copyright © 1974 by *Cavalier*

Ich bin das Tor
Originaltitel: I Am the Doorway
Deutsche Überarbeitung:
Harro Christensen
Copyright © 1971 by *Cavalier*

Der Wäschemangler
Originaltitel: The Mangler
Deutsche Übersetzung:
Karin Balfer
Copyright © 1972 by *Cavalier*

Das Schreckgespenst
Originaltitel: The Boogeyman
Deutsche Übersetzung:
Harro Christensen
Copyright © 1973 by *Cavalier*

Graue Masse
Originaltitel: Gray Matter
Deutsche Übersetzung:
Harro Christensen
Copyright © 1973 by *Cavalier*

Schlachtfeld
Originaltitel: Battle Ground
Deutsche Übersetzung:
Ulrike A. Pollay
Copyright © 1972 by *Cavalier*

Lastwagen
Originaltitel: Trucks
Deutsche Übersetzung:
Harro Christensen
Copyright © 1973 by *Cavalier*

Manchmal kommen sie wieder
Originaltitel:
Sometimes They Come Back
Deutsche Übersetzung:
Barbara Heidkamp
Copyright © 1974 by *Cavalier*

Erdbeerfrühling
Originaltitel:
Strawberry Spring
Deutsche Übersetzung:
Barbara Heidkamp
Copyright © 1975 by *Cavalier*

Der Mauervorsprung
Originaltitel: The Ledge
Deutsche Übersetzung:
Harro Christensen
Erschienen im Juli 1976
im Magazin *Penthouse.*
Copyright © 1976
by Stephen King